MÉTHODES

quantitatives

Applications à la recherche en sciences humaines

2e ÉDITION

SCIENCES HUMAINES

OUVRAGES PARUS DANS CETTE COLLECTION:

Économie globale – Regard actuel, 2e édition,
Renaud Bouret et Alain Dumas, 2001.

*La communication interpersonnelle – Sophie, Martin,
Paul et les autres...,* Joseph A. DeVito, Gilles Chassé et
Carole Vezeau, 2001.

*Démarche d'intégration des acquis en sciences humaines –
Théorie et pratique – Le projet – La résolution de
problèmes,* Line Cliche, Jean Lamarche, Irène Lizotte et
Ginette Tremblay, 2000.

*Histoire de la civilisation occidentale – Une perspective
mondiale,* Marc Simard et Christian Laville, 2000.

Introduction à la psychologie – Les grandes perspectives,
Carol Tavris et Carole Wade, et, pour la version française,
Alain Gagnon, Claude Goulet et Patrice Wiedman, 1999.

*Introduction à la psychologie sociale – Vivre, penser et agir
avec les autres,* Luc Bédard, Josée Déziel et Luc Lamarche,
1999.

*Méthodologie des sciences humaines – La recherche en
action,* Sylvain Giroux, 1998.

Méthodes quantitatives – Formation complémentaire,
Luc Amyotte, 1998.

Défis sociaux et transformation des sociétés,
Raymonde G. Savard, 1997.

Les âges de la vie – Psychologie du développement humain,
Helen Bee, adaptation française de François Gosselin, 1997.

Guide de communication interculturelle, 2e édition,
Christian Barrette, Édithe Gaudet et Denyse Lemay, 1996.

MÉTHODES
quantitatives

Applications à la recherche en sciences humaines

2e ÉDITION

LUC AMYOTTE
professeur de mathématiques
au cégep de Drummondville

ERPI
ÉDITIONS DU RENOUVEAU PÉDAGOGIQUE INC.

5757, RUE CYPIHOT, SAINT-LAURENT (QUÉBEC) H4S 1R3
TÉLÉPHONE: (514) 334-2690 • TÉLÉCOPIEUR: (514) 334-4720
COURRIEL: erpidlm@erpi.com

Luc Amyotte est professeur de mathématiques au cégep de Drummondville depuis 1977. En plus d'un brevet d'enseignement, il possède un baccalauréat en mathématiques, un baccalauréat en administration des affaires, un baccalauréat en sciences économiques, une maîtrise en mathématiques et une maîtrise en didactique des mathématiques. Il est l'auteur de *Méthodes quantitatives – Formation complémentaire,* pour lequel il a reçu, en 1999, une mention au concours des prix du ministre de l'Éducation et le prix Adrien Pouliot de l'Association mathématique du Québec. Il est également l'auteur de *Introduction à l'algèbre linéaire et à ses applications,* pour lequel il a reçu, en 1999, le prix du ministre de l'Éducation dans la catégorie notes de cours.

Supervision éditoriale : Sylvie Chapleau

Révision linguistique : Sylvie Chapleau

Correction d'épreuves : Marie Pedneault

Édition électronique : Infographie G.L.

Conception graphique et couverture : ■ ⸱ᗆ⊩

L'illustration de la page couverture est adaptée de la page 2 du livre *Le Petit Prince* d'Antoine de Saint-Exupéry. Copyright © 1943, 1971 by Harcourt Inc., Reproduit avec la permission de l'éditeur.

Dans cet ouvrage, le générique masculin est utilisé sans aucune discrimination et uniquement pour alléger le texte.

Dépôt légal : 1er trimestre 2002
Bibliothèque nationale du Québec
Bibliothèque nationale du Canada
Imprimé au Canada

ISBN 978-2-7613-1044-4   67890   II   098
                                  20095 ABCD TOS-10

*À Léo Amyotte, Marcelle Lévesque,
Gilberte Lévesque et Marjorie Perry,
qui m'ont enseigné les choses
importantes.*

Avant-propos

L'auteur de science-fiction H. G. Wells a écrit que la capacité de comprendre la statistique serait un jour aussi nécessaire que celle de lire et d'écrire[1]. Aujourd'hui, personne ne saurait mettre en doute la réalisation de cette prédiction, notamment en sciences humaines. L'objectif premier de ce manuel est donc d'initier les élèves aux principaux outils statistiques permettant de décrire quantitativement des réalités humaines afin de les mieux comprendre.

Considérations pédagogiques

La démarche pédagogique de la deuxième édition de ce manuel est sensiblement la même que celle adoptée dans la première édition. Parmi les considérations pédagogiques qui ont été reprises, soulignons

- l'emploi d'une approche intuitive;
- l'utilisation de la démarche scientifique comme lien entre les méthodes quantitatives et les sciences humaines;
- la présentation de chaque sujet par une mise en situation, suivie d'un bref exposé théorique, puis d'un exemple et d'un exercice à faire en classe;
- l'accent mis sur l'analyse et l'interprétation de données numériques;
- l'illustration des principaux concepts à l'aide d'exemples et d'exercices nombreux, variés et issus des différentes disciplines des sciences humaines;
- l'utilisation de données récentes tirées de recherches, d'articles de journaux et de sources gouvernementales;
- la présence d'exercices exigeant des élèves qu'ils écrivent de courts textes;
- la définition des mots clés en marge du texte et dans un glossaire à la fin du manuel;
- la présence d'un résumé et d'une liste de mots clés à la fin de chaque chapitre;
- la présence de quelques citations en anglais;
- l'utilisation d'une calculatrice permettant le traitement statistique à deux variables.
- le traitement de sujets constituant de l'enrichissement[2] (conception et élaboration d'un questionnaire, test d'hypothèse sur la différence

---

1. «Statistical thinking will one day be as necessary for efficient citizenship as the ability to read and write», cité par W. Weaver dans son article «Statistics» paru dans *Scientific American*, janvier 1952, article repris dans M. Kline, «Mathematics in the modern world», *Readings from Scientific American*, San Francisco, W. H. Freeman and Company, 1968.
2. Les sections et les exercices portant sur les sujets d'enrichissement sont marqués d'un astérisque, ce qui permet de les repérer ou de les omettre facilement.

entre deux moyennes et test d'hypothèse sur un coefficient de corrélation linéaire);

- la présence en encart d'un aide-mémoire constituant une synthèse des éléments importants de la matière.

Pour faire suite aux remarques formulées par les enseignants, la deuxième édition comporte des changements et des nouveautés:

- une présentation simplifiée de la démarche scientifique;
- une utilisation accrue de données réelles dans une plus grande variété de contextes;
- une utilisation d'Internet comme outil de recherche de données;
- une présentation en parallèle de la confection des tableaux et des graphiques;
- une présentation détaillée de la loi normale;
- des réponses à tous les exercices récapitulatifs de fin de chapitre.

De plus, afin d'illustrer encore mieux la pertinence des méthodes quantitatives en sciences humaines, de susciter l'intérêt des élèves pour l'apprentissage nécessaire de la statistique et de favoriser le développement de véritables compétences, le manuel comporte des exercices de synthèse à la fin de chaque chapitre. Véritables études de cas, les exercices de synthèse sont des exercices thématiques substantiels qui permettent à l'élève de vérifier non seulement s'il maîtrise bien les concepts exposés dans un chapitre, mais également ceux présentés dans les chapitres antérieurs. Parmi les thèmes proposés dans ces exercices, on trouve: *Les travailleurs fatigués*; *L'évolution des liens conjugaux au Québec et au Canada*; *La publicité dans les écoles*; *Les jeunes et l'éducation*; *La démence chez les personnes âgées*; *Un profil des fumeurs*; *L'indice de masse corporelle et la santé*; *Le revenu des familles*; *Un aperçu du mouvement syndical*.

Matériel complémentaire

Comme dans la première édition, les professeurs qui adoptent le manuel pourront obtenir un recueil des solutions de tous les exercices proposés dans le manuel et un ensemble de tirés à part destinés à être reproduits directement sur transparents.

De plus, les professeurs qui adoptent le manuel pourront recevoir un CD-ROM sur lequel on trouve une présentation *Power Point* du logiciel *Excel* préparée par Cécile Viel, enseignante en mathématiques au cégep de La Pocatière, les données de plusieurs exemples et exercices, ainsi qu'une version adaptée d'une banque de données – *Les pratiques culturelles des Québécoises et des Québécois (1999)*[3] – gracieusement fournie par le ministère de la Culture et des Communications.

---

3. © 2000, Gouvernement du Québec, ministère de la Culture et des Communications.

Remerciements

Un ouvrage de cette envergure est le fruit de la collaboration de nombreuses personnes. Je veux souligner tout particulièrement l'aide précieuse de collègues du département de mathématiques du cégep de Drummondville, notamment Chantal Baril, Hélène Bouchard, Yvon Boulanger, Carole Côté, Josée Hamel, Christiane Malo et Ginette Villiard. Toutes ces personnes m'ont fait de nombreuses suggestions et elles ont ainsi grandement contribué à la qualité de l'ouvrage.

Je tiens également à remercier les professeurs de cégep qui ont apporté leur contribution à l'une ou l'autre des éditions de ce manuel et du matériel complémentaire : Maria Baruffaldi, Yvonne Bolduc, Johanne Demers, Philippe Desrosiers, Yves Dupont, Nicole Laurin, Lise Quenneville, Pierre Ripeau, Nora Robichaud, Ginette Sheehy, Suzanne Tousignant et Cécile Viel. Leurs commentaires et leurs suggestions ont été très appréciés.

Je remercie M. Rosaire Garon de la Direction de l'action stratégique, de la recherche et de la statistique du ministère de la Culture et des Communications du Québec de m'avoir transmis la banque de données qu'on retrouve sur le CD-ROM destiné aux professeurs qui adoptent le manuel.

Un grand merci à Jean-Pierre Albert qui m'a fait confiance encore une fois et qui m'a épaulé sans cesse tout au long de la réédition de l'ouvrage. Merci aussi à Sylvain Giroux pour les consultations qu'il a menées auprès de professeurs de cégeps.

Je veux aussi souligner la qualité du travail de Sylvie Chapleau à la révision linguistique. Elle a toujours été à la recherche du terme juste et de l'expression correcte pour donner du rythme et du style au texte.

Le mot de la fin est pour ma conjointe Carole. Je veux lui dire encore une fois combien sa patience et ses nombreux encouragements me sont précieux.

Luc Amyotte

Table des matières

1

La méthode scientifique en sciences humaines

Les grandes personnes aiment les chiffres. Quand vous leur parlez d'un nouvel ami, elles ne vous questionnent jamais sur l'essentiel : « Quel est le son de sa voix ? Quels sont les jeux qu'il préfère ? Est-ce qu'il collectionne les papillons ? » Elles vous demandent : « Quel âge a-t-il ? Combien a-t-il de frères ? Combien pèse-t-il ? Combien gagne son père ? » Alors seulement elles croient le connaître.

ANTOINE DE SAINT-EXUPÉRY

À la fin de ce chapitre, vous devriez être en mesure de répondre aux questions suivantes :

- *Pourquoi la science est-elle nécessaire ?*
- *Qu'est-ce que la démarche scientifique ?*
- *Quels sont les avantages et les limites de la quantification ?*
- *Quel est le rôle de la statistique en sciences humaines ?*
- *Les statistiques ne sont-elles que mensonge ?*

*L*es sciences humaines ont pour objet la connaissance de l'être humain et de son environnement social. Étant donné le caractère multidimensionnel de l'être humain, elles comprennent plusieurs disciplines qui apportent chacune leur contribution à la connaissance de celui-ci : la psychologie s'intéresse aux comportements humains et aux processus mentaux ; la sociologie, aux fondements d'une société et aux rapports humains qui s'y nouent ; l'économie, aux activités de production, de consommation et de répartition des biens et des services ; la science politique, à l'exercice du pouvoir dans une société ; la géographie, aux interactions entre l'être humain et la planète ; l'anthropologie, au patrimoine culturel des sociétés contemporaines ou anciennes ; l'histoire, à l'évolution des sociétés passées dans toutes leurs dimensions (économique, scientifique, démographique et autres). Les disciplines des sciences humaines visent à l'appréhension de l'être humain en tant qu'individu, à la connaissance de son fonctionnement en groupe ou en société, à l'explication des différences que l'on note entre les individus et à bien d'autres fins.

Pour atteindre ces objectifs, les sciences humaines, comme toutes les autres sciences, cherchent à donner des réponses aux questions qu'elles soulèvent à partir de l'observation de certains faits pertinents.

À titre d'exemple, considérons l'affirmation suivante : « Les filles réussissent mieux leurs études que les garçons. » Cette proposition suppose des différences entre des individus (les garçons et les filles) dans leur environnement social (l'école). Elle relève donc des sciences humaines.

On peut certes se demander si cette affirmation est vraisemblable. On peut également avoir une opinion sur cette affirmation, mais celle-ci repose la plupart du temps sur le sens commun, sur nos valeurs, sur nos perceptions, sur notre intuition ou sur des généralisations fondées sur nos expériences de vie. Pourtant, on devrait être en mesure de se prononcer sur cette affirmation à partir de faits. Face à une telle affirmation, il faut dépasser le « Moi, je pense que... » pour atteindre « Les faits montrent que... ».

Les sciences humaines permettent de confirmer ou d'infirmer une telle assertion à l'aide d'une observation et d'une analyse systématiques et rigoureuses de faits bien choisis. Quelles sont donc les informations qu'il faut obtenir pour porter un jugement éclairé sur cette affirmation ? Quelles questions se poserait un chercheur avant de se prononcer sur sa validité ? En voici quelques-unes :

Quelles sont les sources de cette affirmation ? A-t-on des données pour la confirmer ? D'où proviennent les données et comment ont-elles été recueillies ? À quel ordre d'enseignement cette affirmation s'applique-t-elle ? S'agit-il du secteur public ou du secteur privé ? Pourrions-nous appliquer une telle remarque à tous les programmes d'études ? Peut-on comparer la réussite scolaire des garçons et des filles et, si oui, comment ? Les filles ont-elles de meilleures notes, un taux d'abandon scolaire plus faible, un meilleur taux de réussite aux cours, un meilleur taux de diplomation ou un meilleur taux d'obtention du diplôme dans les délais prévus ?

Dans l'affirmation de départ, un lien est postulé entre la réussite scolaire et le sexe. Est-il possible de montrer l'existence d'un tel lien? Existe-t-il d'autres facteurs qui expliqueraient mieux la réussite scolaire?

Les liens entre phénomènes

Les questions sur l'existence d'un lien entre certains phénomènes sont fondamentales en sciences humaines. Considérons les deux exemples suivants.

1. Existe-t-il un lien entre la scolarité et le chômage? Entre la scolarité et le revenu? Quels sont les facteurs explicatifs du salaire? En ce qui concerne cette dernière question, on peut prendre en considération les facteurs suivants: scolarité, expérience, sexe, syndicalisation, risques associés à l'emploi, nombre d'heures travaillées, degré de responsabilité.

2. Existe-t-il un lien entre le rendement au travail et la rémunération? Le rendement des travailleurs est-il seulement fonction du salaire ou du mode de rémunération (au mérite, fixe, à la pièce, à la commission)? À première vue, on pourrait penser que c'est le cas. Pourtant, cette prémisse doit être testée avant d'être retenue, car d'autres facteurs pourraient expliquer le rendement. Ainsi, Elton Mayo réalisa une expérience aux usines Hawthorne de la Western Electric qui montra que le rendement et l'état de satisfaction des travailleurs ne peuvent s'expliquer uniquement par des incitations d'ordre monétaire. Les employés trouveraient aussi leur motivation dans un climat de rapports sociaux, dont un sentiment d'appartenance sociale et un besoin d'affiliation.

Une affirmation somme toute banale soulève donc bien des questions, et il faudra procéder à une analyse plus approfondie pour pouvoir l'accepter ou la rejeter. Ce type d'analyse est de nature scientifique.

La science poursuit les objectifs suivants:

1. Mettre au jour la régularité de certains phénomènes;
2. Décrire ces phénomènes (sociaux ou naturels);
3. Expliquer ces phénomènes;
4. Prédire des phénomènes;
5. Dans certains cas, maîtriser ou modifier des phénomènes.

Il va de soi que, en ce qui concerne les sciences humaines, les prédictions ne peuvent généralement pas avoir la même précision qu'en sciences de la nature: on ne peut pas prédire le comportement des individus ni la date d'un effondrement boursier avec la même précision que l'endroit, l'heure ou la durée d'une éclipse solaire. Les comportements individuels sont parfois imprévisibles parce que l'être humain est créatif, spontané et qu'il fait preuve de libre arbitre, ce qui est sans équivalent dans la nature. En dépit de cela, on peut tout de même observer une certaine régularité dans les comportements humains : tout n'y est pas arbitraire. Une analyse scientifique permet de repérer certains aspects de cette régularité.

Lorsqu'il procède à une analyse scientifique, le chercheur élabore des théories, accumule des faits afin de les vérifier et réalise, s'il y a lieu, des expériences bien contrôlées pour les soutenir. Il s'agit là d'un procédé reconnu par tous, qui réduit au minimum les risques d'erreur et l'incertitude, sans toutefois les éliminer totalement. C'est dans cet esprit que nous allons traiter des méthodes quantitatives en sciences humaines.

1.1 La méthode scientifique

Méthode scientifique

Démarche logique d'une science, c'est-à-dire l'ensemble des moyens mis en œuvre afin de répondre à une question. Il s'agit d'un procédé explicite et reproductible, d'une série de règles à observer lorsqu'on étudie un problème précis.

La **méthode scientifique** est un ensemble d'opérations par lesquelles on cherche à obtenir des résultats valides et reproductibles. C'est la démarche logique d'une science, c'est-à-dire l'ensemble des moyens mis en œuvre afin de répondre à une question. Il s'agit d'un procédé explicite et reproductible, d'une série de règles à observer lorsqu'on étudie un problème précis.

L'utilisation d'une méthode est donc essentielle à la crédibilité des conclusions d'une recherche scientifique.

> Sans elle [la méthode], les réflexions sur le monde iraient dans toutes les directions, au gré des préjugés, des humeurs et des individus ; les travaux ne seraient pas uniformément encadrés, de sorte qu'il n'y aurait pas d'institution de la recherche, pas de circulation systématique des résultats, pas de possibilité de mettre la science au service des humains, pas de possibilité pour les sociétés de porter un regard objectivement sur elles-mêmes[1].

Technique

Opération d'une activité de recherche limitée à des aspects pratiques (techniques de sélection d'un échantillon, techniques d'entrevue, etc.).

Toute méthode fait appel à des procédures ou à des **techniques** rigoureuses de collecte d'information, fondées sur l'observation systématique de faits et utilisées afin de répondre à un dessein précis (la connaissance objective du monde qui nous entoure) ou de vérifier une théorie. Ces techniques sont des opérations limitées, liées aux aspects pratiques d'une activité de recherche, telles les techniques de sélection d'un **échantillon** (un sous-ensemble d'une **population**), les techniques d'entrevue ou les techniques d'enregistrement des résultats d'observations. Ces techniques sont utilisées de façon à assurer la validité des résultats ; elles visent à diminuer, sinon à éliminer, les erreurs sur les plans de la saisie, du traitement ou de l'interprétation des données.

Échantillon

Sous-ensemble d'une population.

Population

Ensemble de tous les faits, de tous les objets ou de toutes les personnes sur lesquels porte une étude ou une recherche.

---

1. J. M. Fontan et S. Laflamme, « La méthodologie sociologique », dans D. G. Tremblay, *Travail et société*, Sainte-Foy, Télé-université, 1992, p. 49.

1.2 Les étapes de la démarche scientifique

Les différentes disciplines des sciences humaines se distinguent par la facette de l'être humain qu'elles étudient et par les techniques qu'elles emploient, mais elles se rejoignent sur le plan de la méthode scientifique et de la démarche suivie pour mettre en œuvre cette méthode. Il existe plusieurs façons de concevoir la démarche scientifique en sciences humaines. Nous avons choisi de vous proposer un modèle en six étapes:

1. La formulation d'une problématique et d'une ou de plusieurs questions de recherche;
2. Le choix d'une méthode d'investigation et l'élaboration d'un instrument de mesure;
3. La collecte des données;
4. L'organisation et le traitement des données;
5. L'analyse et l'interprétation des résultats;
6. La diffusion des résultats.

1. La formulation d'une problématique et d'une ou de plusieurs questions de recherche

Toute recherche scientifique a pour objet un problème ou une question soulevée par un chercheur. En exposant le problème qu'il entend résoudre, le chercheur établit une **problématique**, dans laquelle il précise son sujet de recherche et les questions auxquelles il désire apporter une réponse. De plus, dans une problématique, on retrouve généralement:

> **Problématique**
> Formulation détaillée des questions auxquelles un chercheur désire apporter une réponse, des hypothèses que ce dernier propose comme réponse aux questions soulevées et de moyens mis en œuvre pour confirmer ou infirmer les hypothèses.

- Une recension des écrits pour déterminer les connaissances scientifiques accumulées sur le sujet de la recherche et établir ce qu'on appelle «l'état de la question»;
- Des hypothèses, c'est-à-dire des réponses provisoires à une ou plusieurs questions de recherche;
- Les indicateurs des concepts que le chercheur entend utiliser;
- Une description des moyens que le chercheur entend mettre en œuvre pour répondre à la question ou aux questions de recherche.

Décrivons les principales composantes de cette première étape de la démarche scientifique.

La recension des écrits et l'état de la question

La recension des écrits se fait par une recherche de documents sur le sujet de la recherche. Ainsi, dans le contexte de notre affirmation initiale, on fera un inventaire de ce qui a été écrit sur le lien entre la réussite scolaire et le sexe ou sur tout autre sujet apparenté. On pourra alors consulter des répertoires ou des banques de données informatiques pour repérer les résultats d'autres recherches réalisées sur le sujet. On pourra également consulter des études produites par des organismes de statistique.

Les organismes de statistique

Selon le sujet de recherche, on pourra faire appel aux études réalisées par des organismes gouvernementaux spécialisés dans le domaine de la statistique, comme Statistique Canada et l'Institut de la statistique du Québec. Ces deux organismes publient régulièrement des études fort intéressantes et sont présents sur Internet (statcan.ca et stat.gouv.qc.ca). Les grandes enquêtes réalisées par Statistique Canada constituent une source impressionnante d'information pour les chercheurs. Statistique Canada s'est acquis une réputation internationale, non seulement pour la quantité, la qualité et la fiabilité des données qu'il produit, mais également pour son indépendance à l'égard du pouvoir politique. C'est pour ces raisons que la prestigieuse revue *The Economist* a choisi à plusieurs reprises Statistique Canada comme étant le meilleur organisme de statistique au monde. D'ailleurs, la réputation de Statistique Canada et de l'Institut de la statistique du Québec est un des facteurs mentionné par l'UNESCO dans le choix de Montréal comme siège de son prestigieux Institut de statistique[2].

Une fois la recension des écrits complétée, le chercheur doit produire un état de la question, c'est-à-dire une synthèse des informations recueillies pour en faire un tout cohérent en n'omettant pas d'identifier les sources utilisées. Après avoir exploré les connaissances existantes, le chercheur sera à même d'en produire de nouvelles.

La formulation d'hypothèses

Hypothèse
Proposition théorique que l'on avance en réponse provisoire à une question de recherche et que l'on projette de vérifier.

Une **hypothèse** est une proposition théorique que l'on avance en réponse provisoire à une question de recherche et que l'on projette de vérifier : « [...] l'hypothèse est là pour indiquer les voies possibles de réponse aux questions que pose le problème de la recherche[3] ». Une hypothèse tire son origine de sources diverses ; elle peut être le fruit d'une observation, d'une découverte fortuite, d'une théorie et parfois même de l'imagination d'un chercheur chevronné. Elle doit être plausible, vérifiable, claire, précise, et elle doit exprimer une relation entre des **variables**, c'est-à-dire entre des caractéristiques qui peuvent prendre différentes formes selon les **unités statistiques** observées.

Variable
Caractéristique pouvant présenter des formes différentes pour chaque unité statistique observée.

L'affirmation que nous avons formulée précédemment – les filles réussissent mieux leurs études que les garçons – constitue une hypothèse que l'on cherche à confirmer (accepter) ou à infirmer (rejeter) au moyen d'une recherche. Cette hypothèse établit un lien entre deux variables, soit la réussite scolaire et le sexe.

Unité statistique
Élément de la population étudiée. Individu ou objet sur lequel on mesure une variable.

---

2. M. Leblanc, « Institut statistique de l'UNESCO », *Le Devoir*, 5 novembre 2000, p. E8.
3. O. Aktouf, *Méthodologie des sciences sociales et approche qualitative des organisations*, Sainte-Foy, P.U.Q., 1992, p. 62.

L'hypothèse de travail doit être plausible, mais le chercheur ne s'efforce pas de la défendre envers et contre tous. L'objectif poursuivi est d'obtenir un énoncé qui ne soit pas démenti par les faits. L'hypothèse doit aussi bien pouvoir être retenue que rejetée ; elle doit être réfutable *a priori*. Ainsi, dans notre exemple, il est possible que nous ne puissions pas établir un lien entre le sexe et la réussite scolaire.

L'opérationnalisation des concepts

Opérationnalisation d'un concept

Définition d'un concept abstrait par un indicateur mesurable.

L'**opérationnalisation** consiste à indiquer comment un **concept** abstrait et généralement multidimensionnel (la réussite scolaire de notre affirmation initiale) sera mesuré. On choisira des **indicateurs**, c'est-à-dire des manifestations quantifiables ou mesurables de ce concept. Ces indicateurs sont souvent associés à la notion mathématique de variable, que nous aborderons un peu plus loin.

Concept

Représentation mentale d'un objet, d'une réalité ou d'un phénomène.

Les données obtenues ne seront fiables que si l'indicateur retenu est défini sans ambiguïté, s'il ne prête pas à l'interprétation et s'il décrit adéquatement le concept étudié. Les notes, les taux de réussite aux examens, les taux de réussite aux cours, les taux de diplomation pourraient servir d'indicateurs de réussite scolaire. Notons que chacun de ces indicateurs n'évalue qu'une dimension du concept étudié.

Indicateur

Manifestation quantifiable et mesurable d'un concept abstrait, souvent multidimensionnel. L'indicateur est une variable.

Une fois le concept défini de manière opérationnelle, on peut raffiner l'hypothèse générale et la rendre plus concrète. Ainsi, notre affirmation initiale pourrait devenir : « Les filles présentent un taux de diplomation plus élevé que les garçons » ou encore « Les filles présentent un taux de réussite aux cours plus élevé que les garçons ».

2. Le choix d'une méthode d'investigation et l'élaboration d'un instrument de mesure

Il faut ensuite choisir une méthode pour recueillir des données et élaborer un instrument de mesure (questionnaire, grille d'observation ou d'évaluation, appareils spécialisés) qui nous permettraient de vérifier notre hypothèse. Allons-nous faire un inventaire exhaustif des dossiers des étudiants ou simplement étudier un échantillon de dossiers ? Allons-nous procéder à une enquête ou à une consultation des données publiques des établissements scolaires ou du ministère de l'Éducation ?

Plusieurs méthodes d'investigation sont employées en sciences humaines. Le tableau 1.1 donne quelques exemples de questions de recherche accompagnés chacun d'une méthode qui permettrait d'y répondre.

Ces méthodes sont présentées dans tout bon ouvrage de méthodologie des sciences humaines. Au cours d'une recherche, on peut recourir conjointement à plusieurs de ces méthodes.

Tableau 1.1

Questions de recherche et méthodes d'investigation

Question de recherche	Méthode d'investigation
Quelles seraient les intentions de vote des électeurs si une élection avait lieu aujourd'hui ?	Enquête
Quel est l'effet de l'alcool sur le temps de réaction à un stimulus ?	Expérience
Quelle a été l'évolution des effectifs syndicaux au Québec au XXe siècle ?	Recherche documentaire
Quels ont été les effets d'une thérapie sur les phobies manifestées par l'individu X ?	Étude de cas
Comment les employés perçoivent-ils leur rendement au travail lors de leur évaluation annuelle ?	Entrevue
Comment et à quelle fréquence les comportements violents d'enfants se manifestent-ils à l'école ?	Observation
Comment la vie en milieu urbain se déroulait-elle au Québec lors de la crise de 1929 ?	Histoire de vie
De quelle façon traite-t-on l'information consacrée à la jeunesse dans les médias écrits ?	Analyse de contenu

L'enquête

Il existe des phénomènes qu'on ne peut pas observer directement et qui sont pourtant intéressants pour le chercheur. Ainsi, on ne peut pas observer des intentions (comme les intentions de vote), ni des événements du passé d'un individu (comme la relation d'un adulte avec ses parents lorsqu'il était adolescent), ni encore des comportements de la vie privée ou intime (comme la fréquence des rapports sexuels dans un couple). Il faut donc interroger les individus sur ces réalités à l'aide d'un questionnaire afin d'obtenir l'information recherchée. On réalise alors une enquête par questionnaire.

Lorsqu'il a recours à un questionnaire, le chercheur n'observe pas lui-même les comportements, les pensées, le passé de la personne; il ne fait que recueillir le témoignage libre d'un répondant à qui il a demandé de s'observer lui-même.

L'enquête par questionnaire est une méthode d'investigation très flexible et très polyvalente. Elle est employée dans la plupart des disciplines des sciences humaines.

Les médias rapportent souvent des résultats d'enquête. Pas une semaine ne se passe sans que l'on publie les résultats d'enquêtes sur une foule de sujets (la popularité des partis politiques, les tendances de l'emploi, les comportements ou les préférences des consommateurs) auprès de divers groupes (les électeurs, les personnes de moins de 35 ans, les membres d'une association). Malgré les avantages qu'elle présente, il faut souligner que l'enquête, comme toutes les autres méthodes d'investigation, comporte des limites. Ainsi, elle ne peut être employée que dans les situations où les individus peuvent être joints et où ils possèdent une information qu'ils sont prêts à livrer de bonne foi à un enquêteur.

La méthode expérimentale

La méthode expérimentale est une méthode de recherche qui vient des sciences de la nature, mais elle est également employée en sciences humaines, notamment en psychologie. Elle permet de vérifier si une variable, une caractéristique des individus observés, exerce une influence sur une autre variable. Cette méthode consiste à provoquer un phénomène en vue de l'étudier, c'est-à-dire à modifier délibérément une variable (la cause) afin de mesurer l'influence qu'elle exerce sur une autre variable (l'effet). On peut par exemple administrer différentes quantités d'alcool à un groupe de personnes et observer ensuite les variations de la capacité d'accomplir une tâche selon la quantité d'alcool administrée : la cause est la quantité d'alcool ; l'effet, les variations comportementales. De la même façon, on pourrait tenter de mesurer l'effet du bruit sur la capacité de mémoriser de l'information.

Dans le contexte d'une expérience, on cherche généralement à contrôler tous les autres facteurs qui pourraient influer sur le phénomène étudié. La méthode expérimentale peut alors permettre d'établir une relation causale entre les deux variables. C'est surtout pour sa faculté de démonstration de la causalité que la méthode expérimentale est largement employée en sciences de la nature ; il est cependant beaucoup plus difficile d'en tirer parti en sciences humaines.

L'expérimentation en sciences humaines se heurte à des difficultés de deux ordres : des problèmes d'ordre éthique (on ne doit pas réaliser des expériences qui auraient des effets négatifs sur des sujets humains) et des problèmes d'ordre technique (difficulté d'isoler le facteur à étudier, multiplicité des facteurs qui entrent en jeu, impossibilité de provoquer un changement de la variable étudiée, nécessité de contrôles complexes). Ainsi, on ne peut pas utiliser la méthode expérimentale pour étudier une société ancienne ni pour observer les effets de la guerre sur une population. De la même façon, on ne peut pas modifier les taux d'intérêt pour en observer les effets sur la consommation ; on ne peut pas placer des enfants dans un cadre familial malsain pour pouvoir observer les troubles dont ils souffriront.

Le recours à la méthode expérimentale en sciences humaines est également problématique du fait de la complexité de l'objet d'observation ; l'être humain est doué de réflexion et il est donc difficilement manipulable dans un cadre expérimental. Comme le faisait remarquer Luc Granger dans son allocution présidentielle à la Société canadienne de psychologie[4], même lorsqu'ils sont soumis à une expérience simple en psychologie de la perception, les individus ne se contentent pas d'être assis en attendant que quelque chose se passe : ils réfléchissent, ils émettent des hypothèses sur ce que fait l'expérimentateur ; ils ne sont pas des sujets dociles et passifs. L'individu soumis à une expérience peut modifier son comportement pour plaire à l'expérimentateur ou encore pour s'opposer à lui. De plus, comme le cadre expérimental est un cadre artificiel, il n'est pas dit que les résultats obtenus lors d'une expérience soient généralisables au monde réel.

Malgré ces limites, la méthode expérimentale occupe une place de premier plan en sciences humaines parce qu'elle permet de démontrer la causalité.

3. La collecte des données

On recueille ensuite l'information selon la méthode choisie : c'est la collecte des données. Il faut au préalable avoir défini la population étudiée (le groupe d'individus ou d'objets sur lequel porte la recherche), les éléments d'information à recueillir et le degré de précision souhaité.

La population étudiée pourrait être, dans l'exemple choisi, les étudiants et les étudiantes inscrits au collégial entre 1994 et 1996. Nous aurions pu nous intéresser à la durée des études avant l'obtention du diplôme ou encore au taux de diplomation. Nous aurions pu choisir de déterminer avec précision la durée des études avant l'obtention du diplôme en dénombrant, pour chaque élève, le nombre de trimestres entre la première inscription et l'obtention du diplôme, ou encore nous contenter de vérifier si un diplôme a été obtenu moins de 5 ans après la première inscription. La première mesure, plus précise, aurait permis d'évaluer la durée moyenne des études avant l'obtention du diplôme, alors que la deuxième n'aurait permis que d'établir le pourcentage des élèves qui réussissent leurs études en moins de 5 ans.

4. L'organisation et le traitement des données

À la quatrième étape, on organise et on traite les données afin de leur donner une présentation compréhensible par les lecteurs. Allons-nous élaborer des tableaux, construire des graphiques, calculer des moyennes, des pourcentages ou d'autres mesures ? À titre d'exemple, le tableau 1.2 et la figure 1.1 présentent une comparaison des garçons et des filles en ce qui concerne le taux de réussite aux cours.

4. *Psychologie canadienne*, janvier 1994, p. 1-9.

Tableau 1.2

Taux de réussite (%) aux cours par sexe, ordre collégial, Québec, 1994-1996

Année	Taux de réussite (%)	
	Garçons	Filles
1994	77,8	84,7
1995	76,8	84,5
1996	77,5	85,2

Source : Fédération des cégeps, *La réussite et la diplomation au collégial*, Montréal, 1999, p. 30.

Figure 1.1

Taux de réussite (%) aux cours par sexe, ordre collégial, Québec, 1994-1996

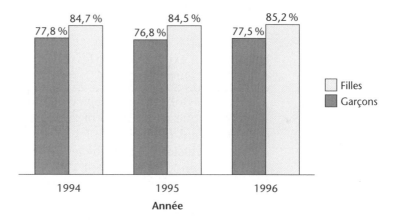

Source : Fédération des cégeps, *La réussite et la diplomation au collégial*, Montréal, 1999, p. 30.

5. L'analyse et l'interprétation des résultats

L'analyse et l'interprétation des résultats consistent à tirer des conclusions. Il s'agit de dégager les informations pertinentes des tableaux ou des graphiques, de prêter un sens aux différentes mesures calculées à partir des données, de vérifier si les résultats obtenus confirment (totalement ou partiellement) ou infirment les hypothèses de départ, par exemple à l'aide d'un test statistique.

Ainsi, le tableau et le graphique précédents semblent indiquer que, peu importe l'année considérée, les filles présentent un taux de réussite aux cours plus élevé que celui des garçons.

Par contre, le graphique de la figure 1.2 montre que la différence entre les sexes en ce qui a trait au taux d'abandon des études après une année passée

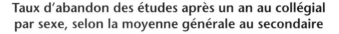

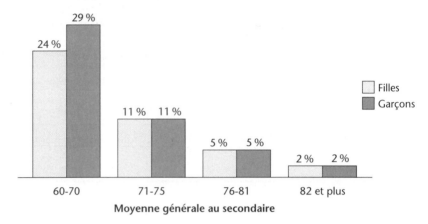

Source : R. Ducharme et R. Terrill, *Caractéristiques étudiantes et rendement scolaire*, Montréal, SRAM, 1994, p. 171.

au collégial n'existe que chez les élèves dont la moyenne générale au secondaire variait entre 60 et 70 %.

Si nous avions choisi le taux d'abandon comme indicateur de la réussite scolaire, et que notre hypothèse de départ supposait que les filles abandonnent moins fréquemment les études que les garçons, il aurait fallu nuancer nos conclusions et dire que les différences n'existent que pour les élèves dont la moyenne au secondaire varie entre 60 et 70 %. Ce résultat n'est pas aussi clair que l'hypothèse initiale, mais il n'est pas dénué d'intérêt.

6. La diffusion des résultats

Une fois la recherche terminée, il reste à en faire connaître les résultats en les publiant : c'est la diffusion des résultats. Les résultats publiés servent à alimenter les recherches futures. Ainsi, d'autres chercheurs liront les résultats de la recherche et seront peut-être tentés de la pousser plus loin : « [...] publier, c'est mettre à la disposition de la communauté scientifique des résultats que d'autres chercheurs pourront désormais reproduire ou, au contraire, contester et réfuter[5]. »

La démarche scientifique est donc une action consciente, systématique et réfléchie dont le but est d'obtenir et de faire connaître des résultats vérifiables qui font avancer l'état des connaissances sur un sujet. C'est pourquoi à chacune des étapes de la démarche scientifique, le chercheur doit

---

5. J. P. Beaugrand, « Démarche scientifique et cycle de la recherche », dans M. Robert, *Fondements et étapes de la recherche scientifique en psychologie*, Saint-Hyacinthe, Edisem, 1988, p. 34.

également vérifier qu'il n'a pas commis d'erreurs. Par exemple, il doit s'assurer qu'il a utilisé une technique adéquate pour prélever ses échantillons, que le questionnaire était bien conçu, qu'il obtiendrait des résultats similaires s'il reprenait sa recherche, que les données ont été traitées correctement, que les calculs effectués sont exacts, que la présentation des résultats ne comporte pas d'erreurs de transcription. Il se peut que les erreurs de transcription, de calcul ou d'un autre ordre n'affectent pas les résultats, mais elles dévaluent néanmoins une recherche et contribuent à en discréditer les résultats.

À la lecture de cette section, vous avez pu constater que, dans une recherche, les méthodes quantitatives entrent en jeu principalement à l'étape de l'organisation et du traitement des données, et à celle de l'analyse et de l'interprétation des résultats. Le but premier de ce manuel est de vous initier à la réalisation de ces deux étapes. Au cours de votre formation en sciences humaines, vous aurez amplement l'occasion de vous familiariser avec les autres étapes, notamment dans le cadre d'un cours de méthodologie de la recherche.

1.3 La complémentarité des approches quantitatives et qualitatives

Les approches utilisées en sciences humaines pour étudier l'être humain peuvent être de nature qualitative ou quantitative. Les méthodes d'investigation de nature quantitative font appel à la mesure et elles sont particulièrement employées dans des domaines tels que la démographie, l'économétrie, la sociométrie, la psychométrie, le sondage d'opinion ou les études de marché. Il s'agit alors d'avoir recours à une branche des mathématiques, la statistique, pour:

1. Décrire des phénomènes à l'aide de tableaux, de graphiques et de mesures;

2. Établir l'existence de liens entre certains phénomènes, les expliquer par un modèle mathématique et faire des prédictions à partir de ce modèle;

3. Généraliser les résultats tirés d'échantillons à l'ensemble de la population.

Il existe plusieurs définitions de la statistique. Malgré leurs différences, elles partagent des éléments communs:

1. La statistique est une branche des mathématiques. Elle utilise donc les nombres, les mesures et les graphiques;

2. La statistique concerne l'étude de grands ensembles de faits, d'objets, de personnes; elle néglige cependant les cas particuliers et les individus pris isolément. Elle dispose de techniques de collecte, de classification, de présentation et de traitement des données;

3. La statistique nous permet de réaliser des mesures. À cette fin, la population étudiée et les indicateurs employés doivent être définis avec rigueur et sans ambiguïté;

4. La statistique nous permet de généraliser des résultats provenant d'un petit ensemble (l'échantillon) à un ensemble plus vaste (la population).

On trouve dans cette énumération certains éléments de la démarche scientifique: l'opérationnalisation des concepts, le choix d'une technique de collecte des données et la collecte elle-même, la présentation des données (organisation et traitement des données) ainsi que l'analyse et l'interprétation des données. En ce sens, la statistique s'accorde aux buts de la science.

Même si, par l'emploi de la statistique, les méthodes d'investigation de nature quantitative permettent de désigner, de quantifier, de distinguer et de comparer, elles ne nous apprennent rien sur ce qui produit des similarités ou des différences. Pour cette raison, on doit également recourir à une analyse qualitative qui a pour objet d'expliquer le pourquoi des choses et les interactions entre les phénomènes, de donner un sens aux liens qui ont été établis par la quantification. Ainsi, on peut observer une relation inverse entre le prix d'un bien et la quantité demandée de ce bien: plus le prix d'un bien est élevé, moins il se vend. On peut également observer une relation directe quantifiable entre la scolarité et le revenu: les gens plus scolarisés ont généralement de meilleurs revenus que les gens moins scolarisés. Cependant, la quantification n'explique pas tout: encore faut-il expliquer pourquoi les relations existent.

Les deux types d'approche (qualitative et quantitative) ne peuvent donc pas fonctionner indépendamment l'une de l'autre: elles sont complémentaires. Bien que nous ayons toujours à l'esprit cette nécessaire complémentarité, nous concentrerons nos efforts sur la quantification.

1.4   Les études statistiques

Lorsqu'on effectue une recherche, on s'intéresse à un ensemble de faits, d'objets ou de personnes sur lesquels on veut obtenir des informations précises pour valider les hypothèses de la recherche. Cet ensemble de faits, d'objets ou de personnes porte le nom de population; chaque élément de la population est appelé unité statistique; quant aux renseignements qu'on veut obtenir auprès des éléments de la population, on les appelle variables. Une variable constitue donc une caractéristique des unités statistiques qu'on veut mesurer et qui est susceptible de prendre une forme différente pour chaque unité statistique observée. Le sexe, l'âge, la durée de vie d'un bien et l'opinion sur un sujet sont des variables parce qu'ils constituent des caractéristiques qui varient selon l'unité statistique observée.

La population constitue l'ensemble de référence d'une recherche ou d'une étude. Une population peut être numériquement très grande, comme la population d'un pays, ou encore très petite, comme les gagnants du gros lot d'une loterie en 2000 ou les premiers ministres du Québec depuis 1867. Une population, au sens statistique, ne correspond pas nécessairement à des personnes physiques. Il peut s'agir de groupes (les familles, les syndicats, les cégeps, les pays) ou d'objets (les ampoules électriques, les voitures, etc.). Le tableau 1.3 présente quelques exemples d'objets d'étude et de populations y correspondant.

Tableau 1.3

Objets d'étude et populations correspondantes

Objet d'étude	Population
Profession des députés avant leur entrée à l'Assemblée nationale.	L'ensemble de tous les députés de l'Assemblée nationale.
Durée de vie des ampoules électriques produites dans une usine au cours d'une journée.	L'ensemble de toutes les ampoules électriques produites dans cette usine au cours de cette journée.
Résultats scolaires au collégial en 2000.	L'ensemble de tous les élèves de cégep en 2000.
Différences de revenu des familles monoparentales selon le sexe du chef de famille au Québec en 2000.	L'ensemble de toutes les familles monoparentales au Québec en 2000.
Ventes au détail dans les dépanneurs du Québec en avril.	L'ensemble de tous les dépanneurs du Québec.
Part du budget national consacré à l'éducation en 2000.	L'ensemble de tous les pays du monde.
Nombre de membres de chaque syndicat au Québec en 2000.	L'ensemble de tous les syndicats au Québec.
Potentiel de taxation résidentielle d'une ville en 2000.	L'ensemble de toutes les résidences de cette ville.

Une étude statistique peut porter sur toute une population ou sur une partie de celle-ci. Lorsqu'on réalise une étude en faisant un dénombrement complet ou un inventaire exhaustif de la population, on procède par **recensement.**

Recensement

Dénombrement complet ou inventaire exhaustif d'une population.

Les recensements nous permettent notamment de:

1. Déterminer la taille d'une population;

2. Établir la composition réelle d'une population au regard de certaines caractéristiques;

3. Disposer d'une référence pour vérifier si des sous-ensembles de la population, appelés échantillons, constituent des répliques fidèles de la population.

Toutefois, dans certaines circonstances, les recensements ne sont pas souhaitables ou réalisables pour un ou plusieurs des motifs suivants :

1. Les coûts en sont généralement très élevés ;

2. La population étudiée est souvent très grande, ce qui a pour conséquence de rendre les délais de réalisation d'un recensement et de traitement des données très importants ;

3. Une étude peut comporter des tests destructifs (comme dans une étude sur la durée de vie d'ampoules électriques). L'utilisation d'un recensement aurait alors pour effet de détruire la population observée ;

4. L'organisation d'un recensement peut être très complexe et exiger des procédures et des contrôles très élaborés.

À défaut de procéder par recensement, on peut effectuer un **sondage.** À l'origine, le mot sondage désignait le prélèvement d'un échantillon d'une population. Son sens s'est toutefois étendu, et il désigne aujourd'hui une enquête effectuée auprès d'un sous-ensemble de la population (un échantillon). On entend couramment les expressions **enquête par sondage** ou *sondage d'opinion.* L'étude ne porte alors que sur les individus sélectionnés plutôt que sur toute la population, ce qui est généralement beaucoup moins coûteux qu'un recensement et d'une précision comparable.

Sondage

Prélèvement d'un échantillon d'une population. On utilise aussi couramment le mot sondage pour désigner une enquête effectuée auprès d'un échantillon de la population ; on parle d'ailleurs d'*enquête par sondage* ou de *sondage d'opinion.*

Enquête par sondage

Méthode d'investigation fondée sur l'étude des réponses à un questionnaire adressé à un échantillon de population.

Les recensements quinquennaux de la population au Canada

C'est en 1666 qu'a eu lieu, sous Jean Talon, le premier recensement en Nouvelle-France, mais ce n'est qu'en 1871 que fut réalisé le premier recensement du Canada en vertu de la Loi du recensement promulguée peu après l'Acte de l'Amérique du Nord britannique de 1867. Le but de ce recensement était de connaître la taille de la population des provinces afin d'assurer à chacune une représentation équitable au Parlement.

Au Canada, on a procédé à un recensement tous les 10 ans entre 1871 et 1951, et tous les 5 ans depuis. Les Canadiens sont recensés selon la méthode de dénombrement *de jure*, c'est-à-dire en fonction de leur résidence habituelle, plutôt que par la méthode *de facto*, soit en fonction du lieu où ils se trouvent au moment du recensement (comme c'est le cas aux États-Unis). La publication de l'ensemble des données recueillies est généralement terminée environ 18 mois après la tenue du recensement, ce qui confirme un des inconvénients du recensement par rapport au sondage : des délais importants pour le traitement des données.

Pour assurer une certaine continuité historique aux données recueillies, les questions sont sensiblement les mêmes d'un recensement à l'autre.

Le recensement canadien sert de référence afin d'assurer une représentation équitable de l'ensemble des Canadiens au Parlement, de délimiter les circonscriptions électorales et de calculer le montant des transferts fédéraux accordés aux provinces. Il permet également de réaliser le dénombrement de la population selon la langue officielle parlée. Enfin, le recensement permet d'établir des tendances ou des points de repère sur des questions de nature socioéconomique ou sur des questions d'actualité.

Les utilisateurs des données du recensement sont nombreux : municipalités, commissions scolaires, entreprises, chercheurs. Les recensements canadiens donnent des renseignements sur la population qui permettent de mieux planifier les allocations budgétaires, notamment pour la construction d'écoles, d'hôpitaux, de parcs et d'infrastructures urbaines.

1.5   L'utilisation des données statistiques

Statistique descriptive

Branche de la statistique qui a pour objet la représentation de données par des tableaux, des graphiques et des mesures.

Inférence statistique

Branche de la statistique qui a pour objet la généralisation de résultats obtenus sur des échantillons à l'ensemble d'une population. L'estimation et le test d'hypothèse sont les deux volets de l'inférence statistique.

Estimation

Volet de l'inférence statistique qui consiste à déterminer la valeur d'un paramètre d'une population d'après la mesure correspondante (la statistique) provenant d'un échantillon.

Test d'hypothèse

En inférence statistique, procédé employé dans le but de faire un choix entre deux hypothèses à partir de renseignements obtenus auprès d'échantillons.

Que fait-on des données recueillies dans le cadre d'une recherche scientifique ? Elles servent à deux fins différentes mais cependant complémentaires, soit la description et l'inférence.

La **statistique descriptive** traite les données dans le but de présenter des résultats conformes à l'échantillon ou à la population d'où elles ont été tirées. L'**inférence statistique** permet de généraliser des données obtenues auprès d'échantillons à un ensemble plus vaste, la population. Bien sûr, il n'y a pas lieu d'employer l'inférence si on effectue un recensement, puisque l'information sur toute la population est connue.

L'inférence comporte deux volets, soit l'**estimation** et le **test d'hypothèse**.

L'estimation joue un grand rôle dans les sondages d'opinion et les études de marché. Dans ces deux cas, l'objectif est d'obtenir rapidement une idée précise de l'opinion ou des goûts d'une grande population. Un recensement étant hors de question en raison de son coût et de la lenteur du processus, on recueille l'information voulue auprès d'un échantillon jugé représentatif et on généralise les résultats obtenus à l'ensemble de la population.

Ainsi, lorsque les médias annoncent que « 38 % des électeurs ont l'intention de voter pour le Parti X aux prochaines élections », il s'agit d'une estimation tirée d'un sondage ; on a fait une inférence.

Pour tester une hypothèse, on applique une procédure qui permet de déterminer, sur la base d'un échantillon, si elle doit être retenue ou rejetée. Les énoncés suivants constituent des exemples d'hypothèses que l'on pourrait tester :

1. Dans le cours de méthodes quantitatives au cégep, la note moyenne des étudiantes est plus élevée que celle des étudiants.

2. Le médicament *X* est plus efficace que le médicament *Y* pour traiter telle maladie.

3. Il y a une relation entre le tabagisme et la prévalence du cancer du poumon.

1.6   La quantification : utilité et limites

Nous avons dit précédemment que les approches quantitatives et qualitatives sont complémentaires. La quantification s'inscrit dans une démarche plus large ; elle nous permet de dépasser le sens commun en introduisant une part d'objectivité par la présence de mesures.

La quantification est utile pour les raisons suivantes :

1.   La précision de la mesure

Il est plus précis de mesurer le chômage à l'aide d'un indicateur comme le taux de chômage (exprimé en pourcentage) défini par Statistique Canada qu'en employant des termes vagues tels que «peu de chômage» ou «chômage élevé».

2.   L'objectivité de la mesure

La quantification rend nécessaire l'opérationnalisation des concepts (définir les concepts et les rendre mesurables). Ainsi, on peut mesurer de manière objective la réussite scolaire par la moyenne des notes, le taux de réussite ou encore le taux de diplomation.

3.   La comparabilité des données

Ainsi, on pourra comparer la réussite scolaire des individus selon le sexe, les établissements ou les époques.

4.   La généralisation

Des résultats obtenus à partir d'un échantillon, soit un sous-ensemble de la population, sont généralisables à toute la population par des procédés statistiques.

5.   La capacité de dégager des tendances générales

Sur la base d'un grand nombre d'événements individuels, on pourra faire ressortir les caractéristiques fondamentales d'un phénomène à l'aide de mesures simples. On réduit alors la masse de données pour rendre l'information recueillie plus facilement compréhensible.

6.   La vérification

On pourra vérifier systématiquement une hypothèse de recherche et obtenir des résultats auxquels on peut se fier, contrairement à une simple opinion ou à l'intuition.

Malgré ces avantages indéniables, la quantification comporte certaines difficultés. La plus importante est sans doute celle de l'opérationnalisation adéquate d'un concept. La traduction d'une information de nature essentiellement qualitative (le concept : la réussite scolaire) en une mesure quantitative (l'indicateur : les notes) n'est pas toujours conforme à la réalité (problèmes de validité et de fidélité). Par conséquent, il est possible que les résultats obtenus par la quantification soient discutables malgré leur apparente objectivité.

> Opposer dans les sciences sociales l'imprécision et le subjectivisme du qualitatif à la rigueur et à l'objectivité du quantitatif, c'est oublier que l'on n'obtient du quantitatif qu'à partir du qualitatif[6].

Validité

Représentation conforme du concept qu'on veut mesurer.

On parle d'indicateur **valide** lorsque celui-ci constitue une représentation conforme au concept qu'on veut mesurer et d'indicateur **fidèle** lorsqu'on obtient une constance dans les résultats en réalisant la même mesure sur le même objet à plusieurs reprises.

Fidélité

Constance dans les résultats lorsqu'on effectue la même mesure sur le même objet à plusieurs reprises.

En mesurant la masse d'une personne à l'aide d'un pèse-personne mal réglé, on obtient une mesure fidèle mais non valide. On observe une masse identique à chaque pesée bien que cette masse ne soit pas la bonne. Il en est de même si nous nous servons du critère d'appartenance à une religion en vue de mesurer la ferveur religieuse : l'indicateur est fidèle, mais il n'est pas valide. Des indicateurs tels que la fréquentation d'offices religieux et l'observance des prescriptions religieuses seraient probablement plus valides.

La quantification des concepts par des indicateurs mesurables comporte donc deux pièges majeurs :

1. La description de phénomènes complexes multidimensionnels par des mesures simplifiées à l'excès : un indicateur ne mesure généralement qu'une facette du concept étudié. La mesure de l'intelligence par le Q.I. (quotient intellectuel) en constitue un exemple ;

2. L'apparence d'objectivité trop sécurisante que procurent les mesures. Des calculs élaborés, des résultats présentés avec une, deux ou trois décimales ne devraient pas être considérés comme une garantie de vérité scientifique.

1.7 Acquérir un esprit critique face aux données numériques

Les sociétés industrielles sont de plus en plus friandes d'informations quantitatives. On veut tout mesurer, évaluer, comparer et classer. Pourtant, les comparaisons fondées sur les nombres peuvent être trompeuses. Il faut s'assurer que les phénomènes mesurés sont vraiment comparables et que les conditions environnantes sont similaires. Il serait ridicule de dire que les États-Unis constituent une société plus libérale à l'égard du mariage que le Canada parce

6. M. Grawitz, *Méthodes des sciences sociales*, Paris, Dalloz, 1986, p. 381.

qu'on y observe plus de divorces et d'unions libres. Il serait tout aussi farfelu de comparer le rendement des travailleurs forestiers du début du XXe siècle avec celui des travailleurs du début du XXIe siècle. Comparer l'incidence du plagiat dans deux établissements d'enseignement serait également hasardeux si ces organismes n'ont pas la même définition du plagiat et s'ils ne le sanctionnent pas avec la même rigueur. Dans ces trois derniers exemples, les conditions environnantes (respectivement, la taille des populations, le niveau de mécanisation de l'industrie, les définitions et les mécanismes de contrôles) sont très différentes.

De plus, les indicateurs ne sont pas totalement neutres: ils reflètent, d'une certaine manière, le cadre théorique dans lequel se situe le chercheur. À titre d'exemple, on pourrait considérer deux façons de définir la pauvreté. Le texte qui suit, tiré de l'article de Gilles Toupin paru dans l'édition du 16 mars 1999 du quotidien *La Presse* («Une réflexion sur la façon de mesurer la pauvreté», p. A18), nous présente deux indicateurs de la pauvreté: la pauvreté relative et la pauvreté absolue.

> Qu'est-ce que la pauvreté? Est-ce que c'est lorsque Statistique Canada affirme que vous êtes sous les seuils de faible revenu (pauvreté relative) ou lorsque vous n'arrivez pas à remplir votre panier de consommation (pauvreté absolue)?
>
> Car il faut bien savoir que l'une de ces situations n'est pas nécessairement tributaire de l'autre. Une famille peut avoir des revenus qui la situent au-dessus des seuils de faibles revenus (SFR) mais ne pas arriver, dans certains cas, à joindre les deux bouts. Ou encore la même famille peut être en deçà des SFR et parvenir à remplir son panier de consommation. Autrement dit, selon que l'on utilise l'une ou l'autre de ces méthodes d'évaluation, il n'est pas dit qu'elles puissent déterminer avec certitude si votre niveau de vie est acceptable.
>
> Le Conseil national du bien-être social, cet organisme chargé de conseiller le gouvernement sur les questions de pauvreté, a donc lancé hier un document de travail qui se veut le début d'une vaste réflexion sur la façon dont la pauvreté devrait être mesurée au Canada. Partant du principe que le gouvernement fédéral a développé une allergie chronique à toute reconnaissance officielle de l'existence de la pauvreté, il va sans dire que les Canadiens sont en droit de s'interroger sur les méthodes utilisées pour jauger celle-ci. Statistique Canada, par exemple, refuse de conclure que les personnes se situant sous les SFR sont nécessairement pauvres.
>
> En démontrant que le seuil de pauvreté ou SFR est relatif et déterminé bien souvent de façon arbitraire, le conseil reconnaît cependant qu'il puisse être «un outil approprié de recherche». Mais il ne réussira jamais à mesurer, ajoute-t-il, le bien-être individuel.
>
> Quant au calcul de la pauvreté à partir du panier de consommation, là encore, les avis sont partagés. Il faudra bien sûr s'entendre sur les articles que devrait contenir un panier type. Mais la principale crainte des groupes contre la pauvreté face à l'utilisation de cette méthode de mesure de la pauvreté, c'est qu'elle pourrait servir aux gouvernements de moyen pour amplifier l'invisibilité de la pauvreté et, du même coup, les délester de la responsabilité de mettre fin à celle-ci.
>
> [...]

Au Québec, par exemple, substituer les paniers de consommation aux SFR ferait baisser de façon importante le taux de pauvreté dans la province. Il passerait de 21,2 % à 10,8 % avant les impôts, ce qui ferait reculer le taux de pauvreté d'un incroyable 49 %. Et l'Ontario, province longtemps considérée comme la plus riche des provinces soit disant nanties, se retrouverait avec un taux de pauvreté plus élevé que celui du Québec et de cinq autres provinces.

Comme on peut le constater à la lecture de cet extrait, le choix d'une mesure absolue de la pauvreté ferait disparaître, comme par enchantement, un très grand nombre de personnes considérées comme pauvres sans qu'elles aient vu leur revenu augmenter pour autant. Il faut donc rester critique face aux données numériques; il est plus prudent de regarder non seulement la mesure numérique, mais également la façon dont cette mesure a été obtenue, c'est-à-dire la façon de mesurer le concept.

Il arrive donc que les chiffres ne reflètent pas toute la vérité et ne servent qu'à véhiculer la vision de la personne ou du groupe qui les font publier. Les données numériques jouent alors un rôle de désinformation ou de propagande. L'extrait qui suit commente cette affirmation.

> *Most Americans have heard the numbers: 10 % of men in the U.S. are gay[7], 2,7 million children are abused, one in eight women develop breast cancer.*
>
> [...]
>
> *The numbers are presented as though they carry all the weight of scientific truth. They don't. The fact is, much of today's political and social agenda in America is built around flagrantly flimsy figures. Statistics on crime, poverty, homelessness, joblessness, drug abuse, toxic hazards, sexual harassment (indeed, any matter concerning sex) are notoriously suspect.*
>
> [...]
>
> *But too often exaggerated figures are used deliberately to mislead, raise money or advance an agenda. Many statistics are generated by people who have a vested interest[8].*

Par conséquent, faire preuve d'un certain scepticisme à l'endroit des données numériques est une attitude saine, car il ne faut pas les considérer comme l'expression de la vérité.

Ainsi, comme nous l'avons souligné à plusieurs reprises, la quantification s'inscrit dans une démarche scientifique beaucoup plus large; elle n'a de sens que si un cadre théorique qualitatif lui sert de référence.

---

7. Donnée tirée de l'étude classique d'Alfred Kinsey (1948) sur la sexualité humaine.
8. A. Toufexis, «Damned lies and statistics», *Time*, 26 avril 1993, p. 34-35.

RÉSUMÉ

Le chapitre 1 nous a permis de réaliser un tour d'horizon rapide par lequel nous avons constaté la nécessité de la science, de la démarche scientifique et de la quantification. Ainsi, nous avons vu que la science poursuit plusieurs objectifs, soit mettre au jour des régularités, décrire des phénomènes, les expliquer et les prédire, et, selon les cas, les maîtriser et les modifier. Pour remplir ces objectifs, nous vous avons proposé une démarche en six étapes :

1. La formulation d'une problématique et d'une ou de plusieurs questions de recherche ;
2. Le choix d'une méthode d'investigation et l'élaboration d'un instrument de mesure ;
3. La collecte des données ;
4. L'organisation et le traitement des données ;
5. L'analyse et l'interprétation des résultats ;
6. La diffusion des résultats.

Le respect rigoureux de ces étapes nous permet d'espérer obtenir des résultats fiables.

Nous avons montré comment la statistique, la branche des mathématiques qui étudie les grands ensembles de nombres, s'intègre à la démarche scientifique. Nous avons identifié les différentes fonctions qu'elle y remplit, soit organiser, traiter, analyser et interpréter des données afin de décrire une population ou d'en estimer les paramètres. Ces fonctions sont à l'étude dans le présent ouvrage.

La quantification est utile à la précision et à l'objectivité des mesures, à la comparaison des données, à la généralisation et à la vérification des résultats.

Toutefois, la quantification ne mène pas toujours à des vérités absolues en sciences humaines. En effet, il est difficile de trouver des indicateurs valides et fidèles pour en refléter les concepts complexes et multidimensionnels. L'incapacité de mesurer directement un concept social, la possibilité d'erreurs de mesure volontaires (notamment pour enjoliver les chiffres) ou involontaires, la variété des définitions et des façons de mesurer un concept présentent donc des défis importants à tout chercheur en sciences humaines. La quantification constitue un moyen de dépasser l'intuition, mais comme elle permet seulement de refléter la réalité sociale de façon parcellaire, il est recommandé d'exercer son sens critique et de s'interroger sur la manière par laquelle les données ont été obtenues ainsi que sur les raisons de leur publication.

Mots clés

Concept, p. 7
Échantillon, p. 4
Enquête par sondage, p. 16
Estimation, p. 17
Fidélité, p. 19
Hypothèse, p. 6
Indicateur, p. 7

Inférence statistique, p. 17
Méthode scientifique, p. 4
Opérationnalisation
    d'un concept, p. 7
Population, p. 4
Problématique, p. 5
Recensement, p. 15

Sondage, p. 16
Statistique descriptive, p. 17
Technique, p. 4
Test d'hypothèse, p. 17
Unité statistique, p. 6
Validité, p. 19
Variable, p. 6

EXERCICES RÉCAPITULATIFS

1. Trouvez l'étape de la démarche scientifique qui correspond le mieux à l'énoncé suivant :

   a) Utiliser l'enquête statistique plutôt que la recherche documentaire afin d'obtenir des informations sur le nombre d'échecs subis par les élèves.

   b) Affirmer, à la suite d'une recherche expérimentale, que les garçons ont une meilleure perception spatiale que les filles.

   c) Les études américaines de Byers et Wheeler prétendent que le travail rémunéré a un effet négatif sur la réussite scolaire. Ces chercheurs ont cependant négligé de considérer la variable « secteur d'études » comme variable explicative. Nous allons tenter de montrer que, en milieu collégial québécois, le travail rémunéré n'a pas les mêmes effets sur la réussite scolaire dans tous les secteurs d'études. Le travail rémunéré chez les élèves du secteur technique serait plutôt source de motivation et de réussite scolaire. Pour effectuer cette recherche, nous choisirons un échantillon aléatoire de 1 000 élèves de niveau collégial provenant de 5 cégeps différents. Nous consulterons les dossiers des élèves pour obtenir les renseignements de nature scolaire (notes, secteur d'étude, nombre de cours suivis et taux d'échec) et nous interrogerons les élèves à l'aide d'un questionnaire portant sur le travail rémunéré.

   d) Utiliser des tableaux et des graphiques pour présenter les données recueillies au sujet du nombre d'heures de travail rémunéré des élèves.

   e) Faire remplir un questionnaire à 50 élèves pour connaître leur opinion sur la qualité des repas de la cafétéria d'un cégep.

   f) Publier les informations recueillies lors d'une enquête portant sur la collecte sélective des déchets domestiques.

2. Qu'est-ce qu'une hypothèse ?

3. Désignez la méthode d'investigation propre aux sciences humaines qui serait la plus adéquate dans chacun des contextes suivants :

   a) Étudier le mode de vie, les comportements et les agissements des membres des gangs de rue.

   b) Déterminer les effets de la musique classique sur la capacité de retenir les principaux éléments d'un texte de cinq pages.

    c) Estimer la proportion des électeurs qui ont l'intention de voter pour le candidat du Parti vert aux élections municipales qui auront lieu dans cinq jours.

    d) Présenter un portrait des conditions de travail dans les mines au milieu du XIXe siècle.

    e) Décrire les résultats d'un programme d'intégration raciale réalisé dans une commission scolaire multiethnique.

4. Expliquez en quoi consiste:

    a) L'opérationnalisation d'un concept;

    b) L'organisation et le traitement des données;

    c) L'analyse et l'interprétation des résultats.

5. Définissez les termes suivants:

    a) Population;

    b) Recensement;

    c) Échantillon;

    d) Sondage.

6. Quels motifs peuvent être invoqués pour utiliser le sondage plutôt que le recensement?

7. Quels sont les deux volets de l'inférence statistique? Illustrez chacun d'eux à l'aide d'un exemple.

8. Les résultats d'un récent sondage auprès de 1 000 cégépiens et cégépiennes nous apprennent que 72 % des élèves du secteur collégial sont satisfaits de l'enseignement reçu. Cet énoncé se rapporte-t-il à la description ou à l'inférence? Expliquez votre réponse.

9. En quoi consiste l'estimation?

10. Une personne affirme que les États-Unis se préoccupent moins des nouveau-nés que le Canada. Elle avance pour preuve qu'il y a plus de décès d'enfants de moins de un an aux États-Unis qu'au Canada. Cette comparaison est-elle bien fondée? Justifiez votre réponse.

11. Une personne affirme que les secrétaires sont meilleures en 2000 qu'elles ne l'étaient en 1950. Elle avance pour preuve que les secrétaires de 2000 peuvent produire 100 pages de documents en une journée, alors que ce nombre n'était que de 60 en 1950. Cette comparaison est-elle bien fondée? Justifiez votre réponse.

12. Une règle est mal graduée. Cela pose-t-il un problème de validité ou de fidélité? Expliquez votre réponse.

13. On dénombre les personnes qui sont entrées dans un cégep par la porte principale, pendant une journée de la semaine entre 8 h et 16 h, afin de déterminer le nombre d'élèves inscrits à ce cégep. Cette mesure est-elle valide? Est-elle fidèle? Justifiez votre réponse.

14. On interroge des élèves sur leur degré de satisfaction à l'égard de leur professeure de méthodes quantitatives. On a posé la question suivante :

Quel est votre degré de satisfaction à l'égard de l'enseignement de votre professeure ?

Très satisfait ( )
Satisfait ( )
Insatisfait ( )
Très insatisfait ( )

On a interrogé les élèves à la sortie d'un examen particulièrement difficile. La mesure est-elle valide ? Est-elle fidèle ? Justifiez votre réponse.

15. Qu'est-ce qu'un indicateur ?

16. Donnez trois indicateurs de la qualité des services

a) de la cafétéria d'un cégep ;

b) de la bibliothèque d'un cégep.

17. Trouvez le terme défini par chacun des énoncés suivants :

a) Méthode d'investigation qui permet d'établir une relation causale ;

b) Manifestation quantifiable d'un concept qui est utilisée pour le mesurer ;

c) Généralisation de résultats d'échantillons à l'ensemble de la population ;

d) Qualité d'un indicateur qui présente une constance dans la mesure.

EXERCICES DE SYNTHÈSE

1. Répondez aux questions portant sur le texte suivant.

Les travailleurs fatigués[9]

Beaucoup d'adultes se sentent coincés par le temps parce qu'ils doivent composer avec des obligations personnelles, familiales et professionnelles qui rivalisent d'importance. Près de la moitié des Canadiens de 15 ans et plus estiment souvent ne pas arriver à accomplir ce qu'ils avaient prévu faire dans la journée. Une étude de H. Tait montre que près du quart des Canadiens ont du mal à s'endormir lorsqu'ils se mettent au lit. Une autre étude de J. Frédérick montre qu'environ 44 % des Canadiens d'âge adulte réduisent leurs heures de sommeil afin de trouver le temps qui leur manque pour s'acquitter de leurs responsabilités durant le jour. Quelle qu'en soit la cause, le manque de sommeil peut entraîner de la fatigue et de la somnolence ainsi qu'une diminution de la vigilance et de la capacité de résoudre des problèmes. On conçoit aisément les dangers que peut représenter la somnolence en milieu de

9. Adapté de S. Crompton, « Les travailleurs fatigués », *L'emploi et le revenu en perspective*, vol. 7, n° 2, Statistique Canada, n° 75-001F au catalogue, 1995, p. 32-36.

travail, en particulier dans les professions où les conséquences des erreurs peuvent être graves. Même si les médias d'information font grand cas de la somnolence chez les travailleurs (reportages sur l'épuisement des contrôleurs aériens et sur des camionneurs qui s'endorment au volant), le grand public dispose de peu de données qui témoignent de l'ampleur du problème, parce que la majorité des travaux de recherche menés à ce jour traitent essentiellement des aspects physiologiques ou neurologiques de la fatigue, particulièrement chez les travailleurs de quart. Mais, selon l'*Enquête sociale générale* menée en 1991 par Statistique Canada auprès d'un échantillon d'environ 10 000 travailleurs canadiens âgés de 15 à 64 ans, la majorité des travailleurs canadiens (59 %) ont déclaré ne « jamais » avoir du mal à rester éveillés quand ils le veulent et la plupart des autres, n'avoir que « quelquefois » envie de dormir durant le jour. En fait, 4 % seulement des travailleurs canadiens âgés de 15 à 64 ans, soit environ 500 000 travailleurs, ont affirmé avoir du mal à rester éveillés « la plupart du temps ». On a qualifié de travailleurs fatigués les personnes qui ont déclaré avoir « la plupart du temps » du mal à rester éveillées lorsqu'elles le désiraient ; on dit de ces travailleurs qu'ils souffrent de fatigue chronique. Le présent article examine donc les caractéristiques de ces travailleurs fatigués et identifie quelques facteurs susceptibles d'être à l'origine de la somnolence.

La mesure de la fatigue retenue dans cette recherche est basée sur l'évaluation faite par les répondants eux-mêmes de leur état durant les heures de travail. Une des questions sur le sommeil posées aux participants à la recherche était la suivante : « Vous arrive-t-il d'éprouver de la difficulté à rester éveillé lorsque vous le désirez ? ». Les réponses proposées à cette question étaient « La plupart du temps », « Quelquefois » et « Jamais ». On a donc mesuré la fatigue des gens par la fréquence avec laquelle les travailleurs jugent avoir de la difficulté à rester éveillés quand ils le veulent.

Quels sont donc les facteurs associés à la fatigue chronique ? On pensait initialement que les travailleurs fatigués se retrouveraient dans certaines catégories d'emplois, dans certains secteurs d'activité ou dans certains quarts de travail ; que les femmes seraient plus sujettes que les hommes à souffrir de fatigue chronique ; que les travailleurs ayant des enfants d'âge préscolaire seraient plus portés à la somnolence que ceux qui n'ont pas d'enfant d'âge préscolaire. Cependant, l'étude montre que ce n'est pas le cas.

Par contre, comme le montre la figure qui suit, on a constaté que les travailleurs fatigués sont proportionnellement plus nombreux (une plus forte prévalence) à déclarer mener une vie très stressante, à avoir des soucis à leur travail et à avoir des problèmes de santé. Par ailleurs, les données ne permettent pas de déterminer si la fatigue est la cause ou le résultat du problème.

D'autres facteurs qui auraient pu être liés à la fatigue chronique (fréquence de l'activité physique, consommation de tabac, de drogues ou d'alcool) n'ont pas fait l'objet de cette étude.

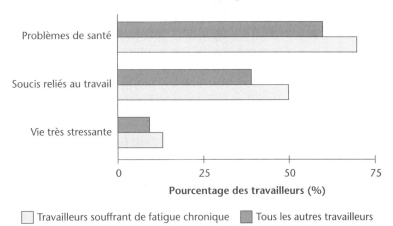

Prévalence de différents facteurs associés à la fatigue

Problèmes de santé

Soucis reliés au travail

Vie très stressante

0　　　25　　　50　　　75

Pourcentage des travailleurs (%)

☐ Travailleurs souffrant de fatigue chronique　　■ Tous les autres travailleurs

a) À quelle étape de la démarche scientifique correspond le premier paragraphe de ce texte?

b) Citez un extrait du texte qui montre que l'auteur a réalisé une recension des écrits.

c) Quelle méthode d'investigation a-t-on employée pour réaliser l'étude produite par Statistique Canada en 1991?

d) À quel instrument de mesure Statistique Canada a-t-il fait appel pour mener son étude de 1991?

e) Quelle a été la population étudiée lors de l'étude menée par Statistique Canada en 1991?

f) L'étude menée par Statistique Canada en 1991 a été réalisée auprès d'un échantillon d'individus plutôt qu'auprès de l'ensemble de la population. Comment appelle-t-on une étude menée auprès d'un échantillon d'une population?

g) D'après vous, pourquoi Statistique Canada a-t-il mené son étude auprès d'un échantillon plutôt qu'auprès de toute la population?

h) Lorsqu'on dit «En fait, 4 % seulement des travailleurs canadiens âgés de 15 à 64 ans, soit environ 500 000 travailleurs, ont affirmé avoir du mal à rester éveillés "la plupart du temps"», cet énoncé relève-t-il des statistiques inférentielles ou des statistiques descriptives? S'il s'agit d'inférence, dites si on a effectué une estimation ou un test d'hypothèse.

i) Quel indicateur a-t-on retenu pour mesurer le concept de fatigue?

j) Complétez: Le degré de difficulté à rester éveillé est une caractéristique qui varie d'un individu à l'autre, c'est donc une _____.

k) Déterminez la question de recherche présentée dans le texte. Ne confondez pas la question de recherche avec la question posée aux participants.

l) À quelle étape de la démarche scientifique correspond la préparation du graphique portant sur la prévalence des facteurs associés à la fatigue ?

m) Trouvez une hypothèse rejetée.

n) Trouvez une hypothèse confirmée.

o) À quelle étape de la démarche scientifique correspond le quatrième paragraphe du texte (« Par contre, comme le montre… ») ?

2. Répondez aux questions portant sur le texte suivant.

Les chiffres : d'accessoires à arguments massue[10]

Taux de chômage, taux d'inflation, taux de croissance, taux de popularité : les chiffres sont désormais omniprésents dans les pages des journaux, les discours des politiciens et les écrits des penseurs. Depuis quand ? Comment ? Pourquoi ? C'est à ces questions que cherchent à répondre Jean-Pierre Beaud et Jean-Guy Prévost, professeurs de science politique à l'UQAM. Depuis une dizaine d'années, ils fouillent l'histoire de la statistique, en particulier celle de la statistique canadienne du XIXe siècle. La Presse les a rencontrés la semaine dernière, à l'Université d'Ottawa, en marge du congrès de l'ACFAS.

LA PRESSE : Parlez-nous de l'origine du mot « statistique ».

JEAN-PIERRE BEAUD : Le mot est d'origine allemande. Dans l'Allemagne des XVIIe et XVIIIe siècles, la *statistik*, c'était l'équivalent de la science politique d'aujourd'hui. Faire de la statistique, c'était décrire la situation d'un État, généralement avec peu, voire pas du tout de chiffres. Ce sens a été englobé par le sens moderne.

LA PRESSE : Si j'en crois la communication que vous avez présentée à l'ACFAS, l'emprise des statistiques sur nos sociétés est moins nouvelle qu'on ne le pense généralement.

JEAN-PIERRE BEAUD : Le grand tournant s'est produit plutôt au cours du XIXe que du XXe siècle. On peut dégager diverses phases de cette emprise croissante du chiffre. C'est vrai qu'aujourd'hui, il est difficile de penser un objet sans le penser à travers la statistique. Le concept de chômage paraît évident à tout le monde, sauf que c'est une construction relativement récente. Il y a tout un tas d'objets avec lesquels on analyse le monde qui sont le produit d'un travail dans lequel la statistique a joué un certain rôle.

C'est clair qu'au XXe siècle le chiffre joue un rôle plus important qu'au XIXe siècle. Mais il y a eu d'abord un changement du statut du chiffre. Avant le XIXe siècle, il y avait des chiffres, sauf qu'ils ne jouaient pas le même rôle.

Lorsqu'on veut convaincre quelqu'un aujourd'hui, on va faire référence à des chiffres. Avant le XIXe siècle, la rhétorique politique s'appuyait peu sur des chiffres. D'abord parce qu'il y avait effectivement peu de chiffres. Et lorsqu'il y en avait, ils n'étaient pas publiés.

---

10. A. Pratte, « Les chiffres : d'accessoires à arguments massue. Deux politologues québécois cherchent à comprendre l'invasion statistique », *La Presse*, 5 juin 1999, p. B4.

Le chiffre n'était pas la référence ultime, on avait plutôt tendance à invoquer l'autorité d'un individu. Et si on invoquait un chiffre, ce chiffre n'avait de crédit que par le crédit qu'on accordait à la personne. Et c'est ça qui change au XIXe siècle, le chiffre acquiert dans l'argumentaire un statut particulier.

Aujourd'hui, cela paraît évident : on dit qu'un chiffre est un résumé d'un tas d'informations, qu'il est économique, qu'il permet de prendre des décisions rapidement, qu'il constitue une sorte de langage. La grande question, c'est de savoir pourquoi ce langage économique ne s'est pas imposé avant le XIXe siècle. La réponse, c'est qu'il y a un certain nombre de conditions qui ont fait que le chiffre s'est imposé : l'émergence de la science, l'industrialisation, l'étatisation, l'inquiétude des élites à l'égard de certains problèmes sociaux, et la circulation des idées entre les sociétés qui ont permis par exemple à des outils nés en Grande-Bretagne d'émigrer vers le Canada au gré des flux de population.

Entre 1800 et 1900, c'est donc le jour et la nuit. En 1800, il y a des chiffres, sauf qu'ils sont rarement diffusés. En 1900, les données de recensement sont diffusées, les journalistes commencent à en parler. J'ai retrouvé un texte du *Journal de Québec* daté de 1880 où le journaliste plaide pour un usage du chiffre au Québec parce que le chiffre est pour lui un complément du système représentatif. C'est-à-dire que non seulement les gouvernants prendront-ils de meilleures décisions, mais les gouvernés sauront pourquoi on prend ces décisions. La démocratie s'appuie sur le chiffre. Au XIXe siècle, dans bien des milieux, on avait une vision optimiste du rôle du chiffre, alors qu'aujourd'hui on tend plutôt à le redouter.

LA PRESSE : C'est vrai qu'aujourd'hui, le chiffre est partout, mais qu'en même temps, on se méfie de lui.

JEAN-GUY PROVOST : On va remettre en cause les statistiques sur la pauvreté, mais on va proposer d'en faire de meilleures, de redéfinir le seuil, le panier de subsistance. On reste à l'intérieur d'une logique de chiffres. On peut penser que pour vraiment comprendre un phénomène comme la violence faite aux femmes, il faut faire des entrevues, connaître l'expérience vécue par les victimes. Mais ultimement, si on veut agir sur ce phénomène-là, il va falloir avoir une idée de l'ampleur, il va falloir le quantifier.

JEAN-PIERRE BEAUD : Le soupçon à l'égard du chiffre prend davantage la forme d'une critique de la complexité du discours statistique actuel. Au XIXe siècle, le chiffre est relativement proche des réalités individuelles, du concret. Aujourd'hui, quand on parle du chômage, des indices qui rassemblent tout un tas d'informations, ça devient extrêmement complexe, difficile à saisir pour le commun des mortels. Qu'est-ce que c'est que le taux de chômage ? Y en a-t-il un seul ou plusieurs ? Comment se situent-ils les uns par rapport aux autres ? Qu'est-ce qu'un revenu moyen ? Le produit intérieur brut ? Le produit national brut ? Que veulent dire toutes ces choses-là ? Cette complexité rend l'exercice démocratique assez difficile.

[…]

LA PRESSE : Où se situe, dans cette évolution, la prolifération des sondages ?

JEAN-PIERRE BEAUD : L'introduction des techniques de sondage et l'informatisation représentent une deuxième révolution statistique. On peut non seulement avoir un résumé habile de la réalité, on l'a rapidement avec un coût beaucoup moindre. Les agences statistiques ont vite compris qu'elles pouvaient faire sensiblement la même chose avec parfois moins d'erreurs que dans un recensement. C'est ce que les gens ont du mal à comprendre : « Si je ne suis pas compté, comment se fait-il que c'est bon ? » C'est bon parce qu'on a de bonnes techniques d'estimation, mais aussi parce qu'on a besoin de moins d'employés (que pour faire le recensement), donc qu'on va mieux contrôler leur travail. On peut penser qu'au XXIe siècle, le recensement perdra une grande partie de son importance dans certains pays parce qu'on utilisera de plus en plus les techniques de sondage.

a) Quelle est l'origine du mot « statistique » et quel était alors le rôle de cette science ?

b) Au Canada, à partir de quelle époque les données numériques commencent-elles à faire partie du discours politique ?

c) À partir des propos de J.-P. Beaud, donnez quelques-uns des avantages de l'utilisation de données numériques.

d) Selon Jean-Pierre Beaud, pourquoi le langage des chiffres (le langage économique) ne s'est-il pas imposé avant le XIXe siècle ?

e) Selon l'article de journal de 1880 mentionné par J.-P. Beaud, comment les données numériques contribuent-elles à la démocratie ?

f) Citez un extrait de cette entrevue qui met en évidence la nécessaire complémentarité des approches qualitatives et quantitatives.

g) Quelle critique J.-P. Beaud formule-t-il à propos du « discours statistique » ?

h) J.-P. Beaud relève quelques avantages du sondage sur le recensement. Quels sont-ils ?

i) Selon J.-P. Beaud, pourquoi les sondages peuvent-ils être aussi précis que les recensements ?

2

Les variables

Si vous voulez une réponse, posez une question.

Martin Shipman

À la fin de ce chapitre, vous devriez être en mesure de répondre aux questions suivantes :

- *Qu'est-ce qu'une variable ?*
- *Quels sont les différents types de variables ?*
- *Comment mesure-t-on les variables ?*
- *Comment construit-on un questionnaire ?*
- *Quelles sont les caractéristiques d'une bonne question ?*
- *Quelles sont les erreurs susceptibles de se produire lors de l'administration d'un questionnaire ?*

*D*ans ce chapitre, nous allons étudier de façon plus particulière une méthode d'investigation (l'enquête) et l'instrument de mesure auquel elle fait appel (le questionnaire). Cependant, il faut au préalable aborder les concepts de variable (ce qu'on veut mesurer) et d'échelle de mesure (le degré de précision de la mesure).

Comme nous l'avons vu, la collecte de données lors d'une recherche se fait souvent à l'aide d'une enquête par sondage; on n'observe alors qu'un échantillon de la population. Les individus sont interrogés à l'aide d'un questionnaire qu'on aura élaboré de façon à obtenir des renseignements sur le sujet de la recherche. Les caractéristiques que l'on mesure portent le nom de **variable** précisément parce qu'elles varient d'une observation à l'autre. Les termes *caractère* et *facteur* sont également utilisés comme synonymes du mot « variable ». L'individu ou l'objet sur lequel on mesure la variable porte le nom d'**unité statistique**. Le résultat d'une mesure effectuée sur une unité statistique est une **donnée**. L'ensemble de toutes les unités statistiques concernées par une recherche porte le nom de **population**, alors que l'ensemble des unités statistiques interrogées ou observées est appelé **échantillon**.

Au cours d'une enquête, on mesure généralement plusieurs variables sur chacune des unités statistiques.

Variable

Caractéristique pouvant présenter des formes différentes pour chaque unité statistique observée. Également appelée caractère ou facteur. Les indicateurs sont des variables.

Unité statistique

Élément de la population étudiée. Individu ou objet sur lequel on mesure une variable.

Donnée

Résultat d'une mesure effectuée sur une unité statistique.

Population

Ensemble de tous les faits, de tous les objets ou de toutes les personnes, c'est-à-dire de toutes les unités statistiques, sur lesquels porte une étude ou une recherche.

Échantillon

Sous-ensemble d'une population formé des unités statistiques interrogées ou observées.

► EXEMPLE

Une enquête a été réalisée auprès d'élèves inscrits à un cégep. On a interrogé 120 élèves. On leur a demandé leur âge, leur langue maternelle, leur sexe, leur masse, leur taille, leur revenu, le nombre de frères et de sœurs qu'ils ont, le nombre de cigarettes consommées en une journée, le mode de transport utilisé pour se rendre au collège, le programme dans lequel ils étudient, le degré de satisfaction à l'égard de leur programme d'études, l'intérêt qu'ils portent à leurs études et le temps qu'ils consacrent aux activités sportives, aux activités culturelles ainsi qu'aux études.

Dans ce contexte, la population correspond à l'ensemble des élèves de ce cégep; un élève, à une unité statistique; les 120 élèves interrogés, à l'échantillon. L'âge, le sexe, la masse, le programme d'études, etc., constituent les variables. Pour chacune de ces variables, nous aurons 120 données, puisque notre échantillon comporte 120 unités statistiques. ◄

Les variables sont souvent employées comme indicateurs lorsqu'on désire mesurer un concept, et c'est pourquoi nous leur consacrerons la majeure partie de ce chapitre. Les différents types de variables (la nature de la variable) et les différentes façons de les mesurer (les échelles de mesure) y sont abordées en détail. Par la suite, nous étudierons un outil (le questionnaire) employé pour recueillir des renseignements (les variables étudiées).

2.1   La nature des variables

2.1.1   Les variables qualitatives

Variable qualitative

Variable dont les différentes formes sont des catégories ou des attributs.

Une **variable** est **qualitative** si ses différentes formes sont des catégories ou des attributs. Les variables suivantes sont qualitatives: sexe, programme d'études, intérêt pour les études, degré de satisfaction à l'égard du programme d'études.

Modalité

Forme que peut revêtir une variable qualitative.

Les différentes formes que peut revêtir une variable qualitative sont appelées **modalités**. La variable «sexe» présente deux modalités: masculin ou féminin; la variable «opinion sur un sujet» pourrait en présenter quatre: tout à fait en désaccord, en désaccord, d'accord ou tout à fait d'accord.

Modalités exhaustives

Modalités qui représentent toutes les formes que peut prendre la variable.

Les **modalités** d'une variable qualitative doivent être **exhaustives** et **mutuellement exclusives**: à toute unité statistique doit correspondre une (exhaustivité) et une seule (exclusivité) modalité pour chaque variable.

Modalités mutuellement exclusives

Modalités qui garantissent qu'aucune des données ne peut être placée dans plus d'une modalité.

▶ **EXEMPLE**

Pour obtenir, à partir d'un questionnaire, le pays d'origine des étudiants d'une université, on devrait utiliser une liste qui regroupe tous les pays possibles (les modalités), de façon que chaque étudiant puisse y inscrire son pays de naissance[1]: les modalités sont alors exhaustives. Les modalités sont aussi mutuellement exclusives, puisque tous les pays sont distincts: un individu ne pourra indiquer qu'un seul pays. ◀

Variable qualitative nominale

Variable qualitative dont les modalités ne peuvent pas être ordonnées.

La langue maternelle, le sexe et le programme d'études sont des exemples de **variables qualitatives nominales** parce qu'il n'y a pas de relation d'ordre entre les différentes modalités de la variable, c'est-à-dire que ces dernières ne peuvent pas être classées de la plus petite à la plus grande. Par contre, la variable «degré de satisfaction» pour un cours de psychologie, mesurée selon un éventail de quatre réponses (très insatisfait; insatisfait; satisfait; très satisfait), est une **variable qualitative ordinale** puisqu'il existe une relation d'ordre entre ces modalités.

Variable qualitative ordinale

Variable qualitative dont les modalités peuvent être ordonnées.

---

1. Si l'on souhaite utiliser une liste assez courte, on peut la dresser en mentionnant les pays que l'on pense être les plus courants et y ajouter une catégorie «Autre pays».

2.1.2   Les variables quantitatives

Variable quantitative
Variable qui s'exprime sous la forme d'une valeur numérique.

Variable quantitative continue
Variable quantitative qui peut, en théorie, couvrir toutes les valeurs d'un intervalle.

Variable quantitative discrète
Variable quantitative qui ne peut pas, en théorie, couvrir toutes les valeurs d'un intervalle.

Valeur
Forme prise par une variable quantitative.

Une **variable** est **quantitative** si la caractéristique observée s'exprime sous la forme d'une valeur numérique. Il en est ainsi des variables suivantes : âge, masse, revenu, nombre de frères et de sœurs.

Les **variables quantitatives** sont dites **continues** si elles peuvent en théorie couvrir toutes les valeurs d'un intervalle, à l'instar des variables suivantes : âge, temps consacré à une tâche, masse. Les **variables quantitatives** non continues sont dites **discrètes** ; c'est le cas des variables suivantes : nombre de frères et de sœurs, revenu, nombre de cigarettes consommées en une journée. À l'occasion, certaines variables discrètes sont traitées comme des variables continues lorsqu'elles peuvent prendre un très grand nombre de valeurs, comme dans le cas d'une variable monétaire.

Que ce soit pour une variable quantitative continue ou discrète, les formes prises par la variable sont de nature numérique et portent le nom de **valeur** plutôt que celui de modalité.

▶ EXEMPLE

La variable « nombre de voitures que possède un ménage » pourrait prendre les valeurs 0, 1, 2, 3, 4 ou 5 ; la variable « taille d'un individu » pourrait se situer entre 0 m et 2,5 m ; la variable « température en été » pourrait s'échelonner entre 0 °C et 35 °C ; la variable « année civile au XXe siècle » pourrait prendre une valeur entière comprise entre 1900 et 1999. ◀

EXERCICE 2.1

De quelle nature sont les variables suivantes ?

a)   Le nombre de fautes d'orthographe dans un texte de cinq pages.

b)   Le degré de difficulté d'un texte (tel que perçu par un lecteur) mesuré selon un éventail de cinq réponses.

c)   La profession d'un individu.

d)   Le temps consacré à la préparation d'un examen.

e)   Le type de démence dont souffre une personne (maladie d'Alzheimer, démence vasculaire, autre forme de démence).

f)   La superficie d'un territoire.

g)   Le nombre de personnes dans un ménage.

h)   La formation politique à laquelle appartient un député.

2.2 Les échelles de mesure

Mesurer est une opération qui consiste à attribuer une valeur numérique à la caractéristique étudiée d'une unité statistique de manière à fixer l'état, l'intensité ou la grandeur de cette caractéristique. Le but de la mesure n'est pas toujours le même: classer par catégories, ordonner selon différents degrés ou encore évaluer. Ainsi, il n'est pas possible de mesurer les émotions de la même façon qu'on mesure la taille d'un individu. C'est pourquoi il existe différents types d'échelles de mesure qui tiennent compte de cette diversité.

2.2.1 L'échelle nominale

Échelle nominale

Échelle de mesure qui attribue des codes arbitraires distincts aux différentes formes d'une variable. Cette échelle ne sert qu'à distinguer les formes de la variable; c'est l'échelle de mesure la plus faible.

Lorsque les modalités d'une variable ne présentent pas de hiérarchie, on utilise une **échelle nominale**, et on attribue de façon arbitraire un code numérique distinct à chacune.

Illustrons cela avec les variables «sexe» et «langue maternelle» (tableau 2.1).

Tableau 2.1

Codification de la variable «sexe»		Codification de la variable «langue maternelle»	
Sexe	**Code**	**Langue maternelle**	**Code**
Masculin	0	Français	0
Féminin	1	Anglais	1
		Italien	2
		Espagnol	3
		Autre langue	4

L'échelle de mesure nominale permet de classer des individus selon des catégories qui ne présentent pas de relations quantitatives entre elles. Les codes numériques d'une échelle nominale ne servent qu'à particulariser les différentes modalités en les associant à des nombres distincts. Lorsqu'on utilise ce type d'échelle, on ne peut pas effectuer d'opérations arithmétiques sur les codes ni comparer les codes au moyen d'une relation d'ordre. L'échelle nominale ne permet que la distinction des modalités entre elles. C'est pourquoi on considère qu'elle est l'échelle de mesure la plus faible.

2.2.2 L'échelle ordinale

Échelle ordinale

Échelle de mesure qui classe selon une hiérarchie les différentes formes d'une variable. En plus de distinguer ces formes, cette échelle les ordonne.

Lorsque les modalités d'une variable qualitative présentent une hiérarchie (il existe une relation d'ordre entre les modalités, relation permettant de les classer de la plus petite à la plus grande), on fait appel à une **échelle ordinale**. Ainsi, pour la variable «opinion sur un sujet», on pourrait associer des codes aux quatre modalités de la manière montrée dans le tableau 2.2.

Tableau 2.2

Codification de la variable «opinion sur un sujet»

Opinion sur un sujet	Code
Tout à fait en désaccord	1
En désaccord	2
D'accord	3
Tout à fait d'accord	4

Les codes employés respectent la hiérarchie des modalités. On utilise alors une propriété additionnelle des nombres; ils permettent non seulement de distinguer des modalités (utilisation de nombres distincts pour chacune des modalités), mais également d'établir une différence de degré, un ordre, une hiérarchie, entre les différentes modalités. Les modalités peuvent donc être ordonnées selon la grandeur des codes associés.

Pour représenter ces modalités, on aurait pu utiliser d'autres codes qui en auraient préservé l'ordre: 1, 3, 5, 7 ou encore 1, 4, 6, 12. Il reste donc une part d'arbitraire dans le choix des codes. Par conséquent, l'emploi d'une échelle ordinale ne permet pas d'établir un écart constant entre des modalités consécutives. On ne peut pas interpréter les écarts, puisqu'on ne possède pas une unité de mesure uniforme et normalisée. L'écart entre «tout à fait en désaccord» et «en désaccord» ne correspond pas nécessairement à l'écart entre «d'accord» et «tout à fait d'accord», que ce soit pour un individu ou pour un groupe d'individus, même si, dans le tableau 2.2, l'écart entre les codes associés à ces modalités est de 1 dans les deux cas. Par conséquent, on ne peut pas effectuer d'opérations arithmétiques sur les codes identifiant les modalités lorsqu'on utilise une échelle ordinale.

Parce que les échelles nominale et ordinale autorisent le dénombrement des unités statistiques appartenant à chacune des modalités, ces échelles de mesure permettent de calculer le pourcentage des unités statistiques qui présentent une modalité donnée.

2.2.3 L'échelle d'intervalles

Pour mesurer une variable quantitative, nous disposons, en plus de l'échelle ordinale, de deux autres types d'échelles de mesure, soit l'échelle d'intervalles et l'échelle de rapports. Ces deux types d'échelles font appel à des propriétés additionnelles des nombres. En plus de permettre de distinguer, de comparer et d'ordonner, ces échelles de mesure permettent d'évaluer (donner la valeur d'une variable) et d'effectuer certaines opérations arithmétiques de base.

Échelle d'intervalles

Échelle de mesure caractérisée par la présence d'une unité de mesure normalisée et d'un zéro relatif. Cette échelle permet de distinguer et de comparer des valeurs ; elle permet également d'évaluer des écarts. Seules les opérations d'addition et de soustraction sont possibles avec cette échelle.

L'**échelle d'intervalles** permet de quantifier des écarts. Cette échelle est caractérisée par la présence d'une unité de mesure normalisée et d'un point de référence fixé de manière arbitraire (par convention), appelé **zéro relatif** (ou *zéro conventionnel*). Ainsi, dans une échelle d'intervalles, des écarts égaux représentent des distances égales entre les points de l'échelle. *Le zéro relatif (l'origine de l'échelle) est fixé de manière arbitraire. Il ne sert que de point de repère et ne signifie pas l'absence totale de la caractéristique mesurée.*

Zéro relatif

Point de référence fixé de manière arbitraire, par convention. Également appelé *zéro conventionnel*.

▶ **EXEMPLES**

1. La mesure du temps à l'aide du calendrier grégorien (le calendrier en vigueur au Canada et dans la plupart des pays du monde) emploie une échelle d'intervalles. Le point de référence, le zéro relatif, est l'année de la naissance du Christ, et l'unité de mesure normalisée est l'année.

2. La mesure de la température à l'aide d'un thermomètre gradué en degrés Celsius emploie une échelle d'intervalles. Le point de référence correspond au point de congélation de l'eau (0 °C), et l'unité de mesure normalisée est le degré.

3. On mesure l'altitude par la hauteur (en mètres) au-dessus du niveau de la mer. Le zéro relatif correspond au niveau de la mer, et le mètre constitue l'unité de mesure normalisée. ◀

Dans les exemples précédents, le zéro est relatif parce qu'il ne dénote pas une absence de quantité : 0 °C ne veut pas dire absence de température et année 0 ne signifie pas absence de temps. Le zéro sert de point de repère fixe à partir duquel on mesure des écarts. Nous pourrions aussi bien utiliser un calendrier dont l'origine ne correspond pas à la naissance du Christ, une échelle de mesure de la température dont l'origine ne correspond pas au point de congélation de l'eau (les degrés Fahrenheit, par exemple) ou un point de repère autre que le niveau de la mer (le sommet du mont Royal, par exemple) pour mesurer l'altitude.

Par contre, l'écart de un an entre 1990 et 1991 ou entre 2000 et 2001 représente la même durée. La période correspondant à une année constitue l'unité de mesure normalisée. Qu'elle représente la différence entre 700 m et 500 m ou encore entre 1 000 m et 800 m, une différence d'altitude de 200 m est la même, parce que le mètre est l'unité de mesure normalisée de l'altitude. Ainsi, comme il existe une unité de mesure normalisée dans l'échelle d'intervalles, il est possible de faire des additions et des soustractions. Il est donc possible d'affirmer que 10 années après 2000 nous serons en 2010, ou encore qu'il s'est écoulé 100 années entre le début et la fin du XXe siècle.

2.2.4 L'échelle de rapports

La dernière échelle de mesure utilisée, la plus puissante ou la plus précise, porte le nom d'**échelle de rapports**. Ce type d'échelle se caractérise par la présence d'un **zéro absolu**, ce qui permet d'effectuer d'autres opérations sur les mesures (des multiplications et des divisions). *Le zéro absolu dénote une absence totale de la caractéristique mesurée.*

Échelle de rapports

Échelle de mesure caractérisée par la présence d'un zéro absolu. En plus de posséder toutes les propriétés des autres échelles de mesure, l'échelle de rapports permet la multiplication et la division. C'est l'échelle de mesure la plus précise, donc la plus puissante.

Zéro absolu

Zéro qui dénote une absence totale de la caractéristique mesurée.

▶ **EXEMPLES**

Le nombre d'enfants d'une famille est mesuré selon une échelle de rapports puisque la quantité « 0 enfant » indique l'absence d'enfant. Il en est de même pour la mesure de l'âge d'un individu, où le zéro dénote l'absence d'âge. De la même manière, 0 m indique une taille nulle. Tel n'était pas le cas pour 0 °C : cette mesure n'indiquait pas l'absence de température. ◀

L'échelle de rapports autorise des comparaisons du type : tel individu est deux fois plus grand ou trois fois plus âgé que tel autre ; telle famille a trois fois plus d'enfants que telle autre. C'est pourquoi on considère que cette échelle de mesure est la plus puissante.

En ce qui concerne la température (mesurée selon une échelle d'intervalles), on ne peut soutenir que 30 °C équivaut à une température trois fois plus élevée qu'une température de 10 °C. Si tel était le cas, la relation devrait être vérifiée quelle que soit l'unité de mesure de la température. Or, 30 °C = 86 °F et 10 °C = 50 °F, par contre, 86 °F ≠ 3 × 50 °F même si 30 = 3 × 10 sur le plan numérique. Dans ce contexte, on doit se contenter de dire que l'écart entre les deux températures est de 20 °C.

EXERCICE 2.2

Un terrain d'une largeur de 20 m et d'une longueur de 40 m est-il deux fois plus long que large ? Justifiez votre réponse. Vérifiez que cette proportion ne varie pas si on mesure les dimensions du terrain en pieds (1 m = 3,281 pieds) ou en verges (1 m = 1,094 verge).

2.3 Le choix d'une échelle de mesure

On comprendra facilement que, selon les objectifs poursuivis, un chercheur doive accorder une importance primordiale au type d'échelle qu'il utilisera. Ainsi, s'il veut tirer profit de toutes les opérations arithmétiques de base sur des données, il devra se servir d'une échelle de rapports. La nature de la variable, le type de traitement mathématique qu'on voudra faire subir aux données et le degré de précision qu'on désire obtenir imposeront le type d'échelle de mesure à utiliser et, par conséquent, influeront sur le plan de la recherche.

Ainsi, si un chercheur s'intéresse à « la famille québécoise », et plus spécifiquement au nombre d'enfants mineurs des répondants, il pourrait employer l'une des questions suivantes :

- Combien d'enfants mineurs avez-vous ?

0 – 1	$( )_1$
2 – 3	$( )_2$
4 et plus	$( )_3$

- Combien d'enfants mineurs avez-vous ? _____

Dans ces deux cas, on s'intéresse au nombre d'enfants mineurs, mais le degré de précision de la question varie. Plus le degré de précision est élevé, plus l'échelle de mesure utilisée est puissante. Dans la première formulation, on utilise une échelle ordinale (un code est associé à chacune des réponses proposées) pour classer les familles selon le nombre d'enfants mineurs qu'elles ont. La deuxième formulation montre l'usage d'une échelle de rapports en vue de mesurer de manière précise le nombre d'enfants mineurs dans chaque famille. Bien plus que la nature de la variable, c'est l'échelle utilisée qui importe puisque c'est elle qui détermine le degré de précision des résultats.

De la même façon, dans un questionnaire, on pourrait mesurer la variable « salaire » à l'aide d'une des deux questions suivantes :

- Situez votre salaire annuel brut de 2000 dans une des catégories suivantes :

Moins de 10 000 $	$( )_1$
De 10 000 $ à 19 999,99 $	$( )_2$
De 20 000 $ à 39 999,99 $	$( )_3$
De 40 000 $ à 59 999,99 $	$( )_4$
De 60 000 $ à 99 999,99 $	$( )_5$
100 000 $ et plus	$( )_6$

- Quel a été votre salaire annuel brut en 2000 ? _____ $

La première formulation fait appel à une échelle ordinale, puisque le salaire y est représenté selon des catégories croissantes, soit des niveaux de salaire. La deuxième formulation utilise une échelle de rapports.

Beaucoup de personnes considèrent que la deuxième formulation constitue une intrusion dans leur vie privée et refusent de répondre à une question aussi abrupte alors qu'elles auraient accepté de situer leur salaire dans l'une des catégories de la première formulation.

À moins que le chercheur n'ait besoin d'une mesure très précise, il est préférable de choisir une échelle ordinale (classes salariales) pour mesurer le salaire à l'aide d'un questionnaire. Il en va de même d'autres variables sur lesquelles des questions trop précises seraient jugées indiscrètes, tels l'âge ou la masse, et des variables au sujet desquelles le répondant ne peut qu'estimer la valeur recherchée, tel le nombre d'heures de sommeil au cours de la dernière semaine. Il est inutile de tenter d'obtenir une mesure plus précise que celle que le répondant peut ou veut bien donner.

Le tableau 2.3 présente une comparaison des échelles de mesure.

Tableau 2.3

Comparaison des échelles de mesure

Échelle de mesure	Variable	Origine de l'échelle	Unité de mesure	Rôle des nombres	Relations possibles	Opérations arithmétiques permises
Nominale	Qualitative	Aucune	Aucune	Coder	$=, \neq$	Aucune
Ordinale	Qualitative ou quantitative	Première modalité	Unité non normalisée : les écarts entre les unités ne sont pas égaux.	Ordonner	$<, >, =, \neq$	Aucune
D'intervalles	Quantitative	Zéro relatif	Unité normalisée : les écarts entre les unités sont égaux.	Évaluer	$<, >, =, \neq$	$+, -$
De rapports	Quantitative	Zéro absolu	Unité normalisée : les écarts entre les unités sont égaux.	Évaluer	$<, >, =, \neq$	$+, -, \times, \div$

EXERCICE 2.3

Dans les contextes suivants, déterminez quelles sont la population, la variable, la nature de la variable, ses modalités ou ses valeurs, l'échelle de mesure utilisée, l'origine de l'échelle, les relations possibles et les opérations permises.

a)   **Répartition des Québécois, selon la langue maternelle parlée à la maison (réponses uniques), 1996**

Langue maternelle	Code	Nombre de Québécois
Français	1	5 770 915
Anglais	2	710 970
Italien	3	62 770
Espagnol	4	46 845
Arabe	5	35 565
Autre langue	6	265 835
	Total	6 892 900

Source : Statistique Canada, *Profil des divisions et subdivisions de recensement du Québec*, vol. 1, n° 95-186-XPB au catalogue, 1999, p. 36.

b) Une chercheuse a effectué une étude auprès de femmes ayant donné naissance à un enfant au Québec en 2000. Elle a interrogé 122 femmes sur leur état matrimonial et leur âge (mesuré en années) au moment de l'accouchement. Attention ! Il y a deux variables.

2.4   Le questionnaire

On peut employer différents instruments, tels qu'une grille d'observation, un questionnaire ou un appareil d'enregistrement, afin de mesurer des variables.

▶ EXEMPLES

1. Un sociologue a construit une grille d'observation afin d'étudier plus objectivement les différents comportements agressifs de jeunes enfants dans une cour d'école.

2. Une politologue élabore un questionnaire visant à mesurer les intentions de vote des électeurs au cours d'une campagne électorale.

3. Au cours d'une expérience, un psychologue enregistre, à l'aide d'appareils appropriés, les variations physiologiques (temps de réaction, fréquence cardiaque, sudation) chez des sujets soumis à un stress. ◀

Nous allons maintenant nous intéresser à un instrument employé de façon courante dans plusieurs disciplines des sciences humaines: le questionnaire. Chaque question constitue un excellent moyen d'obtenir l'information désirée (la valeur ou la modalité d'une variable) pour chaque élément (l'unité statistique) de l'ensemble observé (la population ou l'échantillon).

2.5   Les règles de formulation des questions

Dans la mesure où l'on veut obtenir, à l'aide d'un questionnaire, des résultats qui soient fidèles et valides, c'est-à-dire qui reflètent bien la réalité, il est important de respecter certaines règles élémentaires dans la formulation des questions. Si on ne respecte pas ces règles, les données recueillies seront sans valeur parce qu'elles seront mal fondées. Aucune opération mathématique effectuée sur les données recueillies ne pourra rendre les résultats valables si les questions sont mal posées, d'où l'importance d'utiliser un questionnaire adéquat.

Il faut formuler chaque question de façon que:

1. Les répondants en comprennent bien l'énoncé ;

2. Les répondants soient capables de donner une réponse ;

3. Les répondants acceptent de donner une réponse ;

4. La réponse donnée soit authentique ;

5. Le contenu de la réponse donnée soit révélateur.

Par conséquent, il faut respecter les trois critères de qualité suivants :

1. La clarté ;

2. La pertinence ;

3. La neutralité.

Pour être claire, une question doit satisfaire aux conditions suivantes :

- La question est précise ; elle ne comporte pas de termes vagues qui peuvent prêter à l'interprétation ou à l'équivoque ;

- Elle est simple ; elle ne contient pas de termes complexes, techniques ou de sigles méconnus ;

- Elle ne porte que sur un seul sujet ;

- Elle est courte (moins de 2 lignes) ;

- Dans une question à choix multiple, l'éventail de réponses est exhaustif et les réponses proposées sont mutuellement exclusives. Le répondant doit être en mesure de choisir une (exhaustivité) et une seule (exclusivité) réponse ;

- La formulation de la question ne comporte pas de négation.

Pour être pertinente, une question doit satisfaire aux conditions suivantes :

- La question porte sur le sujet à l'étude ;

- Elle mesure la variable étudiée avec le degré de précision souhaité ;

- Les répondants doivent être en mesure d'y répondre de manière adéquate ; leur réponse doit être révélatrice.

Pour être neutre, une question doit satisfaire aux conditions suivantes :

- Dans sa formulation, la question n'oriente pas le répondant dans une direction donnée ; elle n'est pas tendancieuse ;

- Elle ne met pas le répondant mal à l'aise ;

- Elle n'est pas menaçante ;

- Elle n'incite pas le répondant à vouloir donner une bonne impression ;

- Toutes les réponses proposées doivent être perçues comme étant également acceptables ou normales ;

- Dans une question à choix multiple, l'éventail de réponses est équilibré (une question d'opinion pourrait comporter deux réponses favorables, deux non favorables et, éventuellement, une réponse neutre).

Il est difficile de rédiger une question neutre. Toute modification, même mineure, peut grandement modifier la répartition des répondants. À titre d'exemple, le choix du terme utilisé pour mesurer le degré d'adhésion à la « souveraineté » du Québec (indépendance, souveraineté, souveraineté-association, sécession ou séparation) produit un effet certain sur la répartition des répondants. Du reste, certains vont jusqu'à considérer que les réponses à une question d'enquête dépendent plus de la formulation de la question que de l'opinion réelle des personnes interrogées.

EXERCICE 2.4

Voici une question tirée d'un questionnaire fictif portant sur les loisirs des jeunes. Expliquez en quoi elle n'est pas

a) claire;

b) pertinente;

c) neutre.

Êtes-vous d'accord avec les mesures novatrices et peu coûteuses proposées par l'AQPS pour résoudre les problèmes aigus du décrochage scolaire et de l'indiscipline généralisée chez les élèves du secondaire?

Tout à fait d'accord	( )
Plutôt d'accord	( )
D'accord	( )
Partiellement en désaccord	( )

Malgré tout ce que nous venons de dire et quelle que soit la qualité des questions posées, il faut être conscient que plus un sujet d'enquête est délicat, moins les résultats seront fiables. Voici ce que disait, certes avec humour, le chroniqueur Pierre Foglia, du journal *La Presse,* à propos d'une enquête portant sur les habitudes sexuelles:

Ce qui m'étonne le plus dans les sondages sur les habitudes sexuelles des gens, c'est moins les résultats obtenus que l'idée elle-même du sondage, sa démarche, sa méthodologie, comme ils disent...

Ainsi, il y a vraiment des gens qui téléphonent, à l'heure du souper, à de parfaits inconnus, pour leur poser des questions aussi saugrenues que:

– Excusez-moi, monsieur, avez-vous une maîtresse?

– Combien de fois vous masturbez-vous par semaine, mademoiselle?

[...]

Et ici, ce qui m'étonne le plus, ce n'est pas que les gens répondent, c'est que les sondeurs tiennent ces réponses pour vraies. Que dis-je, pour vraies, pour scientifiques, à la restriction de la marge d'erreur habituelle de 3,2 %.

[...]

Vous êtes drôles, Léger et Léger, avec vos 16 % de Québécois qui ont un amant ou une maîtresse. Nonos! Naïfs! Pour ne parler que des hommes, mon sondage personnel, étalé sur 50 ans de vie, me dit que 7 hommes sur 10 couraillent, ont couraillé, ou courailleront quand l'occasion se présentera. Et de ceux-là, 10 sur 10 mentent quand on leur demande s'ils couraillent, ont couraillé ou courailleront.

Tout ça pour vous dire que les sondages sur les habitudes sexuelles des Québécois, des Bulgares ou des Moldaves, c'est toujours de la foutaise. Je ne vois pas pourquoi ce que les hommes ne disent pas à leur blonde, et ne se disent même pas entre eux, ni à eux-mêmes, je ne vois pas pourquoi ils iraient le dire à des inconnus, au téléphone, à l'heure du souper[2].

Ainsi, même si les questions sont adéquates, la nature d'un sujet d'enquête peut faire en sorte que les répondants refusent de répondre au questionnaire ou donnent des réponses qui ne seront pas authentiques. Il faut alors traiter les résultats avec beaucoup de circonspection.

2.6   Les types de questions*[3]

Question ouverte

Type de question où le répondant structure lui-même sa réponse selon son mode de pensée.

Question fermée

Type de question qui exige du répondant qu'il donne une réponse factuelle brève ou qu'il coche une case. La question fermée peut se présenter sous différentes formes : à réponse brève, à choix multiple, « cafétéria » ou fourre-tout, hiérarchique ou bipolaire.

Un questionnaire peut comporter des **questions ouvertes** et des **questions fermées**. Une question fermée exige du répondant qu'il coche une case ou qu'il donne une réponse factuelle brève n'exigeant pas d'interprétation. Les questions suivantes en sont des exemples :

1.   Avez-vous écouté la radio ce matin ? Oui ( ) Non ( )

2.   Quelle est votre taille ? _____ mètre

3.   Quel est votre degré de satisfaction à l'égard de votre emploi ?

     Très satisfait   ( )
     Satisfait   ( )
     Insatisfait   ( )
     Très insatisfait   ( )

4.   Où faites-vous généralement vos travaux scolaires ?

     Dans ma chambre   ( )
     À la bibliothèque   ( )
     Dans la cuisine   ( )
     Au café étudiant   ( )
     Dans un autre endroit   ( )

5.   Classez les raisons suivantes selon l'importance que vous leur avez accordée lors du choix de l'établissement de niveau collégial que vous fréquentez présentement (1 = la plus importante, 4 = la moins importante) :

     a) C'est le cégep le plus près de chez moi ;
     b) Ce cégep offrait le programme auquel je voulais m'inscrire ;
     c) Ce cégep a une bonne réputation ;
     d) Ce cégep organise beaucoup d'activités parascolaires (sports, sorties culturelles, activités sociales, etc.).

---

2.   P. Foglia, « Le bonheur sondé », *La Presse,* 24 janvier 1994, p. A5.

3.   Les sections marquées d'un astérisque (*) peuvent être omises parce qu'elles constituent un approfondissement. Elles ne sont pas requises pour la compréhension de la matière traitée dans ce manuel. Les exercices se rapportant à ces sections sont également signalés par un astérisque.

6. Évaluez la rapidité avec laquelle on vous a répondu à l'occasion de votre dernière transaction au comptoir effectuée à la succursale bancaire que vous fréquentez habituellement.

Lent						Rapide
1	2	3	4	5	6	7

Les questions fermées sont donc susceptibles de prendre plusieurs formes. Elles peuvent être :

1. dichotomiques (par exemple, choisir entre vrai ou faux, oui ou non) ;
2. à réponse brève (inscrire un mot ou un chiffre) ;
3. à choix multiple (choisir un degré de satisfaction ou d'approbation) ;
4. « cafétéria » ou fourre-tout (sélectionner parmi un ensemble de comportements, d'attitudes ou de situations) ;
5. hiérarchiques (classer par ordre d'importance) ;
6. bipolaires (se situer par rapport à deux attitudes ou à deux comportements opposés).

Ce genre de questions admet une analyse plus facile des résultats et réduit considérablement les risques d'une mauvaise interprétation des réponses par le chercheur. En revanche, l'information recueillie comporte peu de nuances : les réponses ne révèlent que peu de chose du répondant. Ce type de questions est surtout utile dans les études quantitatives.

Le questionnaire peut également comporter des questions ouvertes, auxquelles les réponses sont élaborées par le répondant lui-même et non pas proposées. Les deux questions suivantes en sont des exemples :

- Quelle est votre opinion sur le travail au noir ?
- Quelles sont vos impressions quant à votre première journée de classe au cégep ?

Les questions ouvertes offrent au répondant la possibilité de donner des réponses structurées selon son mode de pensée et d'apporter toutes les nuances qu'il désire. Les réponses recueillies peuvent même fournir de nouvelles pistes de recherche. Par conséquent, elles sont particulièrement utiles dans des études qualitatives. Cependant, il peut être difficile d'obtenir toute l'information requise, certaines personnes s'exprimant peu sur un sujet donné. De plus, le traitement de ce type de questions est compliqué et risque d'engendrer des erreurs provenant de la difficulté à coder les informations recueillies.

2.7 Les règles d'élaboration et d'utilisation d'un questionnaire*

Afin d'assurer la qualité des réponses, il faut respecter les règles suivantes lorsqu'on élabore un questionnaire et qu'on l'utilise auprès des répondants :

1. Le questionnaire doit être soumis aux groupes pour lesquels il a été conçu. Ainsi, on ne posera pas à des enfants de 6 ans des questions conçues pour des enfants de 12 ans.

2. Le questionnaire doit être soumis de la même façon à toutes les personnes qui y répondent. Par exemple, on doit donner les mêmes consignes et le même temps pour répondre.

3. Le questionnaire ne doit pas être trop long. On conseille de ne pas dépasser 40 questions. Un questionnaire trop long décourage souvent les répondants ; ils refusent de répondre ou encore ils répondent machinalement. Si un questionnaire envoyé par la poste est trop long, il risque de finir à la poubelle. Face à ces difficultés, il est préférable d'employer un questionnaire court ; on peut alors espérer qu'un plus grand nombre de personnes accepteront d'y répondre.

4. Le questionnaire doit être varié. Un questionnaire monotone crée l'accoutumance et l'ennui chez le répondant. Il faut donc varier le type de questions et en changer régulièrement la présentation. La formulation des réponses doit être diversifiée, afin de soutenir l'intérêt et l'attention du répondant.

5. Le questionnaire doit être conçu de façon à faciliter le dépouillement et le traitement des réponses.

6. On peut utiliser une question filtre (« Si vous avez répondu oui, passez à la question 24, sinon passez à la question 32. ») afin d'obtenir une meilleure qualité de réponses. Ce procédé est recommandé si le répondant doit posséder certaines qualités pour répondre de manière adéquate à une question particulière. La question filtre permet alors de sélectionner les individus qui présentent ces qualités.

7. Il est conseillé de poser les questions délicates (par exemple sur le revenu) à la fin d'un questionnaire, surtout lorsqu'il s'agit d'entrevues. Il vaut mieux essuyer un refus une fois que la majorité des réponses a été obtenue (ce qui se produit rarement, parce que l'enquêteur a établi un certain climat de confiance ou parce que le répondant, ayant déjà donné de son temps, décide de mener l'entrevue à son terme), plutôt que d'en essuyer un dès le début de l'entretien.

2.8   Les modes d'utilisation d'un questionnaire*

Un questionnaire peut être administré de plusieurs façons, c'est-à-dire par téléphone, au cours d'une entrevue ou encore par la poste (le répondant inscrivant lui-même ses réponses).

L'expérience montre que :

Taux de réponse
Proportion des personnes sélectionnées lors d'une enquête par sondage qui ont accepté d'y participer.

1. Les *questionnaires envoyés par la poste* donnent un **taux de réponse** généralement faible : seulement 10 à 20 % des personnes acceptent de répondre. Plus le questionnaire est long, plus le taux de réponse est faible ; aussi est-il déconseillé de concevoir des questionnaires de plus de cinq pages.

Toutefois, les questionnaires acheminés par la poste sont très peu coûteux. De plus, ils se révèlent efficaces lorsqu'ils sont destinés à une population homogène. Dans un tel cas, un échantillon très restreint peut être représentatif. Ce mode d'utilisation permet aux répondants de remplir les questionnaires à leur rythme et au moment où ils le désirent.

Les questionnaires envoyés par la poste atteignent des personnes autrement inaccessibles (lieux mal famés ou quartiers très riches) ou absentes. Cependant, ils ne permettent pas d'interroger des analphabètes ni des gens qui n'ont pas de domicile fixe.

2. Les *questionnaires soumis au cours d'une entrevue en face à face* avec le répondant présentent généralement un taux de réponse élevé : environ 70 %. Cependant, ce mode d'utilisation est le plus onéreux, notamment parce qu'il nécessite des investissements importants pour la formation et la supervision des personnes chargées des entrevues.

Ce type d'entrevue est particulièrement bien adapté aux questionnaires à questions ouvertes et à l'usage de supports qui font appel au sens de la vue, du goût ou de l'odorat (graphiques, photos, simulations ou dégustation d'aliments).

Lorsque l'enquêteur se rend au domicile des répondants, il peut valider directement certaines réponses (en établissant un lien entre le revenu et la marque de voiture ou le lieu de résidence, par exemple).

En revanche, la présence d'un enquêteur entraîne un risque de contamination des réponses : le répondant peut être influencé par certaines caractéristiques apparentes de l'enquêteur (couleur de la peau, habillement, sexe ou âge) ou encore par certains de ses comportements (mimiques, hochements de tête, regards d'approbation ou de désapprobation). En outre, le sujet se sent observé : « la présence d'un interviewer tend à augmenter la méfiance des répondants car, malgré tout, il demeure une sorte d'inquisiteur, celui qui est là pour poser des questions[4] ».

3. L'*entrevue téléphonique* est de plus en plus utilisée pour administrer un questionnaire. Elle peut se faire dans des délais très courts et constitue un compromis tout à fait acceptable sur les plans des coûts et du taux de réponse. Ainsi, les coûts associés à l'entrevue téléphonique seraient inférieurs à ceux de l'entrevue où l'enquêteur et le répondant se font face, mais supérieurs à ceux de l'enquête effectuée par l'intermédiaire de la poste. Par ailleurs, le taux de réponse lors d'entrevues téléphoniques serait sensiblement le même que celui obtenu lors des entrevues en face à face, pour autant que l'entrevue téléphonique ne soit pas trop longue. Il est déconseillé de mener une entrevue téléphonique de plus de 20 minutes.

---

4. O. Aktouf, *Méthodologie des sciences sociales et approche qualitative des organisations*, Sainte-Foy, P.U.Q., 1992, p. 115.

La supervision des enquêteurs est plus facile, car il est possible de les regrouper dans un même lieu, et la sélection de l'échantillon ainsi que la saisie des données peuvent être informatisées.

Au Canada, 99 % de la population peut être jointe par téléphone. Cependant, la sous-représentation de certains groupes (pauvres, vieillards, chômeurs ou personnes vivant seules) parmi les abonnés du téléphone entraîne certaines difficultés en ce qui a trait à la représentativité des échantillons. En outre, certaines personnes emploient des appareils (répondeur ou afficheur) qui leur permettent de filtrer les appels. Par conséquent, les résultats d'un questionnaire soumis par téléphone peuvent être faussés parce qu'une certaine frange de la population n'aura pas été jointe.

Enfin, on observe que le taux de réponse varie selon l'âge des répondants (plus faible chez les personnes âgées), selon leur scolarité (plus faible chez les gens moins scolarisés) et selon leur lieu de résidence (plus faible en milieu urbain). Les réticences de ces groupes à l'égard des entrevues téléphoniques peuvent provoquer des biais et fausser les résultats.

EXERCICE 2.5

Les questionnaires peuvent être utilisés en ayant recours (a) à la poste, (b) au téléphone ou (c) à l'entrevue en face à face.

Voici une liste d'avantages et d'inconvénients que comportent ces modes d'utilisation. Associez à chacun de ces modes les énoncés qui s'y rapportent :

1. Le mode le plus coûteux.
2. Le mode qui exige la supervision la plus étroite.
3. Le mode qui présente le taux de réponse le plus faible.
4. Le mode qui permet l'utilisation de supports sensoriels.
5. Le mode qui présente un compromis acceptable sur le plan des coûts et du taux de réponse.
6. Le mode à utiliser auprès d'étudiants inscrits à la maîtrise en psychologie dans une université québécoise pour un questionnaire portant sur le programme de maîtrise.
7. Le mode qui est le moins coûteux.
8. Le mode qui permet au répondant de répondre au moment où il le désire.
9. Le mode qui facilite l'emploi des questions ouvertes.
10. Le mode qui permet que l'on enquête sur les sans-abri.
11. Le mode qui permet que l'on obtienne des résultats rapidement.

Mode	Numéro de l'énoncé
La poste	_____
Le téléphone	_____
L'entrevue en face à face	_____

2.9 Les types d'erreurs

Lorsqu'on utilise un questionnaire, auprès de toute une population ou d'un échantillon de celle-ci, il est impossible d'éliminer toutes les sources d'erreurs. Tout ce que l'on peut faire, c'est reconnaître que des erreurs sont susceptibles de se produire et qu'il est nécessaire de prendre des dispositions afin d'en réduire les effets.

Dans les notes du recensement canadien de 1996 (n° 95-186-XPB au catalogue), Statistique Canada répertorie différents types d'erreurs, dont les suivants :

Erreur de couverture

Erreur due à une représentation inadéquate de la population visée.

1. Les **erreurs de couverture**, qui se produisent lorsqu'on oublie des unités statistiques, qu'on les englobe à tort ou qu'on les compte plus d'une fois. On obtient alors une représentation inadéquate de la population visée.

Erreur due à la non-réponse

Erreur due au fait que certaines personnes ne sont pas représentées dans l'échantillon parce qu'elles ont refusé de répondre ou qu'elles n'ont pu être jointes.

2. Les **erreurs dues à la non-réponse**, qui surviennent lorsque l'on n'a pu obtenir de réponses parce que certaines personnes refusent de répondre, ne peuvent être jointes, ne peuvent pas répondre ou ne répondent qu'à une partie du questionnaire.

   Du côté des répondants, plusieurs facteurs peuvent entraîner cette sorte d'erreur : manque d'intérêt, manque de temps, fardeau croissant qu'occasionnent les enquêtes de toutes sortes, incapacités physiques ou autres.

   La non-réponse est d'autant plus problématique que les personnes qui ont un intérêt pour le sujet d'enquête et celles qui ont du temps pour y répondre risquent d'être surreprésentées dans l'échantillon. Par conséquent, les résultats peuvent être faussés, surtout si ces personnes sont très différentes des autres individus de la population en ce qui concerne les variables étudiées.

   Selon le mode d'utilisation du questionnaire, il existe plusieurs façons d'augmenter le taux de réponse. Les incitations monétaires ou non monétaires, la recommandation d'un organisme prestigieux, la présence d'une enveloppe-réponse affranchie, l'emploi d'un papier de couleur et l'envoi d'une carte de rappel quelque temps après celui du questionnaire (dans le cas d'un questionnaire acheminé par la poste), la recomposition des numéros des personnes non jointes et le choix d'un enquêteur expérimenté (dans le cas d'une entrevue téléphonique) en sont des exemples.

Erreur de réponse

Erreur due au non-respect des consignes de la part des enquêteurs ou des répondants.

3. Les **erreurs de réponse**, qui surviennent lorsque le répondant, ou parfois l'enquêteur, interprète mal une question et inscrit une mauvaise réponse ou inscrit sa réponse au mauvais endroit. Pour réduire le nombre d'erreurs de ce genre, il faut s'assurer, au cours d'une préenquête, que les consignes sont claires, que les questions ne prêtent pas à équivoque et que la feuille de réponse est facile à remplir.

Erreur de traitement

Erreur faite lors du codage des réponses ou de la saisie des données.

4. Les **erreurs de traitement**, qui peuvent se produire au cours du codage de l'information (transformation des données écrites en code

numérique) ou de la saisie informatique des données numériques. La fréquence de ces erreurs peut être réduite à l'aide d'une étroite supervision.

5. L'**erreur d'échantillonnage**, qui correspond à l'écart entre la valeur estimée d'un paramètre et sa valeur réelle. Elle provient du fait que les échantillons, en dépit de la bonne volonté et des précautions du sondeur, ne sont pas des répliques exactes de la population. Cette erreur peut être évaluée en ce qui a trait aux échantillons prélevés au moyen d'une des techniques aléatoires (prélèvement au hasard) que nous verrons au prochain chapitre.

À cette liste de Statistique Canada, on pourrait également ajouter la source d'erreur suivante :

6. Les **erreurs dues à l'instrument de mesure**, qui sont causées par le manque de fidélité ou de validité de l'instrument de mesure.

RÉSUMÉ

Une enquête permet d'obtenir des renseignements au sujet de certaines caractéristiques (les variables) des individus d'une population à partir des réponses de ces derniers à un questionnaire. On a notamment recours au questionnaire pour recueillir des données sur l'opinion ou la pensée des individus, les événements passés de leur vie et leurs comportements dans la vie privée.

Les variables étudiées peuvent être qualitatives (nominales ou ordinales) ou quantitatives (discrètes ou continues). Une variable est qualitative si elle est représentée par des attributs, des catégories, et elle est quantitative si elle s'exprime habituellement sous forme numérique. Les différentes formes que peut présenter une variable qualitative portent le nom de modalités ; dans le cas d'une variable quantitative, les formes de la variable prennent plutôt le nom de valeurs.

Une variable qualitative est dite nominale si ses modalités ne présentent pas une hiérarchie (sexe, nationalité), sinon, elle est dite ordinale (degré de satisfaction, rang). Une variable quantitative est dite continue si elle peut couvrir toutes les valeurs d'un intervalle (âge, masse), sinon, on la dit discrète (nombre de voitures, revenu).

La nature de la variable, le degré de précision souhaité dans la mesure de même que les opérations qu'on désire effectuer sur les données obtenues dictent le type d'échelle de mesure à utiliser. Les échelles de mesure sont classées selon leur puissance : l'échelle nominale est la plus faible et les opérations arithmétiques de base n'y sont pas applicables ; l'échelle de rapports est la plus puissante et toutes les opérations arithmétiques y sont permises.

Les principales caractéristiques des échelles de mesure sont résumées au tableau 2.3 (page 40).

Le questionnaire est un outil couramment utilisé en sciences humaines pour obtenir des renseignements (la modalité ou la valeur des variables) de la part de chaque unité statistique de l'ensemble observé (la population ou l'échantillon). L'élaboration et l'utilisation du questionnaire doivent satisfaire à certaines conditions. Ainsi, il faut s'assurer que les questions sont claires, neutres et pertinentes. Selon les circonstances, on se sert de questions ouvertes (le répondant structure lui-même sa réponse) ou de questions fermées (le répondant coche une case ou donne une réponse factuelle brève).

Le questionnaire peut être soumis aux répondants par la poste, par téléphone ou au cours d'une entrevue en face à face avec l'enquêteur. Le questionnaire envoyé par la poste est peu coûteux, mais seul un faible pourcentage de la population se donne la peine d'y répondre. Le questionnaire soumis au cours d'une entrevue en face à face coûte très cher. Néanmoins, il présente un taux de réponse élevé et facilite l'emploi de questions ouvertes. Le questionnaire soumis par le biais d'une entrevue téléphonique représente un compromis : son coût est relativement faible, et il offre un bon taux de réponse.

Pour porter un jugement éclairé sur la valeur des données provenant d'une enquête par questionnaire, il faut être en mesure d'évaluer le questionnaire et de déterminer les sources d'erreurs susceptibles d'avoir affecté la fiabilité des données obtenues. Les principaux types d'erreurs sont les erreurs de couverture, les erreurs dues à la non-réponse ou à l'instrument de mesure, les erreurs de réponse ou de traitement et l'erreur d'échantillonnage. Il ne faut pas oublier que la qualité des résultats d'une recherche ne sera jamais supérieure à celle de l'instrument de mesure.

MOTS CLÉS

Donnée, p. 32
Échantillon, p. 32
Échelle d'intervalles, p. 37
Échelle de rapports, p. 38
Échelle nominale, p. 35
Échelle ordinale, p. 36
Erreur d'échantillonnage, p. 50
Erreur de couverture, p. 49
Erreur de réponse, p. 49
Erreur de traitement, p. 49
Erreur due à l'instrument de mesure, p. 50

Erreur due à la non-réponse, p. 49
Modalité, p. 33
Modalités exhaustives, p. 33
Modalités mutuellement exclusives, p. 33
Population, p. 32
Question fermée, p. 44
Question ouverte, p. 44
Taux de réponse, p. 46
Unité statistique, p. 32
Valeur, p. 34
Variable, p. 32

Variable qualitative, p. 33
Variable qualitative nominale, p. 33
Variable qualitative ordinale, p. 33
Variable quantitative, p. 34
Variable quantitative continue, p. 34
Variable quantitative discrète, p. 34
Zéro absolu, p. 38
Zéro relatif, p. 37

EXERCICES RÉCAPITULATIFS

1. De quelle nature sont les variables suivantes?

   a) Le nombre d'heures de sommeil d'un individu au cours d'une nuit;

   b) Le nombre de téléviseurs dans la résidence principale;

   c) Le rendement scolaire des individus selon la classification suivante:

Excellent	Très bien	Bien	Passable	Insuffisant
A	B	C	D	E

   d) Le nombre de langues parlées par un individu;

   e) La langue maternelle d'un individu;

   f) L'origine ethnique d'un individu;

   g) Le degré de satisfaction à l'égard du chef du gouvernement;

   h) La température de l'eau d'une piscine, mesurée en degrés Celsius;

   i) La religion d'un individu;

   j) Le degré d'approbation à l'égard d'une mesure sociale.

2. Déterminez quelles sont l'unité statistique, la variable, la nature de celle-ci ainsi que ses modalités ou ses valeurs pour chacun des tableaux suivants:

   a)

   Répartition de 50 étudiants, selon le nombre d'échecs au dernier trimestre

Nombre d'échecs	Nombre d'étudiants
0	28
1	9
2	5
3	4
4	2
5	1
6	1
Total	50

   b)

   Répartition en pourcentage de 600 jeunes Québécois âgés de 15 à 29 ans, selon le degré de satisfaction à l'égard des cours et des programmes d'études

Degré de satisfaction	Pourcentage des jeunes (%)
Très satisfait	15,7
Assez satisfait	56,4
Peu satisfait	24,0
Pas du tout satisfait	3,9
Total	100,0

   Source: M.-C. Lortie, «Les jeunes et l'éducation», *La Presse*, 19 février 2000, p. B1.

c)   **Répartition des Québécois, selon le sexe, 1999**

Sexe	Nombre de Québécois (milliers)
Féminin	3 730,9
Masculin	3 632,3
Total	7 363,2

Source : Institut de la statistique du Québec, *L'Écostat*, septembre 2000, p. 26.

3. Définissez les termes suivants :

   a) Variable ;

   b) Population ;

   c) Unité statistique ;

   d) Modalité ;

   e) Valeur ;

   f) Donnée.

4. Quelles sont les relations possibles et les opérations arithmétiques permises si l'échelle utilisée pour mesurer une variable est

   a) nominale ?

   b) ordinale ?

   c) d'intervalles ?

   d) de rapports ?

5. Qu'est-ce qui différencie

   a) une échelle de mesure ordinale d'une échelle nominale ?

   b) une échelle d'intervalles d'une échelle ordinale ?

   c) une échelle d'intervalles d'une échelle de rapports ?

6. On mesure la position des lieux sur la surface de la Terre à l'aide de la latitude et de la longitude. (Consultez un dictionnaire ou un atlas pour savoir de quelle façon on procède.)

   a) Quel type d'échelle de mesure est utilisé pour mesurer la latitude ?

   b) Où se situe une région dont la latitude est 0° ?

   c) Quel type d'échelle de mesure est utilisé pour mesurer la longitude ?

7. Qu'est-ce qu'un zéro relatif ? Un zéro absolu ?

8. Dites quelle échelle de mesure a été utilisée dans les contextes suivants ?

   a) Beverley McLachlin, la juge en chef de la Cour suprême du Canada, est née en 1943.

   b) L'an dernier, la ville de Montréal a reçu 85,6 mm de pluie en juillet.

   c) Le sommet le plus élevé du Canada est le mont Logan qui s'élève à 5 959 m au-dessus du niveau de la mer.

d) Lors de la dernière saison, les Canadiens de Montréal ont terminé au 3e rang de leur division.

e) Le numéro d'assurance sociale de Jean Tremblay est 239 476 349.

9. Après avoir consulté les relevés météorologiques de 1942 à 1990, un géographe vous présente les données suivantes sur le régime météorologique de Montréal en octobre pour les années 1970-1979. Il sait par ailleurs que la température moyenne en octobre se situe entre 0 °C et 15 °C et que la quantité de précipitations n'excède pas 250 mm.

Données météorologiques du mois d'octobre, Montréal, 1970-1979

Année	Nombre de jours avec précipitations	Quantité de précipitations (mm)	Nombre d'heures d'ensoleillement	Température moyenne (°C)
1970	11	88	140	10,4
1971	7	49	135	11,2
1972	11	83	128	5,8
1973	12	85	149	9,3
1974	10	43	143	5,1
1975	11	99	128	8,9
1976	14	142	121	5,9
1977	11	113	163	7,4
1978	10	88	126	7,4
1979	13	95	95	7,9

Sources: *Monthly Record of Meteorological Observations in Canada* et *Canadian Weather Review.*

Note: Avant 1976, les données sur les précipitations et la température étaient mesurées en pouces et en degrés Fahrenheit; elles ont été traduites en millimètres et en degrés Celsius pour uniformiser la présentation.

a) Quelle est la population étudiée?

b) Pour chacune des variables présentées dans ce tableau, déterminez la nature de la variable, les valeurs possibles de la variable dans la population étudiée, l'échelle de mesure utilisée, l'origine de l'échelle, les relations possibles et les opérations permises.

10. Quels sont les trois critères que l'on doit respecter dans la formulation d'une question?

11. Que veulent dire les mots « exhaustif » et « mutuellement exclusif » lorsqu'on parle d'une question à choix multiple?

12. Quelle est l'erreur commise dans la question suivante:

À quelle religion appartenez-vous?

Baptiste ( )
Catholique ( )
Chrétienne ( )
Anglicane ( )
Juive ( )
Musulmane ( )

13*. Caractérisez le type de chacune des questions (ouverte, dichotomique, bipolaire, hiérarchique, à choix multiple, à réponse brève, fourre-tout) utilisées au cours d'une enquête sur la fréquentation de la cafétéria d'un cégep.

a) Avez-vous acheté un repas à la cafétéria du cégep hier midi?

oui ( ) Passez à la question b.
non ( ) Passez à la question e.

b) Déterminez votre degré de satisfaction à l'égard de ce repas.

Très satisfait ( )
Satisfait ( )
Insatisfait ( )
Très insatisfait ( )

c) Quel type de repas avez-vous consommé?

Buffet de salades ( )
Menu du jour ( )
Repas minute
(sandwich, hot-dog, etc.) ( )
Autre ( )

d) Comment décririez-vous l'ambiance qui régnait à la cafétéria au moment de votre repas?

_____
_____
_____
_____
_____

e) Classez par ordre d'importance (1 = le plus important, 6 = le moins important) les raisons qui vous incitent à manger à la cafétéria.

La qualité des repas ( )
La propreté des lieux ( )
La rapidité du service ( )
Le coût des repas ( )
La courtoisie du personnel ( )
La proximité des lieux ( )

14*. Quel mode d'utilisation d'un questionnaire est approprié à chacun des contextes suivants? Expliquez votre choix.

a) Étude faite par l'Ordre des ingénieurs du Québec pour déterminer le degré de satisfaction des ingénieurs municipaux en ce qui concerne leurs conditions de travail.

b) Étude faite par un centre pour jeunes sur les conditions de vie des jeunes de la rue.

c) Enquête par sondage sur les intentions de vote aux élections municipales qui auront lieu dans cinq jours.

d) Étude dans laquelle le répondant doit goûter à un biscuit et émettre une opinion sur sa saveur.

e) Étude portant sur l'opinion des enfants qui vont à la maternelle au sujet des dessins animés violents qui sont présentés à la télévision.

15. Quel type d'erreur associez-vous à chacun des énoncés suivants ?

    a) On a effectué une enquête auprès des étudiants qui étaient inscrits pour la première fois à un cégep au trimestre d'automne 2000. On a prélevé un échantillon de 200 dossiers de ces étudiants. Sur la base de cet échantillon, on a conclu que 70 % des élèves avaient réussi à l'ensemble de leurs cours durant leur premier trimestre d'études. En dépouillant les dossiers de tous les étudiants inscrits pour la première fois à ce cégep au trimestre d'automne 2000, le registraire a, de son côté, obtenu un taux de réussite aux cours de 75 %.

    b) Le questionnaire utilisé à l'occasion d'une récente enquête comportait une question indiscrète qui mettait les gens mal à l'aise. Un grand nombre de personnes ont donné la réponse qui semblait la plus neutre.

    c) On demande à des élèves de répondre à un questionnaire d'évaluation de cours. Un formulaire de réponse accompagne le questionnaire. Chaque ligne de ce formulaire contient le numéro d'une question ainsi que les cinq réponses possibles. On demande aux élèves de noircir la case qui correspond à leur choix. Pierre remplit le questionnaire mais saute une ligne à partir de la question 12. Sa réponse à la question 12 se trouve à la ligne 13, et ainsi de suite.

    d) Jean est analphabète. À l'exception de ce qu'il croit être un chèque, il jette tout son courrier à la poubelle, y compris le questionnaire qu'il vient de recevoir.

    e) Huguette devait distribuer un questionnaire à toutes les personnes inscrites sur une liste de cinq pages. On lui a donné une liste ne comportant que quatre pages.

16. Dans le cadre d'une enquête portant sur les habitudes alimentaires des élèves de cégep, un questionnaire a été soumis à 200 d'entre eux. Dans ce contexte, déterminez

    a) la population ;

    b) l'unité statistique ;

    c) l'échantillon.

    Voici une série de questions extraites de ce questionnaire. Pour chacune de ces questions, déterminez la variable considérée, sa nature (qualitative nominale ou ordinale, quantitative discrète ou continue) et le type d'échelle de mesure utilisé. De plus, trouvez, le cas échéant, le critère de qualité qui n'a pas été respecté dans la formulation de la question et proposez une reformulation.

    d) Sexe ? _____

        Variable : _____

        Nature : _____

        Échelle : _____

        Critère de qualité non respecté : _____

        Reformulation : _____

e) Les spécialistes des régimes alimentaires estiment que le déjeuner est le repas le plus important de la journée et que toutes les personnes intelligentes devraient déjeuner. Déjeunez-vous le matin?

Jamais ( )
Rarement ( )
Souvent ( )
Toujours ( )

Variable: _____
Nature: _____
Échelle: _____
Critère de qualité non respecté: _____
Reformulation: _____

f) Quel montant avez-vous personnellement dépensé au cours de la dernière semaine pour votre alimentation (épicerie, restaurants, friandises ou autre)?

5 $ – 9,99 $ ( )
10 $ – 19,99 $ ( )
15 $ – 24,99 $ ( )
20 $ et plus ( )

Variable: _____
Nature: _____
Échelle: _____
Critère de qualité non respecté: _____
Reformulation: _____

g) Combien d'animaux domestiques possédez-vous?

0 ( )
1 ( )
2 ( )
3 et plus ( )

Variable: _____
Nature: _____
Échelle: _____
Critère de qualité non respecté: _____
Reformulation: _____

h) Combien pesez-vous (en kg)? _____ kg

Variable: _____
Nature: _____
Échelle: _____
Critère de qualité non respecté: _____
Reformulation: _____

i) Quel rang occupez-vous parmi les enfants de votre famille? (1 = premier, 2 = deuxième, etc.).

Variable: _____

Nature: _____

Échelle: _____

Critère de qualité non respecté: _____

Reformulation: _____

17. Une compagnie d'autobus demande à ses chauffeurs de remplir le questionnaire suivant après qu'ils ont effectué le trajet Montréal-Québec.

a) Combien de passagers y avait-il au départ de Montréal? _____

b) Avez-vous pu partir à l'heure prévue?

Oui ( )   Non ( )

c) Quelles étaient les conditions climatiques au départ de Montréal?

Soleil   ( )
Ciel couvert ( )
Pluie   ( )
Neige   ( )
Autre   ( )

d) Quelle a été la durée du trajet? _____ minutes

e) Quelles étaient les conditions de circulation sur l'autoroute?

Très bonnes   ( )
Bonnes   ( )
Mauvaises   ( )
Très mauvaises   ( )

Les autobus de cette compagnie comptent 60 places et le trajet dure entre
120 et 200 minutes selon les conditions climatiques.

Dans ce contexte, déterminez, pour chacune des questions:

• la variable étudiée;

• la nature de la variable;

• les modalités ou valeurs de la variable;

• l'échelle de mesure utilisée.

18. Que suis-je?

a) Nature d'une variable qui peut couvrir toutes les valeurs d'un intervalle.

b) Qualité d'une question qui ne porte que sur un seul sujet.

c) Qualité d'une question qui porte sur le sujet d'étude.

d) Qualité d'une question qui propose un choix équilibré de réponses.

e) Type d'échelle de mesure qui permet l'utilisation du plus grand nombre
d'opérations arithmétiques.

f) Caractéristique qu'on mesure sur les unités statistiques.

**EXERCICES
DE SYNTHÈSE**

1. Répondez aux questions portant sur le texte suivant.

Évolution des liens conjugaux au Québec et au Canada[5]

La grande majorité des Canadiens établissent des liens conjugaux à un moment donné de leur vie. Ainsi, qu'elles soient nées dans les années 20, au milieu des années 60 ou entre ces deux décennies, presque toutes les femmes ont été mariées ou ont vécu en union de fait au moins une fois (tableau 1). Bien que la tendance des femmes à former des unions soit toujours demeurée à un niveau élevé, la nature de ces unions a changé de façon fondamentale : l'attrait quasi universel qu'exerçait autrefois le mariage a diminué pour faire place à l'union de fait. C'est du moins ce que semblent révéler les données obtenues auprès d'un échantillon de 4 656 Canadiennes âgées de 20 à 69 ans interrogées lors de l'Enquête sociale générale (ESG) de 1995. Mais est-ce là le seul déterminant des unions conjugales au Canada ? Par exemple, le fait de commencer la vie commune par une union de fait plutôt que par un mariage exerce-t-il une influence sur les possibilités de rupture, ou encore permet-il de prédire les types d'unions qui suivront ? L'union de fait est-elle aussi prévalente dans toutes les provinces et dans tous les groupes d'âge ?

Tableau 1

Prévalence[6] d'un lien conjugal chez les femmes, selon l'âge et le type de lien, Canada, 1995

Lien conjugal	Âge				
	60 à 69 ans	50 à 59 ans	40 à 49 ans	30 à 39 ans	20 à 29 ans
Au moins une union	96 %	97 %	96 %	94 %	87 %
Au moins un mariage	96 %	95 %	92 %	84 %	66 %
Au moins une union de fait	8 %	22 %	35 %	49 %	59 %

Source : C. Le Bourdais *et al.*, « L'évolution des liens conjugaux », *Tendances sociales canadiennes*, Statistique Canada, n°11-008 au catalogue, printemps 2000, p. 16.

---

5. Le texte contient des extraits de C. Le Bourdais *et al.*, « L'évolution des liens conjugaux », *Tendances sociales canadiennes*, Statistique Canada, n°11-008 au catalogue, printemps 2000, p. 15 à 18 ; de A. Milan, « Les familles : 100 ans de continuité et de changement », *Tendances sociales canadiennes*, Statistique Canada, n°11-008 au catalogue, printemps 2000, p. 2 à 13 et de A. Bélanger, *Rapport sur l'état de la population du Canada 1998-1999*, Statistique Canada, n° 91-209-XPF au catalogue, 1999, p. 30 à 36.

6. La prévalence représente le nombre d'individus ou le pourcentage des individus d'un groupe présentant une caractéristique donnée. Ainsi, dans le tableau 1, on constate que seulement 8 % des femmes âgées de 60 à 69 ans avaient déjà vécu en union de fait.

Comme l'ESG de 1995 nous le montre, la proportion des femmes qui ont commencé leur vie de couple dans le cadre du mariage varie selon les générations de femmes. Ainsi, 95 % des femmes dans la soixantaine contre 56 % de celles dans la trentaine ont commencé leur vie de couple dans le cadre du mariage. Cette proportion est encore moindre chez les femmes dans la vingtaine (figure 1).

Figure 1

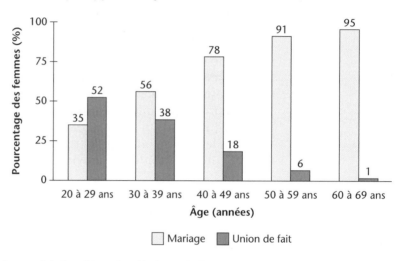

**Pourcentage des femmes, selon l'âge,
par type de la première union, Canada, 1995**

Source : C. Le Bourdais *et al.*, « L'évolution des liens conjugaux », *Tendances sociales canadiennes*, Statistique Canada, n°11-008 au catalogue, printemps 2000, p. 17.

Il ne fait aucun doute que la proportion de personnes qui choisissent de vivre en union de fait augmente. Selon le recensement de 1981 (la première fois qu'on recueillait des données sur ce sujet), 6 % des couples vivaient en union de fait cette année-là. En 1996, cette proportion était passée à 12 %.

De façon générale, la diffusion d'un nouveau comportement au sein d'une société comporte trois phases. Dans un premier temps, le nouveau comportement n'est adopté que par quelques rares précurseurs, et sa croissance demeure lente. Par la suite, s'il se maintient, le nouveau comportement est adopté par un nombre grandissant d'individus. Cependant, après un certain temps, la majorité, puis l'ensemble, de ceux qui étaient susceptibles de l'adopter l'auront fait et sa vitesse de diffusion ralentira.

Le Québec est considéré à plus d'un point de vue comme une société distincte à l'intérieur du Canada, que ce soit par la langue, le système de droit ou la culture. Le Québec est aussi une société distincte en matière d'union de fait. En effet, selon les données du recensement canadien de 1996, 25 % des couples québécois vivaient en union de fait contre seulement 12 % pour l'ensemble des autres provinces. De plus, quel que soit l'âge de la conjointe, la prévalence de l'union libre est beaucoup plus forte au Québec que dans le reste du Canada (figure 2).

Par contre, tant au Québec que dans le reste du Canada, la proportion des couples vivant en union libre diminue au fur et à mesure que l'âge de la conjointe augmente (figure 2).

Par ailleurs, il est possible que le phénomène de l'union libre atteigne bientôt le point de saturation au Québec. La proportion des personnes vivant en union libre y est très voisine de celle des pays d'Europe du Nord, où l'union libre comme mode de vie est apparue beaucoup plus tôt.

Figure 2

Proportion de l'ensemble des couples vivant en union libre, selon l'âge de la conjointe, Québec et Canada sans le Québec, 1996

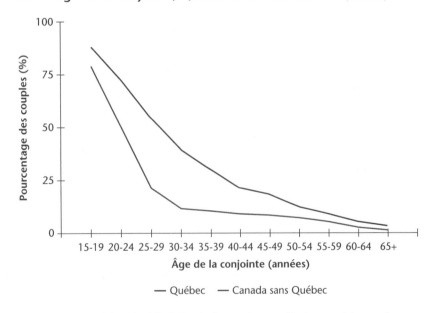

Source : C. Le Bourdais *et al.*, « L'évolution des liens conjugaux », *Tendances sociales canadiennes*, Statistique Canada, n°11-008 au catalogue, printemps 2000, p. 17.

Bien que les unions de fait soient en hausse, elles continuent d'être moins stables que les mariages. Près de la moitié des unions de fait qui n'aboutissent pas à un mariage se dissolvent en moins de cinq ans. Quand les gens qui vivent en union de fait se marient, ils risquent davantage de se séparer que ceux qui se sont mariés sans vivre en union de fait. Bien sûr, le choix d'un mode de vie conjugale pour une première union n'implique pas qu'on doive refaire le même choix ultérieurement. Bien des femmes qui ont commencé leur vie commune par une union de fait se sont mariées par la suite, tandis que celles qui se sont d'abord mariées pour ensuite se séparer sont de plus en plus nombreuses à choisir l'union de fait pour leur unions subséquentes. Alors que les Canadiens nés dans les années 20 et 30 n'avaient d'autre choix que de se marier, l'union de fait est aujourd'hui acceptée socialement et elle est devenue de plus en plus courante. Cependant, l'instabilité de bien des unions de fait et le taux croissant de dissolution des unions donne à penser que plus de gens vivent sans doute plus longtemps seuls ou, encore, s'engagent dans un plus grand nombre de relations de courte durée.

a) Formulez une question à laquelle le texte présenté tente de répondre.

b) À quelle population fait-on référence dans le tableau 1 ?

c) Les données de l'ESG sont-elles des données de recensement ou de sondage ? Justifiez votre réponse en citant un extrait du texte.

d) De quelle nature est la variable « âge » ?

e) Le questionnaire de l'ESG demandait aux répondantes de situer leur âge dans une catégorie (« 20 à 29 ans », « 30 à 39 ans », etc.). À quelle échelle de mesure a-t-on fait appel ?

f) En 1995, quelle était la prévalence de la catégorie « au moins une union de fait » chez les femmes de 20 à 29 ans ?

g) Trouvez une variable qualitative nominale présentée dans une des figures.

h) Quel type d'erreur aurait été commise dans l'ESG si on avait tenu compte des réponses de Denise, une jeune femme de 18 ans ?

i) Formulez deux hypothèses qui semblent être confirmées par les données présentées dans la figure 2.

2. Répondez aux questions portant sur le texte suivant.

Les meilleurs films de tous les temps[7]

Dans le cadre du centenaire de l'invention du cinéma, le *American Film Institute* (AFI) a réalisé un sondage auprès de 1 500 professionnels du cinéma. On a demandé à ces personnes de classer leurs 100 films préférés à partir d'une liste de 400 films produits entre 1896 et 1996. L'AFI a ensuite établi une liste des meilleurs films. Le film *Citizen Kane*, réalisé par Orson Welles en 1941, remporta la palme, suivi de *Casablanca*. *La liste de Schindler* fut le seul film des années 1990 à se classer parmi les 10 premiers. Voici la liste des 10 films considérés comme les meilleurs.

---

7. N. A. Weiss, *Introductory Statistics*, 5e édition, Reading, Addison-Wesley, 1999, p. 2.

Les 10 meilleurs films

Titre	Rang	Année
Citizen Kane	1	1941
Casablanca	2	1942
Le parrain	3	1972
Autant en emporte le vent	4	1939
Lawrence d'Arabie	5	1962
Le magicien d'Oz	6	1939
Le lauréat	7	1967
Sur les quais	8	1954
La liste de Schindler	9	1993
Chantons sous la pluie	10	1952

a) À partir de quelle population a-t-on prélevé l'échantillon de répondants?

b) Quelle est la taille de cet échantillon?

c) Caractérisez le type (dichotomique, à choix multiple, cafétéria, hiérarchique, etc.) de la question: «Rangez par ordre de préférence (1 = votre film préféré) vos 100 films préférés à partir de la...»?

d) Quelles sont les trois variables présentées dans le tableau?

e) Quelle est la nature de chacune de ces variables?

f) Quelles étaient les modalités ou les valeurs possibles de ces trois variables avant la compilation établie par l'AFI?

g) Quelle échelle de mesure a-t-on employée pour le rang? Pour l'année?

h) L'énoncé: «En vertu du sondage réalisé par l'AFI, *Citizen Kane* est considéré par l'ensemble des professionnels du cinéma comme le meilleur film de tous les temps» est-il descriptif ou inférentiel? Justifiez votre réponse.

3

Les sondages et les techniques d'échantillonnage

Le hasard fait bien les choses.

À la fin de ce chapitre, vous devriez être en mesure de répondre aux questions suivantes:

- *Pourquoi procède-t-on à des sondages?*
- *Comment choisit-on un échantillon?*
- *Tous les échantillons se valent-ils?*
- *Peut-on généraliser les résultats obtenus à partir d'un échantillon?*
- *Quels renseignements relatifs à l'échantillonnage devrait-on trouver dans le compte rendu d'une enquête par sondage?*

*N*ous avons déjà mentionné qu'un sondage consiste à prélever un échantillon d'une population. Le terme « sondage » désigne également une enquête effectuée auprès d'un échantillon de la population : on parle alors d'une enquête par sondage.

Une enquête par sondage comporte plusieurs étapes :

- le choix du sujet d'enquête ;
- la définition de la population étudiée ;
- l'élaboration du questionnaire ;
- le choix de la technique d'échantillonnage ;
- le prélèvement de l'échantillon ;
- l'administration du questionnaire ;
- le dépouillement des données ;
- l'analyse des résultats ;
- le compte rendu de l'enquête.

Les « sondages » publiés par les médias représentent davantage que le simple prélèvement d'un échantillon de la population étudiée. Ainsi, on y trouve, dans une section généralement appelée « Méthodologie », des renseignements sur le questionnaire, le moment où le sondage a eu lieu, la technique de sélection de l'échantillon utilisée, la taille de l'échantillon, le taux de réponse au sondage. Par ailleurs, le sondeur présente souvent les résultats obtenus sous forme de tableaux ou de graphiques et donne également une brève analyse des résultats. Vous avez sans doute reconnu certaines étapes de la démarche scientifique dans cette énumération : l'élaboration de l'instrument de mesure, l'organisation et le traitement des données, l'analyse et l'interprétation des résultats.

Au chapitre 2, nous avons surtout insisté sur l'élaboration de l'instrument de mesure utilisé lors d'une enquête par sondage, soit le questionnaire. Nous nous sommes penchés sur l'identification des variables, la nature de ces dernières, les échelles de mesure, la formulation des questions et les différents modes d'utilisation du questionnaire.

Nous nous intéressons maintenant au choix des unités statistiques que nous allons observer, soit le prélèvement de l'échantillon, ou le sondage proprement dit. Nous aborderons les types d'échantillons, les techniques de prélèvement des échantillons (ou techniques d'échantillonnage) et le contenu du compte rendu de l'enquête par sondage.

3.1   L'utilité du sondage

« Le sondage est né d'une impossibilité pratique : interroger individuellement toute une population à laquelle on s'intéresse, et d'une possibilité statistique : décrire le tout par la partie[1]. » Toutefois, le prélèvement d'un échantillon (la

---

1.   M. Grawitz, *Méthodes des sciences sociales,* 7e éd., Paris, Dalloz, 1986, p. 591.

partie) n'a d'intérêt que si cet échantillon représente adéquatement la population (le tout) étudiée. On pourra alors généraliser les résultats obtenus auprès d'un échantillon à l'ensemble de la population. Le cas échéant, l'enquête par sondage constitue une façon rapide et peu coûteuse de connaître certaines caractéristiques d'une population.

Au cours de notre vie, nous avons tous fait l'expérience du sondage. Ainsi :

> Avant de servir un plat, il est un geste que nous faisons généralement : nous le goûtons. Le principe même du sondage et des techniques qu'il implique (dont celles de l'échantillonnage) se trouve ainsi posé : nous recueillons de l'information sur une fraction (échantillon) de l'ensemble (population) que nous voulons étudier, puis nous généralisons, parfois à tort il est vrai, à cet ensemble ce que nous avons mesuré sur le sous-ensemble. Dans l'exemple précédent, la cuillerée que nous avalons constitue l'échantillon, le plat, la population. Tout comme il n'est point besoin de manger tout le plat pour savoir si nous pouvons le servir (heureusement), il n'est point nécessaire, ni souhaitable, ni possible parfois d'étudier toute la population (que ce soient les électeurs canadiens, les ampoules électriques sortant d'une usine,...), c'est-à-dire de recourir à un recensement, pour la bien connaître. Cependant, l'échantillon ne peut pas être choisi sans précaution. Ainsi, ce n'est que lorsque les ingrédients sont bien mélangés que l'on goûte le plat. Dans la pratique de l'échantillonnage, nous verrons que deux principes président au choix des individus qui feront partie de l'échantillon : le hasard et la maquette. Le lecteur aura sans doute compris que ce qui est recherché, c'est la représentativité : l'échantillon doit être représentatif de la population d'où il a été tiré. Ce que nous apprenons concernant l'échantillon, nous devons pouvoir l'appliquer à l'ensemble de la population[2].

Abordons maintenant les différentes techniques d'échantillonnage ainsi que les règles qui les régissent.

3.2   L'échantillonnage aléatoire

Échantillonnage aléatoire

Technique d'échantillonnage qui fait appel au hasard afin que chaque élément de la population ait une probabilité connue et non nulle de faire partie de l'échantillon. Également appelé *échantillonnage probabiliste*. Il existe plusieurs techniques de sélection d'un échantillon aléatoire, notamment l'échantillonnage aléatoire simple, l'échantillonnage aléatoire systématique, l'échantillonnage stratifié et l'échantillonnage par grappes.

Les techniques d'**échantillonnage aléatoire** (ou *probabiliste*) reposent sur le hasard[3] : ce n'est pas l'enquêteur qui sélectionne arbitrairement les individus, c'est le hasard qui les désigne. Chaque élément de la population doit être susceptible d'être choisi selon une probabilité connue et non nulle. Il est alors possible d'évaluer l'erreur commise lors de la généralisation des résultats obtenus auprès d'un échantillon à l'ensemble de la population.

---

2. J. P. Beaud, «Les techniques d'échantillonnage», dans B. Gauthier, *Recherche sociale, de la problématique à la collecte des données*, Sillery, P.U.Q., 1990, p. 178.

3. Le mot aléatoire vient du latin *alea*, «jeu de dés» (l'un des premiers jeux de hasard). Les lecteurs des albums d'Astérix reconnaîtront ce mot dans la fameuse phrase attribuée à Jules César : «*Alea jacta est*», qui veut dire «les dés sont lancés» ou «le sort en est jeté». De même, le mot hasard est aussi lié au jeu puisqu'il tire son origine de l'arabe *az-zahr* : «le dé».

Seules les techniques aléatoires permettent de procéder à cette évaluation. Pour cette raison, certains auteurs affirment qu'on devrait toujours utiliser des techniques aléatoires plutôt que non aléatoires :

> *Although non-random sampling techniques are often more economical and convenient than random sampling, these advantages are outweighed by the disadvantage of being unable to estimate sampling error. Therefore the use of non-random techniques by sociologists should generally be discouraged[4].*

Toutefois, comme nous le verrons plus loin, il n'est pas toujours possible d'avoir recours aux techniques aléatoires.

3.2.1   La table de nombres aléatoires

Pour construire un échantillon aléatoire, il faut sélectionner des nombres de manière aléatoire. Cette sélection peut se faire à partir d'une table de nombres aléatoires ou à l'aide d'un générateur de nombres « aléatoires » (beaucoup de calculatrices possèdent une touche RAN, pour *random*, qui permet de générer des nombres aléatoires).

Une table de nombres aléatoires est une matrice de chiffres dans laquelle tous les chiffres apparaissent avec sensiblement la même fréquence et sans ordre préétabli. Le tableau 3.1 contient une table de nombres aléatoires comptant 45 lignes et 50 colonnes numérotées de 0 à 44 et de 0 à 49 respectivement.

Pour sélectionner des nombres de manière aléatoire, il suffit de choisir arbitrairement un point d'entrée dans la table (se placer à l'intersection d'une ligne et d'une colonne) et une direction de lecture (de gauche à droite, de haut en bas ou dans toute autre direction). On sélectionne ensuite autant de nombres qu'on le désire.

▶ EXEMPLE

Pour sélectionner 6 nombres compris entre 01 et 49 de manière aléatoire, on procède de la façon suivante :

- Choisir arbitrairement un point d'entrée : la ligne 11 et la colonne 5 ;
- Choisir arbitrairement une direction de lecture : de gauche à droite ;
- Déterminer le nombre de chiffres que doivent comporter les nombres aléatoires sélectionnés : 2 chiffres, puisque les nombres doivent être inférieurs ou égaux à 49, un nombre à deux chiffres ;
- Prélever la quantité de nombres souhaitée : 6.

---

4.   H. Loether et D. McTavish, *Descriptive and Inferential Statistics : An Introduction*, 2e éd., Boston, Allyn and Bacon, 1980, p. 424.

Tableau 3.1

Table de nombres aléatoires

	0	5	10	15	20	25	30	35	40	45
0	56363	94873	52144	43681	70861	02923	95302	53079	94987	28150
1	06214	17704	94297	60986	61476	65886	45062	49427	59897	36325
2	70719	42259	93548	21691	98100	68703	95265	35020	94343	76402
3	76271	23925	76176	11709	98558	08983	79342	99805	97538	63647
4	39001	49656	82185	97262	99427	41825	41282	08562	71553	79525
5	53943	43779	41863	24984	59962	60987	35853	90792	80833	34145
6	87629	79548	27029	64937	39832	88882	60594	66131	18203	07256
7	27333	48653	94396	27343	38123	10417	78431	27040	38035	25990
8	11318	27597	37331	98986	52586	10992	00639	02862	13172	31514
9	90249	18804	37390	32146	41904	14128	43236	03559	28154	88229
10	96306	09979	52089	75926	53673	53847	06338	19986	25448	37052
11	85120	25277	85552	30349	82767	94635	34894	28997	71044	85962
12	17442	73079	19679	13939	64788	40096	95992	80775	44219	23542
13	64572	54261	85354	37514	73620	50571	64832	90434	64151	80159
14	99205	79948	23041	26330	67556	93596	47483	29555	21828	43115
15	16710	64268	98313	62183	41873	20402	95891	51833	57226	96627
16	29180	64278	74160	28416	04264	79219	51159	10689	60977	53157
17	35266	86961	16503	57503	77559	55302	61084	14357	55086	24816
18	57662	26064	83351	74418	96149	46034	35266	30526	64905	67606
19	24216	41565	76306	99510	44764	51555	59103	98466	06056	03810
20	91710	36225	54198	06499	94753	51850	37439	50699	43205	83344
21	31568	17974	61352	60325	26433	39600	75631	78548	97983	29430
22	42115	34090	85514	49720	99285	60621	09434	81100	75515	01309
23	28533	52650	41743	18591	23798	91879	29742	49930	28124	38707
24	32335	89147	53169	74623	25292	00366	43584	02640	42785	17914
25	12353	53584	22712	15189	14636	74939	37478	57098	32552	53714
26	79300	31922	47334	34902	86100	71833	86059	21079	37602	23132
27	84723	92222	40539	45210	40651	22158	63851	21011	83802	43566
28	24976	75635	42823	16226	47002	94083	89260	84858	32887	69089
29	05511	05858	78253	98023	85316	22699	82579	91997	95991	65552
30	25238	53915	63713	25033	78927	83580	17730	62011	70848	15155
31	65561	65013	45033	65986	04708	75041	75139	92982	89295	96571
32	56089	35531	83569	90389	07057	87716	79415	63567	61226	29172
33	33961	30453	55308	18793	54820	13414	74819	69837	50017	90627
34	19110	46037	90291	14661	67600	15161	32378	92281	49681	02892
35	56329	57726	25914	77525	99933	39245	79951	65036	06487	18954
36	98342	65418	46964	25857	63058	25078	93793	63676	39396	35252
37	35926	32938	81243	00217	37729	64965	27293	98438	32662	77776
38	15554	86208	22008	63289	76311	65705	10349	19097	97635	58385
39	00458	15182	92031	11475	00953	82903	50493	22507	88045	04384
40	07177	85745	56824	23600	78144	48958	05031	12897	81604	57554
41	93945	62685	54070	61015	55109	48853	65188	26064	17761	24884
42	54161	81133	95426	22789	17136	20034	05174	20531	85288	03041
43	34816	58130	32592	02880	31835	82553	58048	81354	38676	93507
44	30432	13761	70948	15909	49325	93660	93470	91449	48754	98360

Dans cet exemple, on ne retiendra donc que les nombres compris entre 01 et 49 dans une lecture séquentielle continue commençant à l'intersection de la ligne 11 et de la colonne 5.

Voici la ligne 11 de la table de nombres aléatoires où on a retenu, à partir de la colonne 5, les nombres à deux chiffres compris entre 01 et 49.

$$5$$
$$\downarrow$$

11 → 85120 **25 27**7 85552 **30 34**9 8**27**67 94635 3**48**94 **28**997 7**10 44** 85962

Si le tirage est non exhaustif, c'est-à-dire si on permet la répétition du même nombre dans la sélection, on obtient les 6 nombres suivants : 25, 27, 30, 34, 27 et 48.

Si le tirage est exhaustif, c'est-à-dire si on ne permet pas la répétition du même nombre dans la sélection, on obtient les 6 nombres suivants : 25, 27, 30, 34, 48 et 28.

Si nous avions pris un autre point d'entrée ou une autre direction de lecture, nous aurions obtenu des nombres différents. ◀

3.2.2   L'échantillonnage aléatoire simple

L'échantillonnage aléatoire simple consiste à sélectionner des individus de telle sorte que tous ont la même probabilité de faire partie de l'échantillon. On peut comparer cette technique à un tirage au sort d'individus dont les noms ont été mis dans une urne. On tire les noms, un à la fois, jusqu'à ce qu'on ait obtenu le nombre voulu d'individus pour constituer l'échantillon. Si, après chaque tirage, on remet le nom de l'individu sélectionné dans l'urne, il s'agit d'un tirage avec remise, ou non exhaustif ; dans le cas contraire, il s'agit d'un tirage sans remise, ou exhaustif. L'**échantillonnage exhaustif** (ou *sans remise*) garantit qu'une même unité statistique ne pourra être retenue plus d'une fois.

Échantillonnage exhaustif

Prélèvement d'un échantillon tel qu'une même unité statistique ne peut être choisie plus d'une fois. Également appelé *échantillonnage sans remise.*

Le nombre d'échantillons aléatoires simples différents qu'on peut obtenir au moyen d'un tirage sans remise est de :

$$\frac{N \times (N-1) \times (N-2) \times \cdots \times (N-n+1)}{n \times (n-1) \times (n-2) \times \cdots \times (1)}$$

où N correspond à la taille de la population et n à la taille de l'échantillon. Nous reprendrons cette dernière notation tout au long de l'ouvrage.

▶ EXEMPLE

Si on veut sélectionner, par échantillonnage aléatoire simple exhaustif, 6 nombres compris entre 01 et 49, le nombre de sélections possibles est donné par l'expression suivante :

$$\frac{(49) \times (48) \times (47) \times (46) \times (45) \times (44)}{(6) \times (5) \times (4) \times (3) \times (2) \times (1)} = 13\ 983\ 816$$

Comme une telle sélection correspond à un tirage du Lotto 6/49, il y a donc 13 983 816 combinaisons différentes dans cette loterie. Un individu qui achète une seule combinaison n'a donc qu'une chance sur 13 983 816 de gagner le gros lot! ◄

Pour procéder à un échantillonnage aléatoire simple, il faut posséder la liste de tous les individus de la population qu'on veut étudier, c'est-à-dire la population cible. Une telle liste est rarement disponible. On fait plutôt appel à la liste la plus complète possible, qu'on appelle **base de sondage** et qui représente la population observée. La base de sondage n'englobe pas nécessairement l'ensemble de la population cible. L'annuaire téléphonique, les registres paroissiaux ou la liste des membres d'une association peuvent servir de base de sondage.

Base de sondage

Liste des individus à partir de laquelle on prélève un échantillon. Cette liste détermine la population observée.

Pour obtenir un échantillon aléatoire simple de taille n à partir d'une population de taille N, il suffit de :

1. Numéroter[5] les éléments de la base de sondage de 0 à $N - 1$;
2. Sélectionner n nombres (la taille de l'échantillon), compris entre 0 et $N - 1$, de manière aléatoire, grâce à un générateur ou à une table de nombres aléatoires, selon la méthode décrite précédemment ;
3. Former l'échantillon avec les unités statistiques associées à ces nombres aléatoires.

► **EXEMPLE**

Si nous avions une population de taille 1 000 et que nous voulions prélever un échantillon aléatoire simple de taille 5, il faudrait :

1. Numéroter les individus de la population de 000 à 999 ;
2. Choisir de manière aléatoire 5 nombres de 3 chiffres compris entre 000 et 999 ;
3. Former l'échantillon avec les unités statistiques associées à ces 5 nombres.

Prélevons des nombres dans le tableau 3.1. Partons de la colonne 5 et de la ligne 10. Nous reproduisons à droite une partie de la colonne 5, à partir de la ligne 10. Sélectionnons des nombres de 3 chiffres en faisant une lecture séquentielle continue sur cette seule colonne, de haut en bas. On obtient alors les nombres suivants : 027, 576, 682, 431 et 358 (mis en évidence par une alternance de caractères gras et italiques).

Notre échantillon serait constitué des 5 individus associés à ces nombres dans la base de sondage numérotée de 000 à 999. ◄

0
2
7
5
7
6
6
8
2
4
3
1
3
5
8

---

5. Tous les numéros doivent comporter le même nombre de chiffres. Ainsi, on numérote à partir de 0, de 00 ou de 000 selon qu'on doit utiliser 1, 2 ou 3 chiffres. Cette remarque est valable pour toutes les techniques d'échantillonnage aléatoire. On pourrait également numéroter de 1 à N. Toutefois, dans certaines circonstances, cette façon de procéder pourrait faire en sorte qu'on doive utiliser un nombre plus élevé de chiffres. Dans l'exemple de cette page, il faudrait ainsi utiliser des nombres de 4 chiffres ; cela entraînerait un grand nombre de rejets dans la sélection des nombres.

Malgré la simplicité de sa réalisation et la bonne qualité de l'échantillon qu'il procure, l'échantillonnage aléatoire simple a l'inconvénient de nécessiter une liste des individus de la population. Or, il est souvent difficile de dresser une liste complète des individus d'une population. C'est pourquoi on utilise une base de sondage déjà établie. Il arrive souvent que cette base de sondage soit désuète, incomplète, inexacte ou inadéquate. Il y a alors un écart important entre la population cible, celle qu'on veut étudier, et la population observée, celle d'où on a prélevé l'échantillon. L'utilisation de telles listes peut fausser les résultats d'une enquête par sondage, parce que la population cible diffère de la population observée. Toutefois, plus la base de sondage est complète (plus elle constitue une liste conforme des individus de la population cible), plus le risque d'erreur est faible.

Mentionnons également que l'échantillonnage aléatoire simple est long et fastidieux s'il est réalisé manuellement et si l'échantillon ainsi que la population sont de grande taille. Lorsqu'on dispose d'une liste informatisée, cette tâche peut être considérablement réduite par l'emploi d'un programme qui prélève automatiquement l'échantillon.

EXERCICE 3.1

Voici la liste des 60 étudiants qui ont réussi un cours de sociologie à l'université. Nous avons regroupé les étudiants selon le sexe et selon la note obtenue (A = excellent, B = bien, C = moyen, D = passable).

Nom	Note	Nom	Note	Nom	Note
Aline	A	Luc	A	Émile	C
Claudette	A	Pierre	A	Jules	C
Julie	A	Sylvain	A	Simon	C
Carole	B	Yvon	B	Réjean	C
Jennifer	B	Yves	B	François	C
Kathia	B	Marc	B	Paul	C
Denise	B	Jean	B	Alain	C
Ginette	B	Raymond	B	Jean-Marc	C
Céline	B	René	B	Mathieu	C
Diane	C	Léo	B	Cédrick	C
Monique	C	Denis	B	Jérémie	D
Suzanne	C	Christian	B	Alexis	D
Isabelle	C	Pascal	B	Éric	D
Francine	C	Louis	B	Guy	D
Martine	C	Robert	B	André	D
Josée	C	Henri	C	Gaston	D
Johanne	C	Roch	C	Gérard	D
Chantale	C	Antoine	C	Joseph	D
Carmen	D	Hugues	C	Étienne	D
Hélène	D	Gilles	C	Olivier	D

a) Quelle est la population étudiée?

b) Quelle est la proportion (le pourcentage) des étudiants qui sont des garçons?

c) Quelle est la proportion des étudiants qui ont obtenu un A?

d) On désire sélectionner 10 étudiants parmi ceux qui ont réussi ce cours pour les interroger sur leur appréciation de la qualité générale du cours. On décide de prélever un échantillon aléatoire simple, sans remise. Quelle est la première chose à faire?

e) Prélevez cet échantillon. Utilisez le tableau 3.1 (page 69) pour sélectionner des nombres de manière aléatoire.

f) Le **taux de sondage** correspond à la proportion de la population qui fait partie de l'échantillon. Quel est le taux de sondage?

g) Le **poids du sondage** nous donne le nombre d'individus de la population que représente chaque unité statistique de l'échantillon. Quel est le poids du sondage?

h) Dans ce contexte, combien d'échantillons différents serait-il possible d'obtenir?

i) Dans l'échantillon que vous avez prélevé, quelle est la proportion de garçons? Comparez cette proportion à celle obtenue en *b*.

j) Comparez la proportion de garçons que vous avez obtenue dans votre échantillon aux proportions obtenues par les autres élèves de votre classe.

Taux de sondage

Proportion de la population qui fait partie de l'échantillon. Il correspond au quotient de la taille de l'échantillon par la taille de la population, soit n/N. On l'exprime généralement en pourcentage.

Poids du sondage

Nombre d'individus de la population que représente chaque unité statistique de l'échantillon. Il est donné par le quotient de la taille de la population par la taille de l'échantillon, soit N/n.

Dans l'exercice 3.1, vous avez constaté que la proportion de garçons obtenue dans l'échantillon varie selon l'échantillon. De plus, vous avez vu que la proportion de garçons dans votre échantillon diffère de celle de la population d'origine. L'échantillonnage aléatoire n'élimine donc pas la variabilité: les observations faites sur l'échantillon peuvent différer de celles qu'on aurait faites sur la population.

3.2.3 L'échantillonnage aléatoire systématique

On peut aussi choisir un échantillon aléatoire en ayant recours à l'échantillonnage aléatoire systématique. Le principe en est fort simple et il peut facilement être mécanisé. L'échantillon est constitué d'individus pris à intervalle fixe dans la base de sondage. La longueur de l'intervalle équivaut pratiquement au quotient de la taille de la population (N) et de la taille de l'échantillon (n), soit l'expression N/n (qui correspond au poids du sondage). On sélectionne un premier nombre de manière aléatoire, puis on se déplace dans la base de sondage en faisant des pas, ou des sauts, de longueur N/n à partir de ce nombre.

► **EXEMPLE**

Pour prélever un échantillon aléatoire systématique de taille 20 dans une population de taille 100, il suffit de partir d'un nombre aléatoire et de se déplacer dans la base de sondage en faisant des sauts de longueur 5 (soit $N/n = 100/20$). Ainsi, chaque individu retenu aura un poids de 5. Si le point de départ, déterminé aléatoirement, est 3, les unités sélectionnées seront associées aux nombres 03, 08, 13, 18, ..., 93 et 98 dans la base de sondage numérotée. ◄

Pour prélever un échantillon aléatoire systématique, il faut suivre la démarche suivante :

1. Numéroter les éléments de la base de sondage de 0 à $N - 1$.

2. Déterminer le **pas du sondage** (d). Ce nombre est un entier voisin du quotient N/n. Il nous donne la distance entre deux unités sélectionnées consécutives dans la base de sondage ainsi que le poids du sondage.

3. Sélectionner, de manière aléatoire, un nombre a compris entre 0 et $d - 1$. Le nombre a est celui à partir duquel on se déplace dans la base de sondage : c'est le point de départ.

4. Former l'échantillon avec les unités statistiques associées aux nombres suivants :

$$a, \ a + d, \ a + 2d, \ a + 3d, \ ..., \ a + (n - 1)d$$

Pas du sondage

Distance entre deux unités consécutives dans la base de sondage lorsqu'on effectue un échantillonnage systématique. Le pas du sondage (d) est un entier voisin du quotient de la taille de la population par la taille de l'échantillon, soit N/n.

► **EXEMPLE**

On veut prélever un échantillon systématique de taille 25 dans une population de taille 250. Dans ce cas, $N = 250$, $n = 25$ et $d = N/n = 250/25 = 10$. Il faut donc choisir un nombre aléatoire, a, compris entre 0 et 9 (soit $d - 1 = 10 - 1$). Si nous utilisons, pour ce faire, le tableau 3.1 et si nous lisons les chiffres de gauche à droite, à partir de l'intersection de la ligne 1 et de la colonne 5, le premier chiffre compris entre 0 et 9 est 1. Notre échantillon sera donc composé des individus associés aux nombres suivants :

$$1, \ 1 + 10, \ 1 + 2 \times 10, \ 1 + 3 \times 10, \ ..., \ 1 + 24 \times 10$$

soit : 001, 011, 021, 031, 041, 051, 061, 071, 081, 091, 101, 111, 121, 131, 141, 151, 161, 171, 181, 191, 201, 211, 221, 231 et 241. ◄

Cette technique est très simple et très rapide puisqu'il n'y a qu'un seul nombre aléatoire à sélectionner.

Toutefois, comme l'échantillonnage aléatoire simple, cette technique d'échantillonnage nécessite l'emploi d'une base de sondage. De plus, la sélection du premier individu détermine celle des autres individus de l'échantillon. Par conséquent, cette technique ne permet pas le prélèvement de certains échantillons. Ainsi, dans l'exemple précédent, on ne peut pas obtenir un échantillon dont feront partie les individus associés aux nombres 1, 12, 15 et 16, alors qu'on pouvait le faire au moyen de l'échantillonnage aléatoire simple. Il y a donc beaucoup moins d'échantillons différents : il n'y a que d (soit N/n) échantillons possibles.

Le fait de produire moins d'échantillons différents ne constitue pas nécessairement un désavantage : il n'y a pas d'inconvénient à éliminer des échantillons non représentatifs. Puisque l'échantillonnage systématique répartit bien l'échantillon dans la base de sondage, il pourrait donner des échantillons plus représentatifs que l'échantillonnage aléatoire simple, notamment lorsque les unités ont été classées selon la caractéristique étudiée.

Par contre, l'échantillonnage aléatoire systématique ne devrait pas être employé pour l'étude d'un phénomène cyclique. Ainsi, dans une usine qui fonctionne selon un régime de travail continu (sur 24 heures et sur 7 jours), la production varie en qualité et en quantité selon l'heure du jour et le jour de la semaine. Si le pas du sondage (d) est voisin du cycle ($d = 8$ heures ou $d = 7$ jours), on risque d'introduire un biais (on choisirait toujours le même horaire de travail ou le même jour de la semaine) et d'obtenir ainsi un échantillon non représentatif.

EXERCICE 3.2

À partir du tableau de l'exercice 3.1 (page 72), répondez aux questions suivantes :

a) On désire sélectionner 10 étudiants qui ont réussi le cours afin de les interroger sur leur appréciation de la qualité générale du cours. On décide de prélever un échantillon systématique aléatoire. Quelle est la première chose à faire ?

b) Que valent N, n et d ?

c) Quel nom donne-t-on à d ?

d) Sélectionnez un nombre entre 0 et $d - 1$ de manière aléatoire à l'aide du tableau 3.1 (page 69).

e) Prélevez l'échantillon systématique demandé. Quels individus en font partie ?

f) Aline et Luc pourraient-ils faire partie du même échantillon ?

g) Combien d'échantillons différents serait-il possible d'obtenir ? Comparez ce nombre à celui des échantillons aléatoires simples, sans remise.

h) Dans ce contexte, y a-t-il un risque que l'échantillon ne soit pas représentatif ? Expliquez votre réponse.

3.2.4 L'échantillonnage stratifié

La troisième technique aléatoire porte le nom d'échantillonnage stratifié. On suppose ici que la population peut être divisée en groupes distincts,

Strate

Groupe d'individus relativement homogène au sein d'une
population; défini par une
caractéristique précise.

appelés **strates**, qui présentent chacun une ou plusieurs caractéristiques communes. De plus, on doit connaître le nombre d'individus dans chacune de ces strates, c'est-à-dire la composition de la population selon les caractéristiques qui ont servi à définir les strates. Enfin, les strates doivent être relativement homogènes, c'est-à-dire qu'on doit retrouver une variabilité plus faible à l'intérieur de chaque strate que dans l'ensemble de la population.

L'échantillonnage stratifié consiste à prélever un échantillon ayant la même composition que la population; on parle alors d'échantillon stratifié avec allocation proportionnelle. Un tel échantillon constitue un véritable modèle réduit de la population.

Cette technique est surtout employée pour comparer des sous-populations au regard des variables étudiées (le sexe, la religion, le lieu de résidence, le groupe d'âge, le niveau de revenu) ou, comme nous le verrons plus loin, en vue de réduire la marge d'erreur.

▶ EXEMPLE

On veut prélever un échantillon de 50 élèves parmi les 2 500 élèves d'une école secondaire, qui se répartissent selon le niveau de la manière indiquée au tableau 3.2.

Tableau 3.2

Répartition des élèves d'une école secondaire, selon le niveau

Niveau	Nombre d'élèves	Pourcentage des élèves (%)
1re secondaire	600	24
2e secondaire	550	22
3e secondaire	500	20
4e secondaire	450	18
5e secondaire	400	16
Total	2 500	100

(annotations manuscrites en marge : Stratifié, 48, 44, 40, 36, 32, 200)

Si on prend le niveau comme critère de stratification, on constate que 24 % des individus (600/2 500 × 100 %) sont en 1re secondaire. La strate des élèves de 1re secondaire a donc un poids de 24 % dans la population de tous les élèves de cette école, poids qu'on devrait également retrouver dans l'échantillon. Un échantillon fidèle à la population devrait donc comprendre 24 % d'élèves de 1re secondaire. Le même raisonnement s'applique pour les autres niveaux.

Ainsi, l'échantillon comprendra 12 élèves de 1re secondaire (24/100 × 50), 11 de 2e secondaire, 10 de 3e secondaire, 9 de 4e secondaire et 8 de 5e secondaire. On prélèvera donc un sous-échantillon de la taille voulue dans chacune des strates par échantillonnage aléatoire simple. Pour cela, il faut numéroter, de manière indépendante, les individus de chaque niveau (de chaque strate) et prélever 12 élèves parmi les 600 de 1re secondaire, 11 élèves parmi les 550 de 2e secondaire, et ainsi de suite. ◀

Plus les strates sont homogènes, c'est-à-dire plus les unités statistiques à l'intérieur d'une même strate se ressemblent, meilleures sont les chances que l'échantillon prélevé soit représentatif de la population, parce que chaque sous-groupe se trouve représenté dans l'échantillon selon son poids dans l'ensemble de la population.

Bien qu'il soit plus précis (il comporte une marge d'erreur plus faible pour un échantillon de même taille), l'échantillonnage stratifié se révèle cependant plus coûteux et plus exigeant que les deux précédents. En effet, il faut posséder des informations supplémentaires sur la composition de la population (sa décomposition en strates) afin de dresser plusieurs listes (une par strate), et il faut sélectionner un sous-échantillon dans chaque strate.

EXERCICE 3.3

On désire sélectionner 10 étudiants qui ont réussi un cours de sociologie pour les interroger sur leur appréciation de ce cours. On décide de prélever un échantillon stratifié selon la note obtenue (critère de stratification).

À partir du tableau de l'exercice 3.1 (page 72), répondez aux questions suivantes :

a) Formez les strates et numérotez les individus dans chacune des strates.

b) Remplissez le tableau suivant :

Strate	Nombre d'individus de la population dans la strate (a)	Poids de la strate dans la population ($b = a/N$)	Nombre d'individus à sélectionner dans chaque strate ($c = b \times n$)
A			
B			
C			
D			
Total	$N = 60$		$n = 10$

c) Quel est l'échantillon prélevé ? Utilisez le tableau 3.1 (page 69) pour sélectionner des nombres de manière aléatoire.

d) Dans ce contexte, le critère de stratification vous paraît-il adéquat ? Expliquez votre réponse.

e) Proposez d'autres critères de stratification possibles.

3.2.5 L'échantillonnage par grappes

Grappe
Sous-groupe d'une population défini selon la proximité (dans la base de sondage) des éléments qui en font partie. On cherche généralement à former des grappes hétérogènes.

Dans la technique d'échantillonnage par **grappes** (ou par *amas*), les individus sont réunis en groupes hétérogènes de taille semblable, et l'échantillon se compose de certains de ces groupes sélectionnés par échantillonnage aléatoire simple. Cette technique consiste donc à choisir des groupes (toute une grappe de raisins) plutôt que des unités statistiques isolées (raisin par raisin).

▶ **E X E M P L E**

Un organisme de charité veut tracer un portrait type de ses donateurs en prélevant un échantillon de taille 1 000 à partir d'un annuaire de donateurs comprenant 500 pages, dont chacune comporte 100 noms. Le responsable du sondage pourrait sélectionner aléatoirement 10 pages parmi les 500 et former l'échantillon avec les individus dont les noms paraissent sur ces 10 pages; il aurait alors choisi 1 000 individus (soit $10 \times 100 = 1\,000$). En procédant de cette façon, il aurait sélectionné les individus non pas sur une base individuelle, mais sur une base collective (les individus dont les noms paraissent sur une page de l'annuaire); il aurait sélectionné les individus par grappes (les pages de l'annuaire). ◀

Lorsqu'on utilise l'échantillonnage par grappes, on numérote les grappes plutôt que les individus, puisque c'est parmi les grappes qu'on opère une sélection. Pour former l'échantillon avec des grappes, on applique le procédé d'échantillonnage aléatoire simple aux grappes et non aux individus.

L'échantillonnage par grappes présente un inconvénient. On risque en effet de fausser les résultats si les groupes utilisés sont homogènes, car certains groupes peuvent alors être surreprésentés. Dans le cas de notre exemple, il n'aurait pas été approprié de regrouper les donateurs selon l'importance de leur don, puisque cette variable constitue probablement un élément du portrait type recherché. Des grappes formées de cette façon auraient vraisemblablement été relativement homogènes, ou à tout le moins plus homogènes que la population en général, au regard de la variable «valeur du don». En prenant ces grappes, nous n'aurions pas pu retrouver dans l'échantillon la diversité qui existe dans la population: l'échantillon n'aurait pas été représentatif.

La technique d'échantillonnage par grappes peut s'appliquer à un découpage géographique (on utilise alors une base dite **base aréolaire**), de sorte qu'il n'est pas requis de posséder une liste des individus de la population. On numérote alors chaque sous-région et on sélectionne aléatoirement autant de sous-régions qu'il est nécessaire pour obtenir un échantillon de la taille désirée. Il faut être conscient que cette façon de procéder peut introduire un biais, dans la mesure où les groupes sélectionnés risquent d'être homogènes. La proximité géographique s'accompagne souvent d'une ressemblance des individus quant aux principales caractéristiques socioéconomiques, puisque le dicton veut que «qui se ressemble s'assemble». Certains groupes pourraient alors être surreprésentés, de sorte que l'échantillon ne constituerait pas un portrait adéquat de la population.

Base aréolaire

Base de sondage issue d'un découpage géographique de la population.

EXERCICE 3.4

À partir du tableau de l'exercice 3.1 (page 72), répondez aux questions suivantes:

a) On désire sélectionner 10 élèves qui ont réussi le cours afin de les interroger sur leur appréciation de ce cours. On décide de prélever un échantillon de deux grappes. Quelle devrait être la taille de chaque grappe?

b) Formez les grappes en groupant les individus selon l'ordre dans lequel ils apparaissent (de haut en bas) dans la liste. Numérotez les grappes et prélevez l'échantillon aléatoire demandé.

c) Obtenez-vous un échantillon qui reflète la diversité de la population par rapport aux variables « sexe » et « note » ?

d) Pourquoi cette manière de former les grappes n'est-elle pas appropriée ?

e) Proposez une meilleure façon de former les grappes.

f) Prélevez un échantillon en utilisant ces nouvelles grappes. Obtenez-vous un échantillon plus représentatif ?

Le tableau 3.3 présente une comparaison des techniques d'échantillonnage aléatoire.

Tableau 3.3

Comparaison des techniques d'échantillonnage aléatoire

Technique	Construction de l'échantillon	Avantages	Inconvénients	Limites
Échantillonnage aléatoire simple	Sélection aléatoire de n individus.	• Simplicité ; • Bonne qualité de l'échantillon.	• Nécessité d'une base de sondage ; • Long et fastidieux.	
Échantillonnage aléatoire systématique	Sélection aléatoire d'un seul individu. Tous les autres éléments sont pris à intervalle fixe dans la base de sondage.	• Sélection d'un seul nombre aléatoire ; • Rapidité ; • Bonne répartition de l'échantillon dans la base de sondage.	• Nécessité d'une base de sondage.	On ne peut l'utiliser pour étudier des phénomènes cycliques.
Échantillonnage stratifié	Sélection d'échantillons aléatoires simples à l'intérieur des strates. Le rapport entre la taille de chaque sous-échantillon et la taille de l'échantillon total doit être égal au rapport entre la taille de la strate et la taille de la population.	• Grande précision ; • Échantillon conçu pour être un modèle réduit de la population ; • Permet de comparer des sous-populations par rapport aux variables étudiées.	• Coûteux ; • Nécessite une connaissance de la population selon des critères de stratification ; • Il faut décomposer la base de sondage en plusieurs listes.	Les strates devraient être relativement homogènes.
Échantillonnage par grappes	Sélection aléatoire de grappes. L'échantillon est formé de tous les individus compris dans les grappes sélectionnées.	• Rapidité ; • Possibilité d'utiliser une base aréolaire.	• Échantillon non représentatif si les grappes sont homogènes.	Les grappes doivent être hétérogènes et de taille similaire.

3.3 L'échantillonnage non aléatoire

Contrairement aux techniques aléatoires, les techniques d'**échantillonnage non aléatoire** ou non probabiliste ne sont pas essentiellement fondées sur le hasard. Le choix des unités de l'échantillon y est arbitraire; les unités statistiques n'ont pas toutes une chance connue et non nulle d'être sélectionnées. Ces techniques ne permettent pas de généraliser de manière rigoureuse les résultats obtenus auprès d'un échantillon à l'ensemble de la population ni d'évaluer la marge d'erreur.

Parce qu'elles risquent de fournir des échantillons non représentatifs, les techniques non aléatoires sont moins fiables que les techniques aléatoires. Elles peuvent cependant être utilisées dans les études exploratoires lorsqu'on veut réduire les coûts, lorsque la population étudiée est relativement homogène, lorsqu'une expérimentation comporte des risques pour la santé (voir l'encadré sur la randomisation) ou encore lorsqu'il est impossible de disposer d'une base de sondage (par exemple dans une étude sur les gangs de rue[6]).

La randomisation

L'échantillonnage non aléatoire peut être utilisé au cours d'expériences, notamment lorsqu'on veut comparer l'efficacité d'un nouveau traitement médical avec celle du traitement habituel. Dans ce contexte, on invite des personnes (échantillonnage de volontaires) atteintes d'une maladie donnée à participer à une expérience. Afin de déterminer quel est le traitement le plus efficace, le chercheur devra séparer les volontaires en deux groupes appelés groupe de contrôle et groupe expérimental. Il soumet les individus du **groupe de contrôle** au traitement habituel et les individus du **groupe expérimental** au nouveau traitement.

Le chercheur doit s'assurer de répartir les individus dans les deux groupes de telle façon que la seule différence entre les groupes soit le traitement administré. Si, à la suite des traitements, il observe des dissemblances entre les deux groupes, il pourra alors les attribuer au traitement plutôt qu'aux caractéristiques des individus.

---

6. Dans *Fondements et étapes de la recherche scientifique en psychologie* (1988), Michèle Robert souligne avec justesse que l'utilisation d'échantillons probabilistes n'est pas toujours possible, particulièrement dans un cadre expérimental où on fait appel à des sujets humains. Dans ces circonstances, les règles d'éthique exigent qu'on recoure à des volontaires. Il faut cependant être conscient que l'emploi de volontaires peut être problématique. En effet, Michèle Robert rappelle que les sujets qui acceptent de se soumettre à une expérience sont généralement des personnes plus intelligentes, plus instruites, plus sociables et moins conventionnelles que les personnes qui refusent. L'échantillon obtenu risque donc de ne pas être représentatif de la population globale.

Randomisation

Procédé par lequel on répartit aléatoirement des individus en différents groupes lors d'une expérience.

Pour partager les individus entre les groupes, le chercheur se servira du procédé de **randomisation**, qui consiste à affecter de manière aléatoire les individus à chacun des groupes. La randomisation, tout comme le prélèvement d'un échantillon aléatoire, permet d'éliminer les biais en réintroduisant le hasard dans un échantillon non aléatoire. Par la randomisation des sujets, le chercheur forme des groupes semblables, à l'exception du traitement reçu. En effet, le hasard favorisera un partage des caractéristiques des individus entre les deux groupes.

Le chercheur sera alors en mesure d'attribuer la différence dans les effets observés non pas aux dissemblances entre les personnes, mais bien au traitement. Il pourra ainsi montrer l'existence d'un lien de causalité.

Nous allons présenter dans cette section cinq techniques d'échantillonnage non aléatoires, soit l'échantillonnage à l'aveuglette (ou *accidentel*), l'échantillonnage systématique non aléatoire, l'échantillonnage par quotas, l'échantillonnage au jugé et l'échantillonnage de volontaires.

Un enquêteur procède à un *échantillonnage à l'aveuglette* (ou accidentel) lorsqu'il se place au coin d'une rue pour interroger des passants qu'il sélectionne arbitrairement. C'est la technique employée par les journalistes pour obtenir l'opinion de monsieur et madame tout le monde. Elle peut être d'une grande validité lorsque la population étudiée est homogène; dans un tel cas, même un petit échantillon est représentatif, puisque toutes les unités statistiques se ressemblent. C'est également la technique utilisée lorsqu'on subit un prélèvement sanguin ou lorsque, au restaurant, on goûte un vin avant d'accepter la bouteille.

On procède à un *échantillonnage systématique non aléatoire* lorsqu'on interroge des individus choisis à intervalle fixe. La technique est non aléatoire parce que le premier individu est sélectionné arbitrairement plutôt qu'aléatoirement. Il en est ainsi lorsqu'on interroge le premier individu de chaque groupe de 10 personnes à l'entrée d'un magasin ou dans une file d'attente.

L'*échantillonnage par quotas* est similaire à l'échantillonnage stratifié en ce sens qu'il vise, dans la plupart des cas, à prélever un échantillon constituant un modèle réduit de la population quant à sa composition au regard de certaines caractéristiques. C'est le cas lorsqu'on observe un échantillon comprenant 50 % d'hommes et 25 % d'anglophones alors que la population compte 50 % d'hommes et 25 % d'anglophones. La différence fondamentale entre l'échantillonnage stratifié et l'échantillonnage par quotas réside surtout dans la façon de sélectionner les unités de l'échantillon : dans un cas, la sélection est aléatoire, dans l'autre elle est arbitraire. L'enquêteur remplit donc son quota comme bon lui semble : il pourrait n'interroger que ses parents, ses amis ou ses relations. Un échantillon construit de cette manière risque de ne pas être représentatif de la population.

Dans l'*échantillonnage au jugé*, l'échantillon est formé des éléments qu'on considère comme typiques de la population. C'est le chercheur (ou un expert) qui décidera de ce qui est typique, souvent selon ses connaissances sur la composition de la population. Les enquêteurs de Statistique Canada emploient cette technique lorsqu'ils sélectionnent des commerces et des marques de produits pour l'Enquête sur les prix à la consommation (EPC).

Lorsqu'on invite des personnes à participer à une recherche ou à une enquête, on procède à un *échantillonnage de volontaires*. Les lignes ouvertes, les appels téléphoniques pour enregistrer une opinion, le recrutement de volontaires pour une expérience médicale en sont des exemples.

Somme toute, les échantillons non aléatoires sont généralement moins fiables que les échantillons aléatoires. De plus, on ne devrait pas faire de l'inférence statistique (une estimation ou un test d'hypothèse) à partir de tels échantillons.

L'échantillonnage de volontaires

Le «rapport Kinsey» sur la sexualité masculine (1948) est considéré comme une étude classique basée sur l'échantillonnage de volontaires. L'emploi de cette technique d'échantillonnage pour cette étude a suscité des controverses. Des critiques ont fait valoir que de nombreuses personnes avaient accepté d'y participer parce qu'elles avaient des questions ou des problèmes d'ordre sexuel auxquels elles espéraient trouver une réponse. Ainsi, les gens qui participent à un sondage fondé sur un échantillon de volontaires porteraient souvent un intérêt particulier au sujet de l'enquête.

L'étude de Kinsey concluait, entre autres, que 10 % des hommes étaient homosexuels. Ce nombre est aujourd'hui remis en question par des études portant sur des échantillons aléatoires : la proportion d'homosexualité masculine oscillerait plutôt autour de 2 %[7]. Cette différence ne tient probablement pas au fait que l'homosexualité était plus courante, mieux acceptée ou plus facilement avouée en 1948, mais plutôt au fait que les homosexuels auraient été surreprésentés dans l'échantillon de volontaires. Les volontaires ne constituaient donc pas un **échantillon représentatif** de la population.

Échantillon représentatif

Échantillon qui rend compte de la diversité de la population d'où il a été tiré et qui en reproduit les principales caractéristiques.

3.4 Bref aperçu de l'estimation de paramètres

Dans cette section, nous abordons brièvement le concept d'estimation de paramètres, afin de vous familiariser avec le vocabulaire utilisé dans les comptes rendus d'enquêtes par sondage. Nous verrons plus en détail au chapitre 10 comment se fait l'estimation à partir de données provenant d'un échantillon.

---

7. Une enquête de chercheurs de l'université de Chicago, dont certains résultats ont été publiés dans la revue *Time* (17 octobre 1994), révélait qu'aux États-Unis 2,7 % des hommes adultes ont eu une relation homosexuelle au cours de l'année précédente.

Une enquête par sondage sert à obtenir des renseignements sur toute une population. Le sondeur traite l'échantillon comme un modèle réduit de la population. Il prend donc des mesures sur cet échantillon et les généralise à l'ensemble de la population. Si, dans un échantillon de 1 500 électeurs, il dénombre 300 personnes qui déclarent avoir l'intention de voter pour le Parti Z aux prochaines élections, il estime que 20 % de tous les électeurs (soit 300/1 500 × 100 %) voteront pour ce parti. Le sondeur pourrait également estimer le revenu moyen des électeurs à partir de celui des unités de l'échantillon. Ainsi, s'il avait obtenu un revenu moyen de 30 000 $ pour les unités de l'échantillon, il aurait conclu que celui de tous les électeurs est aussi de 30 000 $.

Dans ces exemples, le sondeur estime un **paramètre** de la population (une proportion ou une moyenne) à l'aide d'une valeur numérique unique : la **statistique** correspondante dans l'échantillon. Comme il travaille à partir d'une seule valeur, il effectue une **estimation ponctuelle** du paramètre de la population.

On utilise les symboles $\bar{x}$ (moyenne) et p (proportion) pour désigner les statistiques calculées à partir de l'échantillon, et les symboles μ (μ se prononce « mu ») et π pour les valeurs correspondantes des paramètres de la population. La vraie proportion π et la vraie moyenne μ, qu'on aurait obtenues par recensement, ne sont pas connues et diffèrent probablement des estimations faites à partir des données de l'échantillon.

Le sondeur désire tout de même avancer une affirmation qui puisse se vérifier dans la plupart des cas, et c'est pourquoi il se donne une marge d'erreur en construisant un intervalle autour de la statistique obtenue ; il effectue alors une **estimation par intervalle de confiance**. Le sondeur se compare à un archer qui tire des flèches dans une cible. Le centre de la cible correspond à la valeur réelle du paramètre (μ ou π) qu'il souhaite estimer, et chaque flèche à l'estimation ponctuelle obtenue auprès d'un échantillon. Le sondeur sera satisfait lorsque seulement 5 % de ses flèches tomberont à l'extérieur de la cible. Il pourra alors dire qu'il a atteint un **niveau de confiance** de 95 % dans la précision de son tir : il atteint la cible 19 fois sur 20. Il aurait pu choisir un autre niveau de confiance (99 %, par exemple), mais on fixe généralement le niveau de confiance à 95 % (soit 19 fois sur 20).

Le niveau de confiance est un des facteurs qui permet de déterminer le rayon de la cible, soit la distance entre le centre de la cible et son pourtour. Cette distance porte le nom de **marge d'erreur**. Ainsi, avant de tirer une flèche, notre archer peut affirmer : « D'un point de vue statistique, il y a 95 % de chances que ma flèche atteigne la cible et, par conséquent, que la distance entre ma flèche et le centre de la cible soit inférieure à la marge d'erreur. » C'est une phrase de cette nature qu'on trouve généralement dans la présentation des résultats d'un sondage : « D'un point de vue statistique, un échantillon de cette taille est précis à ±1 000 $ quant au revenu moyen, 19 fois sur 20. » La marge d'erreur est donc de 1 000 $, et le niveau de confiance de 95 %. On dira alors qu'il y a 95 % de chances que le véritable revenu moyen diffère d'au plus 1 000 $ de la moyenne de 30 000 $ trouvée

Paramètre

Caractéristique – par exemple une moyenne (μ) ou une proportion (π) – d'une population qui fait l'objet d'une mesure.

Statistique

Mesure obtenue à partir d'un échantillon. Une statistique sert notamment à estimer la valeur d'un paramètre d'une population.

Estimation ponctuelle

Estimation de la valeur d'un paramètre d'une population faite à partir de la statistique correspondante mesurée dans un échantillon.

Estimation par intervalle de confiance

Estimation de la valeur d'un paramètre d'une population au moyen d'un intervalle construit autour de la statistique correspondante de l'échantillon. La probabilité qu'un intervalle de confiance englobe la valeur réelle du paramètre est le niveau de confiance.

Niveau de confiance

Probabilité qu'un intervalle de confiance contienne la valeur réelle d'un paramètre d'une population.

Marge d'erreur

Dans une estimation par intervalle de confiance d'une moyenne ou d'une proportion, la marge d'erreur correspond à la moitié de la largeur de l'intervalle.

dans l'échantillon, c'est-à-dire qu'il se situe entre 29 000 $ et 31 000 $. Quoique déficiente, cette formulation très répandue est tolérée ; on devrait plutôt dire *qu'il y a 19 chances sur 20 qu'un intervalle obtenu de cette manière contienne le vrai revenu moyen*, puisque c'est l'intervalle qui est variable, et non le paramètre de la population. La marge d'erreur est de 1 000 $, la moyenne de l'échantillon ($\bar{x}$) est 30 000 $ et la moyenne de la population (μ) se situe entre 29 000 $ et 31 000 $. On estime donc le revenu moyen par un intervalle plutôt que par une valeur unique, et c'est pourquoi on parle alors d'estimation par intervalle de confiance plutôt que d'estimation ponctuelle.

Plusieurs facteurs peuvent modifier la marge d'erreur. Pour tirer une proportion plus élevée de flèches dans la cible sans avoir à améliorer la qualité de son tir, c'est-à-dire augmenter le niveau de confiance, notre archer devra prendre une plus grande cible. Il augmentera alors sa marge d'erreur. Dans notre exemple sur le revenu moyen, la marge d'erreur aurait été supérieure à 1 000 $ si le niveau de confiance avait été fixé à 99 %. Ainsi, la marge d'erreur augmente avec le niveau de confiance, toutes choses étant égales par ailleurs.

Plus l'échantillon est petit, plus la marge d'erreur est grande, car les valeurs extrêmes des données individuelles modifient davantage les caractéristiques d'un petit échantillon. À titre d'exemple, imaginons qu'on veuille évaluer la masse moyenne des élèves d'un cégep. Si on prend un échantillon de taille $n = 1$, on peut tomber sur un joueur de l'équipe de football dont la masse est de 90 kg ; notre estimation se situera probablement très loin de la réalité. Si notre échantillon est de plus grande taille, $n = 100$, il est probable qu'il contiendra des personnes de toutes les catégories, des poids plume aux poids lourds, et que l'effet des valeurs extrêmes sera ainsi atténué dans le calcul de la moyenne. La marge d'erreur sera donc plus faible. À la limite, si $n = N$, la moyenne de l'échantillon sera celle de la population et la marge d'erreur sera nulle. À un niveau de confiance donné, la marge d'erreur diminue donc lorsque la taille de l'échantillon augmente. C'est comme si notre archer avait amélioré la qualité de son tir.

Enfin, la technique d'échantillonnage peut également modifier la marge d'erreur. Ainsi, l'échantillonnage stratifié est généralement plus précis que l'échantillonnage aléatoire simple qui, à son tour, se révèle plus précis que l'échantillonnage par grappes. Pour un échantillon de même taille et un même niveau de confiance, la marge d'erreur la plus faible s'obtient avec l'échantillonnage stratifié.

3.5 Le compte rendu d'une enquête par sondage

Le compte rendu d'une enquête par sondage doit respecter des considérations méthodologiques qui permettent d'évaluer la validité des résultats et de porter un jugement éclairé sur le caractère scientifique de l'enquête. Les éléments suivants devraient apparaître dans le compte rendu d'une enquête par sondage:

1. L'*énoncé de chacune des questions* permet de vérifier si les critères de qualité expliqués au chapitre 2 (clarté, pertinence et neutralité) ont été respectés et si l'interprétation des résultats est convenable.

2. Le *mode d'utilisation* du questionnaire (téléphone, poste, entrevue en face à face) et la *période* au cours de laquelle il a été soumis.

3. La *population cible*, la base de sondage ainsi que la *technique d'échantillonnage*.

4. La *taille de l'échantillon* (*n*). Dans certains cas, il est nécessaire d'utiliser un échantillon aléatoire simple de plus de 1 000 individus pour obtenir une estimation adéquate d'un paramètre avec une marge d'erreur tolérable.

5. Le *taux de réponse*. Si le **taux de réponse** est inférieur à 60 %, il faut s'interroger sur la validité des résultats, particulièrement lorsqu'il y a lieu de penser que les non-répondants sont très différents des répondants. Il arrive que le sondeur indique les moyens qu'il a pris pour augmenter le taux de réponse.

6. Les *résultats*. Ils peuvent être présentés sous la forme d'un graphique, d'un tableau, d'une estimation, ponctuelle ou par intervalle, d'une moyenne ou d'une proportion.

7. La *marge d'erreur* et le *niveau de confiance*. Ces données ne sont connues que dans le cas d'un échantillonnage aléatoire.

8. La *répartition des indécis*. Il arrive que les indécis soient répartis en fonction de certaines caractéristiques qu'ils ont en commun avec d'autres répondants ou en fonction des réponses données à d'autres questions. La méthodologie du sondage devrait indiquer comment cette répartition a été effectuée.

Si un ou plusieurs de ces éléments sont omis ou sont mal présentés, on peut questionner la validité des résultats de l'enquête.

Taux de réponse

Proportion des personnes sélectionnées lors d'une enquête par sondage et qui ont accepté d'y participer.

Sondages: c'est démontré, la rigueur paie[8]

Une nouvelle rassurante nous arrive du monde encombré de chiffres dans lequel vivent les experts en sondages: les enquêtes d'opinion publique les plus rigoureuses produisent des données plus précises que celles dont les responsables tournent les coins ronds.

En analysant les sondages publiés au Québec durant la dernière campagne électorale fédérale, trois chercheurs de l'Université de Montréal ont découvert que les sondages menés dans le respect pointilleux des règles de l'art ont estimé à deux ou trois points de pourcentage près les intentions de vote des électeurs. Les enquêtes moins rigoureuses ont en moyenne raté la cible de neuf points.

Ces résultats confirment un certain nombre de vérités trop souvent ignorées par les gens qui s'intéressent aux résultats des enquêtes d'opinion publique.

---

8. A. Pratte, «Sondages: c'est démontré, la rigueur paie», *La Presse*, 6 novembre 1999, p. A22.

Premièrement, tous les sondages ne sont pas égaux. Dit autrement : ce n'est pas parce qu'il y a des chiffres que c'est précis.

Deuxièmement, il ne suffit pas de connaître l'importance de l'échantillon et la marge d'erreur pour juger de la fiabilité d'un sondage. Un échantillon considérable, produisant théoriquement une marge d'erreur minuscule, peut ne pas être fiable du tout.

Voici pourquoi. Pour qu'un échantillon soit représentatif de toute une population, il ne suffit pas qu'il compte des proportions fidèles de différents groupes : femmes, hommes, francophones, anglophones, etc. Il faut surtout qu'il soit constitué de manière aléatoire.

Les interviewers font leurs appels à partir de listes de numéros de téléphone choisis au hasard. Composons un premier numéro : 351-4824. Pas de réponse. Dans une telle situation, certaines maisons de sondage demandent à l'interviewer de passer à un autre numéro sur la liste. La règle du hasard est alors faussée puisque les personnes qui sont rarement à la maison seront sous-représentées dans l'échantillon final. Or, ces personnes possèdent des caractéristiques bien particulières : jeunes, scolarisés, actifs. Idéalement, il faudrait rappeler et rappeler et rappeler encore.

Supposons qu'à la question « Bonjour, je suis de la maison SOM, et nous faisons un sondage sur … » on réponde au 351-4824 : – Foutez-moi la paix !

Certaines firmes vont tout de suite classer ce numéro dans la catégorie « refus », et passer à un autre numéro. Mais les personnes qui fuient les sondeurs – notamment les personnes âgées – seront alors sous-représentées. Pour réduire ce biais, un autre interviewer, spécialisé dans la récupération des refus, devrait rappeler au 351-4824 et tenter d'amadouer la personne au bout du fil.

Une fois qu'une personne a répondu au téléphone, le sondeur demandera de parler à un membre du ménage, choisi au hasard par l'ordinateur : le plus jeune, le plus vieux, celui du milieu … Certaines firmes fonctionnent plutôt par « quotas ». Elle fixent comme objectif de rejoindre tant de personnes de chaque catégorie démographique, et appellent jusqu'à ce que ces « quotas » soient satisfaits. Encore ici, le hasard est faussé.

Broutilles que tout cela ? C'est ce que prétendent certains sondeurs, notamment au Canada anglais, pour qui le purisme des maisons québécoises coûte cher sans produire de meilleurs résultats. Les sociologues Sébastien Vachon et Claire Durand, et le politologue André Blais, viennent de démontrer le contraire. Des 17 enquêtes publiées au Québec pendant la campagne fédérale de 1997, celles qui se sont écartées le moins de la réalité sont celles où le sondeur n'a pas utilisé de quotas, n'a pas substitué de numéros, et a fait l'impossible pour récupérer les refus.

Les sondages qui ont produit les données les moins précises et les plus variables sont ceux pour lesquels l'« effort échantillonnal » a été le moins important. Conséquence ? Claire Durand : « Tu as un sondage qui montre le Parti conservateur à 35 %. Un autre sondage est publié et montre les conservateurs à 45 %. Les journalistes s'empressent alors de dire : les conservateurs ont monté de dix points. » En réalité, le second sondage a tout simplement été mal fait.

Compliqué, tout ça. Comment le commun des mortels peut-il distinguer l'ivraie du bon grain ? Deux indices. D'abord le taux de réponse, c'est-à-dire la proportion de la liste initiale de numéros de téléphone qui a abouti à des entrevues. Ce taux devrait atteindre au moins 60 %. S'il est plus bas, cela indique qu'il y a eu utilisation de quotas, substitution de numéros ou non-récupération des refus.

RÉSUMÉ

Dans ce chapitre, nous avons étudié les différents éléments associés au sondage, soit la représentativité de l'échantillon, les types d'échantillons (aléatoires et non aléatoires), la sélection des unités statistiques et le compte rendu d'une enquête par sondage.

Le sondage, soit le prélèvement d'un échantillon en vue d'étudier une population, est une méthode simple et peu coûteuse d'obtenir des informations à propos de toute une population. Le sondage permet d'estimer un paramètre d'une population (tel qu'une proportion, π, ou une moyenne, μ), de manière ponctuelle ou par intervalle de confiance, à partir de la valeur (ou statistique) correspondante dans l'échantillon (p ou $\bar{x}$).

Pour que l'information obtenue soit de bonne qualité, l'échantillon doit être représentatif de la population. On peut prélever un échantillon de manière aléatoire (la sélection des individus est fondée sur le hasard) ou de manière non aléatoire (la sélection des individus est arbitraire). Les techniques aléatoires (échantillonnage aléatoire simple, systématique, stratifié, par grappes) sont généralement plus fiables que les techniques non aléatoires (échantillonnage à l'aveuglette, systématique non aléatoire, par quotas, au jugé, de volontaires) et elles permettent d'évaluer la marge d'erreur.

Les techniques d'échantillonnage non aléatoires sont cependant moins coûteuses, plus rapides et plus simples. Elles peuvent être utilisées pour des études exploratoires, lorsque la population étudiée est homogène, lorsque l'étude comporte des risques pour la santé ou encore lorsqu'on ne dispose pas d'une base de sondage. Toutefois, on ne devrait pas généraliser les résultats de l'observation d'un échantillon non aléatoire à l'ensemble de la population.

Une enquête par sondage compte plusieurs étapes que nous avons abordées dans ce chapitre ou dans les chapitres précédents: le choix du sujet d'enquête, la définition de la population étudiée, l'élaboration du questionnaire, le choix de la technique d'échantillonnage, le prélèvement de l'échantillon, l'utilisation du questionnaire, le traitement des données, l'analyse des résultats ainsi que le compte rendu.

Le compte rendu d'une enquête par sondage devrait contenir les éléments suivants: l'énoncé des questions, le mode d'utilisation du questionnaire et la période de réalisation du sondage, la population cible, la base de sondage, la technique d'échantillonnage, la taille de l'échantillon, le taux de réponse, les résultats, la marge d'erreur, le niveau de confiance et les modalités de répartition des indécis.

MOTS CLÉS

Base aréolaire, p. 78
Base de sondage, p. 71
Échantillon représentatif, p. 82
Échantillonnage aléatoire, p. 67
Échantillonnage exhaustif, p. 70
Échantillonnage non aléatoire,
      p. 80
Estimation par intervalle
      de confiance, p. 83

Estimation ponctuelle, p. 83
Grappe, p. 77
Groupe de contrôle, p. 80
Groupe expérimental, p. 80
Marge d'erreur, p. 83
Niveau de confiance, p. 83
Paramètre, p. 83
Pas du sondage, p. 74
Poids du sondage, p. 73

Randomisation, p. 81
Statistique, p. 83
Strate, p. 76
Taux de réponse, p. 85
Taux de sondage, p. 73

EXERCICES RÉCAPITULATIFS

1. Quelle qualité recherche-t-on dans un échantillon ?

2. Qu'est-ce qui caractérise un échantillon aléatoire ?

3. Définissez les termes suivants :

   a)   Échantillonnage exhaustif ;

   b)   Poids du sondage ;

   c)   Taux de sondage.

4. Combien de combinaisons différentes y a-t-il à la loterie Sélect 42, dans laquelle on choisit, sans remise et de manière aléatoire, 6 nombres entre 1 et 42 ?

5. Quel document concernant une population faut-il posséder pour procéder par échantillonnage aléatoire simple ? Quel peut être le défaut de ce document ?

6. Un club vidéo désire comparer les habitudes de consommation de ses 10 000 membres selon le sexe et le groupe d'âge afin de mieux connaître leurs goûts. Le club décide de procéder à une enquête auprès de ses membres par voie de sondage. Les abonnés sont répartis dans quatre catégories.

Répartition des membres, selon la catégorie

Catégorie	Nombre de membres
Hommes de moins de 30 ans	4 000
Femmes de moins de 30 ans	3 000
Hommes de 30 ans ou plus	2 000
Femmes de 30 ans ou plus	1 000
Total	10 000

   a)   Quelle technique d'échantillonnage conseilleriez-vous d'employer ? Expliquez votre choix.

   b)   Si la taille de l'échantillon est de 50 personnes, combien d'hommes de moins de 30 ans devrait-on interroger ?

7. Quel est l'avantage de l'échantillonnage stratifié par rapport à l'échantillonnage aléatoire simple ? Quel en est l'inconvénient ?

8. Une commission scolaire en milieu urbain qui compte 30 écoles primaires, toutes de taille similaire, décide de mener une enquête sur les habitudes alimentaires des élèves de sixième année. Le chercheur embauché décide de sélectionner aléatoirement 5 écoles et de soumettre un questionnaire à tous les élèves de sixième année de ces écoles.

   a) Quelle est la technique d'échantillonnage utilisée ?

   b) Cette technique est-elle appropriée dans le contexte de cette enquête ? Justifiez votre réponse.

9. Qu'est-ce qui distingue les grappes des strates ?

10. Quel problème peut être occasionné par l'emploi d'une base aréolaire ?

11. Désignez la technique d'échantillonnage qui possède la caractéristique suivante :

   a) On ne devrait pas l'utiliser dans l'étude de phénomènes cycliques.

   b) L'échantillon est constitué à partir de l'avis d'experts.

   c) Quand on l'utilise, on ne sélectionne pas les individus un à la fois.

   d) Cette technique aléatoire nécessite la sélection aléatoire d'un seul nombre.

   e) Cette technique nécessite plusieurs listes.

   f) Cette technique aléatoire permet à chaque groupe d'être représenté dans l'échantillon selon son importance dans la population.

   g) On se sert de cette technique aléatoire lorsqu'on ne dispose pas d'une liste des individus composant la population.

12. Identifiez la technique d'échantillonnage associée à chacun des énoncés suivants et indiquez s'il s'agit d'une technique probabiliste ou non probabiliste.

   a) On demande à chaque enquêteur d'interroger 10 hommes de moins de 20 ans, 30 hommes de 20 ans à 60 ans et 15 hommes de plus de 60 ans. Chaque enquêteur doit également interroger respectivement 15, 35 et 20 femmes dans ces catégories d'âge.

   b) On interroge, à son gré, 50 personnes au coin d'une rue.

   c) Un comptable décide de faire la vérification de ses comptes en prélevant la quatrième facture de chaque groupe de 20 factures.

   d) On sélectionne de manière aléatoire 20 pages de l'annuaire des étudiants et on interroge tous ceux dont les noms apparaissent sur ces pages.

   e) On invite des gens à téléphoner pour donner leur opinion sur la compétence du gouvernement.

   f) Cléopâtre demande à son goûteur de prendre une bouchée de chaque mets qu'on lui sert.

   g) On utilise la touche RAN d'une calculatrice pour choisir 50 noms sur une liste électorale.

13. Un distributeur de films se rend à un grand festival pour y acheter des films. Évidemment, il désire se procurer des films qui plairont au public. Il vient d'en voir un qu'il a aimé, mais il n'est pas convaincu que ses goûts correspondent à ceux du grand public. Il décide d'effectuer une enquête par sondage auprès de personnes qui ont vu ce film au festival.

   a) Peut-il réaliser son sondage par échantillonnage aléatoire simple? Expliquez votre réponse.

   b) Quel problème pourrait soulever un échantillon de volontaires?

   c) Le distributeur pense à se poster à la sortie du cinéma et à interroger les 20 premières personnes qui sortiront de la salle. Expliquez pourquoi il ne devrait pas procéder de la sorte.

   d) Il décide plutôt d'interroger la 3e personne qui sort de la salle, puis la 8e, la 13e, et ainsi de suite. Quelle technique d'échantillonnage utilise-t-il? Quel est le pas du sondage?

   e) Les commentaires des personnes faisant partie de l'échantillon sont tous très favorables. Le distributeur décide donc d'acheter le film. Quelques semaines plus tard, alors qu'il projette le film en salle, beaucoup de spectateurs sortent avant la fin de la représentation. À la fin du film, d'autres sortent en maugréant. Expliquez pourquoi ces faits ne sont pas en contradiction avec les résultats obtenus auprès des personnes de l'échantillon.

14. L'échantillonnage non aléatoire peut être utilisé à bon escient dans certaines circonstances. Citez-en quatre.

15. Quels facteurs exercent une influence sur la marge d'erreur? Expliquez l'effet de chacun de ces facteurs.

16. Le samedi 3 avril 1993, on trouvait ce titre en page B1 du journal *La Presse*:

   Oui au mariage des prêtres

   85 % des Québécois, catholiques ou non,
   approuvent cette proposition

   Ce résultat provenait d'un sondage. Voici le texte de la question posée et la proportion des répondants qui ont opté pour chaque possibilité.

   Que pensez-vous de la possibilité que des prêtres se marient?

	Pourcentage des répondants (%)
Tout à fait d'accord	58
Assez d'accord	27
Assez en désaccord	5
Tout à fait en désaccord	7

   Par ailleurs, 3 % des personnes interrogées ont dit qu'elles ne savaient pas ou ont refusé de répondre.

   a) Quelle est la variable étudiée?

   b) De quelle nature est-elle?

c) Quelles sont les différentes modalités de la variable?

d) Comment a-t-on obtenu les 85 % du titre de l'article?

e) Quelle est l'estimation ponctuelle de la proportion des personnes qui sont en désaccord avec le mariage des prêtres?

f) Quel est le pourcentage des indécis et des non-répondants?

Voici un extrait du texte expliquant la méthodologie du sondage:

> Ce sondage a été réalisé pour *La Presse* et TVA par SOM entre le 12 et le 17 mars 1993. Au total, 1 006 entrevues ont été complétées auprès d'un échantillon représentatif de la population du Québec de souche catholique, pratiquant ou non. La collecte des données a été réalisée par des interviewers professionnels à partir des centraux téléphoniques de SOM à Montréal, Québec et Chicoutimi et était assistée par ordinateur. Au total, jusqu'à huit appels ont pu être faits pour tenter de joindre les ménages sélectionnés. Tous ceux qui ont refusé de participer ont été systématiquement rappelés à plusieurs reprises de façon à éliminer les refus contextuels. Le plan échantillonnal utilisé pour cette enquête est un plan stratifié à deux degrés. Au premier degré, l'échantillon a été stratifié géographiquement selon les régions métropolitaines de recensement (RMR):
> - 451 entrevues dans la région de Montréal;
> - 300 entrevues dans la région de Québec;
> - 255 entrevues ailleurs au Québec.
>
> Au second degré, un répondant éligible du ménage a été choisi selon une procédure informatisée de sélection aléatoire simple sur l'âge. L'échantillon initial a été généré aléatoirement par ordinateur dans l'ensemble des échanges téléphoniques actuellement en usage au Québec. On estime le taux de réponse obtenu à 61 % tandis que le taux de personnes qui n'ont pu être jointes au cours de la période d'enquête se situe à 13 %, et la proportion de refus, à 26 %. Les données ont été pondérées pour tenir compte des probabilités différentes de sélection induites par le plan de sondage stratifié à deux degrés. Compte tenu de l'effet de ce plan de sondage, on estime à 3,85 % la marge d'erreur[9] maximale au niveau de confiance de 95 % sur une proportion estimée pour l'ensemble des répondants[10].

g) Déterminez, à partir de cet extrait et de l'introduction de l'exercice, chacun des éléments qui devraient figurer dans le compte rendu d'un sondage.

h) La technique d'échantillonnage utilisée nous permet-elle de généraliser les résultats de l'échantillon à l'ensemble de la population?

17. Vous voulez dresser un portrait des universités canadiennes. Vous disposez d'une liste des 76 universités du Canada[11] regroupées par province. Vous décidez de procéder à partir d'un échantillon de 16 établissements obtenu

---

9. La marge d'erreur sur une proportion exprimée en pourcentage devrait être donnée en «points» ou en «points de pourcentage» plutôt qu'en pourcentage. Ainsi, il aurait été préférable de dire «on estime à 3,85 points de pourcentage la marge d'erreur ...». Comme cette erreur d'écriture est courante dans les comptes rendus de sondage, il n'y a pas lieu de s'en formaliser outre mesure.

10. *La Presse*, samedi 3 avril 1993, p. A2.

11. Statistique Canada, *Indicateurs de l'éducation au Canada*, n° 81-582-XIF au catalogue, 2000, p. 205.

en employant un échantillonnage par grappes. Vous décidez de former des grappes de taille 4.

a) Quel nom donne-t-on à la liste à partir de laquelle on prélève un échantillon?

b) Dans le contexte, que représente une unité statistique?

c) La technique d'échantillonnage par grappes est-elle aléatoire ou non aléatoire?

d) Combien de grappes devrez-vous former?

e) Parmi celles-ci, combien devrez-vous en sélectionner?

f) Serait-il approprié de former les grappes en suivant l'ordre dans lequel les universités apparaissent sur la liste, c'est-à-dire par province? Justifiez votre réponse.

g) Quel est le taux de sondage?

h) Que nous apprend ce nombre dans le contexte?

i) Quel est le poids du sondage?

j) Que nous apprend ce nombre dans le contexte?

18. En 2000, le Service aux étudiants d'un cégep mène une enquête auprès des diplômés de 1998 provenant du domaine des techniques de la gestion: techniques administratives (A), bureautique (B) et informatique (I). On veut connaître la principale occupation des diplômés deux ans après la fin de leurs études: travail à temps plein, travail à temps partiel, chômage, études, autre. Le Service dispose d'une liste mise à jour des 80 diplômés de 1998 et décide de procéder par sondage. On désire sonder 25 % des diplômés. Vous trouverez à la page suivante la liste alphabétique des prénoms des diplômés ainsi que leur domaine d'études.

a) Quelle est la population étudiée?

b) Quelle est la taille de la population?

c) Combien y a-t-il de diplômés en techniques administratives? En bureautique? En informatique?

d) Parmi ces diplômés, quelle est la proportion des diplômés en techniques administratives? Quel symbole utilise-t-on pour représenter ce nombre?

e) Quelle est la base de sondage?

f) Quel est le taux de sondage?

g) Quelle est la taille de l'échantillon?

h) Quelles sont les deux variables présentées dans l'énoncé?

i) De quelle nature sont-elles?

j) Pour chacune de ces variables, déterminez les valeurs ou les modalités possibles.

k) Utilisez la table de nombres aléatoires de la page 69 (point de départ: ligne 5, colonne 5; direction: de haut en bas, sur une seule colonne; on recommence au haut de la colonne immédiatement à droite lorsqu'on arrive au bas d'une colonne) pour sélectionner un échantillon aléatoire simple avec remise.

Nom	Domaine	Nom	Domaine	Nom	Domaine
Alain	A	Gaston	A	Marie	A
Alexis	A	Gérard	A	Mariette	A
Aline	B	Gilles	B	Martine	B
André	A	Ginette	B	Mathieu	A
Andrée	A	Guy	A	Maude	A
Anita	A	Hélène	I	Maurice	B
Antoine	I	Henri	I	Monique	A
Bernard	A	Hugues	B	Olivier	A
Carmen	I	Isabelle	B	Pascale	I
Carole	B	Jean-Marc	A	Paul	A
Caroline	A	Jeanne	I	Pierre	I
Cédrick	A	Jennifer	B	Pierrette	A
Céline	B	Jérémie	A	Rachel	A
Chantal	B	Johanne	B	Raymond	I
Chantale	A	Josée	B	Régine	A
Christiane	I	Joseph	A	Réjean	A
Claire	A	Josianne	A	Renée	I
Claudette	B	Jules	A	Robert	I
Denis	I	Julie	B	Roxanne	I
Denise	B	Juliette	A	Serge	A
Diane	B	Kathia	B	Simon	A
Donna	A	Léo	I	Suzanne	B
Émile	A	Lise	A	Sylvain	I
Éric	A	Louison	I	Tania	A
Étienne	A	Luc	A	Yves	I
Francine	B	Lucie	I	Yvon	I
François	A	Marc	I		

l) Après avoir sélectionné votre échantillon, vous compilez vos résultats et vous constatez que 12 diplômés sélectionnés occupent un emploi à temps plein.

- Quelle proportion des diplômés sélectionnés occupent un emploi à temps plein ?

- Quel symbole utilise-t-on pour représenter ce nombre ?

- Complétez : Ce nombre constitue l'estimation _____ de la proportion (π) des 80 diplômés de 1998 qui occupent un emploi à temps plein deux ans après la fin de leurs études.

m) Vous estimez qu'il aurait été intéressant de comparer les différents domaines d'études quant à l'occupation principale des diplômés.

- Quelle technique d'échantillonnage aurait-il été préférable d'utiliser ?

- Quelle aurait été alors la première chose à faire pour sélectionner un échantillon ?

- Prélevez un échantillon de taille 20, sans remise. Utilisez le même parcours dans la table de nombres aléatoires qu'en *k*.

EXERCICES DE SYNTHÈSE

1. Répondez aux questions portant sur le texte suivant.

Les Canadiens opposés à la publicité dans les écoles[12]

Un nouveau sondage produit par la firme Environics à la demande de la Fédération canadienne des enseignants (FCE) suggère que 70 % des Canadiens s'opposent à la présence de toute publicité dans les écoles.

[...]

Le sondage en question, réalisé entre le 22 décembre 1999 et le 16 janvier 2000, a été mené auprès de 2 049 Canadiens de plus de 18 ans. Sa marge d'erreur est de plus ou moins 2,2 %, 19 fois sur 20.

« Le message qui en ressort est très clair, a déclaré hier à *La Presse* la présidente de la FCE, Marilies Rettig. Les enfants sont à l'école pour apprendre, non pas pour servir de clientèle captive. »

[...]

Les répondants devaient choisir entre deux énoncés tranchants. Le premier indique que la publicité « n'a pas sa place à l'école parce que les élèves sont là pour apprendre, sans qu'on y fasse la promotion de produits et services ». Le second dit au contraire qu'elle est « tout à fait acceptable si elle permet à l'établissement de recevoir en contrepartie des fonds, des services ou des appareils ».

La FCE souhaitait notamment par son initiative obtenir des arguments dans sa lutte contre Partenaires éducatifs Athéna, qui propose des dizaines de milliers de dollars de matériel électronique aux écoles canadiennes qui acceptent de diffuser dans leurs classes un bulletin de nouvelles comprenant deux minutes et demie de messages publicitaires.

Pourcentage des Canadiens opposés à toute publicité dans les écoles, Canada, province ou région, 2000

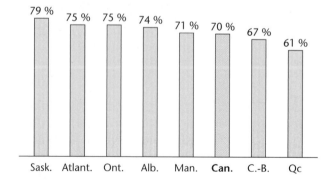

12. M. Thibodeau, « Les Canadiens opposés à la publicité dans les écoles », *La Presse*, 9 février 2000, p. A9.

a) Quelle est la population étudiée ?

b) Quelle est la taille de l'échantillon ?

c) Si, lors de l'enquête, on avait retenu les réponses de Marie, une étudiante belge en visite chez des amis, quelle type d'erreur aurait-on commis ?

d) La période au cours de laquelle le sondage a été mené peut-elle avoir eu un impact sur les résultats du sondage ? (N'oubliez pas que l'objectif de la publicité est de mousser les ventes de produits de consommation.) Si vous répondez oui, justifiez votre réponse en expliquant comment les résultats pourraient soutenir la position adoptée par la FCE.

e) Citez un extrait du texte qui vous amène à conclure que ce sondage a été réalisé à l'aide d'une technique d'échantillonnage aléatoire.

f) Quelle est la nature de la variable « opinion quant à la publicité dans les écoles » ?

g) Quelle est l'estimation ponctuelle de la proportion des Canadiens de plus de 18 ans qui sont opposés à toute publicité dans les écoles ?

h) Quelle est la marge d'erreur sur cette estimation ?

i) Quel est l'estimation par intervalle de confiance de cette proportion ?

j) Quel niveau de confiance accordez-vous à cette estimation par intervalle ?

k) Laquelle des provinces présente la plus forte proportion d'opposants à la publicité dans les écoles ? La plus faible proportion d'opposants ?

l) Expliquez pourquoi la marge d'erreur sur l'estimation de la proportion des Québécois qui s'opposent à la publicité dans les écoles devrait être plus forte que celle présentée dans le texte pour l'ensemble des Canadiens.

2. Une de vos amies réalise une expérience sur la perception au cours de laquelle elle demande à des sujets d'identifier la forme géométrique (cercle, rectangle ou triangle) d'un symbole. Elle présente 6 symboles, l'un après l'autre, choisis aléatoirement parmi la liste suivante à chacun des sujets. Elle souhaite que son échantillon soit représentatif de sa population de symboles.

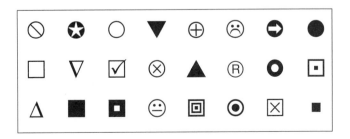

a) Remplissez le tableau suivant :

Répartition des symboles, selon leur forme

Forme du symbole	Nombre de symboles
Total	

b) Les symboles sélectionnés à partir de la liste pour le premier sujet sont encadrés. D'après vous, quelle technique d'échantillonnage aléatoire a servi pour obtenir cette sélection ? Expliquez sommairement la technique utilisée et vérifiez si votre amie a respecté les conditions d'utilisation de cette technique.

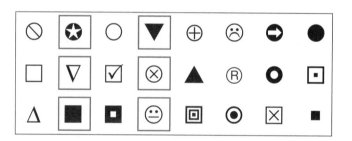

c) Les symboles sélectionnés à partir de la liste pour le deuxième sujet sont encadrés. D'après vous, quelle technique d'échantillonnage aléatoire a servi pour obtenir cette sélection ?

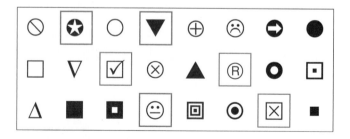

d) Votre amie a disposé les éléments de sa population d'une autre façon et a obtenu l'échantillon suivant à partir de cette nouvelle configuration. D'après vous, quelle technique d'échantillonnage aléatoire a servi pour obtenir cette sélection? L'emploi de cette technique est-elle appropriée? Justifiez votre réponse.

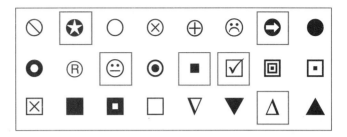

e) Votre amie numérote les éléments de la nouvelle configuration de sa population de symboles de gauche à droite à partir de zéro. Elle veut maintenant prélever un échantillon de taille quatre par la méthode d'échantillonnage aléatoire systématique. Encadrez les éléments manquants de son échantillon et dites pourquoi il est approprié d'utiliser cette méthode avec cette configuration de la population.

4

Les tableaux
de fréquences
et les graphiques

*No human mind is capable of grasping in its entirety the
meaning of any considerable quantity of numerical data.*

Sir Ronald A. Fischer

À la fin de ce chapitre, vous devriez être en mesure de répondre aux questions suivantes:

- *À quoi servent les tableaux de fréquences et les graphiques?*
- *Comment groupe-t-on des données dans un tableau de fréquences?*
- *Comment construit-on les différentes représentations graphiques à partir d'un tableau de fréquences?*
- *Quelles sont les normes à respecter dans la présentation des tableaux de fréquences et des graphiques?*

*P*endant les campagnes électorales, les médias publient des sondages sur les intentions de vote des électeurs. Les questionnaires utilisés lors de tels sondages comportent habituellement une quinzaine de questions auxquelles environ 1 000 personnes répondent. Toutes les questions portent un numéro (Q_1, Q_2, ..., Q_{15}), de même que tous les sujets interrogés (S_1, S_2, ..., $S_{1\,000}$). Chaque question porte sur une variable comme le sexe du répondant, son âge, son niveau de revenu, son intention de vote, son opinion sur une politique. Comme l'indique la quatrième étape de la démarche scientifique, il faut organiser les données recueillies pour les présenter sous une forme intelligible. Dans un premier temps, les réponses au sondage sont colligées dans un tableau comme le tableau 4.1.

Tableau 4.1

Compilation des réponses à un questionnaire d'enquête

Sujets	Questions			
	Q_1	Q_2	...	Q_{15}
S_1				
S_2				
⋮				
⋮				
⋮				
$S_{1\,000}$				

Chaque ligne de ce tableau contient toutes les réponses d'un sujet et chaque colonne représente les réponses de tous les sujets à une question. La construction d'un tel tableau constitue une forme primitive d'organisation et de traitement des données. Il n'est pas encore possible d'analyser les données présentées sous cette forme ni d'apporter une ébauche de réponse à des hypothèses parce que l'information n'est pas présentée de façon suffisamment succincte. À cette fin, le sondeur, ou le chercheur, peut décider de ne considérer qu'une seule variable (une des colonnes) à la fois. Il peut également choisir deux variables – et même parfois quelques-unes – qu'il tentera de mettre en relation.

Série statistique

Liste des données brutes relatives à une variable recueillies lors d'une étude.

Chaque colonne d'un tableau comme le tableau 4.1 constitue une **série statistique**, soit une liste des données brutes recueillies lors d'une étude statistique et portant sur une seule variable. On peut extraire une telle liste du tableau pour former un nouveau tableau qui permettra l'étude d'une seule variable en particulier.

Il est difficile, voire impossible, d'analyser une série statistique dans sa forme brute, parce qu'elle contient une masse d'information trop dense. Pour dégager l'information pertinente, il faut organiser les données et les présenter sous une forme simplifiée. On peut y arriver notamment :

- en groupant les données dans un tableau de fréquences ;
- en présentant les données à l'aide d'un graphique ;
- en calculant des mesures statistiques appropriées.

Les tableaux de fréquences servent à classer les données et à les présenter de manière à en faire ressortir les principales caractéristiques. Celles-ci peuvent également être mises en évidence par une représentation graphique appropriée. Dans les deux prochains chapitres, nous allons voir comment dresser, lire et commenter des tableaux et les graphiques qui s'y rapportent.

4.1 Le traitement d'une variable qualitative

Selon la variable étudiée, on pourra grouper les données par modalités, par valeurs ou par classes dans un tableau à partir duquel on pourra construire une ou plusieurs représentations graphiques.

4.1.1 Le tableau de fréquences : données groupées par modalités

Prenons un exemple simple pour montrer comment on dresse un tableau de fréquences dans le cas où les données sont groupées par modalités.

Supposons qu'un enquêteur ait interrogé 125 personnes lors d'un sondage mené au cours d'une campagne électorale. Le tableau 4.2 montre à quoi pourrait ressembler la série statistique donnant le sexe des personnes interrogées.

Tableau 4.2

Sexe de 125 personnes ayant répondu à un questionnaire d'enquête

```
M M F  F M M F  F  F M M F M F M M F  F M M M M M F  F
F M F M M M M M F M F  F M F M M F  F M F  F  F  F M
F  F M M M M M M F  F  F M F M M F M F  F  F M F  F
F M F M F  F M M F  F M M M M F  F M M F M F M M F M
M F M M M F M F M M F M M F  F  F M F M M F  F  F M F
```

Cette série comporte 125 données (le sexe de chacun des répondants) qui prennent deux modalités : masculin ou féminin (représentées par les lettres M et F). Ces données sont nombreuses et présentées dans le désordre, de sorte qu'il nous est impossible de déterminer d'un seul coup d'œil si, parmi les personnes interrogées, les hommes sont plus nombreux que les femmes. Imaginez la difficulté si la série comportait 1 000 ou 10 000 données!

Pour faciliter la compréhension des renseignements contenus dans cette masse de données, il faut procéder à l'organisation et au traitement de celles-ci. Nous allons donc grouper les données de cette série statistique dans un **tableau de fréquences** (ou *tableau de distribution*).

La série statistique portant sur le sexe des 125 répondants comporte 125 données. On dénombre 65 hommes et 60 femmes parmi les répondants, une information qu'on peut présenter dans un tableau de fréquences (tableau 4.3).

Comme le montre le tableau 4.3, on groupe les données par modalités dans le cas d'une variable qualitative en comptant le nombre de fois que chaque modalité apparaît dans la série statistique. La première colonne d'un tel tableau de fréquences contient alors les différentes modalités considérées. Les deux modalités que peut prendre la variable dans notre exemple (masculin ou féminin) sont donc inscrites dans cette colonne qui porte le nom de la variable (sexe).

> **Tableau de fréquences**
>
> Tableau qui sert à grouper des données selon leur fréquence d'apparition dans une série statistique. On groupe les données par modalités lorsqu'on étudie une variable qualitative nominale ou ordinale; par valeurs lorsqu'on étudie une variable quantitative discrète qui présente un petit nombre de valeurs distinctes; par classes lorsqu'on étudie une variable quantitative continue ou une variable quantitative discrète qui présente un grand nombre de valeurs distinctes. On l'appelle aussi *tableau de distribution*.

Tableau 4.3

Répartition de 125 répondants, selon le sexe

Sexe	Nombre de répondants
Masculin	65
Féminin	60
Total	125

> **Fréquence absolue**
>
> Nombre de données qui présentent une modalité, qui prennent une valeur ou qui appartiennent à une classe. On l'appelle aussi l'*effectif*.

> **Fréquence relative**
>
> Proportion des données qui présentent une modalité, qui prennent une valeur ou qui appartiennent à une classe. Elle s'exprime le plus souvent en pourcentage.

La deuxième colonne du tableau donne la **fréquence absolue** (qu'on appelle parfois l'*effectif*) ou la **fréquence relative** de la modalité, soit le nombre de données (la fréquence absolue) ou la proportion des données (la fréquence relative) qui présentent la modalité apparaissant dans la première colonne. La deuxième colonne est intitulée «Nombre [des unités statistiques]» ou «Pourcentage [des unités statistiques] (%)», selon le cas.

En effet, on aurait également pu dresser un tableau des fréquences relatives. Les entrées de la colonne des fréquences relatives correspondent au pourcentage de l'ensemble des données qui se trouvent dans chaque modalité. Les fréquences relatives sont obtenues en divisant les fréquences absolues associées à chaque modalité par le nombre total de données, et en multipliant le résultat par 100 %. Dans notre exemple, la fréquence relative pour la modalité «masculin» représente le pourcentage des personnes de sexe masculin, obtenu au moyen du calcul suivant:

$$\frac{65}{125} \times 100\ \% = 52\ \%$$

Par conséquent, 52 % des répondants sont des hommes et 48 % sont des femmes, information qu'on peut consigner dans le tableau 4.4.

Tableau 4.4

Répartition en pourcentage des répondants, selon le sexe

Sexe	Pourcentage des répondants (%)
Masculin	52
Féminin	48
Total	100

Lorsqu'on utilise des fréquences relatives, on arrondit les pourcentages, s'il y a lieu. La règle d'arrondissement généralement reconnue propose d'arrondir un nombre au nombre à une décimale le plus proche. Ainsi 22,56 % et 22,64 % sont tous deux arrondis à 22,6 %, parce que 22,6 % est le pourcentage à une décimale qui est le plus proche de ces deux nombres. Qu'en sera-t-il de 22,55 %? Ce pourcentage est aussi proche de 22,5 % que de 22,6 %. Dans un tel cas, la décimale du nombre arrondi sera le plus petit entier pair supérieur ou égal à la première décimale du nombre de départ. Ainsi, 22,55 % et 22,65 % seront tous deux arrondis à 22,6 %.

EXERCICE 4.1

Arrondissez les pourcentages suivants à une décimale :

a)   0,15 %

b)   5,8513 %

c)   64,25 %

d)   81,42 %

e)   36,88 %

Une fois les fréquences relatives arrondies, il peut arriver que leur somme diffère de 100 %. On inscrit malgré tout un total de 100 %, mais on ajoute au bas du tableau une remarque telle que : «Les pourcentages étant arrondis, la somme des fréquences relatives n'égale pas 100 %.»

4.1.2 Les normes de présentation des tableaux

Avant d'étudier les autres types de groupement des données dans les tableaux de fréquences, penchons-nous sur les normes de présentation des tableaux. Le respect de ces normes s'avère fort utile lorsque vient le temps de lire et d'interpréter les renseignements contenus dans un tableau.

1. Le tableau doit être surmonté d'un titre centré. Dans le cas d'un tableau de fréquences, nous suggérons le titre : « Répartition [en pourcentage] de(s) [unité(s) statistique(s)], selon [la (les) variable(s) étudiée(s)] ». L'usage veut également que le titre comporte la mention du lieu et du moment où l'étude a été menée, quand le contexte s'y prête.

2. Chaque colonne d'un tableau porte généralement un titre qui indique ce qu'elle représente. Dans le cas d'un tableau de fréquences, la première colonne a pour titre le nom de la variable (accompagné, s'il y a lieu, de l'unité de mesure). La deuxième colonne a pour titre « Nombre des [unités statistiques] » ou « Pourcentage des [unités statistiques] (%) », selon qu'on a utilisé des fréquences absolues ou des fréquences relatives.

3. Dans un tableau de fréquences, on inscrit le total au bas de la colonne des fréquences. Lorsque la somme des fréquences relatives n'égale pas 100 % (à cause des arrondissements), on place une note à cet effet au bas du tableau.

4. Lorsque les données sont tirées d'une autre étude, on mentionne la source au bas du tableau.

5. Dans un rapport qui présente les résultats d'une recherche, tous les tableaux devraient être numérotés et répertoriés dans une liste présentée au début du rapport.

6. Un commentaire accompagne généralement le tableau. Ce commentaire décrit et analyse les renseignements présentés dans le tableau. Il peut aussi servir à émettre des hypothèses ou à soulever des questions que le tableau fait ressortir.

Le tableau 4.5 respecte toutes ces normes de présentation.

Ce tableau est numéroté ; il porte un titre ; la variable « degré de satisfaction » de même que ses différentes modalités sont précisées ; on a indiqué que la colonne des fréquences représente le pourcentage des jeunes Québécois âgés de 15 à 29 ans ; le total est inscrit et la source est mentionnée.

Pour compléter, on aurait pu ajouter un commentaire tel que : « Moins de 15 % (soit 10,9 % + 3,9 % = 14,8 %) des jeunes Québécois âgés de 15 à 29 ans manifestent une forme d'insatisfaction à l'égard de leur emploi, alors que plus de la moitié (50,9 %) en sont très satisfaits. »

Tableau 4.5

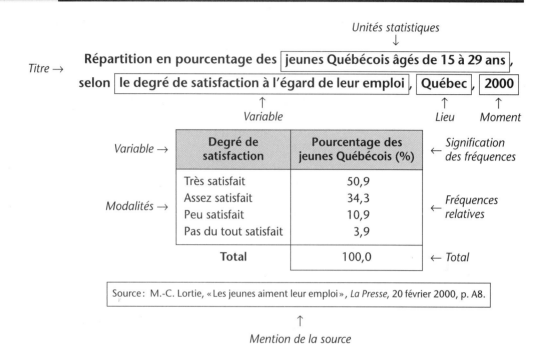

Unités statistiques
↓

Titre → **Répartition en pourcentage des** | **jeunes Québécois âgés de 15 à 29 ans** |,
selon | **le degré de satisfaction à l'égard de leur emploi** |, | **Québec** |, | **2000** |

↑
Variable

↑   ↑
Lieu   *Moment*

Degré de satisfaction	Pourcentage des jeunes Québécois (%)
Très satisfait	50,9
Assez satisfait	34,3
Peu satisfait	10,9
Pas du tout satisfait	3,9
Total	**100,0**

Variable → (Degré de satisfaction / Pourcentage des jeunes Québécois (%)) ← *Signification des fréquences*

Modalités → ← *Fréquences relatives*

← *Total*

Source : M.-C. Lortie, « Les jeunes aiment leur emploi », *La Presse*, 20 février 2000, p. A8.

↑
Mention de la source

EXERCICE 4.2

Voici la série statistique donnant les résultats de 80 étudiants qui ont suivi un cours de sociologie à l'université.

| A B C E D A C E B B C A D E C C B B B A |
| A A C D A E B B B C A B A D C C C B D E |
| C D D E A B B B C D A B B C A D E B E C |
| D A E B B B C A B A A B C E D A C E B B |

Groupez ces données dans un tableau de fréquences. Utilisez les fréquences relatives et les fréquences absolues. N'oubliez pas de respecter les normes de présentation.

4.1.3 Les représentations graphiques : données groupées par modalités

Comme les tableaux, les graphiques servent à organiser et à traiter des données ainsi qu'à les présenter sous une forme permettant de saisir au premier coup d'œil les principales caractéristiques d'un phénomène.

Tout comme dans le cas des tableaux, on doit respecter certaines normes dans la présentation des graphiques :

1. Le graphique porte un titre. Ce titre est le même que celui du tableau à partir duquel on construit le graphique[1].

2. Lorsque les données sont tirées d'une autre étude, on mentionne la source au bas du graphique.

3. Dans un rapport de recherche, tous les graphiques sont numérotés indépendamment des tableaux. Ils sont répertoriés dans une liste présentée au début du rapport.

4. Un commentaire accompagne généralement le graphique pour décrire et analyser les principaux renseignements qu'on y trouve.

Nous expliquerons d'autres règles spécifiques à certains types de graphiques en temps opportun. Voyons maintenant les principales représentations graphiques utilisées dans le cas d'un tableau de fréquences où les données ont été groupées par modalités.

A ⟩ LE DIAGRAMME À SECTEURS

Le **diagramme à secteurs** sert surtout à représenter graphiquement des données groupées par modalités dans un tableau de fréquences relatives.

Le diagramme à secteurs est une surface circulaire, un disque, qu'on a découpé en autant de secteurs qu'il y a de modalités pour la variable. La part de la surface totale occupée par chaque secteur correspond à la fréquence relative de la modalité qu'il représente. En principe, on ne devrait pas utiliser un diagramme à secteurs pour représenter une variable qui comporte plus de sept modalités. En effet, si l'on utilise un trop grand nombre de secteurs, il est difficile de saisir au premier coup d'œil l'information présentée, et le graphique est moins efficace.

> **Diagramme à secteurs**
> Représentation graphique employée pour des données groupées par modalités. Elle est formée d'une surface circulaire qu'on a divisée en autant de secteurs que la variable présente de modalités. La part de chaque secteur par rapport à l'ensemble du disque correspond à la fréquence relative de la modalité que le secteur représente.

▶ EXEMPLE

Dans le tableau 4.5 (page 105) portant sur le degré de satisfaction à l'égard de l'emploi, on peut lire que 50,9 % des jeunes Québécois ont déclaré être très satisfaits de leur emploi. Le secteur circulaire associé à la modalité « Très satisfait » doit donc couvrir 50,9 % de la surface du disque. Étant donné que la somme des angles formés par les secteurs circulaires est de 360°, l'angle du secteur associé à « Très satisfait » sera de 183,2° (soit $0,509 \times 360°$). Les angles des autres secteurs sont calculés de la même manière, et on obtient respectivement pour les autres modalités : 123,5° ; 39,2° et 14,0°.

---

1. La position du titre des graphiques peut varier, contrairement à celle du titre des tableaux. Certains proposent que le titre soit placé sous le graphique (notamment dans un rapport de recherche) et d'autres, qu'il soit situé au-dessus du graphique. Dans les journaux et les publications de Statistique Canada et de l'Institut de la statistique du Québec, le titre est généralement placé au-dessus du graphique, tout comme dans le chiffrier Excel. C'est pourquoi nous avons choisi de placer tous les titres au-dessus des graphiques, même si cette norme n'est pas universelle.

Le diagramme à secteurs de la figure 4.1 permet de représenter graphique-ment les renseignements contenus dans le tableau 4.5.

Figure 4.1

Répartition en pourcentage des jeunes Québécois âgés de 15 à 29 ans, selon le degré de satisfaction à l'égard de leur emploi, Québec, 2000

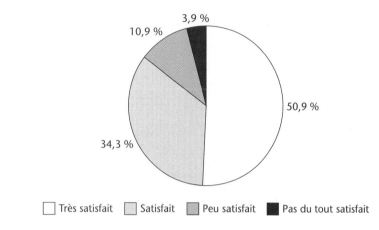

☐ Très satisfait ☐ Satisfait ☐ Peu satisfait ■ Pas du tout satisfait

Source: M.-C. Lortie, «Les jeunes aiment leur emploi», *La Presse*, 20 février 2000, p. A8.

Dans un diagramme à secteurs, on doit indiquer la modalité que repré-sente chaque secteur, soit à côté du secteur ou à l'aide d'une légende. Nous aurions pu ne pas inscrire les pourcentages, mais la présentation graphique n'aurait pas été aussi explicite, comme il est facile de le constater dans l'exemple qui suit.

▶ **EXEMPLE**

Le diagramme à secteurs de la figure 4.2 permet de représenter graphiquement la répartition des travailleurs montréalais selon le moyen de transport qu'ils uti-lisent pour se rendre au travail. À la lecture de ce graphique, il est facile de cons-tater que les travailleurs montréalais utilisent très majoritairement l'automobile pour se rendre au travail.

Pour estimer la proportion des travailleurs montréalais qui utilisent le trans-port en commun, il suffit de mesurer, avec un rapporteur d'angles, l'angle formé par le secteur qui lui est associé et de le diviser par 360°. Ainsi, l'angle associé à «Transport en commun» mesure environ 115°. Par conséquent, environ 32 % [soit (115/360) × 100 %] des travailleurs montréalais utilisent le transport en commun pour se rendre au travail.

Figure 4.2

Répartition des travailleurs, selon le moyen de transport utilisé pour se rendre au travail, Montréal, 2000

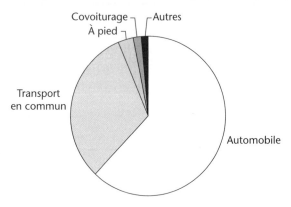

Source : A. Pratte, « Même à Montréal, l'automobile règne », *La Presse*, 10 juin 2000, p. B6. ◄

EXERCICE 4.3

Construisez un diagramme à secteurs pour représenter le tableau suivant.

Répartition en pourcentage des personnes âgées de 25 à 54 ans, selon le niveau de formation le plus élevé, Québec, 1998

Niveau de formation	Pourcentage des personnes (%)
Inférieur aux études secondaires	22
Études secondaires	24
Postsecondaire non universitaire	31
Universitaire	23
Total	100

Source : Statistique Canada, *Indicateurs de l'éducation au Canada*, nº 81-582-XIF au catalogue, 2000, p. 201.

Diagramme linéaire

Représentation graphique employée pour des données groupées par modalités. Elle est formée d'un rectangle qu'on divise en autant de parties que la variable présente de modalités, chaque partie occupant une proportion du rectangle correspondant à la fréquence relative de la modalité qu'elle représente. On peut se servir de cette représentation graphique pour comparer plusieurs groupes par rapport aux mêmes modalités; on trace alors autant de rectangles qu'il y a de groupes.

B ⟩ LE DIAGRAMME LINÉAIRE

Plutôt que d'utiliser un disque, on peut employer un rectangle : on dresse alors un **diagramme linéaire**. On divise le rectangle en autant de parties qu'il y a de modalités. On accorde ensuite à chacune de ces parties l'importance relative de la modalité correspondante par rapport à l'ensemble.

► **EXEMPLE**

Les renseignements contenus dans le tableau 4.5 (page 105) portant sur le degré de satisfaction des jeunes à l'égard de leur emploi peuvent être consignés dans le diagramme linéaire présenté à la figure 4.3.

Figure 4.3

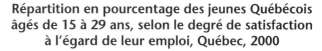

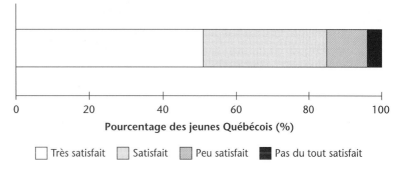

Source: M.-C. Lortie, «Les jeunes aiment leur emploi», *La Presse*, 20 février 2000, p. A8.

Dans le diagramme linéaire précédent, on a tracé l'axe des pourcentages. Dès lors, on peut facilement trouver le pourcentage correspondant à chaque modalité. Lorsqu'on n'a pas fait figurer un axe des pourcentages dans un diagramme linéaire, on peut évaluer la part relative d'une modalité en comparant la longueur de la portion du rectangle qui la représente à la longueur totale du rectangle. Ainsi, dans notre exemple, la portion du rectangle qui correspond à la modalité «Très satisfait» mesure environ 5,1 cm de longueur et le rectangle en entier mesure environ 10 cm de longueur. On peut alors estimer que 51 % [soit (5,1/10) × 100 %] des jeunes Québécois âgés de 15 à 29 ans sont très satisfaits de leur emploi.

Dans un diagramme linéaire, on lit plus facilement les pourcentages qui correspondent aux deux rectangles situés aux extrémités. Comme les extrémités constituent des points de référence fixes, on peut en tirer profit pour comparer, de façon visuelle, certains faits.

► **EXEMPLE**

Dans la figure 4.4, il est facile de comparer l'évolution de la proportion des Québécois dont le niveau de formation était inférieur aux études secondaires. Il en est de même pour la proportion des Québécois ayant une formation universitaire. Les rectangles représentant ces deux modalités commencent tous deux à une des extrémités du grand rectangle. On constate aisément que la proportion des Québécois dont le niveau de formation était inférieur aux études secondaires a diminué entre 1990 et 1998, alors que la proportion des Québécois ayant une formation universitaire a augmenté. La comparaison des autres modalités est moins évidente visuellement.

Figure 4.4

Répartition en pourcentage des personnes âgées de 25 à 54 ans, selon le niveau de formation le plus élevé, Québec, 1990 et 1998

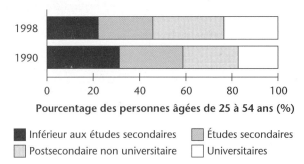

Source: Statistique Canada, *Indicateurs de l'éducation au Canada*, nᵒ 81-582-XIF au catalogue, 2000, p. 201.

L'exemple précédent illustre bien un des avantages du diagramme linéaire sur le diagramme à secteurs, c'est-à-dire la facilité de comparer plusieurs diagrammes. Les comparaisons de diagrammes à secteurs ne sont pas aussi simples à faire. Pour vous en convaincre, vous pourriez tracer les diagrammes à secteurs pour les données du dernier exemple et constater combien les comparaisons sont difficiles à effectuer.

EXERCICE 4.4

a) À partir du dernier exemple, estimez le pourcentage des Québécois de 25 à 54 ans qui avaient, en 1990, un niveau de formation inférieur aux études secondaires ainsi que le pourcentage des Québécois de 25 à 54 ans qui avaient une formation universitaire.

b) Utilisez une représentation graphique appropriée pour comparer les moyens de transport utilisés pour se rendre au travail selon le lieu de résidence. Commentez votre graphique.

Répartition en pourcentage des travailleurs montréalais et banlieusards, selon le moyen de transport utilisé pour se rendre au travail, Montréal et banlieue hors de l'île de Montréal, 2000

Moyen de transport	Lieu de résidence	
	Montréal (%)	Banlieue hors de l'île de Montréal (%)
Automobile	62	82
Transport en commun	32	6
À pied	3	6
Covoiturage	2	3
Autres	1	3
Total	100	100

Source: A. Pratte, «Même à Montréal, l'automobile règne», *La Presse*, 10 juin 2000, p. B6.

C⟩ LE DIAGRAMME À BANDES RECTANGULAIRES

Le **diagramme à bandes rectangulaires** utilise un graphique cartésien pour représenter une ou plusieurs variables qualitatives. Un graphique cartésien fait appel à un système d'axes perpendiculaires. L'axe horizontal s'appelle axe des **abscisses** ou axe des x, l'axe vertical s'appelle axe des **ordonnées** ou axe des y.

Lorsqu'on trace un diagramme à bandes rectangulaires, ou toute autre représentation graphique cartésienne, il faut nommer les axes. On place sur un des axes les différentes modalités de la variable étudiée (la première colonne du tableau). La fréquence absolue ou la fréquence relative est placée sur l'autre axe.

Il existe plusieurs variantes du diagramme à bandes rectangulaires. Nous en verrons trois : le diagramme à bandes rectangulaires horizontales, le diagramme à bandes rectangulaires verticales et le diagramme à bandes rectangulaires chevauchées. Examinons chacune de ces variantes.

Le diagramme à bandes rectangulaires horizontales

Pour construire un diagramme à bandes rectangulaires horizontales, on trace, en face de chaque modalité placée sur l'axe des ordonnées, une bande rectangulaire dont la longueur correspond à la fréquence de la modalité. Tous les rectangles doivent avoir la même largeur et il faut laisser un espace égal entre chacun.

Cette représentation graphique permet de visualiser l'importance relative de chacune des modalités d'une manière plus efficace qu'avec un diagramme à secteurs ou avec un diagramme linéaire.

▶ E X E M P L E

Le tableau de fréquences (tableau 4.6) et le diagramme à bandes rectangulaires horizontales correspondant (figure 4.5) donnent la répartition des personnes de 15 ans et plus selon l'état matrimonial.

Ce graphique respecte les normes de présentation, car :

- il porte un titre ;
- les axes sont nommés ;
- les pourcentages associés aux modalités sont donnés ;
- la source est mentionnée ;
- il comporte une note sur le fait que la somme des fréquences relatives n'égale pas 100 % en raison des arrondissements ;
- un commentaire l'accompagne.

Diagramme à bandes rectangulaires

Représentation graphique employée pour des données groupées par modalités. Il est formé en élevant, dans un graphique cartésien, en face de chaque modalité, un rectangle dont la hauteur (ou la longueur) correspond à la fréquence absolue ou relative de cette modalité. Selon la (les) variable(s) étudiée(s), on utilisera des rectangles horizontaux, verticaux ou chevauchés.

Abscisse

Première coordonnée d'un point dans un plan cartésien. Dans un système de coordonnées cartésien, l'axe des abscisses correspond à l'axe horizontal, qu'on appelle aussi axe des x.

Ordonnée

Deuxième coordonnée d'un point dans un plan cartésien. Dans un système de coordonnées cartésien, l'axe des ordonnées correspond à l'axe vertical, qu'on appelle aussi axe des y.

Tableau 4.6

Répartition en pourcentage des personnes de 15 ans et plus, selon l'état matrimonial, Québec, 1996

État matrimonial	Pourcentage des personnes de 15 ans et plus (%)
Célibataire	28,4
Marié(e)	43,6
Conjoint(e) de fait	13,9
Séparé(e)	2,0
Divorcé(e)	5,8
Veuf (veuve)	6,2
Total	100,0

Les pourcentages étant arrondis, la somme des fréquences relatives n'égale pas 100 %.

Source: Bureau de la statistique du Québec, *Un portrait statistique des familles et des enfants au Québec*, Québec, Gouvernement du Québec, 1999, p. 24.

Figure 4.5

Répartition en pourcentage des personnes de 15 ans et plus, selon l'état matrimonial, Québec, 1996

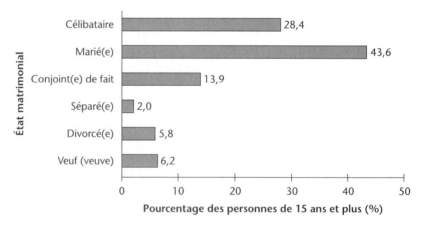

Les pourcentages étant arrondis, la somme des fréquences relatives n'égale pas 100 %.

Source: Bureau de la statistique du Québec, *Un portrait statistique des familles et des enfants au Québec*, Québec, Gouvernement du Québec, 1999, p. 24.

Cette représentation graphique met en évidence le fait qu'au Québec, en 1996, l'état matrimonial le plus courant chez les 15 ans et plus était «Marié(e)» et que l'état matrimonial le moins courant était «Séparé(e)». ◄

Le diagramme à bandes rectangulaires verticales

Les bandes rectangulaires horizontales se prêtent bien à la présentation d'une variable qualitative nominale. Toutefois, lorsqu'on traite une variable qualitative ordinale, il est conseillé d'opter pour des bandes verticales afin de bien marquer la hiérarchie entre les différentes modalités; on trace alors un diagramme à bandes rectangulaires verticales. Dans un tel graphique, on place par ordre croissant les différentes modalités de la variable sur l'axe des abscisses (l'axe des x). On utilise l'axe des ordonnées (l'axe des y) pour les fréquences absolues ou relatives.

▶ **EXEMPLE**

Nous avons tracé le diagramme à bandes rectangulaires verticales de la figure 4.6 à partir des renseignements contenus dans le tableau 4.5 (page 105).

Figure 4.6

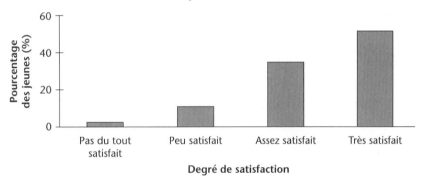

Répartition en pourcentage des jeunes Québécois âgés de 15 à 29 ans, selon le degré de satisfaction à l'égard de leur emploi, Québec, 2000

Source: M.-C. Lortie, « Les jeunes aiment leur emploi », *La Presse*, 20 février 2000, p. A8.

Le diagramme à bandes rectangulaires chevauchées

Le diagramme à bandes rectangulaires permet également de comparer deux ou plusieurs groupes différents par rapport aux modalités d'une variable. Lorsqu'on compare ainsi deux groupes, on utilise un diagramme à bandes rectangulaires chevauchées. On emploie généralement des barres horizontales lorsque la variable est qualitative nominale et des barres verticales lorsque la variable est qualitative ordinale.

▶ **EXEMPLE**

Le tableau 4.7 et le diagramme à bandes rectangulaires verticales chevauchées (figure 4.7) permettent de comparer les hommes et les femmes au regard des différentes catégories de masse corporelle.

Tableau 4.7

Répartition en pourcentage des Canadiens de 20 à 64 ans, par sexe, selon la catégorie de masse corporelle, Canada, 1996-1997

Catégorie de masse corporelle	Sexe	
	Hommes (%)	Femmes (%)
Poids insuffisant	1	4
Poids normal	41	59
Embonpoint	45	25
Obésité	13	12
Total	100	100

Source: J. Gilmore, «L'indice de masse corporelle et la santé», *Rapports sur la santé*, vol. 11, n° 1, Statistique Canada, n° 82-003-XPB au catalogue, 1999, p. 36.

Figure 4.7

Répartition en pourcentage des Canadiens de 20 à 64 ans, par sexe, selon la catégorie de masse corporelle, 1996-1997

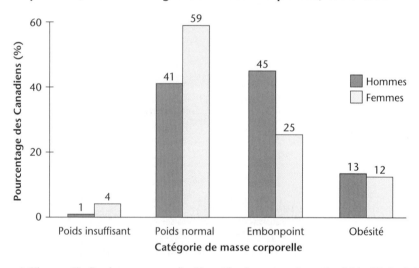

Source: J. Gilmore, «L'indice de masse corporelle et la santé», *Rapports sur la santé*, vol. 11, n° 1, Statistique Canada, n° 82-003-XPB au catalogue, 1999, p. 36.

Afin de distinguer les hommes des femmes dans la figure 4.7, nous avons employé des motifs différents pour remplir les rectangles qui les représentent. Une légende indique le sexe que chaque rectangle désigne.

À la lecture du graphique, on constate que les femmes sont nettement plus susceptibles que les hommes d'avoir un poids normal ou insuffisant, tandis que la prévalence de l'embonpoint et de l'obésité est plus forte chez les hommes. Ainsi, environ trois femmes sur cinq (soit 59 %) contre seulement deux hommes sur cinq (soit 41 %) présentent un poids normal. Par conséquent, il semble y avoir un lien entre les deux variables, soit le sexe et la masse corporelle. En fait, l'excès de poids semble un problème particulièrement important chez les hommes, puisque la proportion d'hommes souffrant d'embonpoint ou d'obésité (58 %, soit 45 % + 13 %) est nettement supérieure à la proportion des hommes ayant un poids normal (41 %). ◀

EXERCICE 4.5

Représentez les données du tableau suivant à l'aide du diagramme à bandes rectangulaires approprié. Commentez le graphique obtenu.

Répartition en pourcentage de la population de 15 ans et plus, selon l'état matrimonial, Québec et Ontario, 1996

État matrimonial	Province	
	Québec (%)	Ontario (%)
Célibataire	28,4	26,5
Marié(e)	43,6	54,3
Conjoint(e) de fait	13,9	5,3
Séparé(e)	2,0	2,9
Divorcé(e)	5,8	4,7
Veuf (veuve)	6,2	6,3
Total	100,0	100,0

Les pourcentages étant arrondis, la somme des fréquences relatives n'égale pas 100 %.

Source : Bureau de la statistique du Québec, *Un portrait statistique des familles et des enfants au Québec*, Québec, Gouvernement du Québec, 1999, p. 24.

4.2 Le traitement d'une variable quantitative discrète (peu de valeurs distinctes)

4.2.1 Le tableau de fréquences : données groupées par valeurs

Les tableaux peuvent être utilisés pour grouper des données, quelle que soit la nature de la variable. Nous avons déjà montré comment présenter un tableau pour une variable qualitative nominale («sexe») et pour une variable qualitative ordinale («degré de satisfaction»); il s'agissait de grouper les données par modalités.

Le cas d'une variable quantitative discrète est similaire. Il s'agit de compter le nombre de fois (la fréquence absolue) que la variable prend une valeur, ou encore de calculer le pourcentage (la fréquence relative) des données de l'échantillon (ou de la population) qui prennent cette valeur. On dira alors que les données ont été groupées par valeurs dans un tableau de fréquences. Illustrons le procédé de groupement à l'aide d'un exemple.

▶ EXEMPLE

On a interrogé 30 enseignantes et enseignants de cégep. On leur a demandé le nombre de cours différents qu'ils ont donnés durant l'année scolaire 1999-2000. On a obtenu une série statistique comportant 30 données qui prennent les valeurs de 1 à 5 (tableau 4.8).

Tableau 4.8

Nombre de cours différents donnés durant l'année scolaire 1999-2000

5	4	5	5	1	2	2	1	5	2
1	2	3	5	4	3	3	5	3	2
2	5	4	3	4	4	3	5	5	2

Le «nombre de cours différents donnés durant l'année scolaire 1999-2000» est une variable quantitative discrète mesurée selon une échelle de rapports. Pour dresser un tableau de fréquences, on lit chaque donnée et on la consigne à l'aide d'un trait à côté de sa valeur dans un tableau de dénombrement tel que le tableau 4.9.

Tableau 4.9

Nombre de cours différents	Dénombrement
1	///
2	ЖН //
3	ЖН /
4	ЖН
5	ЖН ////

Ce procédé de dénombrement peut être employé quelle que soit la nature de la variable étudiée. Ainsi, nous aurions pu l'utiliser pour dénombrer les différentes modalités d'une variable qualitative. Soulignons qu'il est aussi possible d'utiliser un chiffrier électronique (comme Excel) pour faire un dénombrement, pour dresser des tableaux et pour faire des graphiques directement à partir des renseignements contenus dans un tableau comme le tableau 4.1 (page 100). L'utilisation d'outils informatiques s'avère donc très utile pour le traitement des données.

Une fois que la série statistique est dénombrée, on présente les données dans un tableau de fréquences absolues (tableau 4.10) ou de fréquences relatives (tableau 4.11).

Tableau 4.10

Répartition de 30 enseignantes et enseignants, selon le nombre de cours différents donnés en 1999-2000

Nombre de cours différents	Nombre d'enseignantes et d'enseignants
1	3
2	7
3	6
4	5
5	9
Total	30

Tableau 4.11

Répartition en pourcentage des enseignantes et des enseignants interrogés, selon le nombre de cours différents donnés en 1999-2000

Nombre de cours différents	Pourcentage des enseignantes et des enseignants (%)
1	10,0
2	23,3
3	20,0
4	16,7
5	30,0
Total	100,0

Dans ces tableaux, les données ont été groupées par valeurs. On utilise un tel groupement pour une variable quantitative discrète lorsque les données prennent un nombre restreint de valeurs distinctes. Lorsque la variable prend un grand nombre de valeurs, on groupe plutôt les données dans un tableau montrant des classes, comme nous le verrons sous peu.

Que nous apprennent les tableaux de cet exemple ? On observe que 3 professeurs sur 10 (30 %) ont donné 5 cours différents en 1999-2000, alors que seulement 1 professeur sur 10 (10 %) n'a donné qu'un seul cours. Il existe donc des écarts importants dans la charge de travail des professeurs en ce qui a trait au nombre de cours différents à préparer. Un chercheur curieux s'interrogerait sûrement sur les facteurs explicatifs de ces écarts. Peut-on les expliquer par le nombre d'élèves rencontrés chaque semaine? Par le secteur d'enseignement (préuniversitaire ou technique)? Par l'ancienneté des professeurs? Par le nombre d'heures d'enseignement par semaine? Par le sexe (homme ou femme) du professeur?

En rendant l'information intelligible au chercheur curieux, le tableau amène celui-ci à pousser plus loin ses recherches. Les tableaux de fréquences sont donc intéressants non seulement pour les renseignements qu'ils contiennent, mais également pour les questions qu'ils permettent de soulever. ◄

4.2.2 La représentation graphique : le diagramme à bâtons

Diagramme à bâtons

Représentation graphique employée pour des données groupées par valeurs. Dans un graphique cartésien, on élève, au-dessus de chaque valeur placée en abscisse, un segment de droite dont la hauteur correspond à la fréquence absolue ou à la fréquence relative associée à cette valeur.

Lorsqu'une variable quantitative discrète ne prend qu'un petit nombre de valeurs distinctes, on groupe les données par valeurs dans un tableau de fréquences. On dresse habituellement un **diagramme à bâtons** pour représenter ce tableau sous une forme graphique. Cette représentation graphique est similaire au diagramme à bandes rectangulaires. Toutefois, on dessine un segment de droite plutôt qu'un rectangle. On élève donc, au-dessus de chaque valeur, un segment de droite dont la hauteur correspond à la fréquence absolue ou à la fréquence relative de la valeur en question.

► **EXEMPLE**

La figure 4.8 montre le diagramme à bâtons construit à partir du tableau 4.10.

Figure 4.8

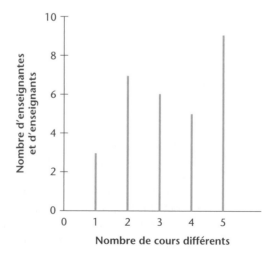

Répartition de 30 enseignantes et enseignants de cégep, selon le nombre de cours différents donnés en 1999-2000

EXERCICE 4.6

Tracez le diagramme à bâtons de la série statistique suivante, qui donne le nombre de bonnes réponses obtenues par 56 élèves d'un cégep à un test objectif de 10 questions. Utilisez les fréquences absolues.

3	5	6	7	7	7	3	4	8	10	9	8	7	6
5	8	9	10	8	7	8	5	6	4	8	9	9	7
6	8	10	5	6	7	8	9	8	6	4	8	8	6
5	8	7	4	10	9	8	6	7	5	10	9	8	7

4.2.3   L'utilisation de catégories ouvertes

Il peut arriver qu'une variable quantitative discrète prenne des valeurs marginales, c'est-à-dire des valeurs qui s'éloignent nettement des autres ou dont les fréquences sont relativement faibles. On peut alors se servir de catégories du type « et plus » ou « moins de ». Cependant, il est clair que l'emploi de telles catégories, qu'on dit « ouvertes », est associé à une perte d'information.

Tableau 4.12

Répartition des familles, selon le nombre de personnes dans la famille, Québec, 1997

Nombre de personnes	Nombre de familles (milliers)
2	949,8
3	492,6
4	431,1
5	117,4
6 et plus	22,0
Total	**2 012,9**

Source : Statistique Canada, *Annuaire du Canada 1999*, n° 11-402-XPF au catalogue, 1998, p. 207.

Étudions le tableau 4.12, tiré de l'*Annuaire du Canada*. L'expression « 6 et plus » ne représente pas une valeur, mais bien une catégorie. À partir de ce tableau, il n'est pas possible de savoir combien de familles québécoises comptaient 6, 7 ou 8 membres en 1997. Il n'est même pas possible de savoir quel était le plus grand nombre de personnes dans une famille au Québec en 1997. En outre, ce tableau ne permet pas d'effectuer certaines opérations arithmétiques. Ainsi, nous ne sommes pas en mesure de calculer le nombre moyen de personnes dans une famille québécoise en 1997. Toutefois, l'utilisation d'une catégorie ouverte est appropriée puisque selon toute vraisemblance seul un petit nombre de familles comptent plus de 6 personnes.

Le tableau 4.12 nous permet également de constater qu'il y a un lien entre la taille des familles et leur fréquence : le nombres de familles québécoises diminue lorsque le nombre de personnes qu'on y trouve augmente.

Pour représenter graphiquement les données d'un tableau comportant des catégories ouvertes, on peut utiliser les mêmes représentations graphiques que celles employées dans le cas de données groupées par modalités, soit le diagramme à secteurs, le diagramme linéaire ou encore le diagramme à bandes rectangulaires.

EXERCICE 4.7

La série statistique suivante donne le nombre de frères et de sœurs de 48 élèves d'un cégep :

0	1	1	7	3	2	0	1	1	2	1	1
0	2	1	3	1	2	4	3	3	1	0	1
2	3	4	2	1	5	0	1	3	3	1	2
1	3	2	0	0	1	2	0	0	1	1	2

a) Groupez ces données dans un tableau de fréquences. Utilisez la catégorie « 4 et plus ». Expliquez pourquoi il est pertinent d'utiliser cette catégorie.

b) Présentez les renseignements contenus dans le tableau construit en a dans un graphique approprié.

4.3 Le traitement d'une variable quantitative discrète (grand nombre de valeurs) ou continue

4.3.1 Le tableau de fréquences : données groupées par classes de même amplitude

Une variable quantitative continue mesurée selon une échelle d'intervalles ou de rapports prend généralement un très grand nombre de valeurs. En fait, il est même peu probable qu'on obtienne plus d'une fois la même valeur. Par conséquent, grouper les données par valeurs reviendrait simplement à les classer en ordre croissant. Si la masse de données est importante, ce travail n'est pas suffisant pour nous éclairer sur la variable étudiée. C'est pourquoi il faut grouper les données par **classes**, c'est-à-dire dans des intervalles. On utilisera également cette méthode pour étudier une variable quantitative discrète qui prend un très grand nombre de valeurs.

Illustrons le procédé de groupement par classes à l'aide d'une série statistique présentant le nombre d'heures d'ensoleillement en octobre à Montréal pour un échantillon de 49 années (tableau 4.13). Ces données ont été

Classe

Intervalle utilisé pour le groupement des données d'une variable quantitative continue ou discrète. La classe est fermée si les deux bornes de l'intervalle sont déterminées. Sinon, elle est ouverte.

tirées du *Monthly Record of Meteorological Observations in Canada* et de la *Canadian Weather Review*.

Tableau 4.13

Nombre d'heures d'ensoleillement à Montréal en octobre, 1942 à 1990

163	169	183	224	140	163	172
104	121	141	139	135	126	163
127	141	136	95	128	95	133
92	119	103	150	149	110	148
153	156	151	109	143	123	75
189	126	173	171	128	153	142
148	112	112	150	121	162	120

Sources : *Monthly Record of Meteorological Observations in Canada* et *Canadian Weather Review*.

Utilisons des intervalles de largeur 25 en commençant par l'intervalle 75 – 100. Dans la présentation des classes, on utilise par convention un intervalle fermé à gauche et ouvert à droite lorsque les bornes des intervalles se chevauchent. Ainsi la classe « 75 – 100 » représente l'ensemble des valeurs plus grandes ou égales à 75, mais inférieures à 100. D'autres notations peuvent également représenter cette classe, par exemple « [75 ; 100[», « 75 ≤ x < 100 », « 75 à 100 » ou « 75 et plus, mais moins de 100 ». Dans ce manuel, nous emploierons surtout la notation la plus courante en sciences humaines, soit « 75 – 100 ».

En procédant de cette façon, nous obtenons un tableau de dénombrement (tableau 4.14). Notez que la valeur 150 a été dénombrée dans l'intervalle 150 – 175 et non pas dans l'intervalle 125 – 150, puisque chaque intervalle est fermé à gauche et ouvert à droite.

Tableau 4.14

Ensoleillement (h)	Dénombrement
75 – 100	////
100 – 125	JHT JHT /
125 – 150	JHT JHT JHT //
150 – 175	JHT JHT ////
175 – 200	//
200 – 225	/

En respectant les normes de présentation des tableaux de fréquences, on peut dresser les tableaux 4.15 ou 4.16 pour représenter la série statistique portant sur le nombre d'heures d'ensoleillement.

Tableau 4.15

Répartition de 49 mois d'octobre, selon le nombre d'heures d'ensoleillement, Montréal, 1942 à 1990

Nombre d'heures d'ensoleillement	Nombre de mois d'octobre
75 – 100	4
100 – 125	11
125 – 150	17
150 – 175	14
175 – 200	2
200 – 225	1
Total	49

Sources : *Monthly Record of Meteorological Observations in Canada* et *Canadian Weather Review.*

Tableau 4.16

Répartition en pourcentage de 49 mois d'octobre, selon le nombre d'heures d'ensoleillement, Montréal, 1942 à 1990

Nombre d'heures d'ensoleillement	Pourcentage des mois d'octobre (%)
75 – 100	8,2
100 – 125	22,4
125 – 150	34,7
150 – 175	28,6
175 – 200	4,1
200 – 225	2,0
Total	100,0

Sources : *Monthly Record of Meteorological Observations in Canada* et *Canadian Weather Review.*

Dans la littérature, on trouve également des tableaux où les bornes des intervalles ne se chevauchent pas. Dans ce cas, on détermine, d'après le contexte, ce que représente chaque classe. Par exemple, si on groupe des personnes selon leur âge, on peut utiliser des catégories comme « 0 – 19 », « 20 – 29 » et « 30 – 39 ». Il est clair que tous les individus de moins de 20 ans seront placés dans la première classe. De la même façon, si on groupe des personnes selon le salaire horaire, on peut utiliser les catégories « 0,00 $ – 9,99 $ », « 10,00 $ – 19,99 $ » et « 20,00 $ – 29,99 $ ». On peut facilement déterminer dans quelle classe ranger chaque salaire observé. Ainsi, toutes les personnes dont le salaire horaire est inférieur à 10,00 $ seront placées dans la première classe. Ce qui importe, c'est de définir les classes d'une manière qui ne soit pas équivoque.

4.3.2 La construction d'un tableau de fréquences avec classes de même amplitude

Lorsqu'on décide de grouper des données par classes, on doit déterminer le nombre de classes à utiliser, la largeur de celles-ci et la limite inférieure de la première classe. C'est un souci de clarté et de précision qui doit guider le choix du nombre de classes, de la largeur des classes et de la borne inférieure de la première classe.

A) CHOIX DU NOMBRE DE CLASSES

Il s'agit de choisir un nombre de classes suffisamment petit pour faciliter la lecture du tableau et suffisamment grand pour que le tableau soit révélateur. Nous suggérons d'appliquer la règle donnée au tableau 4.17 pour déterminer, de manière provisoire, le nombre de classes à utiliser. **Cette règle n'est pas absolue** : un chercheur peut, pour des raisons précises, déterminer autrement le nombre de classes. Ainsi, un chercheur pourrait décider d'utiliser beaucoup plus ou beaucoup moins de classes que ne l'indique le tableau 4.17. Ce tableau vous est présenté à titre **indicatif** et non à **titre prescriptif**.

Tableau 4.17

Nombre de classes en fonction du nombre de données

Nombre de données : n	Nombre de classes : k
0 – 9	0
10 – 19	5
20 – 39	6
40 – 79	7
80 – 159	8
160 – 319	9
320 – 639	10
640 – 1 279	11
1 280 – 2 559	12
2 560 – 5 119	13
5 120 – 10 239	14
10 240 et plus	15

Amplitude de classe

Largeur de l'intervalle que délimite une classe fermée. Elle correspond à la différence entre la borne supérieure et la borne inférieure de la classe.

Étendue

Notée E, l'étendue mesure l'écart entre la plus grande et la plus petite valeur d'une série statistique quantitative, soit $E = V_{max} - V_{min}$.

B⟩ CHOIX DE L'AMPLITUDE DE CLASSE

La largeur de chaque intervalle est appelée **amplitude de classe** et est désignée par la lettre A. Elle correspond à la différence entre les bornes supérieure et inférieure de la classe. Dans notre exemple portant sur l'ensoleillement à Montréal, toutes les classes ont une même amplitude : $A = 25$ heures.

L'**étendue** d'une série statistique quantitative, désignée par la lettre E, correspond à la différence entre la plus grande valeur et la plus petite valeur de la série, soit :

$$E = V_{max} - V_{min}$$

Dans notre exemple sur le nombre d'heures d'ensoleillement, l'étendue est

$$E = V_{max} - V_{min} = 224 \text{ h} - 75 \text{ h} = 149 \text{ h}$$

L'étendue du tableau correspond à l'écart entre ses bornes supérieure et inférieure. Dans le tableau 4.15 (page 122), elle est de 150 heures (soit 225 − 75). Cette mesure constitue une approximation de l'étendue de la série, qu'elle surestime systématiquement.

Si on choisit de présenter les données dans un tableau où toutes les classes ont la même amplitude, la largeur (A) de chaque intervalle sera un nombre voisin de l'expression $E \div k$, où E représente l'étendue de la série, et k le nombre de classes établi selon la règle donnée dans le tableau 4.17. On utilise souvent comme amplitude de classe les valeurs 5, 10, 25, 50, 100, des multiples de ces valeurs ou toute autre valeur qui, selon le contexte, faciliterait la lecture du tableau.

C⟩ CHOIX DE LA BORNE INFÉRIEURE DE LA PREMIÈRE CLASSE

C'est l'expérience qui guidera le chercheur dans le choix de la borne inférieure de la première classe ; il s'agit de nouveau de choisir un nombre qui facilite la lecture du tableau et permet d'inscrire toutes les données dans ce dernier.

Le choix de l'amplitude des classes et celui de la borne inférieure de la première classe déterminent le nombre de classes qui seront effectivement utilisées pour grouper les données.

▶ EXEMPLE

Illustrons le procédé de groupement en trois étapes à l'aide de la série statistique des revenus du travail d'été, exprimés en dollars, de 50 élèves inscrits à temps plein au cégep (tableau 4.18).

La variable « revenu » est une variable quantitative discrète. Comme elle peut prendre un très grand nombre de valeurs, nous grouperons les données par classes. En vertu de la règle donnée par le tableau 4.17 (page 123), nous devrions utiliser 7 classes, puisque $k = 7$ lorsque $n = 50$. Le nombre de classes pourrait cependant être différent, selon l'amplitude de classe et la borne inférieure de la première classe que nous choisirons.

Tableau 4.18

Revenus ($) du travail d'été de 50 élèves

4 250	3 660	3 467	4 823	2 900	2 987	5 450	2 567	3 548	4 896
4 147	3 456	4 327	4 398	3 564	3 987	4 321	4 112	3 765	3 256
3 478	3 987	4 065	2 050	3 098	5 007	2 609	4 987	3 645	3 874
4 654	3 541	3 076	2 806	4 123	4 008	3 976	3 467	4 651	2 341
3 334	4 655	3 075	3 275	3 864	3 598	2 964	4 632	2 964	4 123

L'étendue de la série est $E = 5\,450\,\$ - 2\,050\,\$ = 3\,400\,\$$. Nos classes (de même largeur) devraient avoir une amplitude voisine de $E \div k$, soit $3\,400 \div 7 \approx 485{,}7$. Afin de faciliter la lecture du tableau, nous utiliserons une amplitude de 500 $. Étant donné que la valeur minimale de la série est 2 050 $, nous prendrons 2 000 $ comme limite inférieure de la première classe. Nous pouvons alors établir le tableau de dénombrement de la série statistique (tableau 4.19).

Tableau 4.19

Revenu ($)	Dénombrement
2 000 – 2 500	//
2 500 – 3 000	ЖЖ //
3 000 – 3 500	ЖЖ ЖЖ
3 500 – 4 000	ЖЖ ЖЖ //
4 000 – 4 500	ЖЖ ЖЖ
4 500 – 5 000	ЖЖ //
5 000 – 5 500	//

Nous pouvons ensuite dresser le tableau 4.20 ou 4.21 pour représenter les données.

Tableau 4.20

Répartition de 50 élèves, selon le revenu du travail d'été

Revenu ($)	Nombre d'élèves
2 000 – 2 500	2
2 500 – 3 000	7
3 000 – 3 500	10
3 500 – 4 000	12
4 000 – 4 500	10
4 500 – 5 000	7
5 000 – 5 500	2
Total	50

Tableau 4.21

Répartition en pourcentage de 50 élèves, selon le revenu du travail d'été

Revenu ($)	Pourcentage des élèves (%)
2 000 – 2 500	4
2 500 – 3 000	14
3 000 – 3 500	20
3 500 – 4 000	24
4 000 – 4 500	20
4 500 – 5 000	14
5 000 – 5 500	4
Total	100

EXERCICE 4.8

Groupez dans un tableau de fréquences les données suivantes représentant l'âge de 84 enseignantes et enseignants d'histoire qui ont participé à un colloque de pédagogie :

21	22	22	23	23	25	25	26	27	28	28	29	30	30
30	31	31	31	32	32	32	33	33	34	35	36	36	37
37	38	38	39	39	40	40	41	41	42	42	42	43	43
43	45	45	46	46	47	48	48	49	49	49	50	50	50
50	51	51	52	53	53	54	54	55	55	55	56	56	56
57	57	58	59	59	59	60	61	61	62	64	65	65	68

4.3.3 Les représentations graphiques : données groupées par classes d'égale amplitude

L'histogramme, le polygone de fréquences et la courbe des fréquences relatives cumulées sont les représentations graphiques les plus usuelles pour des données groupées par classes dans un tableau de fréquences. Étudions maintenant chacune de ces représentations graphiques.

Histogramme

Représentation graphique employée pour des données groupées par classes. Il est formé en élevant, dans un graphique cartésien, des rectangles juxtaposés sur les intervalles de classes. La hauteur du rectangle correspond à la fréquence absolue ou à la fréquence relative de la classe.

A) L'HISTOGRAMME

L'**histogramme** sert à représenter graphiquement une variable quantitative, discrète ou continue, dont les données ont été groupées par classes dans un tableau de fréquences. On peut y faire figurer les fréquences absolues ou les fréquences relatives.

Comme le diagramme à bandes rectangulaires et le diagramme à bâtons, l'histogramme est tracé dans un graphique cartésien. On place la variable sur l'axe des abscisses et les fréquences sur l'axe des ordonnées. On marque, sur l'axe des abscisses, les bornes des différents intervalles de classes (ou les milieux[2] de classes) et on élève sur chaque intervalle un rectangle dont la hauteur correspond à la fréquence absolue ou à la fréquence relative associée à la classe. Contrairement au diagramme à bandes rectangulaires, les rectangles se touchent puisque les bornes des intervalles de classes se chevauchent. Il faut également noter que tous les rectangles ont une base de même largeur puisque toutes les classes ont la même amplitude.

▶ **EXEMPLE**

À partir des données des tableaux 4.20 et 4.21 (pages 125 et 126), on peut établir deux histogrammes. Dans le premier de ces histogrammes (figure 4.9), on a utilisé les bornes d'intervalles, les fréquences absolues et un axe des ordonnées. De plus, on a brisé l'axe des abscisses pour marquer la compression de cet axe entre 0 et 2 000. Dans le second (figure 4.10), on s'est servi des milieux de classes et des fréquences relatives. On y a éliminé l'axe des ordonnées puisqu'on a inscrit les fréquences relatives au sommet de chaque rectangle.

Figure 4.9

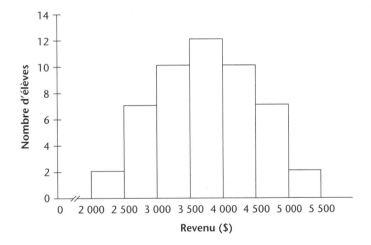

Répartition de 50 élèves,
selon le revenu d'emploi d'été

---

2. Le milieu d'une classe est donné par la demi-somme des deux bornes de la classe.

Figure 4.10

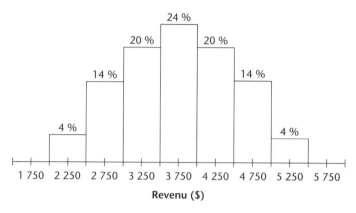

Répartition en pourcentage de 50 élèves, selon le revenu d'emploi d'été

EXERCICE 4.9   Tracez un histogramme à partir du tableau 4.15 (page 122).

B ⟩ LE POLYGONE DE FRÉQUENCES

La représentation des données à l'aide d'un histogramme semble indiquer que la variable étudiée fluctue par bonds entre les différentes classes. Elle donne une impression de discontinuité, ce qui paraît anormal dans un graphique censé représenter une variable continue. Pour atténuer cette impression, pour lisser notre graphique, nous tracerons un **polygone de fréquences**.

On trace un polygone de fréquences dans un graphique cartésien. Pour cela, nous vous suggérons de suivre la démarche suivante :

1. Ajouter deux classes au tableau de fréquences : une classe avant la première et une autre après la dernière. Les fréquences associées à ces classes seront évidemment nulles.
2. Insérer, dans le tableau, une colonne qui représente les milieux de classe.
3. Relier les points dont les coordonnées $(x \, ; y)$ sont (milieu de la classe ; fréquence de la classe).

> **Polygone de fréquences**
>
> Représentation graphique employée pour des données groupées par classes. Il est formé en reliant, dans un graphique cartésien, les points dont les coordonnées sont données par (milieu de la classe ; fréquence de la classe). Il ne faut pas oublier de fermer le polygone sur l'axe des abscisses.

▶ E X E M P L E

Voici comment nous procéderions pour tracer le polygone de fréquences à partir du tableau 4.16 (page 122).

On ajoute d'abord une classe à chacune des extrémités du tableau, puis on insère la colonne des milieux de classe afin d'obtenir le tableau 4.22. Comme il ne s'agit que d'un tableau de travail, il n'est pas nécessaire de respecter toutes les normes de présentation.

Tableau 4.22

Classes	Milieu de classe	Fréquence relative de classe (%)
50 – 75	62,5	0,0
75 – 100	87,5	8,2
100 – 125	112,5	22,4
125 – 150	137,5	34,7
150 – 175	162,5	28,6
175 – 200	187,5	4,1
200 – 225	212,5	2,0
225 – 250	237,5	0,0

On trace ensuite le polygone en joignant les points dont les coordonnées sont (milieu de la classe; fréquence de la classe). Dans le contexte de cet exemple, il s'agit des points (62,5; 0), (87,5; 8,2), (112,5; 22,4) et ainsi de suite jusqu'à (237,5; 0). On obtient alors le graphique de la figure 4.11.

Figure 4.11

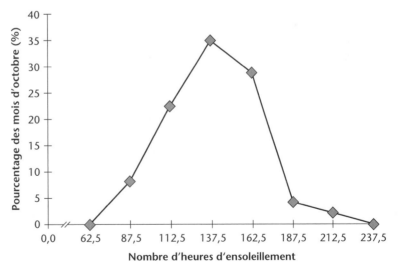

Répartition en pourcentage de 49 mois d'octobre,
selon le nombre d'heures d'ensoleillement,
Montréal, 1942-1990

Sources : *Monthly Record of Meteorological Observations in Canada* et *Canadian Weather Review.*

Comme vous pourrez le constater dans l'exercice qui suit, on peut superposer deux ou plusieurs polygones de fréquences dans le même graphique et ainsi comparer deux ou plusieurs groupes. Cela constitue un avantage du polygone de fréquences sur l'histogramme.

EXERCICE 4.10

a) Complétez le tableau suivant:

**Répartition des naissances vivantes (en milliers),
selon l'âge de la mère au moment de la naissance,
Québec, 1974 et 1996**

Âge	1974	1996
15 – 20	5,4	4,0
20 – 25	26,5	16,7
25 – 30	33,7	29,2
30 – 35	14,5	25,1
35 – 40	4,2	9,0
40 – 45	1,1	1,2
45 – 50	0,3	0,0
Total		

Sources: Statistique Canada, *Santé périnatale: Grossesses et taux*, Canada, 1974-1993, n° 82-568-XPB au catalogue, octobre 1996, p. 36 et Bureau de la statistique du Québec, *Un portrait statistique des familles et des enfants au Québec*, Québec, Gouvernement du Québec, 1999, p. 44.

b) Sur un même graphique, consignez les données du tableau dans des polygones de fréquences.

c) Commentez le tableau et le graphique.

d) Aurait-il été possible de superposer deux histogrammes pour comparer la distribution des âges des mères en 1974 et en 1996? Justifiez votre réponse.

C ⟩ LA COURBE DES FRÉQUENCES RELATIVES CUMULÉES

Courbe des fréquences relatives cumulées

Représentation graphique employée pour des données groupées par classes. Elle est formée en reliant, dans un graphique cartésien, les points dont les coordonnées sont données par (borne supérieure de la classe; fréquence relative cumulée associée à la classe). Il ne faut pas oublier de fermer la courbe sur l'axe des abscisses en ajoutant le point (borne inférieure de la première classe; 0). Elle sert notamment à estimer le pourcentage des données qui sont inférieures à une valeur particulière. Cette représentation graphique est également appelée *ogive*.

Combien de personnes sont âgées de moins de 40 ans? Quel pourcentage des résidences d'une municipalité sont évaluées à moins de 100 000 $? Sous quel seuil se situe le salaire d'au moins 80 % des travailleurs? Voilà des questions auxquelles il sera facile de répondre après avoir construit la **courbe des fréquences relatives cumulées**, ou *ogive*, qui correspond à chacune de ces variables.

Comme son nom l'indique, cette courbe est basée sur le cumul, la somme, des fréquences associées aux différentes classes. Les fréquences cumulées sont obtenues en additionnant la fréquence de chaque classe aux fréquences de toutes les classes qui la précèdent. Le nombre ou le pourcentage ainsi obtenu indique la quantité ou la fréquence relative des données qui sont inférieures à la limite supérieure de la classe. Dans cet ouvrage, nous ne nous intéresserons qu'aux fréquences relatives cumulées.

À partir du tableau 4.16 (page 122) donnant le nombre d'heures d'ensoleillement en octobre à Montréal, de 1942 à 1990, on peut construire le tableau 4.23, qui montre comment on a effectué le cumul des fréquences relatives afin de dresser le tableau de fréquences relatives cumulées (tableau 4.24).

Tableau 4.23

Nombre d'heures d'ensoleillement	%	Cumul (%)	Pourcentage cumulé (%)
75 – 100	8,2	8,2	8,2
100 – 125	22,4	8,2 + 22,4 = 30,6	30,6
125 – 150	34,7	8,2 + 22,4 + 34,7 = 65,3	65,3
150 – 175	28,6	8,2 + 22,4 + 34,7 + 28,6 = 93,9	93,9
175 – 200	4,1	8,2 + 22,4 + 34,7 + 28,6 + 4,1 = 98,0	98,0
200 – 225	2,0	8,2 + 22,4 + 34,7 + 28,6 + 4,1 + 2,0 = 100,0	100,0
Total	100,0		

Tableau 4.24

Répartition cumulée de 49 mois d'octobre,
selon le nombre d'heures d'ensoleillement,
Montréal, 1942-1990

Nombre d'heures d'ensoleillement	Pourcentage cumulé des mois d'octobre (%)
75 – 100	8,2
100 – 125	30,6
125 – 150	65,3
150 – 175	93,9
175 – 200	98,0
200 – 225	100,0

Sources : *Monthly Record of Meteorological Observations in Canada* et *Canadian Weather Review*.

Ce dernier tableau nous révèle que 30,6 % des mois d'octobre échantillonnés ont offert une durée d'ensoleillement inférieure à 125 heures, 65,3 % une durée d'ensoleillement inférieure à 150 heures, et ainsi de suite. Par ailleurs, aucun des mois d'octobre n'a offert une durée d'ensoleillement inférieure à 75 heures.

C'est à partir de ce tableau qu'est tracée la courbe des fréquences relatives cumulées dans un graphique cartésien. L'axe des abscisses est employé pour la variable (le nombre d'heures d'ensoleillement), l'axe des ordonnées pour la fréquence relative cumulée. La courbe des fréquences relatives cumulées est obtenue en reliant les points dont les coordonnées sont données par les couples (borne supérieure de la classe ; fréquence relative cumulée associée à la classe). On ajoute également à cette liste le couple (borne inférieure de la première classe ; 0). À partir des données provenant du tableau des fréquences relatives cumulées portant sur le nombre d'heures d'ensoleillement à Montréal, on trace la courbe joignant les points (100; 8,2), (125; 30,6), (150; 65,3), (175; 93,9), (200; 98,0) et (225; 100). On ajoute également le point dont les coordonnées sont données par le couple (borne inférieure de la première classe; 0) de façon à fermer la courbe sur l'axe des abscisses. Dans notre exemple, ce couple est (75; 0). Le graphique de la figure 4.12 montre à quoi ressemblerait la courbe des fréquences relatives cumulées pour le nombre d'heures d'ensoleillement en octobre à Montréal.

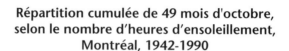

Figure 4.12

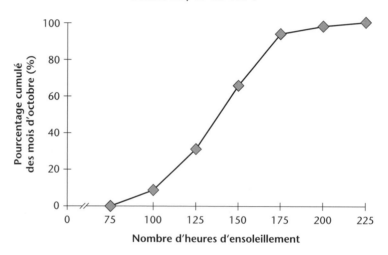

Répartition cumulée de 49 mois d'octobre, selon le nombre d'heures d'ensoleillement, Montréal, 1942-1990

Sources: *Monthly Record of Meteorological Observations in Canada* et *Canadian Weather Review*.

Ce graphique nous permet, par exemple, d'estimer le pourcentage des mois d'octobre qui ont offert une durée d'ensoleillement inférieure à 110 heures. En suivant la direction de la première flèche dans le graphique de la figure 4.13, on constate qu'environ 20 % des mois d'octobre ont connu moins de 110 heures d'ensoleillement. Ce graphique permettrait également d'estimer le nombre d'heures d'ensoleillement sous lequel se situent 80 % des mois d'octobre: en suivant la direction de la deuxième flèche, on constate qu'environ 80 % des mois d'octobre ont connu moins de 165 heures d'ensoleillement. Par conséquent, environ 60 % des mois d'octobre on connu entre 110 et 165 heures d'ensoleillement.

Figure 4.13

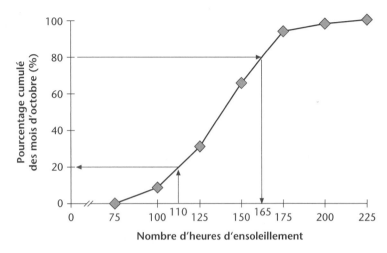

Répartition cumulée de 49 mois d'octobre,
selon le nombre d'heures d'ensoleillement,
Montréal, 1942-1990

Sources : *Monthly Record of Meteorological Observations in Canada* et *Canadian Weather Review.*

EXERCICE 4.11

Utilisez la représentation graphique appropriée pour répondre aux questions suivantes sur le revenu de travail d'été des élèves. Indiquez sur le graphique comment vous avez obtenu vos réponses.

**Répartition en pourcentage des élèves,
selon le revenu d'emploi d'été**

Revenu ($)	Pourcentage des élèves (%)
2 000 – 2 500	4
2 500 – 3 000	14
3 000 – 3 500	20
3 500 – 4 000	24
4 000 – 4 500	20
4 500 – 5 000	14
5 000 – 5 500	4
Total	**100**

a) Quelle proportion des élèves gagnent moins de 3 200 $?

b) Complétez : « Environ 50 % des élèves gagnent moins de _____ $. »

4.3.4 Le tableau de fréquences : données groupées par classes ouvertes ou d'amplitudes inégales

Jusqu'à présent, nous avons dressé des tableaux de fréquences dans lesquels toutes les classes avaient la même amplitude. Il arrive toutefois qu'on veuille présenter les données selon des classes de largeurs inégales ou selon des classes ouvertes (« 65 ans et plus », « moins de 15 ans »), et ce pour se conformer à l'usage ou encore pour des raisons d'ordre théorique ou technique (données marginales, classes comportant un trop grand nombre de données par rapport aux autres, classes non pertinentes, classes représentant des divisions « naturelles » pour le chercheur, données concentrées à une des extrémités de la première ou de la dernière classe). Dans de tels cas, c'est l'expérience du chercheur qui permet de déterminer le nombre de classes et les largeurs de classes appropriés.

▶ EXEMPLE

La masse d'un bébé à la naissance constitue un indicateur de son état de santé et de développement. C'est pourquoi la masse des nouveau-nés est enregistrée.

Comme l'indique le tableau 4.25, on utilise généralement quatre catégories de masse pour classer les nouveau-nés, soit « moins de 2 500 » (faible masse), « 2 500 – 3 500 » (masse normale inférieure), « 3 500 – 4 500 » (masse normale supérieure), et 4 500 et plus (masse élevée). Ces catégories constituent des divisions naturelles pour les services de santé.

Tableau 4.25

**Répartition des nouveau-nés,
selon leur masse à la naissance, Québec, 1997**

Masse (g)	Nombre de nouveau-nés
Moins de 2 500	4 744
2 500 – 3 500	42 917
3 500 – 4 500	30 904
4 500 et plus	1 109
Total	79 674

Source : Institut de la statistique du Québec, *Statistiques démographiques, les naissances et la fécondité*, site Internet de l'Institut (stat.gouv.qc.ca).

L'emploi de catégories ouvertes est pertinent parce que ces dernières comptent un faible nombre d'individus. En fait, des 4 744 nouveau-nés de faible masse, près de 4 000 présentaient une masse comprise entre 1 500 et 2 500 g ; de même, plus de 1 100 nouveau-nés présentaient une masse comprise entre 4 500 et 5 500 g. Il n'aurait donc pas été utile de créer des catégories de 500 à

1 500 g ni de 5 500 à 6 500 g puisque ces catégories n'auraient contenu que de très petits nombres de nouveau-nés. ◄

EXERCICE 4.12

Un directeur du personnel prépare un tableau sur l'âge des employés de l'entreprise pour laquelle il travaille afin de planifier les besoins en matière de main-d'œuvre (renouvellement du personnel, formation, encadrement des nouveaux employés, départs à la retraite). Il décide de répartir les employés en quatre catégories d'âge: « moins de 25 ans », « de 25 à 44 ans », « de 45 à 54 ans », « 55 ans et plus ». Dressez le tableau de fréquences pour les données suivantes.

21	22	23	26	27	28	28	32	34	35	36	36
37	37	38	39	40	41	41	42	43	45	45	46
47	50	51	51	54	55	56	57	58	60	62	64

4.3.5 L'histogramme de données groupées par classes ouvertes ou d'amplitudes inégales

Pour représenter graphiquement des données groupées dans un tableau de fréquences comportant des classes ouvertes ou d'amplitudes inégales, on peut utiliser un histogramme. L'emploi d'un rectangle dans un histogramme semble indiquer une distribution uniforme des données à l'intérieur d'une classe, puisque sa hauteur est constante sur tout l'intervalle considéré. C'est cette hypothèse que nous retiendrons pour tracer un histogramme représentant des données groupées selon des classes ouvertes ou d'amplitudes inégales.

Illustrons cela à l'aide des données présentées dans le tableau 4.26. Ce tableau comporte une classe ouverte (« 65 et plus ») et des classes de largeurs inégales (5 ans, 10 ans et 20 ans).

Tableau 4.26

Répartition des chômeurs, selon l'âge, Canada, 1997

Âge (années)	Nombre de chômeurs (milliers)
15 – 20	202
20 – 25	204
25 – 35	359
35 – 45	338
45 – 65	304
65 et plus	7
Total	**1 414**

Source: Statistique Canada, *Annuaire du Canada 1999*, n° 11-402-XPF au catalogue, 1998, p. 242.

La comparaison des groupes d'âge à partir des fréquences absolues est difficile, car ceux-ci n'ont pas la même amplitude; nous n'avons pas de base de comparaison. Il faut donc créer artificiellement des classes qui auront la même amplitude. Pour cela, nous divisons chacune des classes de largeur 10 en deux classes de largeur 5, et la classe de largeur 20 en 4 classes de largeur 5. Puis, nous fermerons la classe ouverte en lui attribuant une largeur 5. En théorie, nous aurions pu fermer cette classe à 75 ans ou 80 ans plutôt qu'à 70 ans. Dans le contexte, notre choix s'explique: nous considérons que peu de personnes sont susceptibles d'être au chômage au-delà de 70 ans.

Parce que nous avançons l'hypothèse que les données se répartissent de manière uniforme dans une classe, il faut ajuster les fréquences. Ainsi, comme il y a 359 000 chômeurs dans la classe «25 – 35» et que l'on ajoute une cloison au milieu de cette classe pour en faire deux («25 – 30» et «30 – 35»), nous devrions retrouver la moitié de ces chômeurs de chaque côté de la cloison. Il y aura toujours 359 000 chômeurs âgés de 25 à 35 ans, mais ils seront répartis en deux groupes égaux de 179 500 chômeurs. De la même façon, la classe «45 – 65» sera décomposée en 4 classes («45 – 50»; «50 – 55»; «55 – 60»; «60 – 65») comprenant chacune 76 000 (soit 304 000/4) chômeurs. Nous obtiendrons ainsi un tableau de fréquences régularisé (tableau 4.27).

Tableau 4.27

Répartition des chômeurs, selon l'âge, Canada, 1997

Âge (années)	Nombre de chômeurs (milliers)
15 – 20	202,0
20 – 25	204,0
25 – 30	179,5
30 – 35	179,5
35 – 40	169,0
40 – 45	169,0
45 – 50	76,0
50 – 55	76,0
55 – 60	76,0
60 – 65	76,0
65 – 70	7,0
Total	1 414,0

Source: Statistique Canada, *Annuaire du Canada 1999*, n° 11-402-XPF au catalogue, 1998, p. 242 (tableau régularisé).

Ce tableau régularisé présente maintenant des classes de même amplitude, et nous pouvons en tracer l'histogramme (figure 4.14). L'hypothèse de l'uniformité de la répartition des données est la meilleure que nous puissions faire, mais elle peut avoir pour effet de déformer quelque peu la réalité. Il faut donc préciser qu'on a régularisé les données en faisant une remarque à cet effet au bas du graphique. On suggère d'éviter de tracer des lignes pleines entre les classes qu'on a créées : on peut tracer des lignes pointillées ou encore laisser un vide comme dans la figure 4.14.

Figure 4.14

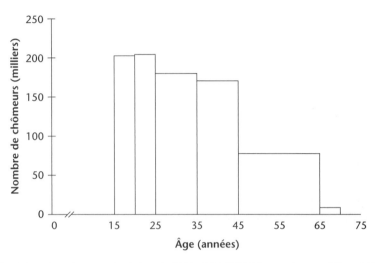

Répartition des chômeurs, selon l'âge, Canada, 1997

Source : Statistique Canada, *Annuaire du Canada 1999*, n° 11-402-XPF au catalogue, 1998, p. 242 (tableau régularisé).

EXERCICE 4.13

a) Complétez le tableau de fréquences suivant :

Répartition de la population active, selon l'âge, Canada, 1997

Âge (années)	Population active (milliers)
15 – 20	928
20 – 25	1 504
25 – 35	3 943
35 – 45	4 354
45 – 65	4 404
65 et plus	223
Total	

Source : Statistique Canada, *Annuaire du Canada 1999*, n° 11-402-XPF au catalogue, 1998, p. 242.

b) Régularisez ce tableau.

c) Tracez l'histogramme correspondant au tableau régularisé.

d) Quelle est la proportion des membres de la population active (chômeurs et personnes occupant un emploi) qui sont âgés de moins de 35 ans?

e) En vous référant au tableau 4.26 (page 135), donnez la proportion des chômeurs âgés de moins de 35 ans.

f) En comparant les nombres obtenus en *d* et en *e*, analysez la situation des personnes de moins de 35 ans sur le marché de l'emploi.

4.4 Le tableau à double entrée

4.4.1 La lecture d'un tableau à double entrée

Lorsqu'on effectue une enquête, on recueille souvent des renseignements sur plus d'une caractéristique des unités statistiques. Il n'est pas rare par exemple qu'on interroge des personnes sur leur revenu, leur niveau de scolarité, leurs opinions politiques, leur sexe ou leur langue maternelle. Dans de tels cas, on peut utiliser les tableaux pour répartir les unités statistiques selon deux variables. On dresse alors un **tableau à double entrée** (ou *tableau à deux entrées* ou *tableau de contingence*). Ce genre de tableaux permet de faire des comparaisons ou d'établir des liens entre deux variables. Comme pour tout tableau de fréquences, il est possible d'utiliser les fréquences absolues ou les fréquences relatives (%) dans un tableau à double entrée.

Tableau à double entrée

Tableau de fréquences qui met en relation deux variables. Aussi appelé *tableau à deux entrées* ou *tableau de contingence*.

▶ **EXEMPLE**

Le directeur du Service du personnel d'un cégep veut savoir s'il existe une différence entre les employés de sexe masculin et féminin sur le plan de l'ancienneté. Il a dressé le tableau 4.28.

Tableau 4.28

Répartition des employés d'un cégep, selon l'ancienneté et le sexe

Ancienneté (années)	Sexe		Total
	Masculin	Féminin	
Moins de 5	20	20	40
5 – 10	20	10	30
10 – 15	25	15	40
15 et plus	75	25	100
Total	140	70	210

Ce tableau révèle que 140 employés sont des hommes, que 100 employés ont 15 années et plus d'ancienneté, qu'il y a autant de nouvelles employées que de nouveaux employés (moins de 5 années d'ancienneté) et que les nouvelles employées constituent les 2/7 (soit 20/70) des employés de sexe féminin tandis que les nouveaux employés ne constituent que le 1/7 (soit 20/140) des employés de sexe masculin. Enfin, on constate que ce cégep compte deux fois plus d'employés de sexe masculin que d'employés de sexe féminin.

À partir des mêmes données, on peut dresser un tableau de fréquences relatives (tableau 4.29) en exprimant les données en pourcentage du nombre total de données, soit 210.

Tableau 4.29

Répartition en pourcentage des employés d'un cégep, selon l'ancienneté et le sexe

Ancienneté (années)	Sexe		Total
	Masculin	Féminin	
Moins de 5	9,5 %	9,5 %	19,0 %
5 – 10	9,5 %	4,8 %	14,3 %
10 – 15	11,9 %	7,1 %	19,0 %
15 et plus	35,7 %	11,9 %	47,6 %
Total	66,6 %	33,3 %	100,0 %

Les pourcentages étant arrondis, la somme des fréquences relatives n'égale pas 100 %.

Ce tableau montre que seulement 33,3 % des employés sont des femmes et que 47,6 % de tous les employés ont 15 années et plus d'ancienneté. On peut également constater que la proportion des employés de sexe masculin ayant moins de 5 années d'ancienneté est la même que celle des employés de sexe féminin ayant moins de 5 années d'ancienneté (soit 9,5 %). Dans les autres catégories d'ancienneté, la proportion des hommes est nettement supérieure à celle des femmes. Cette égalité des sexes pour les derniers embauchés est-elle due à une modification des modalités d'embauche ? Il serait intéressant de vérifier cette hypothèse.

Les tableaux à double entrée qui répartissent des individus selon le sexe et selon une autre variable (salaire, ancienneté, années de scolarité, expérience ou autre) sont souvent employés pour représenter la division du travail selon le sexe et pour faire l'analyse des emplois dans le cadre de programmes d'équité en matière d'emploi.

On aurait également pu répartir les employés masculins et féminins selon leur ancienneté (tableau 4.30). Les données sont alors exprimées en pourcentage du total du nombre d'individus de chaque sexe, soit par rapport au total de chaque colonne, c'est-à-dire par rapport à 140 pour les hommes et à 70 pour les femmes.

Tableau 4.30

Répartition en pourcentage des employés, par sexe, selon l'ancienneté

Ancienneté (années)	Sexe	
	Masculin (%)	Féminin (%)
Moins de 5	14,3	28,6
5 – 10	14,3	14,3
10 – 15	17,9	21,4
15 et plus	53,6	35,7
Total	100,0	100,0

Les pourcentages étant arrondis, la somme des fréquences relatives n'égale pas 100 %.

À partir des renseignements contenus dans ce dernier tableau, on pourrait construire un diagramme à bandes rectangulaires chevauchées (figure 4.15) et constater les écarts dans la composition de la main-d'œuvre masculine et féminine en matière d'ancienneté. Ainsi, on peut constater que plus de la moitié des employés de sexe masculin (53,6 %) ont 15 ans et plus d'ancienneté contre seulement un peu plus du tiers (35,7 %) des employées.

Figure 4.15

Répartition en pourcentage des employés, par sexe, selon l'ancienneté

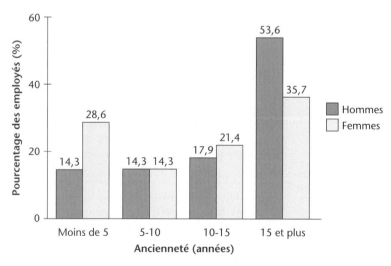

Les pourcentages étant arrondis, la somme des fréquences relatives n'égale pas 100 %.

On aurait également pu répartir les employés de chaque catégorie d'ancienneté selon leur sexe, en exprimant le nombre de sujets de chaque catégorie d'ancienneté en pourcentage du total de cette catégorie. On obtient alors le tableau 4.31, qui pourrait lui aussi faire l'objet d'une représentation graphique.

Tableau 4.31

**Répartition en pourcentage des employés,
par catégorie d'ancienneté, selon le sexe**

Ancienneté (années)	Sexe		Total
	Masculin	Féminin	
Moins de 5	50,0 %	50,0 %	100,0 %
5 – 10	66,7 %	33,3 %	100,0 %
10 – 15	62,5 %	37,5 %	100,0 %
15 et plus	75,0 %	25,0 %	100,0 %

À partir de ce dernier tableau, on constate que deux tiers des employés ayant entre 5 et 10 ans d'ancienneté sont des hommes et que seulement le quart des employés de 15 ans et plus d'ancienneté sont des femmes. ◄

4.4.2 Procédé de dénombrement et de construction d'un tableau à double entrée

La méthode employée pour dresser un tableau à double entrée est similaire à celle utilisée pour un tableau de fréquences d'une seule variable. On doit toutefois connaître la valeur ou la modalité que prend chacune des variables pour chacune des unités statistiques.

► **EXEMPLE**

Un professeur de cégep désire établir le profil de ses élèves en regard des variables « secteur d'études » (P = préuniversitaire ; T = technique) et « nombre de cours inscrits à l'horaire » (moins de 4 ; 4 à 6 ; 7 et plus). Le tableau 4.32 présente les données qu'il a obtenues auprès d'un groupe de 30 élèves.

Pour dresser le tableau à double entrée, il faut lire la modalité et la valeur des deux variables pour chaque unité statistique et inscrire un trait dans la case appropriée d'un tableau de dénombrement. Ainsi, la case située à l'intersection de la colonne « préuniversitaire » et de la ligne « moins de 4 » devrait contenir 1 trait, puisqu'un seul élève inscrit au secteur préuniversitaire a moins de 4 cours inscrits à l'horaire. On peut alors établir le tableau de dénombrement (tableau 4.33) et le tableau à double entrée (tableau 4.34) correspondant aux données. Soulignons à nouveau qu'on aurait pu utiliser de manière efficace un chiffrier électronique pour faire le dénombrement des données plutôt que de procéder manuellement.

Tableau 4.32

Individu	Secteur d'études	Nombre de cours	Individu	Secteur d'études	Nombre de cours
1	P	5	16	T	5
2	T	6	17	T	3
3	T	2	18	P	4
4	T	3	19	P	7
5	P	1	20	T	7
6	P	7	21	P	7
7	P	7	22	T	6
8	P	8	23	T	8
9	T	5	24	P	6
10	P	7	25	P	5
11	T	7	26	T	7
12	T	6	27	T	7
13	P	5	28	P	6
14	P	7	29	P	6
15	T	8	30	T	7

Tableau 4.33

Dénombrement

	Secteur d'études	
Nombre de cours	Préuniversitaire	Technique
Moins de 4	/	///
4 à 6	ЖҺ //	ЖҺ
7 et plus	ЖҺ //	ЖҺ //

Tableau 4.34

Répartition de 30 élèves, selon le secteur d'études et le nombre de cours inscrits à l'horaire

	Secteur d'études		
Nombre de cours	Préuniversitaire	Technique	Total
Moins de 4	1	3	4
4 à 6	7	5	12
7 et plus	7	7	14
Total	15	15	30

EXERCICE 4.14

Voici la liste des notes des étudiants qui ont réussi un cours de sociologie à l'université. Présentez ces données dans un tableau à double entrée selon le sexe et la note.

Nom	Note	Nom	Note	Nom	Note
Aline	A	Luc	A	Émile	C
Claudette	A	Pierre	A	Jules	C
Julie	A	Sylvain	A	Simon	C
Carole	B	Yvon	B	Réjean	C
Jennifer	B	Yves	B	François	C
Kathia	B	Marc	B	Paul	C
Denise	B	Jean	B	Alain	C
Ginette	B	Raymond	B	Jean-Marc	C
Céline	B	René	B	Mathieu	C
Diane	C	Léo	B	Cédrick	C
Monique	C	Denis	B	Jérémie	D
Suzanne	C	Christian	B	Normand	D
Isabelle	C	Daniel	B	Éric	D
Francine	C	Louis	B	Guy	D
Martine	C	Robert	B	André	D
Josée	C	Henri	C	Gaston	D
Johanne	C	Roch	C	Gérard	D
Chantale	C	Antoine	C	Joseph	D
Carmen	D	Hugues	C	Étienne	D
Hélène	D	Gilles	C	Olivier	D

RÉSUMÉ

Après avoir recueilli des données, il faut les organiser pour permettre leur analyse. Les tableaux sont employés de manière courante pour présenter des données; ils constituent un condensé figuratif. Parce qu'ils décrivent de manière synthétique une masse de données, les tableaux présentent l'information obtenue sous une forme plus compréhensible pour le chercheur ou pour le lecteur. Ils permettent de faire ressortir les caractéristiques importantes d'un phénomène et peuvent être à l'origine de nouvelles questions sur le sujet d'étude. Les tableaux offrent donc un intérêt non seulement en raison des renseignements qu'ils contiennent, mais également pour les questions qu'ils soulèvent.

On doit respecter certaines normes (page 104) lorsqu'on dresse un tableau: on donne un titre au tableau; on mentionne la source du tableau ou des données, le cas échéant; on indique ce que chaque colonne et chaque ligne du tableau représentent; on décrit sommairement l'information contenue dans le tableau.

Selon le type de la variable étudiée, les tableaux de fréquences servent à grouper les données par modalités (variable qualitative), par valeurs (variable quantitative discrète) ou par classes (variable quantitative discrète ou continue). Les tableaux de fréquences (à simple ou à double entrée) permettent de dénombrer les unités statistiques qui appartiennent à chaque modalité, valeur ou classe.

Le tableau 4.5 (page 105) présente un tableau de fréquences typique (données groupées par modalités) dans lequel on a indiqué les principaux éléments qu'on devrait trouver dans tout tableau de fréquences. Si on avait groupé les données par valeurs ou par classes, on aurait utilisé ces valeurs ou ces classes à la place des modalités. On aurait également pu utiliser des fréquences absolues plutôt que des fréquences relatives (%).

On fait appel aux tableaux à double entrée pour répartir les unités statistiques selon deux variables. Les tableaux 4.28 à 4.31 en constituent des exemples typiques.

Tout comme les tableaux, les graphiques sont établis lors de la quatrième étape de la démarche scientifique, soit lorsqu'on organise et traite les données. Ils nous permettent de saisir au premier coup d'œil les caractéristiques essentielles d'un phénomène.

Les normes de présentation d'un graphique sont similaires à celles d'un tableau et sont présentées à la page 106.

Les principales représentations graphiques pour des données groupées par modalités sont le diagramme à secteurs, le diagramme linéaire et le diagramme à bandes rectangulaires. On utilise généralement un diagramme à bâtons pour représenter graphiquement des données groupées par valeurs. Enfin, l'histogramme, le polygone de fréquences et la courbe des fréquences relatives cumulées servent à représenter graphiquement des données groupées par classes.

MOTS CLÉS

1. Dans le cadre d'un travail de recherche sur l'avortement, un élève a présenté un tableau adapté d'une étude de Statistique Canada (*Avortements thérapeutiques 1990*, n° 82-003S9 au catalogue, 1992, p. 50). Ce tableau, le troisième de son travail, est censé nous renseigner sur le nombre de femmes ayant subi un avortement thérapeutique au Canada, en 1990, selon leur état matrimonial.

Célibataire	43 267
Mariée	15 158
Séparée	2 812
Divorcée	2 047
Veuve	154
Épouse de fait	2 217
Non déclaré	4 708
Inconnu	729

a) Quelle est la population étudiée?

b) Quelle est la variable étudiée?

c) De quelle nature est-elle?

d) Combien y a-t-il eu d'avortements thérapeutiques au Canada en 1990?

e) Refaites ce tableau en tenant compte des normes de présentation que nous vous avons proposées. Ajoutez la colonne des fréquences relatives.

f) Commentez brièvement ce tableau.

2. Examinez la série statistique suivante, qui donne la langue maternelle des personnes inscrites à un cours. On a utilisé les codes suivants:

1 = Français 2 = Anglais 3 = Allemand 4 = Italien 5 = Espagnol 6 = Autre

2	1	3	6	1	1	2	2	1	1	3	4	5	1
4	5	1	1	1	1	1	1	1	2	2	1	1	2
3	1	4	2	3	1	1	1	2	4	5	3	2	3
2	1	1	1	1	1	1	1	2	1	3	1	1	1
1	1	2	1	2	2	1	1	2	6	5	1	1	1

a) Que représente une unité statistique?

b) Quelle est la variable étudiée?

c) De quelle nature est-elle?

d) Quelle échelle de mesure a été utilisée?

e) Combien y a-t-il de données?

f) À quoi correspond une donnée?

g) Combien y a-t-il de modalités?

h) Présentez ces données dans un tableau de fréquences.

i) Dans ce groupe de personnes, quel est le pourcentage des personnes de langue maternelle française ? anglaise ? espagnole ?

j) Quel nom donne-t-on généralement aux pourcentages dans un tableau de fréquences ?

k) Énumérez les trois types de graphiques qu'on peut utiliser pour représenter le tableau dressé en *h* et construisez un de ces graphiques.

3. On a interrogé 28 élèves inscrits à un cours de philosophie sur leur degré de satisfaction à l'égard de l'enseignement reçu. On a utilisé les codes suivants :

0 = Très insatisfait 1 = Insatisfait 2 = Satisfait 3 = Très satisfait

Voici la série statistique qu'on a obtenue :

0	1	2	2	3	1	1	1	0	1	0	1	0	2
0	1	2	0	0	0	1	0	1	3	2	1	1	0

a) Que représente une unité statistique ?

b) Quelle est la variable étudiée ?

c) De quelle nature est-elle ?

d) Quelle échelle de mesure a été utilisée ?

e) Combien y a-t-il de modalités ?

f) Présentez ces données dans un tableau de fréquences. Utilisez des fréquences relatives exprimées en pourcentage.

g) Commentez le tableau de fréquences.

h) Donnez une représentation graphique appropriée du tableau construit en *f*.

4. Le diagramme à secteurs suivant donne l'état matrimonial, au moment de leur mariage, des hommes qui se sont mariés au Québec en 1998.

Répartition en pourcentage des hommes qui se sont mariés en 1998, selon leur état matrimonial au moment du mariage, Québec

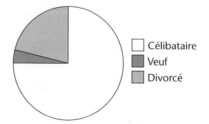

Source : Institut de la statistique du Québec, *Statistiques démographiques, les mariages et les divorces,* stat.gouv.qc.ca.

a) À partir de ce graphique, estimez la proportion des hommes qui se sont mariés en 1998 et qui étaient divorcés au moment de leur mariage.

b) Au Québec, on a dénombré 22 940 mariages en 1998. Estimez le nombre d'hommes divorcés qui se sont mariés à nouveau cette année-là.

5. Un institut de sondage a effectué une enquête sur le degré de confiance qu'accordent les Québécois au système judiciaire en matière de délits à caractère sexuel. Représentez graphiquement les résultats obtenus par un diagramme à bandes rectangulaires et commentez.

Répartition en pourcentage des répondants, par sexe, selon le degré de confiance accordé au système judiciaire en matière de délits à caractère sexuel

Degré de confiance	Sexe	
	Hommes	Femmes
Entièrement	60 %	20 %
Assez	20 %	30 %
Peu	10 %	30 %
Pas du tout	10 %	20 %
Total	100 %	100 %

6. Répondez aux questions à partir du graphique suivant :

Répartition en pourcentage des familles, selon le nombre de personnes dans la famille, Québec, Ontario, Colombie-Britannique, 1997

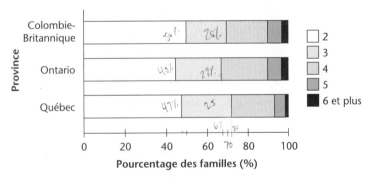

Source : Statistique Canada, *Annuaire du Canada 1999*, n° 11-402-XPF au catalogue, 1998, p. 207.

a) Quelle est la population étudiée ?

b) Quelles sont les variables étudiées ?

c) De quelle nature sont-elles ?

d) Pourquoi a-t-on utilisé le diagramme linéaire plutôt que le diagramme à secteurs ?

e) Estimez, pour chaque province, la proportion des familles qui comptent seulement 2 personnes. Celles qui comptent plus de 3 personnes.

7. Un chercheur a présenté un texte de 10 000 mots à deux groupes d'étudiants qui devaient le lire. Toutefois, pour les étudiants du deuxième groupe, le texte était divisé en 10 sections d'environ 1 000 mots. À la fin de chaque

section, les sujets devaient répondre à des questions portant sur l'extrait qu'ils venaient de lire. Le chercheur croit que cette façon de présenter un texte favorise la rétention de l'information qu'on y trouve. Le lendemain, le chercheur soumettait un questionnaire aux étudiants des deux groupes et notait leur performance de la façon suivante: A = Excellent, B = Bien, C = Moyen, D = Passable, E = Échec. Le premier groupe comptait 75 sujets dont 16 % ont reçu la note A, 20 % la note B, 44 % la note C, 16 % la note D et les autres la note E. Le deuxième groupe comptait 50 sujets dont 10 ont reçu la note A, 15 la note B, 20 la note C, 4 la note D et 1 la note E.

a) Quelle méthode d'investigation ce chercheur a-t-il employée?

b) Quelle échelle de mesure ce chercheur a-t-il employée pour mesurer la performance des élèves?

c) Quelle est l'hypothèse du chercheur?

d) Combien d'élèves du premier groupe ont obtenu la note A?

e) Présentez les résultats des élèves de chacun des groupes dans un tableau de fréquences. Utilisez des fréquences relatives. Respectez les normes de présentation.

f) Le deuxième groupe semble-t-il avoir eu une performance supérieure à celle du premier groupe? Justifiez votre réponse en comparant les résultats de ces deux groupes présentés dans le tableau dressé en e.

g) Quel procédé statistique nous permettrait de généraliser les résultats de ce chercheur et d'en tirer une conclusion sur la façon de présenter un texte pour en assurer une meilleure rétention?

h) Présentez le tableau dressé en e sous une forme graphique appropriée. Respectez les normes de présentation.

i) Quel nom donne-t-on à cette représentation graphique?

8. Le directeur des études d'un cégep désire connaître le nombre de cours auxquels ont échoué tous les diplômés de l'année 2000 du secteur préuniversitaire de l'établissement qu'il dirige. Voici le nombre de cours auxquels ont échoué un groupe de 56 de ces diplômés:

0	1	1	0	3	0	4	1	1	0	0	0	2	0
1	2	1	4	5	3	4	2	1	0	1	1	0	2
1	0	0	3	4	5	0	2	0	2	0	0	0	5
1	0	0	0	3	0	0	0	1	3	1	0	0	0

a) Quelle est la population étudiée?

b) Les données couvrent-elles l'ensemble de la population ou s'agit-il d'un échantillon?

c) Présentez ces données dans un tableau de fréquences. Utilisez des fréquences absolues et relatives.

d) Donnez une représentation graphique appropriée du tableau construit en c.

9. Un professeur a compté, pour chacun de ses élèves, combien de fois ils sont venus le consulter à son bureau. Voici la série statistique qu'il a obtenue :

0	1	0	5	2	3	0	4	6	5	1	3	2	0
3	0	4	5	4	3	2	0	0	1	0	1	2	1
2	0	0	3	4	5	0	0	1	0	1	0	2	0
1	3	4	5	4	0	2	0	0	1	1	3	0	1
0	0	0	0	2	1	4	6	1	2	1	0	0	4

a) Quelle est la variable étudiée ?

b) De quelle nature est-elle ?

c) Quel type d'échelle de mesure a-t-on employé ?

d) Présentez ces données sous la forme d'un tableau de fréquences.

e) Représentez ces données sous une forme graphique appropriée.

10. Un professeur de cégep a mené une enquête portant sur le nombre d'heures que les étudiants de cégep consacrent hebdomadairement aux études en dehors des heures de cours. Il a obtenu les résultats suivants auprès d'un échantillon de 50 étudiants :

4,0	6,0	7,4	8,0	8,4	9,0	9,5	10,0	11,0	12,0
4,5	6,0	7,6	8,0	8,5	9,0	9,7	10,0	11,0	12,5
5,2	6,4	7,7	8,2	8,6	9,0	9,8	10,2	11,2	12,8
5,5	6,8	7,8	8,2	8,7	9,5	9,9	10,3	11,5	13,0
5,8	7,2	7,9	8,3	8,7	9,5	9,9	10,8	11,7	13,8

a) Présentez cette série sous la forme d'un tableau de fréquences en utilisant quatre heures comme limite inférieure de la première classe et deux heures comme amplitude des classes.

b) Tracez un histogramme et un polygone de fréquences pour représenter ce tableau.

11. Une municipalité a publié le tableau suivant sur l'évaluation des résidences de son territoire :

Répartition en pourcentage des résidences, selon l'évaluation

Évaluation (milliers $)	Pourcentage des résidences (%)
Moins de 75	5
75 – 100	25
100 – 125	30
125 – 150	20
150 – 200	15
200 et plus	5
Total	100

a) Quelle est la population étudiée ?

b) Tracez un histogramme pour représenter ce tableau. Fermez les classes ouvertes à 50 000 $ et à 300 000 $.

12. Examinez la série statistique suivante donnant la superficie occupée par un échantillon de 40 MRC (municipalités régionales de comté) du Québec en 1995.

MRC	Superficie (km²)	MRC	Superficie (km²)
Champlain	163	Les Maskoutains	1 299
L'île d'Orléans	192	Brome-Missisquoi	1 549
Deux-Montagnes	233	Drummond	1 632
Laval	245	Bellechasse	1 645
Desjardins	255	Lotbinière	1 651
L'Assomption	256	Montmagny	1 712
Les Moulins	264	L'Amiante	1 905
Joliette	419	Arthabasca	1 906
Acton	574	Maskinongé	2 002
Le Bas-Richelieu	596	Beauce-Sartigan	2 009
Asbestos	775	L'Islet	2 092
Le Haut-Richelieu	932	Kamouraska	2 256
Nicolet-Yamaska	999	Le Haut Saint-Francois	2 359
D'Autray	1 086	Les Laurentides	2 555
Francheville	1 125	Le Granit	2 710
Les Basques	1 130	Matane	3 376
Bécancour	1 137	Avignon	3 501
Coaticook	1 164	Abitibi-Ouest	3 689
Argenteuil	1 260	Charlevoix	3 802
L'Érable	1 291	Bonaventure	4 457

Source : Bureau de la statistique du Québec, *Le Québec statistique*, Sainte-Foy, Publications du Québec, 1995, p. 132 et 133.

a) Que représente une unité statistique ?

b) Quelle est la nature de la variable « superficie » ?

c) Quelle échelle de mesure a-t-on employée pour mesurer cette variable ?

d) Présentez cette série sous la forme d'un tableau de fréquences en utilisant 0 km² comme limite inférieure de la première classe et 500 km² comme amplitude des classes. Respectez les normes de présentation.

e) Tracez l'histogramme à partir du tableau dressé en *d*. Respectez les normes de présentation.

f) Tracez la courbe des fréquences relatives cumulées. Respectez les normes de présentation.

g) À partir de cette courbe, estimez le pourcentage des MRC de l'échantillon qui occupent une superficie inférieure à 2 250 km². Indiquez sur le graphique comment vous avez obtenu votre réponse.

h) Complétez : « Environ 40 % des MRC de l'échantillon occupent une superficie inférieure à _____ km² ». Indiquez sur le graphique comment vous avez obtenu votre réponse.

i) À partir du graphique construit en *f*, estimez le pourcentage des MRC de l'échantillon occupant une superficie comprise entre 1 750 m² et 2 750 m².

13. Le graphique suivant donne la répartition cumulée des employés d'une usine selon l'âge. Complétez les énoncés suivants :

Répartition cumulée des employés d'une usine, selon l'âge

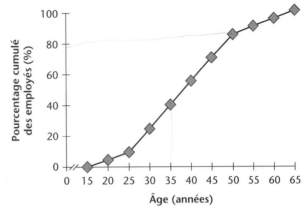

a) L'âge minimal des employés de cette usine est approximativement de _____ ans.

b) L'âge maximal des employés de cette usine est approximativement de _____ ans.

c) L'étendue des âges est approximativement de _____ ans.

d) Environ _____ % des employés sont âgés de moins de 35 ans.

e) Environ 80 % des employés ont moins de_____ ans.

14. Lors d'une expérience, un psychologue chronomètre le temps (en secondes) que met chacun des sujets pour accomplir une tâche. Voici les résultats qu'il a obtenus pour 52 sujets :

51	54	55	58	62	63	65	68	69	70	71	71	73
75	77	79	81	81	83	84	85	85	85	86	87	88
90	90	92	93	95	95	97	97	98	99	101	102	103
105	106	108	109	110	112	113	115	117	120	120	121	125

a) Quelle est la variable étudiée ?

b) De quelle nature est-elle ?

c) Quelle échelle de mesure a été utilisée ?

d) Quelle est l'étendue de la série ?

e) Groupez ces données dans un tableau de fréquences.

f) Dressez un histogramme et un polygone de fréquences à partir du tableau construit en *e*.

15. Un de vos amis vous dit qu'il ne fait pas confiance aux politiciens : « Ce sont tous des vieux, ils ne comprennent pas les problèmes des jeunes ». Vous ne savez que lui répondre. Vous décidez donc de dresser un tableau de la structure d'âge de la députation québécoise à la Chambre des communes. Voici la liste des âges de 73 députés occupant chacun un des 75 sièges du Québec à la Chambre des communes à partir des années de naissance données dans le *Canadian Global Almanac*. Cette liste date d'octobre 1999 ; un siège à la chambre des communes était vacant et il était impossible d'obtenir l'année de naissance d'un des députés.

59	56	29	37	40	58	46	49	65
45	36	49	59	52	61	57	29	46
59	39	67	59	61	63	51	40	29
72	36	58	56	61	59	55	57	74
56	50	54	56	59	48	36	54	55
43	52	52	26	52	37	48	48	50
44	53	53	71	30	48	62	60	34
46	56	59	61	48	56	59	44	54
54								

a) Quelle est la population étudiée ?

b) Quelle est la variable étudiée ?

c) De quelle nature est-elle ?

d) Quelle est l'étendue de la série ?

e) Groupez ces données dans un tableau de fréquences. Prenez 25 ans comme limite inférieure de la première classe et 10 ans comme amplitude des classes. N'oubliez pas de respecter les normes de présentation.

f) Quel pourcentage de ces députés sont âgés de 45 ans et plus ?

g) Dressez un histogramme et un polygone de fréquences à partir du tableau construit en e.

h) Quel groupe d'âge est le plus courant chez ces députés ?

i) Comment reconnaît-on le groupe d'âge le plus courant dans l'histogramme ?

j) Commentez le tableau de fréquences au regard des propos de votre ami.

16. Une chercheuse en sciences de l'éducation s'est intéressée à la mobilité scolaire intergénérationnelle des Québécoises âgées de 20 ans et plus. En 1999, elle a demandé à 250 Québécoises de 20 ans et plus quel était leur niveau de scolarité de même que celui de leur mère. Elle a employé trois catégories pour classer les niveaux de scolarité. Elle a classé les personnes qui n'avaient fait que des études primaires ou secondaires (terminées ou non) au niveau 1 ; celles qui n'avaient fait que des études collégiales (terminées ou non) au niveau 2 et celles qui avaient fait des études universitaires (terminées ou non) au niveau 3. Cette chercheuse voulait montrer qu'il y a un lien entre la scolarité des Québécoises de 20 ans et plus et la scolarité de leur mère. Voici un tableau qui présente les résultats qu'elle a obtenus.

**Répartition de 250 Québécoises de 20 ans et plus,
selon leur niveau de scolarité et celui de leur mère, Québec, 1999**

Scolarité de la fille	Scolarité de la mère			Total
	Niveau 1	Niveau 2	Niveau 3	
Niveau 1	33	3	1	37
Niveau 2	46	33	5	84
Niveau 3	46	59	24	129
Total	125	95	30	250

a) Quelle est l'hypothèse de la chercheuse?

b) Quelle est la population étudiée?

c) Quelles sont les deux variables mises en relation?

d) De quelle nature sont-elles?

e) Quelles en sont les modalités?

f) Quelle est la taille de l'échantillon prélevé lors de la recherche?

g) Quelle proportion des répondantes sont au niveau 3?

h) Parmi les répondantes de niveau 3, quelle est la proportion de celles dont la mère était de niveau 1?

i) La mobilité scolaire intergénérationnelle mesure l'écart entre le niveau de scolarité d'une fille et celui de sa mère. On dit que la mobilité est nulle lorsqu'une fille présente le même niveau de scolarité que celui de sa mère, ascendante lorsque le niveau de scolarité d'une fille est supérieur à celui de sa mère, et descendante lorsque le niveau de scolarité d'une fille est plus faible que celui de sa mère. Représentez graphiquement la répartition des répondantes selon la mobilité scolaire intergénérationnelle. Respectez les normes de présentation.

17. Une chercheuse mène une étude sur les naissances en milieu hospitalier au Québec en 2000. Elle décide de procéder à une étude préliminaire. Elle choisit arbitrairement un hôpital général d'un centre urbain et consulte les dossiers des enfants nés au cours du mois de mai. Elle y trouve les informations suivantes sur le sexe, la masse et la longueur des nouveau-nés à la naissance:

Sexe	Masse (g)	Longueur (cm)	Sexe	Masse (g)	Longueur (cm)	Sexe	Masse (g)	Longueur (cm)	Sexe	Masse (g)	Longueur (cm)
F	2 310	44,0	F	3 420	51,5	M	2 600	49,0	M	3 680	52,0
F	2 850	47,0	F	3 445	49,0	M	2 750	48,0	M	3 725	56,0
F	2 905	50,0	F	3 455	51,0	M	2 910	51,0	M	3 750	52,5
F	2 905	51,0	F	3 565	52,0	M	2 955	51,0	M	3 900	51,0
F	2 930	51,0	F	3 565	52,0	M	2 985	47,0	M	3 935	53,0
F	3 045	50,0	F	3 670	53,0	M	3 000	49,5	M	3 940	54,5
F	3 105	49,5	F	3 680	52,0	M	3 140	50,5	M	4 020	53,5
F	3 160	52,0	F	3 690	52,0	M	3 255	48,5	M	4 035	54,0
F	3 275	48,0	F	3 770	53,5	M	3 350	51,0	M	4 065	54,0
F	3 295	52,0	F	3 835	49,5	M	3 395	50,0	M	4 095	52,0
F	3 340	54,0	F	3 885	53,5	M	3 490	52,0	M	4 125	52,0
F	3 390	48,0	F	3 900	53,5	M	3 570	51,5	M	4 140	54,0
F	3 395	53,0	F	4 000	53,5	M	3 675	52,0	M	4 570	56,0

a) Quelles sont les variables étudiées?

b) De quelle nature sont-elles?

c) Quelle échelle de mesure a été employée pour chacune d'elles?

d) Complétez le tableau suivant en respectant les normes de présentation :

	Sexe		
Masse (g)	Masculin	Féminin	**Total**
Moins de 2 500			
2 500 – 3 500			
3 500 – 4 500			
4 500 et plus			
Total			

e) Quel est le pourcentage des nouveau-nés dont la masse se situe dans la classe « 2 500 – 3 500 » ?

f) Quel pourcentage de ces derniers sont de sexe masculin ? De sexe féminin ?

g) Quel pourcentage des nouveau-nés de sexe féminin ont une masse supérieure ou égale à 3 500 g ?

18. À partir du texte qui suit, construisez un tableau à double entrée mettant en relation l'âge du plus jeune enfant à la maison (moins de 6 ans ; 6 à 15 ans ; 16 ans et plus) et le régime de travail des femmes (temps partiel ; temps plein).

Pour les travailleuses mariées ou vivant en union de fait, avoir un enfant à la maison constitue un facteur qui explique leur régime de travail (temps plein ou temps partiel). Ainsi, lors d'une enquête réalisée auprès de 1 085 travailleuses mariées ou vivant en union de fait, avec un enfant à la maison, on a constaté que :

- 152 d'entre elles occupaient un emploi à temps partiel et avaient un enfant de moins de 6 ans à la maison ;
- 140 d'entre elles occupaient un emploi à temps partiel et leur plus jeune enfant à la maison avait entre 6 et 15 ans ;
- 82 d'entre elles occupaient un emploi à temps plein et leur plus jeune enfant à la maison était âgé de 16 ans ou plus ;
- 780 d'entre elles occupaient un emploi à temps plein ;
- 491 d'entre elles avaient un enfant de moins de 6 ans à la maison.

19. On a interrogé 150 élèves inscrits en sciences de la nature, 250 en sciences humaines et 100 en arts, lettres et langues. On voulait connaître leur opinion (favorable ; défavorable ; sans opinion) sur la mise en place d'une politique d'évaluation du personnel enseignant à l'aide d'un questionnaire d'appréciation rempli par les élèves. Parmi les élèves en sciences de la nature, 80 % sont favorables à cette mesure et 10 % y sont défavorables. Parmi les élèves en sciences humaines, 25 sont sans opinion et 200 sont favorables à la mesure. Parmi les élèves en arts, lettres et langues, 10 sont sans opinion. On sait par ailleurs que 80 % des élèves interrogés sont favorables à l'évaluation du personnel enseignant. Construisez un tableau à double entrée qui rend compte de ces données et des autres qui ne sont pas fournies de manière explicite dans le texte.

EXERCICES DE SYNTHÈSE

1. Répondez aux questions portant sur le texte suivant.

Les jeunes et l'éducation[3]

En marge du Sommet du Québec et de la jeunesse, la maison de sondage SOM a mené, pour le compte de *La Presse*, un sondage téléphonique entre le 3 et le 11 février 2000 auprès de 600 jeunes. La firme de sondage affirme que la marge d'erreur est de 4,5 points de pourcentage[4], 19 fois sur 20.

Les données de ce sondage montrent que les jeunes Québécois sont généralement satisfaits de leur système d'éducation, notamment de la compétence des professeurs. Par contre, ils estiment ne pas être bien préparés au marché du travail.

Ainsi, à la question : « Selon votre expérience, diriez-vous que vous êtes généralement "Très satisfait", "Assez satisfait", "Peu satisfait" ou "Pas du tout satisfait" de la compétence des professeurs du système d'éducation québécois ? », 16,6 % des répondants se sont dits « Très satisfait », 57,2 % se sont dits « Assez satisfait », 21,6 % se sont dits « Peu satisfait » et les autres se sont déclarés « Pas du tout satisfait ». 4,6%

Par ailleurs, à la question : « Selon votre expérience, diriez-vous que vous êtes généralement "Très satisfait", "Assez satisfait", "Peu satisfait" ou "Pas du tout satisfait" de la préparation au marché du travail ? », 12,4 % des répondants se sont dits « Très satisfait », 36,4 % se sont dits « Assez satisfait », 40,1 % se sont dits « Peu satisfait » et les autres se sont déclarés « Pas du tout satisfait ». 11,1%

Fidèles à la tradition, les jeunes se sont opposés à une hausse des droits de scolarité. À la question : « Les universités québécoises se disent confrontées à un important problème de sous-financement. Afin de régler ce problème, seriez-vous "Très favorable", "Assez favorable", "Peu favorable" ou "Pas du tout favorable" à une hausse des frais de scolarité pour les étudiants ? », 5,7 % des répondants se sont dits « Très favorable », 11,4 % se sont dits « Assez favorable », 33,1 % se sont dits « Peu favorable » et les autres se sont déclarés « Pas du tout favorable ». 49,8%

a) Quels éléments devant se trouver dans le compte rendu d'une enquête par sondage sont absents du texte ? Lesquels y sont présents ?

b) De quelle nature est la variable « Degré de satisfaction à l'endroit de la compétence des professeurs » ?

---

3. L'information présentée dans ce texte est tirée de M.-C. Lortie, « Les jeunes et l'éducation. Satisfaits du système, moins de la préparation au marché du travail », *La Presse*, 19 février 2000, p. B1.

4. De plus en plus, et à bon escient, les journalistes expriment la marge d'erreur sur un pourcentage en points plutôt qu'en pourcentage. Toutefois, cette pratique n'est pas généralisée. Ainsi, même s'il est préférable de dire qu'une marge d'erreur sur un pourcentage est de 4,5 points, on dit encore parfois qu'elle est de 4,5 %. Il ne faut pas s'en formaliser.

c) Quelles sont les valeurs ou les modalités de cette variable?

d) De quelle nature est la variable «Opinion sur une augmentation des frais de scolarité»?

e) Quelles sont les valeurs ou les modalités de cette variable?

f) Quelle proportion des répondants manifestent une opposition ferme à une augmentation des frais de scolarité?

g) Quelle est l'estimation par intervalle de confiance de la proportion des jeunes Québécois qui s'opposent fermement à une augmentation des frais de scolarité?

h) Présentez les données portant sur le degré de satisfaction des jeunes à l'endroit de la compétence des professeurs sous forme de tableau. Respectez les normes de présentation.

i) Présentez les données portant sur l'opinion des jeunes à l'endroit d'une hausse des frais de scolarité sous forme de tableau. Respectez les normes de présentation.

j) L'énoncé: «Moins de 50 % des répondants sont satisfaits de la préparation au marché du travail reçue à l'école» est-il inférentiel ou descriptif? Justifiez votre réponse.

k) Commentez le tableau suivant portant sur l'opinion des répondants auxquels on a posé une question relative à une hausse des subventions gouvernementales aux universités.

Répartition en pourcentage des jeunes Québécois, selon leur opinion sur une hausse des subventions gouvernementales aux universités

Opinion	Pourcentage des jeunes Québécois (%)
Très favorable	41,7
Assez favorable	37,2
Peu favorable	15,6
Pas du tout favorable	5,5
Total	100,0

Source: M.-C. Lortie, «Les jeunes et l'éducation. Satisfaits du système, moins de la préparation au marché du travail», *La Presse*, 19 février 2000, p. B1.

l) Construisez un diagramme à secteurs pour représenter le tableau ci-dessus.

2. Répondez aux questions portant sur le texte suivant.

Un portrait de la famille[5]

Depuis une trentaine d'années, le Québec a connu d'importants changements démographiques et socioéconomiques qui ont modifié radicale-

---

5. À moins d'indication contraire, les données de ce texte sont tirées de: Bureau de la statistique du Québec, *Un portrait statistique des familles et des enfants au Québec*, Québec, Gouvernement du Québec, 1999.

ment la vie familiale. Auparavant, l'homme et la femme qui souhaitaient vivre ensemble se mariaient et s'attendaient à voir leur mariage s'épanouir avec l'arrivée d'enfants. Les changements des mentalités et les modifications des lois ont eu de profonds effets sur l'institution familiale que ce soit par rapport aux différentes façons de former une union – mariage (civil ou religieux) ou union libre –, à la prévalence des différents types d'union, à la taille de la famille, à l'âge où les femmes ont des enfants, etc.

Ainsi, au Québec, entre 1973 et 1998, le nombre de mariages n'a cessé de diminuer (tableau 1).

De plus, avec la sécularisation de la société, la proportion des mariages civils parmi l'ensemble des mariages a augmenté au détriment des mariages religieux (tableau 2).

Tableau 1

Évolution du nombre de mariages, Québec, 1973-1998

Année	Nombre de mariages
1973	52 133
1978	46 149
1983	36 147
1988	33 469
1993	25 018
1998	22 940

Source : Institut de la statistique du Québec, *Statistiques démographiques, les mariages et les divorces*, stat.gouv.qc.ca.

Tableau 2

Évolution de la proportion des mariages civils par rapport à l'ensemble des mariages, Québec, 1973-1998

Année	Proportion des mariages civils (%)
1973	6,7
1978	16,8
1983	22,9
1988	27,0
1993	31,8
1998	29,9

Source : Institut de la statistique du Québec, *Statistiques démographiques, les mariages et les divorces*, stat.gouv.qc.ca.

Par ailleurs, au Québec, en 1996, 63,6 % des familles étaient formées de couples mariés et 20,5 % de couples en union libre alors que les autres familles étaient monoparentales. Ces proportions étaient respectivement de 74,8 %, 10,8 % et 14,4 % en 1986.

La structure des familles monoparentales a aussi changé. Le principal facteur conduisant à la monoparentalité était le veuvage en 1971 tandis que c'était le divorce en 1996. Ainsi, au Québec, en 1996, les parents seuls se répartissaient de la façon suivante selon leur état matrimonial : 37 % étaient divorcés, 26 % n'avaient jamais été mariés, 16 % étaient séparés et 21 % étaient veufs.

Parallèlement aux changements quant à sa structure, la famille québécoise s'est également transformée en qui a trait à sa taille. Ainsi, la taille moyenne des familles a diminué de près d'une unité entre 1971 et 1996, passant de 3,90 personnes par famille à 2,99 personnes par famille.

Par ailleurs, les femmes ont reporté la maternité dans le temps, ce qui constitue sans doute un facteur contribuant à la baisse de la natalité au Québec et, par le fait même, à la diminution de la taille des familles. Ainsi, entre 1976 et 1996, l'âge moyen des femmes ayant donné naissance à un premier enfant est passé de 25,24 ans à 26,41 ans. Quant à l'âge moyen des mères quel que soit le rang du nouveau-né à la naissance, il est passé de 27,33 ans à 28,17 ans.

Tableau 3

**Répartition en pourcentage des naissances,
selon l'âge de la mère, Québec, 1996**

Âge de la mère	Pourcentage des naissances (%)
10 – 15	0,1
15 – 20	4,6
20 – 25	19,6
25 – 30	34,3
30 – 35	29,4
35 – 40	10,5
40 – 45	1,4
45 – 50	0,1
Total	100,0

Source : Bureau de la statistique du Québec, *Un portrait statistique des familles et des enfants au Québec*, Québec, Gouvernement du Québec, 1999, p. 44 et 46.

L'institution sociale qu'est la famille a donc subi une profonde transformation depuis une trentaine d'années et il y a fort à parier que d'autres changements sont encore à venir.

a) Construisez un diagramme linéaire qui permettrait d'apprécier les changements de l'importance relative de chacun des différents types de familles entre 1986 et 1996 (4e paragraphe).

b) Construisez un diagramme à bandes rectangulaires donnant la répartition des familles monoparentales, selon l'état matrimonial du parent, en 1996 (5e paragraphe).

c) Quelles autres représentations graphiques aurait-on pu utiliser pour représenter la répartition des familles monoparentales, selon l'état matrimonial du parent?

d) Au Québec, en 1996, quel était l'état matrimonial le plus courant des parents seuls? À quoi reconnaît-on cette modalité dans le graphique construit en b?

e) Au Québec, en 1996, quelle était la catégorie d'âge la plus courante des femmes qui ont donné naissance à un enfant (tableau 3)?

f) Représentez les renseignements contenus dans le tableau 3 sous forme d'histogramme.

g) Représentez les renseignements contenus dans le tableau 3 sous forme d'une courbe des fréquences relatives cumulées.

h) Complétez: «Environ 50 % des femmes ayant donné naissance à un enfant au Québec en 1996 étaient âgées de moins de _____ ans.»

i) Environ quel pourcentage des femmes ayant donné naissance à un enfant au Québec en 1996 étaient âgées de moins de 22 ans?

Dans un article paru dans l'édition du printemps 1998 de *Tendances sociales canadiennes*, on a présenté des résultats de l'Enquête sociale générale menée par Statistique Canada où on tentait de déterminer les facteurs influant sur l'intention d'avoir des enfants. Voici à quoi aurait pu ressembler les réponses de 80 Québécois âgés de 20 à 40 ans à la question: «Combien d'enfants avez-vous l'intention d'avoir, en comptant ceux que vous avez déjà?».

Nombre d'enfants souhaités

0	0	0	0	0	1	1	1	1	1	1	1	1	1	1	1	1	1	2	2
2	2	2	2	2	2	2	2	2	2	2	2	2	2	2	2	2	2	2	2
2	2	2	2	2	2	2	2	2	2	2	3	3	3	3	3	3	3	3	3
3	3	3	3	3	3	3	3	3	4	4	4	4	4	4	4	4	4	5	5

j) Quelle est la nature de la variable «Nombre d'enfants souhaités»?

k) Quelle est l'échelle de mesure utilisée pour mesurer la variable «Nombre d'enfants souhaités»?

l) Représentez graphiquement la série statistique portant sur le nombre d'enfants souhaités par les 80 Québécois âgés de 20 à 40 ans.

5

Autres
tableaux
et graphiques

*The preliminary examination of most data is facilitated
by the use of diagrams. Diagrams prove nothing, but bring
outstanding features readily to the eye...*

SIR RONALD A. FISCHER

À la fin de ce chapitre, vous devriez être en
mesure de répondre aux questions suivantes:

- *À quoi servent les tableaux qui ne sont pas des tableaux
  de fréquences?*
- *Quels graphiques servent à représenter des tableaux qui ne sont pas
  des tableaux de fréquences?*
- *Qu'est-ce qu'une série chronologique?*
- *Quelles sont les mesures qui permettent de décrire une série
  chronologique?*
- *Comment décrit-on une série chronologique?*

*A*u chapitre 4, nous avons étudié les tableaux de fréquences, qui servent essentiellement à dénombrer des unités statistiques par modalités, par valeurs ou par classes. Toutefois, les tableaux peuvent servir à bien d'autres fins. Comme on le fait pour les tableaux de fréquences, on peut généralement représenter graphiquement les renseignements contenus dans de tels tableaux.

5.1   Autres tableaux

En plus de présenter des dénombrements, les tableaux peuvent être employés notamment pour décomposer un ensemble en ses différentes parties, pour montrer des résultats de façon schématique, pour faire ressortir un lien entre des variables ou encore pour mettre en évidence l'évolution d'une variable dans le temps.

▶ **EXEMPLE**

Le tableau 5.1 présente la composition du contenu d'un sac à ordures typique.

Tableau 5.1

Composition d'un sac à ordures

Produit	Pourcentage de la masse totale (%)
Matières organiques	33
Papier, carton	31
Plastique	7
Verre	6
Métaux	5
Autres	18
Total	100

Source : É. Smeesters, «Le compostage domestique», *Fleurs, Plantes et Jardins*, encart au vol. 4, n° 5, septembre 1993, p. 4.

Ce tableau n'est pas un tableau de fréquences, puisqu'on n'a pas dénombré les ordures : cela n'aurait eu aucun sens. On a plutôt évalué leur masse et, ensuite, calculé le pourcentage de la masse totale que représentait chaque produit.

À la lecture de ce tableau, il est facile de constater qu'au moins 80 % (les matières organiques, le papier et le carton, le plastique, le verre et les métaux) du contenu d'un sac à ordures peut être recyclé.

La somme des différentes proportions donne évidemment 100 %, puisque ce tableau présente toutes les composantes d'un ensemble. C'est pourquoi un diagramme à secteurs (ou un diagramme linéaire) serait tout à fait approprié pour représenter la composition d'un sac à ordures. Comme d'habitude, le graphique permet de bien saisir l'importance relative de chacun des éléments.

Figure 5.1

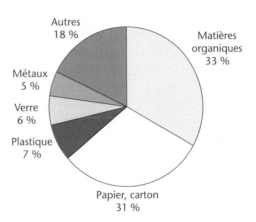

Composition d'un sac à ordures

Source : É. Smeesters, « Le compostage domestique », *Fleurs, Plantes et Jardins*, encart au vol. 4, n° 5, septembre 1993, p. 4.

Dans le cas d'autres tableaux comportant des pourcentages, il serait incorrect de faire un total et inconcevable de les représenter graphiquement au moyen d'un diagramme à secteurs ou d'un diagramme linéaire.

▶ **EXEMPLE**

Le tableau 5.2 présente le taux de chômage au Québec, en 1998, en fonction du niveau de scolarité.

Tableau 5.2

Taux de chômage, selon le niveau de scolarité, Québec, 1998

Niveau de scolarité	Taux de chômage (%)
Études secondaires partielles	16,6
Études secondaires complétées	11,0
Certificat ou diplôme d'études postsecondaires	8,4
Diplôme universitaire	5,0

Source : Statistique Canada, *Le point sur la population active*, n° 71-005 au catalogue, septembre 1999, p. 50.

Ce tableau n'est pas un tableau de fréquences. Il exprime une relation entre les variables « niveau de scolarité » et « taux de chômage ». Les taux ne représentent pas la proportion des Québécois de chaque niveau de scolarité par rapport à tous les Québécois; ils donnent la proportion des chômeurs de chaque niveau de scolarité par rapport à la population active (l'ensemble des Québécois qui occupent un emploi ou sont au chômage) ayant ce même niveau de scolarité.

Dans ce tableau, les 16,6 % ne nous disent pas que 16,6 % des Québécois n'ont pas complété leurs études secondaires, ni que 16,6 % des chômeurs n'ont pas complété leurs études secondaires. Ce pourcentage nous apprend que 16,6 % des Québécois de la population active qui n'ont pas complété leurs études secondaires sont chômeurs.

Une lecture attentive de ce tableau nous apprend que le taux de chômage diminue lorsque le niveau de scolarité augmente: les gens plus scolarisés sont moins susceptibles d'être au chômage que les gens moins scolarisés. En effet, chez les diplômés universitaires, on ne retrouve que 5,0 % de chômeurs contre 11,0 % chez les diplômés du secondaire.

Comme il n'y a pas une base unique de comparaison, mais qu'il y en a autant que de niveaux de scolarité, on ne peut pas additionner les taux et espérer que le total donne 100 %. Il est clair que ni le diagramme à secteurs ni le diagramme linéaire ne peuvent être employés pour représenter ces renseignements.

Par contre, la diminution du taux de chômage selon l'augmentation de la scolarité se constate aisément si on présente les renseignements dans un diagramme à bandes rectangulaires (figure 5.2).

Figure 5.2

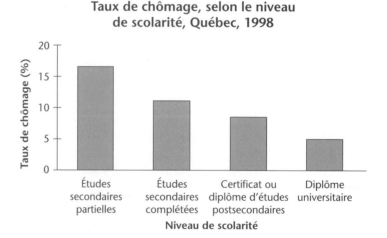

Taux de chômage, selon le niveau de scolarité, Québec, 1998

Source: Statistique Canada, *Le point sur la population active,* n° 71-005 au catalogue, septembre 1999, p. 50.

Comme on vient de l'illustrer dans l'exemple précédent, le diagramme à bandes rectangulaires peut faire ressortir un lien entre deux variables. Les axes correspondent alors aux deux variables qu'on veut mettre en relation. Par convention, on place la **variable indépendante** en abscisse, et la **variable dépendante** en ordonnée.

> **EXEMPLE**

Le tableau 5.3 présente la relation entre la scolarité du chef de famille et le revenu familial moyen, relation qu'on peut également représenter graphiquement (figure 5.3).

Parce que ce tableau ne décrit pas une population selon ses différentes composantes, il nous est impossible d'en tirer un diagramme à secteurs ou un diagramme linéaire. Ce tableau présente plutôt le lien entre deux variables, la scolarité et le revenu moyen. Nous avons donc utilisé un diagramme à bandes rectangulaires pour illustrer ce lien.

Variable indépendante

Variable dont dépend une autre variable lorsqu'on les met en relation. Dans un graphique, il est conventionnel de placer la variable indépendante sur l'axe horizontal.

Variable dépendante

Variable qu'on exprime en fonction d'une autre variable. Dans un graphique, il est conventionnel de placer la variable dépendante sur l'axe vertical.

Tableau 5.3

Revenu moyen des familles, selon le niveau d'éducation du chef de famille, Québec, 1996

Niveau d'éducation	Revenu moyen ($)
Études secondaires partielles	40 227
Études secondaires complètes	45 427
Diplôme postsecondaire	51 043
Diplôme universitaire	77 152

Source : Bureau de la statistique du Québec, *Un portrait statistique des familles et des enfants au Québec*, Gouvernement du Québec, 1999, p. 166.

Figure 5.3

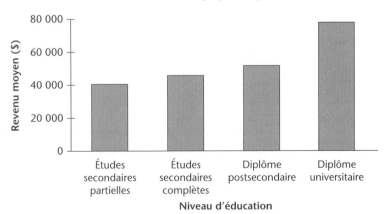

Revenu moyen des familles, selon le niveau d'éducation du chef de famille, Québec, 1996

Source : Bureau de la statistique du Québec, *Un portrait statistique des familles et des enfants au Québec*, Gouvernement du Québec, 1999, p. 166.

Ce graphique nous permet de visualiser la relation qui existe entre le niveau d'éducation et le revenu. On peut très bien y constater la croissance du revenu moyen lorsque le niveau d'éducation augmente. Le revenu est considéré comme la variable dépendante, puisqu'il est exprimé en fonction du niveau d'éducation: on veut expliquer les différences de revenu moyen par le niveau d'éducation et non l'inverse. C'est pourquoi le niveau d'éducation (variable indépendante) a été placé sur l'axe des abscisses, et le revenu (variable dépendante) sur l'axe des ordonnées. ◀

Étant donné que les trois derniers tableaux ne sont pas des tableaux de fréquences, le titre «Répartition des [unités statistiques], selon [la variable étudiée]» n'est pas approprié. Dans un tel cas, le titre du tableau est choisi de façon à décrire de manière concise les renseignements qu'on y trouve.

Comme d'habitude, un commentaire accompagne généralement le tableau de façon à en faire ressortir les principales caractéristiques.

▶ EXEMPLE

Le tableau 5.4 comporte deux parties: la répartition des familles à faible revenu et la prévalence de faible revenu[1] selon les caractéristiques de la famille.

Tableau 5.4

Répartition en pourcentage des familles à faible revenu et prévalence de faible revenu, selon les caractéristiques de la famille, Canada, 1997

Caractéristiques de la famille	Pourcentage des familles à faible revenu (%)	Prévalence (%)
Couples mariés seulement	22,1	9,1
Couples mariés avec enfants célibataires seulement	35,0	10,9
Couples mariés avec enfants et (ou) d'autres parents	1,9	6,3
Familles monoparentales dirigées par un homme	2,5	17,0
Familles monoparentales dirigées par une femme	32,7	46,4
Autres familles	5,8	15,9
Total	**100,0**	

Source: Statistique Canada, *Répartition du revenu au Canada selon la taille du revenu*, n° 13-207-XPB au catalogue, 1999, p. 187 et 192.

1. La prévalence de faible revenu représente le pourcentage des familles à faible revenu parmi l'ensemble des familles de chaque type.

Les pourcentages de la première colonne font référence à une même base : l'ensemble des familles à faible revenu. Il est donc normal d'en faire le total et d'obtenir 100 %. Ce tableau nous apprend que 22,1 % des familles à faible revenu sont des couples mariés seulement et que 32,7 % des familles à faible revenu, soit près d'une famille sur trois, sont des familles monoparentales dirigées par une femme.

Les pourcentages de la deuxième colonne n'ont pas tous la même base de référence. Il faut comprendre que 9,1 % de toutes les familles composées d'un couple marié seulement ont un faible revenu, alors que 46,4 %, soit près d'une sur deux, de toutes les familles monoparentales dirigées par une femme ont un faible revenu. On exprime donc une relation entre le type de famille et la prévalence de faible revenu. Ainsi, bien que 35,0 % des familles à faible revenu soient des familles composées d'un couple marié avec des enfants célibataires seulement, on ne dénombre que 10,9 % des familles de ce type ayant un faible revenu. Une personne appartenant à une famille monoparentale dirigée par une femme court plus de risques d'être pauvre (à faible revenu) que si elle appartenait à une famille du type « couple marié avec enfants célibataires seulement ». Ce tableau montre donc que la pauvreté familiale est principalement le lot de la monoparentalité féminine. ◄

EXERCICE 5.1

Tracez deux graphiques (un pour la répartition des familles à faible revenu et l'autre pour la prévalence de faible revenu) pour représenter les renseignements contenus dans le tableau 5.4.

Les tableaux peuvent également servir à montrer l'évolution d'une variable dans le temps ; on parle alors de série chronologique. En raison de leur importance, nous consacrons une section entière à l'étude des séries chronologiques.

5.2　Les séries chronologiques

Série chronologique
Tableau présentant l'évolution d'une variable dans le temps.

On étudie souvent l'évolution d'une variable dans le temps : on établit alors une **série chronologique**. On peut présenter une série chronologique au moyen d'un tableau dans lequel la première colonne représente le temps, et les autres colonnes la ou les variables qui évoluent en fonction du temps. Les tableaux 5.5 et 5.6 montrent deux séries chronologiques pour des variables qualitatives.

Lorsqu'une série chronologique porte sur une variable mesurée selon une échelle d'intervalles ou de rapports, le tableau qui la représente s'intitule généralement : « Évolution de [la variable étudiée]... », comme on le voit au tableau 5.7.

Tableau 5.5

Gagnants de la Coupe Stanley, 1995-2000

Année	Équipe gagnante
1995	Devils
1996	Avalanche
1997	Red Wings
1998	Red Wings
1999	Stars
2000	Devils

Source: S. Girvan, dir., *Canadian Global Almanac 2001*, Toronto, Macmillan, 2000, p. 732.

Tableau 5.6

Rang des Expos de Montréal à la fin de la saison, 1995-2000

Année	Rang dans la division
1995	5
1996	2
1997	4
1998	4
1999	4
2000	4

Source: S. Girvan, dir., *Canadian Global Almanac 2001*, Toronto, Macmillan, 2000, p. 696.

▶ **EXEMPLE**

Le tableau 5.7 montre l'évolution, entre 1956 et 1996, de la proportion des personnes âgées de 65 ans et plus par rapport à la population du Québec.

Tableau 5.7

Évolution de la proportion des personnes âgées de 65 ans et plus dans la population, Québec, 1956-1996

Année	Pourcentage (%) de la population âgée de 65 ans et plus
1956	5,7
1966	6,1
1976	7,7
1986	10,0
1996	12,1

Source: Statistique Canada, *Recensement 1991*, n° 93-310 au catalogue, 1992, p. 11 et *Profil des divisions et subdivisions de recensement du Québec*, vol. 1, n° 95-186-XPB au catalogue, 1999, p. 34.

On constate que, en 1956, environ 1 personne sur 20 (5,7 %) était âgée de 65 ans et plus. Cette proportion a augmenté progressivement jusqu'en 1996, pour atteindre plus du double de celle de 1956, soit plus de 1 personne sur 10 (12,1 %).

Ce tableau constitue davantage qu'une liste de données : il indique un phénomène de croissance de la variable dans le temps. Il montre l'accroissement de la proportion de personnes âgées dans la population totale au cours de la deuxième moitié du XXe siècle au Québec. Toutefois, ce tableau de nature quantitative ne révèle rien des facteurs qui pourraient expliquer cette tendance. Celle-ci est-elle due à la baisse du taux de natalité ? À l'augmentation de l'espérance de vie ? Aux progrès de la médecine ? À une meilleure alimentation ? Ce tableau invite en fait le chercheur à poursuivre ses travaux.

5.2.1 Les mesures sur les séries chronologiques

Dans le cas d'une série chronologique où la variable est mesurée selon une échelle de rapports ou d'intervalles, il est intéressant d'étudier les fluctuations de la variable entre deux moments donnés. C'est pourquoi nous allons définir ici trois concepts clés qui permettront de commenter et de décrire de manière quantitative des séries chronologiques : la variation, la variation relative et la variation moyenne.

A LA VARIATION

Variation

Mesure de l'augmentation ou de la diminution de la valeur d'une variable entre deux moments donnés. Elle s'exprime généralement dans les mêmes unités que la variable.

La **variation** mesure l'augmentation ou la diminution de la valeur d'une variable entre deux moments donnés a et b. L'ordre alphabétique correspond ici à l'ordre chronologique, c'est-à-dire que $b > a$. Si nous désignons les valeurs d'une variable au temps t par $V(t)$, la variation d'une variable entre le temps a et le temps b, désignée par ΔV, se calcule au moyen de la formule suivante :

$$\Delta V = V(b) - V(a)$$

La variation est généralement exprimée dans les mêmes unités que la variable. Elle mesure l'augmentation ($\Delta V > 0$) ou la diminution ($\Delta V < 0$) de la variable au cours de la période étudiée, soit dans l'intervalle de temps $[a ; b]$.

▶ **EXEMPLE**

Examinons le tableau 5.8.

Tableau 5.8

Évolution du revenu moyen des familles, Canada, 1990-1997

Année	Revenu moyen ($)
1990	51 122
1991	52 711
1992	53 206
1993	53 065
1994	54 153
1995	55 247
1996	56 629
1997	57 146

Source: Statistique Canada, *Répartition du revenu au Canada selon la taille du revenu*, n° 13-207-XPB au catalogue, 1999, p. 63.

Ce tableau nous apprend qu'au Canada le revenu moyen des familles a augmenté de 6 024 $ entre 1990 et 1997. Cette variation se calcule ainsi:

$$\Delta V = V(b) - V(a)$$
$$= V(1997) - V(1990)$$
$$= 57\ 146\ \$ - 51\ 122\ \$$$
$$= 6\ 024\ \$$$

◄

EXERCICE 5.2

Le tableau suivant donne l'espérance de vie à la naissance au Québec, par sexe, en 1972 et en 1997. Lequel des deux sexes a connu la plus forte augmentation de l'espérance de vie entre ces deux années?

Espérance de vie (années) à la naissance, par sexe, Québec, 1972 et 1997

Année	Sexe	
	Hommes	Femmes
1972	68,55	75,42
1997	74,60	80,99

Source: Institut de la statistique du Québec, *Statistiques démographiques, les décès et la mortalité*, stat.gouv.qc.ca.

Lorsque la variable d'une série chronologique est en pourcentage, la variation s'exprime en points (ou points de pourcentage).

▶ **EXEMPLE**

En s'appuyant sur le tableau 5.7 (page 168), qui présente l'évolution de la proportion des personnes âgées de 65 ans et plus au Québec de 1956 à 1996, on dira que cette proportion a augmenté de 6,4 points (soit 12,1 – 5,7) entre 1956 et 1996. Il serait faux de dire que l'augmentation a été de 6,4 %, car une augmentation exprimée en pourcentage représente toujours une variation relative, concept que nous étudions dans la section suivante. ◀

B⟩ LA VARIATION RELATIVE

Variation relative

Pourcentage d'augmentation ou de diminution de la valeur d'une variable entre deux moments donnés.

La **variation relative** représente l'augmentation ou la diminution de la valeur de la variable entre deux moments donnés par rapport à la valeur initiale de la variable : il s'agit donc du pourcentage d'augmentation ou de diminution de la valeur de la variable. Certains auteurs l'appellent aussi « taux de variation ». Toutefois, nous éviterons cette appellation de crainte que vous la confondiez avec le taux de variation que vous avez peut-être étudié en calcul différentiel.

La variation relative s'exprime en pourcentage et elle est désignée par $\Delta V\%$. La variation relative est donnée par la formule suivante :

$$\Delta V\% = \frac{V(b) - V(a)}{V(a)} \times 100 \%$$

▶ **EXEMPLES**

1. Selon les données du tableau 5.8 (page 170), qui porte sur le revenu moyen des familles, on peut dire que ce dernier a augmenté de 11,8 % entre 1990 et 1997. Il s'agit du pourcentage de variation :

$$\Delta V\% = \frac{V(b) - V(a)}{V(a)} \times 100 \% = \frac{57\,146 - 51\,122}{51\,122} \times 100 \% = 11,8 \%$$

2. Le tableau 5.7 (page 168) portant sur la proportion des personnes âgées dans la population du Québec montre que la variation relative entre 1956 et 1996 est de 112,3 %, soit :

$$\Delta V\% = \frac{V(b) - V(a)}{V(a)} \times 100 \% = \frac{12,1 - 5,7}{5,7} \times 100 \% = 112,3 \%$$

La proportion des personnes âgées de 65 ans et plus dans la population du Québec a donc augmenté de 112,3 % entre 1956 et 1996. ◀

EXERCICE 5.3

Reprenez le tableau de l'exercice 5.2 (page 170), qui donne l'espérance de vie à la naissance par sexe en 1972 et en 1997. Lequel des deux sexes a connu le plus grand pourcentage d'augmentation de l'espérance de vie au cours de la période étudiée ?

C⟩ LA VARIATION MOYENNE

La **variation moyenne**[2] (ou *variation par unité de temps*) d'une variable pour un intervalle de temps [*a* ; *b*] représente l'augmentation ou la diminution de la valeur de la variable, au cours de la période considérée, par unité de temps. Elle est donc mesurée en unités de la variable par unité de temps. La variation moyenne est calculée par la formule suivante :

$$\frac{\Delta V}{\Delta t} = \frac{V(b) - V(a)}{b - a}$$

> **EXEMPLE**

La variation moyenne du revenu moyen des familles canadiennes entre 1990 et 1997 (tableau 5.8, page 170) a été de 860,57 $/an, soit :

$$\frac{\Delta V}{\Delta t} = \frac{V(b) - V(a)}{b - a} = \frac{57\,146 - 51\,122}{1997 - 1990} = 860,57$$

Le revenu moyen des familles canadiennes a donc augmenté, en moyenne, de 860,57 $ par année entre 1990 et 1997. ◀

La variation, la variation relative et la variation moyenne sont utiles pour décrire et commenter une série chronologique de façon plus détaillée. Quelle que soit la mesure utilisée, une valeur positive indiquera toujours une augmentation de la variable et une valeur négative, une diminution de cette variable.

Le commentaire d'une série chronologique comprend généralement les éléments suivants :

- Le lieu ;
- La période ;
- Le phénomène (croissance, décroissance, stabilité, oscillation) ;
- Les valeurs extrêmes pertinentes de la variable (début et fin de période, maximum, minimum) ;
- La valeur des différentes mesures de variation.

> **EXEMPLE**

Examinons le tableau 5.9.

---

2. Nous rappelons à ceux et celles qui ont étudié la géométrie analytique ou le calcul différentiel que la variation moyenne représente la pente de la droite qui relie les points (*a* ; *V*(*a*)) et (*b* ; *V*(*b*)), ce qu'on appelle aussi le taux moyen de variation. Voilà qui explique pourquoi nous avons évité l'expression « taux de variation » pour désigner la variation relative.

Tableau 5.9

Évolution du nombre annuel de naissances de faible poids (moins de 2 500 g), Québec, 1977-1997

Année	Nombre de naissances (faible poids)
1977	6 491
1982	5 858
1987	5 042
1992	5 418
1997	4 744

Source: Institut de la statistique du Québec, *Statistiques démographiques, les naissances et la fécondité* stat.gouv.qc.ca.

Voici comment on pourrait commenter ce tableau: Au Québec (le lieu), entre 1977 et 1997 (la période), le nombre annuel de naissances de faible poids a diminué de manière importante (le phénomène). De 6 491 en 1977, le nombre de naissances de faible poids est passé à 4 744 en 1997 (les valeurs extrêmes). Ainsi, en 1997, on a dénombré 1 747 naissances de faible poids de moins qu'en 1977 (variation), ce qui représente une baisse moyenne de 87,4 naissances de faible poids par année (variation moyenne), soit une baisse de 26,9 % pour cette période (la variation relative).

Il aurait toutefois été préférable de connaître également le nombre de naissances à chacune de ces années pour déterminer si cette baisse est principalement attribuable à une chute du nombre de naissances ou à d'autres facteurs. Consultez le site Internet de l'Institut de la statistique du Québec (stat.gouv.qc.ca) pour répondre à cette question. ◄

EXERCICE 5.4

Commentez le tableau suivant. Dans vos commentaires, faites intervenir la variation, la variation relative et la variation moyenne.

Évolution de la rémunération des femmes exprimée en pourcentage de la rémunération des hommes, chez les personnes ayant travaillé à temps plein toute l'année, Canada, 1976-1996

Année	Rémunération des femmes en pourcentage (%) de celle des hommes
1976	59,1
1981	63,7
1986	65,8
1991	69,6
1996	73,4

Source: Statistique Canada, *Annuaire du Canada 1999*, n° 11-402-XPF au catalogue, 1998, p. 253.

5.2.2 Les représentations graphiques des séries chronologiques

Historigramme

Représentation graphique d'une série chronologique. On l'appelle également *chronogramme*. On peut se servir d'un diagramme à bandes rectangulaires ou de la ligne brisée pour dresser un historigramme.

Comme son nom l'indique, l'**historigramme**, ou *chronogramme,* est un graphique historique. Il sert à représenter l'évolution d'une variable à travers le temps. Il est donc tout à fait approprié pour représenter une série chronologique.

A ⟩ LE DIAGRAMME À BANDES RECTANGULAIRES

Le diagramme à bandes rectangulaires peut être employé comme historigramme lorsque la variable étudiée est accompagnée d'un repère temporel.

▶ **EXEMPLE**

Le tableau 5.7 (page 168) donne des renseignements sur l'évolution de la population âgée au Québec. Ce tableau peut être représenté graphiquement à l'aide d'un historigramme sous forme de diagramme à bandes rectangulaires (figure 5.4).

Figure 5.4

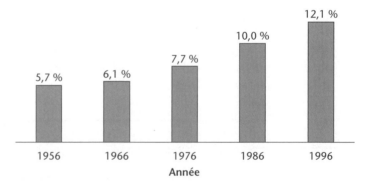

Évolution de la proportion des personnes âgées de 65 ans et plus dans la population, Québec, 1956-1996

Source: Statistique Canada, *Recensement 1991*, n° 93-310 au catalogue, 1992, p. 11 et *Profil des divisions et subdivisions de recensement du Québec*, vol. 1, n° 95-186-XPB au catalogue, 1999, p. 34.

Les remarques que nous avons faites en page 169 sur la croissance de la proportion des personnes âgées dans la population totale peuvent maintenant être visualisées grâce à ce graphique. ◀

Si on veut comparer l'évolution de plus de deux groupes distincts au cours de la même période, le diagramme à bandes rectangulaires n'est pas la représentation graphique la mieux adaptée. En effet, il ne permet pas d'étudier à la fois l'évolution d'un des groupes pendant toute la période considérée et les différences entre les groupes à un moment précis dans le temps.

▶ **EXEMPLE**

La figure 5.5 présente l'évolution du rapport de masculinité.

Figure 5.5

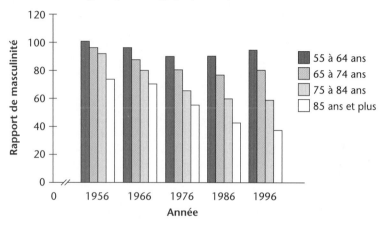

Évolution du rapport de masculinité pour certains groupes d'âge, Québec, 1956-1996

■ 55 à 64 ans
▨ 65 à 74 ans
▨ 75 à 84 ans
□ 85 ans et plus

Rapport de masculinité

Nombre d'hommes pour 100 femmes dans un groupe donné.

Note : Le **rapport de masculinité** représente le nombre d'hommes d'un groupe d'âge pour 100 femmes de ce groupe d'âge. Un rapport inférieur à 100 indique une sous-représentation des hommes dans un groupe d'âge ; un rapport supérieur à 100 indique une surreprésentation ; un rapport de 100 indique l'égalité numérique des deux sexes.

Source : Statistique Canada, *Recensement 1991*, n° 93-310 au catalogue, 1992, p. 11 et *Profil des divisions et subdivisions de recensement du Québec*, vol. 1, n° 95-186-XPB au catalogue, 1999, p. 34.

À partir de ce graphique, il est facile de constater, pour une année donnée, les différences entre les groupes d'âge quant au rapport de masculinité. Ainsi, pour chacune des années présentées, on peut constater que ce rapport diminue selon l'âge. Par contre, il est beaucoup plus difficile de suivre l'évolution du rapport de masculinité pour un groupe d'âge donné pendant toute la période allant de 1956 à 1996. ◀

B ⟩ LA LIGNE BRISÉE

Pour surmonter la difficulté que nous venons de décrire, on peut faire ressortir les renseignements voulus grâce à une **ligne brisée**.

Ligne brisée

Représentation graphique de l'évolution d'une variable dans le temps (historigramme). Elle est formée en reliant, dans un graphique cartésien, les points dont les coordonnées sont (temps ; valeur de la variable).

▶ **EXEMPLE**

Si on veut représenter l'évolution du rapport de masculinité par une ligne brisée, il suffit de relier avec des segments de droite les points dont les coordonnées sont (année ; rapport de masculinité) qui appartiennent au même groupe d'âge, et cela pour chacun des groupes d'âge. On obtient alors le graphique de la figure 5.6.

Figure 5.6

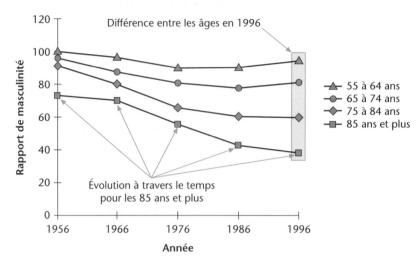

Évolution du rapport de masculinité pour certains groupes d'âges, Québec, 1956-1996

Source: Statistique Canada, *Recensement 1991*, n° 93-310 au catalogue, 1992, p. 11 et *Profil des divisions et subdivisions de recensement du Québec*, vol. 1, n° 95-186-XPB au catalogue, 1999, p. 34.

À partir de ce graphique, pour une année donnée, on peut facilement comparer les différences entre les groupes d'âge en ce qui a trait au rapport de masculinité. On observe également l'évolution à travers le temps du rapport de masculinité pour chacun des groupes d'âge étudiés.

D'après ce graphique, on constate que le rapport de masculinité est généralement inférieur à 100, peu importe l'année et le groupe d'âge. On peut également s'intéresser aux différences entre les groupes d'âge pour une année donnée. À titre d'exemple, en 1996, le rapport de masculinité diminue avec l'âge ; il est plus faible chez les «85 ans et plus» que chez les «55 - 64 ans». Cette constatation est également valable pour les autres années. Ce graphique souligne donc l'inégalité des sexes devant la mort : les hommes meurent plus tôt que les femmes, et ces dernières se trouvent rapidement en surnombre.

Ce graphique n'explique toutefois pas les raisons pour lesquelles les hommes meurent plus tôt que les femmes. Les explications sont-elles d'ordre physiologique ou génétique ou bien relèvent-elles plutôt de différences entre le style de vie des hommes et celui des femmes ? Ainsi, les hommes consomment-ils plus de tabac et d'alcool ? Surveillent-ils autant leur alimentation que les femmes ? Mènent-ils une vie plus sédentaire, mais plus stressante ?

Par ailleurs, on peut analyser l'évolution du rapport de masculinité à travers le temps pour un groupe d'âge donné. Par exemple, on constate que chez les «85 ans et plus» le rapport de masculinité a tendance à diminuer avec les années. Cette tendance se manifeste, mais dans une moindre mesure, dans les autres groupes d'âge.

Le graphique ne nous explique pas les raisons de cette chute. Pourrait-elle être due, en partie, à l'élimination ou à la réduction de causes de mortalité typiquement féminine (mortalité maternelle, cancer du sein, etc.). Des recherches plus poussées seraient nécessaires pour trouver une ou plusieurs explications à la baisse du rapport de masculinité à travers le temps. ◄

EXERCICE 5.5

Tracez un graphique approprié pour représenter les données suivantes et commentez-le.

Nombre de crimes violents par tranche de 100 000 habitants, régions métropolitaines de Québec, de Montréal et de Vancouver, 1993-1998

Année	Région métropolitaine		
	Québec	Montréal	Vancouver
1993	564	965	1 397
1994	601	960	1 319
1995	579	858	1 297
1996	539	839	1 325
1997	504	782	1 258
1998	456	827	1 170

Source : S. Girvan, dir., *Canadian Global Almanac 2000*, Toronto, Macmillan, 1999, p. 194.

Il existe d'autres types de représentation graphique. Les connaissances que vous avez acquises dans les chapitres 4 et 5 devraient vous permettre de les analyser correctement.

Terminons ce chapitre avec un dernier exemple un peu plus élaboré.

► **EXEMPLE**

Le graphique de la figure 5.7 présente des observations sur les jeunes adultes célibataires au Canada.

Ce graphique est assez complexe. Il comporte trois variables : le sexe, le groupe d'âge et l'année. Pour faire l'analyse d'un tel graphique, il est conseillé d'isoler, à tour de rôle, les fluctuations d'une seule des variables et de considérer toutes les autres comme fixes.

Nous pouvons étudier ce graphique sous l'angle des différences entre les sexes, entre les années ou entre les groupes d'âge.

Dans un premier temps, analysons les différences entre les sexes. On note que, pour un groupe d'âge et une année donnés, les jeunes femmes célibataires vivaient chez leurs parents dans une proportion moindre que celle des hommes célibataires. À titre d'exemple, en 1996, dans le groupe des « 30 à 34 ans », 19 % des femmes célibataires résidaient chez leurs parents contre 32 % des

Figure 5.7

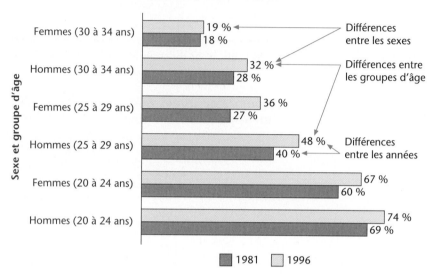

**Pourcentage des jeunes adultes célibataires
vivant chez leurs parents, selon le sexe et le groupe d'âge,
Canada, 1981 et 1996**

Source : M. Boyd et D. Norris, « Continuer de vivre chez ses parents », *Tendances sociales canadiennes*, Statistique Canada, n° 11-008 au catalogue, printemps 1999, p. 2 à 6.

hommes. En 1981, dans le groupe des « 20 à 24 ans », ces proportions étaient respectivement de 60 % pour les femmes et de 69 % pour les hommes.

Dans un deuxième temps, analysons les différences observées entre 1981 et 1996. Pour un groupe d'âge et un sexe donnés, les jeunes célibataires résidaient au domicile de leurs parents dans une proportion plus grande en 1996 qu'en 1981. Ainsi, entre 1981 et 1996, la proportion des hommes célibataires de 25 à 29 ans résidant chez leurs parents est passée de 40 % à 48 %. Il s'agit d'une augmentation de 8 points (soit 48 − 40) ou de 20 % (soit [(48 − 40) ÷ 40] × 100 %). Pour les femmes du même groupe d'âge, l'augmentation a été de 9 points ou de 33,3 %.

On peut également analyser les différences entre les groupes d'âge. Pour une année et un sexe donnés, on observe que la proportion des jeunes célibataires résidant chez leurs parents diminue avec l'âge. En effet, en 1996, la proportion des hommes célibataires de 30 à 34 ans résidant chez leurs parents est inférieure de 16 points (soit 32 − 48) ou de 33,3 % (soit [(32 − 48) ÷ 48] × 100 %) à la proportion observée chez ceux qui ont de 25 à 29 ans.

Nous aurions pu faire d'autres calculs, mais ceux-ci n'auraient pas expliqué les raisons des différences entre les hommes et les femmes, entre les groupes d'âge ni entre les années. Voyons ce que disaient les auteurs de l'article d'où les données ont été tirées[3].

---

3. Adapté de M. Boyd et D. Norris, « Continuer de vivre chez ses parents », *Tendances sociales canadiennes*, Statistique Canada, n° 11-008 au catalogue, printemps 1999, p. 2 à 6.

Le passage de l'adolescence à la vie adulte est marqué de nombreux changements. Quitter l'école secondaire, aller au collège ou à l'université, travailler à temps plein, acquérir son autonomie financière, se marier – tous sont des indicateurs communément reconnus du passage à l'âge adulte. Or, comme ces changements surviennent souvent au moment où l'enfant quitte le domicile familial, bon nombre voient également dans ce départ un élément du passage à l'âge adulte.

Depuis 1981, nous observons une augmentation du pourcentage des jeunes adultes dans la vingtaine et au début de la trentaine qui vivent encore chez leurs parents. Ces hausses vont à l'encontre de la tendance observée depuis le début du siècle et sont possiblement attribuables aux périodes de récession économique et de faible reprise de 1981 à 1986 et de 1991 à 1996. Vivre chez ses parents peut être un des moyens pris par les jeunes adultes en réponse au chômage, à la rémunération faible ou au faible revenu durant les études.

Un plus faible pourcentage de jeunes femmes vivent avec leurs parents, un phénomène que les chercheurs attribuent en partie aux rôles que l'on attribue aux sexes. Ainsi, il est possible que les parents supervisent de plus près la vie sociale de leurs filles que de leurs fils, de sorte que les femmes se sentiront plus libres si elles vont vivre ailleurs. Les chercheurs laissent entendre également que, comme elles participent davantage aux tâches ménagères durant l'adolescence, les jeunes femmes sont peut-être mieux en mesure de s'occuper elles-mêmes des repas, du ménage et de la lessive.

Un dernier facteur qui sous-tend cette hausse du pourcentage des jeunes adultes vivant chez leurs parents vient de ce que les jeunes restent célibataires plus longtemps. Depuis le milieu des années 1970, le taux de nuptialité des célibataires est en baisse, alors que l'âge moyen au moment du mariage est en hausse. Les femmes qui se sont mariées pour la première fois en 1996 avaient en moyenne trois ans de plus que celles qui se sont mariées en 1981 – l'âge étant de 27 ans contre 24 ans. De même, les hommes qui se sont mariés en 1996 avaient en moyenne 29 ans, comparativement à 26 ans en 1981. ◀

EXERCICE 5.6

Représentez le tableau suivant à l'aide du diagramme à bandes rectangulaires approprié. Commentez le graphique obtenu en relation avec celui présenté dans l'exemple précédent.

Pourcentage des jeunes adultes mariés ou conjoints de fait vivant chez leurs parents, selon le sexe et le groupe d'âge, Canada, 1981 et 1996

Sexe et âge	Année	
	1981	1996
Hommes (20 à 24 ans)	3 %	9 %
Femmes (20 à 24 ans)	3 %	7 %
Hommes (25 à 29 ans)	2 %	5 %
Femmes (25 à 29 ans)	1 %	4 %
Hommes (30 à 34 ans)	1 %	3 %
Femmes (30 à 34 ans)	1 %	2 %

Source : M. Boyd et D. Norris, « Continuer de vivre chez ses parents », *Tendances sociales canadiennes*, Statistique Canada, n° 11-008 au catalogue, printemps 1999, p. 2 à 6.

RÉSUMÉ

Les tableaux ne servent pas qu'à présenter des dénombrements. Ils sont également employés pour présenter des résultats sous une forme schématique, pour faire ressortir une relation entre deux variables ou encore pour souligner l'évolution d'une variable dans le temps (série chronologique).

Lorsqu'on commente une série chronologique, on peut faire appel aux concepts de variation (ΔV), de variation relative ($\Delta V\%$) ou de variation moyenne ($\Delta V/\Delta t$). Si la valeur de ces concepts est positive, la valeur de la variable a augmenté au cours de la période considérée; si elle est négative, elle a diminué. La variation renseigne sur l'augmentation ou la diminution de la valeur d'une variable au cours de la période étudiée; la variation relative, sur le pourcentage d'augmentation ou de diminution de la valeur d'une variable au cours de la période étudiée; la variation moyenne, sur l'augmentation ou sur la diminution moyenne de la valeur d'une variable par unité de temps au cours de la période étudiée. Voici les formules correspondant à ces concepts:

La variation (ΔV):

$$\Delta V = V(b) - V(a)$$

La variation relative ($\Delta V\%$):

$$\Delta V\% = \frac{V(b) - V(a)}{V(a)} \times 100\,\%$$

La variation moyenne $\left(\dfrac{\Delta V}{\Delta t}\right)$:

$$\frac{\Delta V}{\Delta t} = \frac{V(b) - V(a)}{b - a}$$

Lorsqu'on présente une série chronologique, il est d'usage de la commenter. Le commentaire comprend généralement les éléments suivants:

- Le lieu;
- La période;
- Le phénomène (croissance, décroissance, stabilité, oscillation);
- Les valeurs extrêmes pertinentes de la variable (début et fin de période, maximum, minimum);
- La valeur des différentes mesures de variation.

MOTS CLÉS

EXERCICES RÉCAPITULATIFS

1. À la suite d'une campagne de financement auprès de ses diplômés, la fondation d'une université a publié un tableau présentant les dons reçus par programme d'études.

	Dons ($)
Administration	500 000
Arts et lettres	90 000
Éducation	300 000
Ingénierie	250 000
Sciences humaines	210 000
Sciences pures	150 000
Total	

a) Complétez le tableau. Respectez les normes de présentation.

b) Quelle proportion de l'ensemble des dons provient des diplômés d'administration? Des sciences humaines?

c) Représentez les renseignements contenus dans le tableau sous forme d'un diagramme à secteurs et commentez.

2. À partir du graphique suivant, donnez une valeur approximative de la part du produit intérieur brut (PIB) consacrée aux dépenses de santé pour chacun des pays industrialisés du G-7.

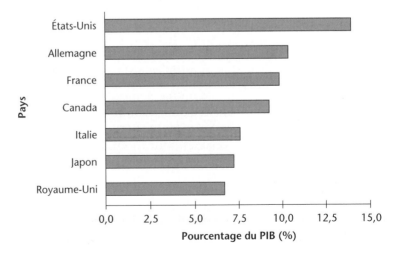

Pourcentage du PIB consacré aux dépenses de santé, pays du G-7, 1997

Source: Statistique Canada, *Rapport statistique sur la santé de la population canadienne*, (version révisée), n° 82 570-XIF au catalogue, mars 2000, p. 133.

3. Répondez aux questions à partir du texte suivant:

Attitude des Canadiens face au divorce[4]

Au Canada, depuis bon nombre d'années, on assiste à une banalisation du divorce. Le déshonneur autrefois associé au divorce a pratiquement disparu. Les lois sur le divorce se sont adoucies et facilitent maintenant la rupture d'unions malheureuses. Toutefois, malgré la fréquence des cas de divorce, on en sait peu sur les raisons pour lesquelles certains mariages réussissent alors que d'autres échouent.

Dans l'Enquête sociale générale de 1995 sur la famille et le soutien social, Statistique Canada a interrogé 11 000 Canadiens âgés de 15 ans et plus habitant dans les 10 provinces. Lors de cette vaste enquête, on s'est intéressé à l'opinion des Canadiens sur plusieurs sujets portant sur la famille, dont celui de la dissolution d'un mariage ou d'une union libre. On a tenté de déterminer les raisons qui justifient, aux yeux des Canadiens, la rupture d'une union.

On a également voulu étudier les différences d'opinion sur ce sujet entre les sexes et entre les générations. À cette fin, on a classé les Canadiens en trois groupes selon l'âge au moment de l'enquête: les aînés (50 ans et plus), les membres de la génération du baby-boom (30 à 49 ans) et ceux de la génération X (15 à 29 ans).

L'enquête de 1995 a mis au jour des différences importantes entre les générations sur les motifs que les Canadiens trouvent valables pour rompre une union, tels que le désaccord sur la gestion des finances familiales et les conflits relatifs à l'éducation des enfants.

Ainsi, le «désaccord constant sur la gestion des finances familiales» constitue un motif valable de rupture d'une union pour 28 % des membres de la génération X, pour 40 % des membres de la génération du baby-boom et pour 49 % de la génération des aînés. Ces proportions sont respectivement de 14 %, 17 % et de 21 % lorsqu'il s'agit du motif de «conflit relatif à l'éducation des enfants».

Comme le montrent les deux graphiques qui suivent, l'enquête de 1995 a également mis au jour des différences importantes entre les sexes et entre les générations sur d'autres motifs que les Canadiens trouvent valables pour rompre une union, tels que l'insatisfaction sexuelle et le partage insatisfaisant des tâches ménagères.

Par ailleurs, les différences entre les générations s'estompent lorsqu'il s'agit de problèmes fondamentaux à l'intérieur d'un couple. Ainsi, la plupart des Canadiens (95 %) considèrent que la violence conjugale constitue un motif valable de rupture d'une union. De même, l'infidélité, le manque de respect et la consommation excessive d'alcool d'un partenaire

---

4. Le texte est adapté de l'article de J. A. Frederick et J. Hamel, «Attitudes des Canadiens face au divorce», *Tendances sociales canadiennes*, Statistique Canada, n° 11-008-XPF au catalogue, printemps 1998, p. 6 à 11.

sont également considérés comme des motifs valables de rupture d'une union par une très grande majorité de Canadiens.

Proportion des répondants qui considèrent que l'insatisfaction sexuelle est un motif valable de rupture d'une union, selon le groupe d'âge, par sexe

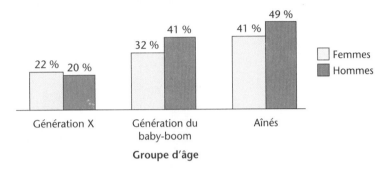

Proportion des répondants qui considèrent qu'une répartition insatisfaisante des tâches ménagères est un motif valable de rupture d'une union, selon le groupe d'âge, par sexe

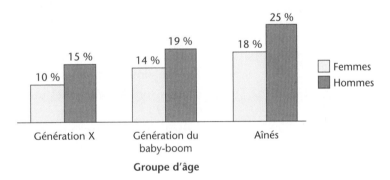

a) Qui a réalisé l'enquête ?

b) S'agit-il d'une enquête par sondage ou d'un recensement ? Justifiez votre réponse.

c) Quelle est la population étudiée ?

d) Commentez les deux graphiques présentés à la fin du texte.

e) Présentez les renseignements portant sur le motif «Désaccord constant sur la gestion des finances familiales» dans un graphique.

f) Présentez les renseignements portant sur le motif «Conflit relatif à l'éducation des enfants» dans un graphique.

g) En vertu des résultats présentés dans les graphiques du texte et dans ceux que vous avez construits en *e* et *f*, l'hypothèse selon laquelle «plus les Canadiens ont l'expérience des problèmes conjugaux, moins ils les tolèrent» vous semble-t-elle fondée ? Justifiez votre réponse.

4. Lors de l'Enquête nationale sur la santé de la population, Statistique Canada s'est intéressé aux déterminants de la santé. Les résultats de cette enquête ont mis en évidence un lien entre l'état de santé perçu et le revenu du ménage auquel la personne appartient.

Proportion des hommes et des femmes qui se sont déclarés en excellente ou en très bonne santé, selon la catégorie de revenu du ménage, par sexe

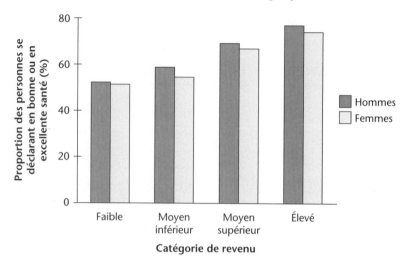

a) Quelles sont les variables présentées dans le graphique?

b) Quelles sont les modalités utilisées pour classer les ménages selon le revenu?

c) À partir du graphique, estimez le pourcentage des hommes faisant partie d'un ménage dont le revenu est élevé qui se sont déclarés en très bonne ou en excellente santé.

d) À partir du graphique, estimez le pourcentage des femmes faisant partie d'un ménage dont le revenu est faible qui se sont déclarées en très bonne ou en excellente santé.

e) En vertu des renseignements contenus dans le graphique, quel semble être l'impact du revenu sur la perception de son état de santé?

f) À partir des renseignements du graphique, comparez la perception des hommes et des femmes en ce qui a trait à leur état de santé.

5. Que représentent les symboles suivants?

a) ΔV;

b) $\Delta V\,\%$;

c) $\dfrac{\Delta V}{\Delta t}$.

6. Complétez les phrases suivantes:

a) Si une série chronologique porte sur des pourcentages, la variation s'exprime en _____ et non en pourcentage.

b) Si $\Delta V > 0$, alors la valeur de la variable a _____ au cours de la période considérée.

c) La variation relative mesure le _____ d'augmentation ou de diminution de la valeur d'une variable au cours d'un intervalle de temps.

7. Quels ont été (a) la variation, (b) la variation relative et (c) la variation moyenne des exportations canadiennes entre 1994 et 1998 si les exportations ont été respectivement de 213 milliards de dollars et de 298 milliards de dollars pour ces deux années ? *1994 – 213M 1998 · 298M*

8. Commentez les tableaux suivants :

a) **Évolution du taux d'urbanisation, Canada, 1956-1996**

Année	Taux d'urbanisation (%)
1956	66,6
1966	73,6
1976	75,5
1986	76,5
1996	77,9

Source : S. Girvan, dir., *Canadian Global Almanac 2000*, Toronto, Macmillan, 1999, p. 49.

b) **Évolution des profits des banques, Canada, 1992-1998**

Année	Profits (milliards $)
1992	1,5
1993	3,9
1994	5,8
1995	9,0
1996	11,8
1997	15,6
1998	16,5

Source : S. Girvan, dir., *Canadian Global Almanac 2000*, Toronto, Macmillan, 1999, p. 231.

c) **Évolution de la proportion des détenteurs d'un grade universitaire dans la population âgée de 15 ans et plus, Québec, Ontario, 1961-1996**

Année	Québec (%)	Ontario (%)
1961	2,9	3,4
1971	4,6	5,3
1981	7,1	9,0
1991	10,3	13,0
1996	12,2	14,9

Source : Institut de la statistique du Québec, *Éducation, état de la scolarisation*, stat.gouv.qc.ca.

9. Répondez aux questions à partir du tableau suivant:

**Évolution du nombre de naissances,
selon l'état matrimonial des parents, Québec, 1957-1997**

Année	Nombre de naissances (parents mariés)	Nombre de naissances (hors mariage)
1957	139 754	4 678
1967	97 760	7 043
1977	87 068	10 198
1987	58 581	25 019
1997	36 403	43 321

Source: Institut de la statistique du Québec, *Statistiques démographiques, les naissances et la fécondité*, stat.gouv.qc.ca.

a) Commentez le tableau.

b) Combien de naissances y a-t-il eu en 1957 au Québec?

c) Combien de naissances y a-t-il eu en 1997 au Québec?

d) Dressez un tableau présentant l'évolution du nombre de naissances au Québec entre 1957 et 1997.

e) Quelle a été l'augmentation (ou la diminution) du nombre annuel de naissances entre 1957 et 1997 au Québec?

f) Quelle a été l'augmentation (ou la diminution) relative du nombre annuel de naissances entre 1957 et 1997 au Québec?

g) Quelle fraction des naissances étaient hors mariage en 1957 au Québec?

h) Quelle fraction des naissances étaient hors mariage en 1997 au Québec?

i) Dressez un tableau présentant l'évolution de la proportion des naissances hors mariage au Québec entre 1957 et 1997 et commentez-le.

10. Répondez aux questions à partir du tableau suivant:

Issue des grossesses d'adolescentes (15-17 ans), Canada, 1989-1994

Année	Naissances vivantes	Avortements	Avortements spontanés ou mortinaissances
1989	7 362	6 446	936
1990	7 807	7 635	912
1991	8 064	7 722	939
1992	8 202	8 153	799
1993	7 975	8 249	762
1994	7 904	8 486	763

Source: S. Wadhera et W. J. Millar, «La grossesse chez les adolescentes, de 1974 à 1994», *Rapports sur la santé*, vol. 9, n° 3, Statistique Canada, n° 82-003-XPB au catalogue, 1997, p. 18.

a) Combien y a-t-il eu de grossesses d'adolescentes au Canada en 1994?

b) Commentez la série chronologique portant sur l'évolution des grossesses d'adolescentes dont l'issue est un avortement (troisième colonne seulement).

c) Quel pourcentage des grossesses d'adolescentes se sont terminées par un avortement en 1989? en 1994?

d) Quelles ont été la variation et la variation relative du pourcentage des grossesses d'adolescentes qui se sont terminées par un avortement au cours de la période 1989-1994?

e) Représentez dans un même graphique l'évolution des grossesses dont l'issue est une naissance vivante et l'évolution de celles dont l'issue est un avortement. Utilisez la ligne brisée.

f) Pourquoi les courbes construites en e se croisent-elles?

11. Construisez l'historigramme approprié pour représenter la série chronologique suivante et commentez-le.

Évolution de la rémunération ($) hebdomadaire moyenne, Québec, Ontario, Colombie-Britannique, 1992-1998

Année	Québec	Ontario	Colombie-Britannique
1992	535,49	576,85	545,89
1993	542,42	589,55	558,18
1994	546,81	604,79	577,92
1995	549,64	610,29	594,69
1996	554,35	625,71	607,54
1997	564,98	638,97	614,17
1998	571,68	646,78	618,62

Source: Statistique Canada, *L'observateur économique canadien, supplément statistique historique, 1998/1999*, n° 11-210-XPB au catalogue, juillet 1999, p. 111.

12. Déterminez la représentation graphique appropriée aux contextes donnés. Vous devez les employer toutes, une fois seulement.

- Histogramme
- Historigramme
- Diagramme à secteurs
- Diagramme à bâtons
- Diagramme à bandes rectangulaires
- Courbe des fréquences relatives cumulées

a) Évolution de l'emploi au Québec de 1990 à 2000.

b) Répartition des Québécois selon leurs revenus, afin de déterminer le pourcentage d'entre eux qui ont des revenus inférieurs à 50 000 $.

c) Répartition des Québécois, selon le groupe d'âge.

d) Répartition des Québécois, selon la langue maternelle (anglais, français, autre).

e) Répartition des familles québécoises, selon le nombre de voitures qu'elles possèdent.

f) Répartition des élèves d'un cégep, selon le sexe et le secteur d'études.

13. Examinez le graphique suivant:

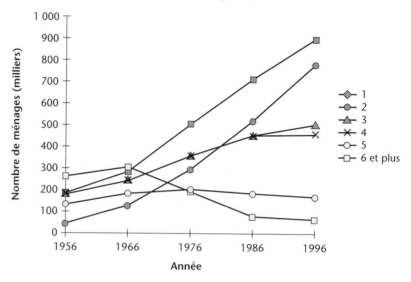

Évolution du nombre de ménages, selon le nombre de personnes dans le ménage, Québec, 1956-1996

Source: Institut de la statistique du Québec, *Statistiques démographiques, les mariages et les divorces,* stat.gouv.qc.ca.

a) À partir de ce graphique, complétez le tableau suivant. Respectez les normes de présentation.

Nombre de personnes dans le ménage	Nombre de ménages (milliers)	
	1956	1996
1	51	770
2	185	——
3	185	493
4	180	453
5	135	161
6 et plus	266	57
Total		

b) Que représente une unité statistique?

c) Quelle taille de ménage était la plus courante en 1956? en 1996?

d) Quel pourcentage des ménages québécois étaient formés d'une seule personne en 1956? en 1996?

e) Quelles ont été l'augmentation et l'augmentation relative du nombre de ménages à une seule personne entre 1956 et 1996?

f) Commentez le graphique.

14. À partir des climatogrammes des villes de Montréal et de Vancouver, faites ressortir les principales différences dans les régimes météorologiques de ces deux villes.

Température et précipitations moyennes, Montréal, 1951-1980

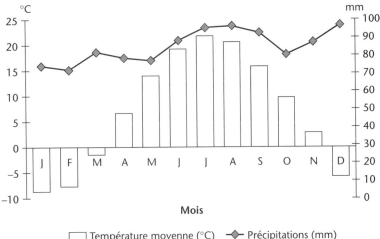

☐ Température moyenne (°C)   ◆ Précipitations (mm)

Température et précipitations moyennes, Vancouver, 1951-1980

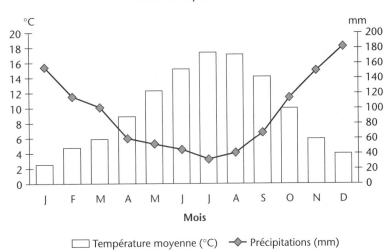

☐ Température moyenne (°C)   ◆ Précipitations (mm)

Source : Environnement Canada, *Normales climatiques (1951-1980)*, 1983.

15. Répondez aux questions à partir du texte suivant:

Du jamais vu[5]

On n'a jamais coupé autant de bois au Québec. Et pourtant, il n'a jamais été aussi rare. Au rythme d'environ 25 000 arbres par semaine, l'exploitation forestière avance, méthodiquement 24 heures sur 24, cinq jours par semaine.

L'an dernier, le film-pamphlet de Richard Desjardins et Robert Monderie, *L'Erreur boréale*, a soulevé l'indignation. La puissante force évocatrice des images des coupes à blanc défilant sans fin, ainsi que le charisme et les mots du poète natif de l'Abitibi, ont eu un retentissement que ni le gouvernement, ni l'industrie de la forêt n'auraient pu prévoir.

Mais *L'Erreur* ne faisait que «rendre public» un débat qui dure depuis plus longtemps dans les rangs des ingénieurs forestiers et jusqu'au sein même de l'industrie forestière.

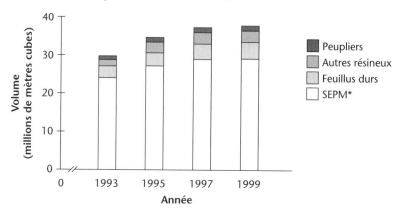

Droits de coupe forestière (millions de mètres cubes) par essence, Québec, 1993-1999

* SEPM: Sapin, épinette, pin gris et mélèze.

a) Le graphique confirme-t-il la première phrase du texte? Justifiez votre réponse en donnant une estimation des volumes de droits de coupe en 1993 et en 1999.

b) Pour quelle(s) essence(s) les droits de coupe sont-ils les plus considérables? Les moins considérables?

c) À partir du graphique, estimez le volume de droits de coupe pour le SEPM en 1999.

d) Commentez le graphique.

---

5. Le texte est un résumé des articles de B. Bisson, «Une forêt boréale à abattre» et «Du jamais vu!», *La Presse*, 11 mars 2000, p. B1.

16. Commentez les graphiques suivants :

a) **Pourcentage des familles ayant des enfants et nombre moyen d'enfants par famille, Canada, 1971-1996**

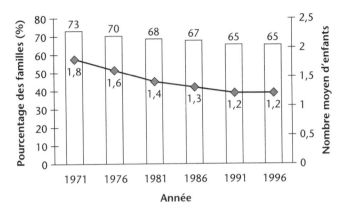

Source : Statistique Canada, *Rapport statistique sur la santé de la population canadienne*, (version révisée), n° 82-570-XIF au catalogue, mars 2000, p. 20.

b) **Prévalence du niveau de maturité scolaire des enfants de 4-5 ans, selon la scolarité du parent le plus scolarisé, Canada, 1994-1995**

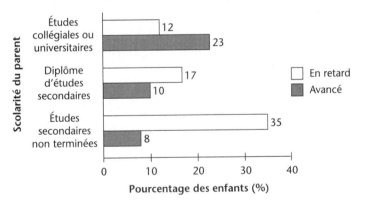

Source : Statistique Canada, *Rapport statistique sur la santé de la population canadienne*, (version révisée), n° 82-570-XIF au catalogue, mars 2000, p. 34.

c)

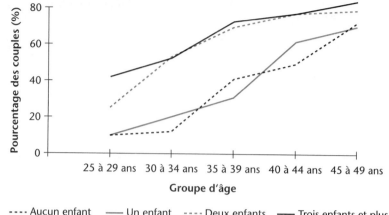

Pourcentage des couples où au moins un des deux conjoints a subi une forme de stérilisation

Source: A. Bélanger, «Tendances en matière de stérilisation contraceptive», *Tendances sociales canadiennes*, Statistique Canada, nº 11-008-XPF au catalogue, automne 1998, p. 19.

d)

Nombre de cas de sida déclarés, selon l'âge au diagnostic, par sexe, Québec, cumulatif au 30 septembre 1997

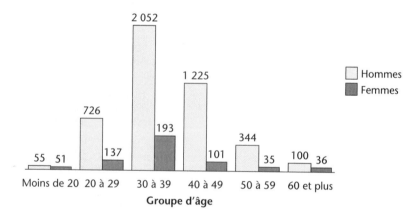

Source: Ministère de la Santé et des Services sociaux, *Statistiques VIH-Sida*, msss.gouv.qc.ca.

EXERCICES DE SYNTHÈSE

1. Répondez aux questions portant sur le texte suivant.

La démence chez les personnes âgées[6]

Vivre vieux, c'est peut-être une bénédiction, mais un certain nombre de troubles, comme la démence, ont tendance à se manifester avec l'âge. La démence, état qui inclut la maladie d'Alzheimer, la démence vasculaire et diverses maladies plus rares, est un syndrome clinique caractérisé par une altération progressive des facultés cognitives et affectives suffisamment grave pour perturber le fonctionnement quotidien et diminuer la qualité de vie. Comme le nombre de cas de démence devrait augmenter de manière considérable d'ici 2031 (figure 1), et que les coûts reliés aux soins des personnes souffrant de démence sont élevés, il devenait important de mesurer la prévalence de la démence au Canada et de déterminer certains des facteurs associés à cette maladie.

Figure 1

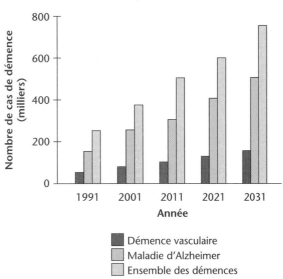

Projection du nombre de cas de démence, Canada, 1991-2031

En 1991, des chercheurs ont mené une étude [*Étude sur la santé et le vieillissement au Canada* (ESVC)] pour analyser le phénomène de la démence au Canada. À cette fin, ils ont prélevé au hasard un échantillon de 15 677 personnes parmi l'ensemble des Canadiens âgés de 65 ans

---

6. Le texte est adapté des articles de M. A. Burke, *et al.*, «La démence chez les personnes âgées», *Tendances sociales canadiennes*, Statistique Canada, n° 11-008-XPF au catalogue, été 1997, p. 24 à 27 et de G. Hill, *et al.*, «Démence chez les personnes âgées», *Rapports sur la santé*, vol. 8, n° 2, Statistique Canada, n° 82-003-XPB au catalogue, 1996, p. 7-11.

et plus vivant dans la collectivité ou en établissement (centre d'accueil, hôpital, résidence pour personnes âgées) afin d'évaluer l'état de santé mentale des personnes âgées. De ce nombre, seulement 10 263 personnes ont participé à l'enquête.

L'ESVC nous apprend que 8 % des Canadiens de 65 ans et plus souffraient de démence. De plus, la maladie d'Alzheimer est la forme de démence la plus répandue. En effet, 64 % des Canadiens souffrant de démence étaient atteints de cette maladie alors que 19 % étaient plutôt atteints de démence vasculaire et les autres, d'une autre forme de démence.

Comme on peut le constater à la lecture du tableau 1, la prévalence de la démence varie selon le sexe et l'âge.

Tableau 1

**Prévalence de la démence,
selon le groupe d'âge et le sexe, Canada, 1991**

Sexe	Groupe d'âge		
	65 à 74 ans	75 à 84 ans	85 ans et plus
Hommes	1,9 %	10,4 %	28,7 %
Femmes	2,8 %	11,6 %	37,1 %

Malheureusement, la démence affecte non seulement les personnes atteintes, mais aussi les personnes qui prennent soin de ces dernières. Une meilleure compréhension des facteurs de risque et l'élaboration de stratégies de prévention pourraient améliorer la qualité de vie et réduire le nombre de Canadiens atteints de démence. La considération de la démence, non plus comme un problème de santé particulier, mais comme un problème de santé communautaire pourrait également apporter une solution aux difficultés soulevées par le phénomène de la démence.

a) Quelle est la population cible de l'ESVC?

b) L'échantillon choisi est-il aléatoire? Justifiez votre réponse en citant un extrait du texte.

c) Quel était le taux de réponse à cette enquête?

d) Les chercheurs auraient aimé prélever un échantillon stratifié pour pouvoir mieux mettre au jour les différences entre les groupes quant à la fréquence de chacun des types de démence. Indiquez trois critères de stratification qui auraient pu être employés et qui sont mentionnés dans le texte de présentation.

e) Pourquoi l'échantillonnage stratifié n'est-il pas employé plus fréquemment?

f) L'énoncé: «L'ESVC nous apprend que 8 % des Canadiens de 65 ans et plus souffraient de démence» est-il descriptif ou inférentiel? Justifiez votre réponse. S'il s'agit d'inférence, est-ce une estimation ou un test d'hypothèse? Si c'est une estimation, est-elle ponctuelle ou par intervalle?

g) Quelle est la nature de la variable «Type de démence»?

h) Quelles sont les modalités ou les valeurs de cette variable?

i) À partir de la figure 1, estimez le nombre de personnes qui souffriraient d'une forme ou d'une autre de démence en 2031.

j) Si les projections se confirment, estimez, à partir de la figure 1, l'augmentation et l'augmentation relative du nombre de cas de maladie d'Alzheimer entre 1991 et 2031.

k) En 1991, quelle était la prévalence de la démence chez les Canadiens de 65 ans et plus?

l) Consignez les renseignements contenus dans la troisième phrase du troisième paragraphe (*En effet, 64 % ...*) dans un diagramme à secteurs.

m) Construisez un diagramme à bandes rectangulaires pour représenter les renseignements contenus dans le tableau 1.

n) Parmi la liste des hypothèses suivantes, encerclez celles qui semblent être confirmées par les données présentées dans le graphique que vous avez construit en *m*.

   i. La prévalence de la démence augmente avec l'âge.

   ii. Les individus vivant en établissement sont plus susceptibles de souffrir de démence que les individus vivant dans la collectivité.

   iii. Dans chacun des groupes d'âge, il y a un plus grand nombre de femmes que d'hommes qui souffrent de démence.

   iv. Dans chacun des groupes d'âge, la proportion de femmes souffrant de démence est plus élevée que celle des hommes souffrant de démence.

   v. La forme de démence la plus courante est la maladie d'Alzheimer.

   vi. Dans chacun des groupes d'âge, il y a une plus grande proportion de femmes que d'hommes.

2. Répondez aux questions portant sur le texte suivant.

Un profil des fumeurs [7]

Le tabagisme est l'une des causes de maladie et de décès les plus fréquentes et les plus faciles à éviter. Bien qu'on assiste depuis une vingtaine d'années au Canada à une diminution du nombre global de fumeurs, certains d'entre eux opposent toujours une résistance particulière aux incitations à cesser de fumer ou à limiter leur consommation. Il n'est donc pas surprenant que les autorités de la santé publique

---

7. Source des données: W. J. Millar, «Comment rejoindre les fumeurs de faible niveau de scolarité», *Rapports sur la santé*, vol. 8, n° 2, Statistique Canada, n° 82-003-XPB au catalogue, 1996, p. 13-22; Statistique Canada, *Le Quotidien*, 20 janvier 2000; site Web de Santé Canada (hc-sc.gc.ca).

cherchent à déterminer les facteurs associés aux comportements des individus en ce qui a trait au tabagisme. À cette fin, en 1999, Santé Canada a réalisé une enquête nationale (Enquête de surveillance de l'usage du tabac) auprès de 20 000 personnes choisies au hasard parmi les Canadiens de 15 ans et plus.

Ainsi, on a pu constater que les taux de tabagisme – la proportion des personnes d'un groupe qui déclarent fumer quotidiennement ou occasionnellement – varient notamment selon le sexe et le groupe d'âge.

Les données de l'Enquête de 1999 nous apprennent que 39 % des hommes âgés de 20 à 24 ans fumaient quotidiennement ou occasionnellement; ce taux passe à 33 % chez les 25 à 44 ans et à 19 % chez les 45 ans et plus. Chez les femmes, ces taux sont respectivement de 29 %, 27 % et 17 % pour ces mêmes groupes d'âge.

Le sexe n'est toutefois pas le seul facteur explicatif des comportements en matière de tabagisme. Ainsi, lors de l'Enquête nationale sur la santé de la population de 1994-1995, on a aussi établi que le niveau de scolarité explique des attitudes et des comportements à l'égard du tabac. On a notamment observé que les taux de tabagisme les plus élevés s'observent chez les personnes dont le niveau de scolarité est le plus faible, comme le montre la figure 1.

Figure 1

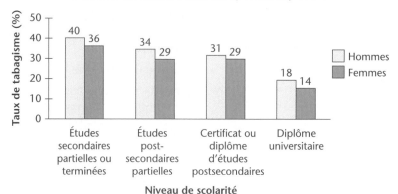

Taux de tabagisme par sexe, selon le niveau de scolarité, Canada, 1994

Les efforts des gouvernements pour enrayer l'usage du tabac ont cependant connu un certain succès, puisque les taux de tabagisme sont en baisse, notamment au Québec depuis 1981, comme le tableau 1 le confirme.

De même, le nombre de cigarettes fumées quotidiennement par un fumeur n'a cessé de diminuer, comme le tableau 2 le confirme.

Tableau 1

Évolution du taux de tabagisme, Québec, 1981-1996

Année	Taux de tabagisme (%)
1981	43,7
1986	38,1
1991	33,1
1996	33,9

Tableau 2

Évolution de la consommation quotidienne moyenne de cigarettes, Québec, 1985-1995

Année	Nombre moyen de cigarettes
1985	21,7
1990	20,4
1995	16,8

a) À quelle question tente-t-on de répondre dans ce texte ?

b) Indiquez une variable quantitative continue présentée dans le texte.

c) Indiquez une variable quantitative discrète présentée dans le texte.

d) De quelle nature est la variable « Niveau de scolarité » ?

e) Quelles sont les valeurs ou les modalités de cette dernière variable ?

f) Quelle est la population cible de l'Enquête de surveillance de l'usage du tabac au Canada ?

g) Construisez un tableau présentant les renseignements contenus dans le troisième paragraphe du texte.

h) Présentez une hypothèse qui pourrait être confirmée par les données contenues dans le troisième paragraphe du texte (*Les données de l'Enquête de 1999 nous…*).

i) Parmi la liste des énoncés suivants, indiquez clairement ceux qui semblent être confirmés par les données présentées dans la figure 1.

   i. Le taux de tabagisme chez les hommes diminue lorsque le niveau de scolarité de ces derniers augmente.

   ii. Les hommes consomment plus de cigarettes que les femmes.

   iii. La proportion d'hommes détenant un diplôme universitaire est plus élevée que la proportion de femmes détenant un diplôme universitaire.

iv. Les hommes sont plus nombreux à fumer que les femmes.

v. À un même niveau de scolarité, la proportion de femmes qui consomment du tabac est plus faible que la proportion des hommes qui consomment du tabac.

vi. 29 % des hommes qui possèdent un certificat ou un diplôme d'études postsecondaires sont fumeurs.

vii. Chez les fumeurs diplômés universitaires, on retrouve un plus petit nombre de femmes que d'hommes.

viii. 34 % des hommes dont le niveau de scolarité est «Études postsecondaires partielles» sont des fumeurs.

j) Quel nom donne-t-on à un tableau (comme le tableau 1) présentant l'évolution d'une variable dans le temps?

k) Commentez le tableau 1.

l) Commentez le tableau 2.

m) Voici une série donnant les réponses de 50 répondants fumeurs à la question: «Environ combien de cigarettes consommez-vous quotidiennement?»

5	6	6	9	10	10	10	10	10	10
10	10	10	10	10	11	12	12	13	13
13	13	13	13	15	15	15	15	15	15
15	15	15	16	16	18	18	18	20	20
21	22	25	25	26	26	27	27	29	29

Consignez ces données dans un tableau de fréquences. Utilisez des classes d'une amplitude de 5 et la valeur 5 comme limite inférieure de la première classe. Respectez les normes de présentation.

n) Consignez les renseignements du tableau construit en *m* dans une représentation graphique appropriée.

6

Les données construites

À chaque instant, un homme meurt.
À chaque instant, un homme naît.

ALFRED TENNYSON

À chaque instant, un homme meurt.
À chaque instant, $1^{1}/_{16}$ homme naît.

RÉPLIQUE DE CHARLES BABBAGE

À la fin de ce chapitre, vous devriez être en mesure de répondre aux questions suivantes:

- *À quoi servent les proportions, les taux, les rapports et les indices?*

- *Comment obtient-on ces différentes mesures?*

- *Que nous apprennent ces différentes mesures?*

- *Quelles sont les principales mesures de l'emploi, de la population et des prix?*

- *Comment calcule-t-on les principales mesures de l'emploi, de la population et des prix?*

- *Où trouve-t-on des données sur l'emploi, la population et les prix?*

C omme nous l'avons déjà mentionné, on peut trouver des renseignements de nature statistique dans des journaux, dans des revues spécialisées, dans des publications gouvernementales ou sur Internet. La consultation de telles sources d'information permet de recueillir des données (la troisième étape de la démarche scientifique) en économisant temps et argent.

Certaines données telles que le taux de chômage, le taux de natalité, l'indice synthétique de fécondité et l'indice des prix à la consommation (IPC) sont d'usage courant en sciences humaines. Ces données sont construites: on a fait des calculs pour les obtenir. Il faut savoir décoder les opérations arithmétiques permettant de produire ces données pour bien comprendre l'information qu'elles recèlent et pour être en mesure de les interpréter correctement.

Après avoir défini quelques concepts (proportion, taux, rapport, indice) employés pour calculer certains indicateurs, nous allons étudier les mesures courantes de l'emploi, de la population et des prix.

6.1   Quelques concepts importants

Les nombres absolus ne constituent pas toujours une mesure utile d'un phénomène. Ainsi, savoir qu'en 1999 le Québec comptait 927 132 personnes âgées de 65 ans et plus n'est peut-être pas aussi révélateur que de savoir que ces personnes représentaient 12,6 % de la population[1].

Même si on trouve un plus grand nombre d'ordinateurs branchés au réseau Internet dans un pays que dans un autre, cela ne signifie pas que le taux de pénétration des technologies de l'information y est plus élevé; la prévalence des hôtes Internet, soit le nombre de postes branchés par 10 000 habitants en constitue une bien meilleure mesure. Ainsi, avec 147 hôtes Internet par 10 000 habitants, la France serait en retard sur le Canada, où on dénombre 688 hôtes Internet par 10 000 habitants[2].

Ce n'est pas parce qu'on sait qu'un établissement scolaire compte 200 enseignants qu'on est renseigné sur l'encadrement des élèves. Par contre, il est utile de savoir qu'il y a un enseignant pour 13 élèves.

Savoir que le nombre d'emplois au Québec a augmenté de 3,7 % entre avril 1998 et avril 2000 nous informe bien plus sur l'évolution du marché du travail que de savoir qu'il y avait un peu plus de 3,4 millions d'emplois en avril 2000[3].

Il ne faut donc pas hésiter à faire appel aux mesures relatives que sont les proportions, les taux, les rapports et les indices pour décrire des phénomènes.

---

1. Institut de la statistique du Québec, *La situation démographique au Québec. Bilan 1999. Rétrospective du 20ᵉ siècle*, Québec, Publications du Québec, 2000, p. 134.
2. *État du monde 2001*, Montréal, Éditions du Boréal, 2000, p. 380 et 522.
3. Institut de la statistique du Québec, *L'Écostat*, Publications du Québec, septembre 2000, p. 44.

6.1.1 La proportion

Lorsqu'on compare la taille d'un sous-ensemble avec celle de l'ensemble, on calcule une **proportion**. La proportion s'obtient en divisant la taille d'un sous-ensemble par la taille du tout. Elle est souvent exprimée en pourcentage. Les fréquences relatives d'un tableau de fréquences constituent des exemples de proportions.

Proportion

Comparaison numérique de la taille d'un sous-ensemble avec celle de l'ensemble. Elle est généralement obtenue en divisant la taille du sous-ensemble par la taille du tout. Elle s'exprime souvent en pourcentage.

▶ **EXEMPLE**

Dans le tableau 6.1, on constate que la proportion des enseignantes et des enseignants ayant moins de 17 années de scolarité est de 26 % (soit $52/200 \times 100$ %).

Tableau 6.1

Répartition des enseignantes et des enseignants d'un cégep, selon la scolarité

Catégorie de scolarité (années)	Nombre d'enseignantes et d'enseignants	Pourcentage des enseignantes et des enseignants (%)
Moins de 17	52	26
17	30	15
18	50	25
19 et plus	68	34
Total	200	100

La part d'une composante d'un ensemble par rapport au tout est également une proportion.

▶ **EXEMPLE**

Tableau 6.2

Composition d'un sac à ordures

Produit	Pourcentage de la masse totale (%)
Matières organiques	33
Papier, carton	31
Plastique	7
Verre	6
Métaux	5
Autres	18
Total	100

Source: É. Smeesters, « Le compostage domestique », *Fleurs, Plantes et Jardins*, encart au vol. 4, n° 5, septembre 1993, p. 4.

La proportion de matières organiques dans un sac à ordures typique est de 33 %. ◄

EXERCICE 6.1

En 1999, le Québec comptait 7 363 262 habitants, dont 1 339 239 personnes de moins de 15 ans[4]. Quelle était la proportion des moins de 15 ans dans la population totale ?

6.1.2 Le taux

Taux

Un taux donne la valeur relative d'une quantité en fonction d'une autre. Il s'obtient en divisant les deux quantités et en multipliant le résultat par une puissance de 10. Un taux s'exprime souvent en «pour cent» (%), en «pour mille» (‰) ou en «pour dix mille» (‰₀), selon que le quotient est multiplié par 100, 1 000 ou 10 000. Le choix du multiplicateur dépend de la fréquence du phénomène mesuré : plus le phénomène est rare, plus le multiplicateur est grand.

Un **taux** donne la valeur relative d'une quantité en fonction d'une autre. Il s'obtient en divisant les deux quantités et en multipliant le résultat par une puissance de 10. Un taux s'exprime souvent en «pour cent» (%), en «pour mille» (‰) ou en «pour dix mille» (‰₀), selon que le quotient est multiplié par 100, 1 000 ou 10 000.

► **EXEMPLES**

1. Le taux d'intérêt nominal représente le quotient, exprimé en pourcentage, du montant d'intérêt versé et du capital. Un investissement de 440 $ qui procure un intérêt de 22 $ offre un taux d'intérêt de 5 %, soit (22 $/440 $) × 100 %. Pour chaque tranche de 100 $ de capital, on versera un intérêt de 5 $. La base de comparaison est donc 100.

2. Le taux de chômage représente le nombre de chômeurs exprimé en pourcentage de la population active. En juillet 2000, au Québec, la population active était estimée à 3 771 800 personnes, et le nombre de chômeurs à 331 400[5]. Le taux de chômage était donc de 8,8 %, soit (331 400/3 771 800) × 100 %. Ainsi, on comptait en moyenne 8,8 chômeurs pour chaque groupe de 100 personnes actives. ◄

Lorsque le pourcentage est trop faible, on change la base de comparaison : on passe de 100 à 1 000, à 10 000 ou même à 100 000. Par conséquent, dans l'expression d'un taux, le choix du multiplicateur (100, 1 000, 10 000, 100 000) dépend généralement de la fréquence du phénomène mesuré : plus le phénomène est rare, plus le multiplicateur est grand.

On utilise les taux parce qu'ils nous donnent une base de comparaison, soit 100, 1 000, 10 000 ou 100 000. Ainsi, une comparaison du nombre absolu de médecins au Québec avec celui de l'Ontario ou de l'Île-du-Prince-Édouard n'offre guère d'intérêt, parce que ces provinces n'ont pas des populations de taille identique. Une telle comparaison ne nous apprendrait pas

---

4. Institut de la statistique du Québec, *La situation démographique au Québec. Bilan 1999. Rétrospective du 20ᵉ siècle*, Québec, Publications du Québec, 2000, p. 134.
5. Institut de la statistique du Québec, *L'Écostat*, Publications du Québec, septembre 2000, p. 44.

dans quelle province il est le plus ou le moins facile d'avoir accès à un médecin. C'est pourquoi on s'en remet à une base de comparaison – le nombre de médecins pour 100 000 habitants – qui permet de comparer avec plus de justesse la dotation en médecins.

La dotation en médecins au Canada[6]

Contrairement à une certaine croyance populaire, le Canada et le Québec comptaient plus de médecins en 1999 qu'en 1995. Ainsi, entre 1995 et 1999, le nombre de médecins au Canada passait de 55 006 à 56 990, ce qui représente une hausse de 3,6 %. Au cours de la même période, le nombre de médecins n'augmentait que de 2,9 % au Québec, passant de 15 159 à 15 594. Toutefois, la position relative du Québec est bien meilleure que ne pourraient le laisser croire ces données puisque, au Canada, c'est au Québec qu'on dénombrait le plus grand nombre de médecins pour 100 000 habitants (tableau 6.3).

Tableau 6.3

Nombre de médecins pour 100 000 habitants, Canada, provinces et territoires, 1995–1999

Lieu	1995	1996	1997	1998	1999
Canada	186	184	183	185	186
Terre-Neuve	167	166	169	170	171
Île-du-Prince-Édouard	130	125	121	127	130
Nouvelle-Écosse	186	187	189	195	199
Nouveau-Brunswick	147	149	149	153	154
Québec	209	209	209	211	212
Ontario	185	181	179	179	179
Manitoba	175	174	177	177	179
Saskatchewan	150	145	144	149	153
Alberta	163	159	157	162	167
Colombie-Britannique	191	191	191	193	194
Yukon	140	146	157	149	138
Territoires-du-Nord-Ouest	94	90	98	91	92

Ainsi, au Québec, en 1999, on dénombrait 212 médecins par tranche de 100 000 habitants contre seulement 209 pour 100 000 habitants en 1995. Au Québec, entre 1995 et 1999, le nombre de médecins par tranche de 100 000 habitants a donc augmenté de 1,4 % tandis que ce nombre demeurait inchangé au Canada et diminuait même de 3,2 % en Ontario.

---

6. Institut canadien d'information sur la santé (ICIS), «Les médecins vieillissent, selon l'Institut canadien d'information sur la santé», 9 août 2000, site Internet de l'ICIS (icis.ca).

EXERCICE 6.2

En 1999, on a dénombré 43 068 vols de véhicules moteur au Québec, alors qu'on en dénombrait 50 065 en Ontario. Au cours de la même année, on a dénombré 136 homicides au Québec contre 161 en Ontario[7].

Si, en 1999, le Québec comptait 7 363 262 habitants et l'Ontario, 11 560 899 habitants[8],

a) Calculez le nombre de vols de véhicules pour 10 000 habitants dans chacune des deux provinces et dites ce que nous apprend ce résultat.

b) Dans laquelle des deux provinces le vol de véhicules est-il relativement le plus répandu?

c) Calculez le taux d'homicides pour 100 000 habitants dans chacune des deux provinces.

d) Dans laquelle des deux provinces le crime d'homicide est-il relativement le plus répandu?

6.1.3 Le rapport

Rapport

Expression de la taille d'un ensemble par comparaison avec la taille d'un autre ensemble servant de référence. Également appelé *ratio*.

Le **rapport**, ou *ratio*, est l'expression de la taille d'un ensemble par comparaison avec la taille d'un autre ensemble servant de référence.

▶ **EXEMPLES**

1. En comptabilité, on parle du ratio Actif: Passif. Si le ratio est de 2 pour 1, ce qui est désigné par «2: 1», la valeur de l'actif (ensemble des éléments d'un patrimoine qui ont une valeur économique) est 2 fois plus importante que celle du passif (dettes).

2. Un rapport de masculinité de 110 dans un groupe indique que, dans ce groupe, il y a 110 hommes pour 100 femmes. Le rapport Hommes: Femmes serait donc 110: 100. Le rapport de masculinité exprime toujours le nombre d'hommes pour 100 femmes. ◀

EXERCICE 6.3

Dans une école primaire, il y a 20 professeurs et 200 élèves. Quel est le ratio Professeur: Élèves (1 professeur: *x* élèves)?

---

7. S. Girvan, dir., *Canadian Global Almanac 2001*, Toronto, Macmillan, 2000, p. 84.

8. Institut de la statistique du Québec, *La situation démographique au Québec. Bilan 1999. Rétrospective du 20ᵉ siècle*, Québec, Publications du Québec, 2000, p. 134.

6.1.4 Les indices

Indice à base

Comparaison entre la valeur d'une variable à une période ou en un lieu donné et la valeur de cette même variable à une période ou en un lieu de référence appelé base. La base a un indice fixé par convention à 100. Les indices à base temporelle permettent de mesurer la variation relative d'une variable dans le temps.

Base

Référence temporelle ou géographique à partir de laquelle on calcule des indices à base.

Indice élémentaire

Indice calculé pour une variable composée d'un seul élément.

Indice synthétique

Indice calculé pour une variable composée de plusieurs éléments. Également appelé *indice composite*.

Il existe plusieurs types d'indices. Le plus courant est l'**indice à base**, qui représente la comparaison entre la valeur d'une variable à une période ou en un lieu donné et la valeur de cette même variable à une période ou en un lieu de référence appelé **base**. La base a un indice fixé par convention à 100.

On parle d'**indice élémentaire** ou d'**indice synthétique** (également appelé *indice composite*) selon que la variable se compose d'un ou de plusieurs éléments. Les indices élémentaires les plus courants sont les indices de population et d'emploi. L'indice des prix à la consommation (IPC) constitue un exemple d'indice synthétique.

Voici la formule à utiliser pour calculer un indice élémentaire à base temporelle :

$$I(t) = \frac{V(t)}{V(0)} \times 100$$

où :

$I(t)$ = Indice au temps t

$V(t)$ = Valeur de la variable au temps t

$V(0)$ = Valeur de la variable à la période de base

Les indices à base temporelle permettent de mesurer l'importance de la variation relative d'une variable dans le temps. Ainsi, un indice à base temporelle de 112 signifie que la valeur de la variable à ce moment est de 12 % supérieure à la valeur de cette même variable à la période de référence dont l'indice a été fixé à 100. Un indice de 80 signifierait que la valeur de la variable est de 20 % inférieure à sa valeur de référence.

▶ **EXEMPLES**

1. La population étudiante d'un cégep était de 1 600 en 1990 et de 2 400 en 2000. Si on choisit l'année 1990 comme année de référence (la base), l'indice de population en 2000 était :

$$I(2000) = \frac{V(2000)}{V(1990)} \times 100 = \frac{2\ 400}{1\ 600} \times 100 = 150$$

   L'indice de 150 nous apprend que la population étudiante de 2000 était supérieure de 50 % à la population de 1990 ou, de manière équivalente, que cette population a augmenté de 50 % au cours de la période 1990-2000, ou encore qu'elle était 1,5 fois plus grande en 2000 que celle de 1990. Pour indiquer que 1990 est la base, on écrit 1990 = 100.

2. Dans le tableau 6.4, la base est 1992 (1992 = 100), et toutes les comparaisons sont effectuées par rapport à cette année.

Tableau 6.4

Évolution du nombre d'emplois à temps plein (moyenne annuelle) et indice de l'emploi à temps plein, Québec, 1990–1999

Année	Nombre d'emplois à temps plein (milliers)	Indice (1992 = 100)
1990	2 653,1	105,4
1991	2 561,5	101,8
1992	2 517,1	100,0
1993	2 501,0	99,4
1994	2 568,4	102,0
1995	2 600,2	103,3
1996	2 581,3	102,6
1997	2 624,4	104,3
1998	2 701,9	107,3
1999	2 791,1	110,9

Source: Statistique Canada, *Statistiques chronologiques sur la population active 1999*, n° 71-201-XPB au catalogue, mars 2000, p. 128.

L'indice de l'emploi à temps plein de 99,4 observé en 1993 révèle que le nombre d'emplois à temps plein a diminué de 0,6 % par rapport à 1992. L'indice de 105,4 observé en 1990 signifie que le nombre d'emplois à temps plein en 1990 était de 5,4 % supérieur à ce qu'il était en 1992. ◀

EXERCICE 6.4

Si le nombre d'emplois à temps partiel au Québec était de 524 400 en 1992 et de 565 800 en 1999[9],

a) Quel était l'indice de l'emploi à temps partiel de 1999 selon une base de 1992 = 100 ?

b) Que signifie cet indice ?

Il existe d'autres indices que les indices à base, par exemple l'indice synthétique de fécondité (ISF) ou encore l'indice de développement humain (IDH). De tels indices ne sont souvent que des mesures d'un phénomène, construites à partir d'indicateurs. Nous aborderons brièvement l'indice synthétique de fécondité à la section 6.3.

Nous allons maintenant nous pencher sur les principales mesures en matière d'emploi, de population et de prix.

---

9. Statistique Canada, *Statistiques chronologiques sur la population active 1999*, n° 71-201-XPB au catalogue, mars 2000, p. 127 et 128.

6.2   La mesure de l'emploi

6.2.1   L'Enquête sur la population active

Chômeur

Personne qui n'occupe pas un emploi, qui est à la recherche active d'un emploi et qui est prête à travailler.

Population active

Membres de la population civile, hors institution, âgés de 15 ans ou plus, qui occupent un emploi (personnes occupées) ou sont chômeurs.

Inactifs

Membres de la population civile, âgés de 15 ans ou plus, ni occupés ni chômeurs.

Taux de chômage

Nombre de chômeurs exprimé en pourcentage de la population active.

Taux d'activité

Population active exprimée en pourcentage de la population de 15 ans et plus.

Taux d'emploi

Nombre de personnes occupées exprimé en pourcentage de la population de 15 ans et plus.

Au Canada, Statistique Canada recueille les données sur l'emploi au moyen d'une vaste enquête appelée Enquête sur la population active (EPA). Lancée en novembre 1945, elle a été menée tous les trois mois jusqu'à novembre 1952, mois à partir duquel elle est devenue mensuelle. Une bonne partie des résultats de cette enquête se trouvent sur le site Internet de Statistique Canada (statcan.ca) et sur celui de l'Institut de la statistique du Québec (stat.gouv.qc.ca.). L'enquête sur la population active est effectuée à l'aide d'un questionnaire auquel environ 53 000 ménages représentatifs des ménages canadiens répondent. Statistique Canada se sert des réponses données à cette enquête pour estimer la taille de certains groupes définis de manière très précise. Comme les définitions officielles des différents groupes sont plutôt longues, nous allons nous contenter d'en donner les principales caractéristiques.

Un **chômeur** est une personne qui n'occupe pas un emploi, qui est à la recherche active d'un emploi et qui est prête à travailler.

Les membres de la population civile, hors institution, âgés de 15 ans ou plus, qui occupent un emploi (personnes occupées) ou sont chômeurs constituent la **population active**.

Les membres de la population civile, âgés de 15 ans ou plus, qui ne sont ni occupés ni chômeurs sont appelés **inactifs**.

C'est à partir du dénombrement, dans l'échantillon, des individus appartenant à chacun de ces groupes que Statistique Canada estime

- le **taux de chômage**, soit le nombre de chômeurs exprimé en pourcentage de la population active;
- le **taux d'activité**, soit la population active exprimée en pourcentage de la population de 15 ans et plus;
- Le **taux d'emploi** (ce que Statistique Canada appelait autrefois rapport emploi-population), soit le nombre de personnes occupées (ayant un emploi) exprimé en pourcentage de la population de 15 ans et plus.

Le tableau 6.5 fait le lien entre ces différentes définitions.

Tableau 6.5

Relations entre les indicateurs de l'emploi

Population de 15 ans et plus	Personnes occupées	Chômeurs	Population active	Inactifs	Taux d'activité (%)	Taux de chômage (%)	Taux d'emploi (%)
a	b	c	$d = b + c$	$e = a - d$	$f = d/a$	$g = c/d$	$h = b/a$

▶ **EXEMPLE**

Statistique Canada a estimé, pour juillet 2000 au Québec[10], les valeurs suivantes :

Population de 15 ans et plus	5 937 300	(a)
Personnes occupées	3 440 400	(b)
Chômeurs	331 400	(c)

À partir de ces données, on peut calculer les valeurs suivantes :

Population active

$$d = b + c = 3\ 440\ 400 + 331\ 400 = 3\ 771\ 800$$

Inactifs

$$e = a - d = 5\ 937\ 300 - 3\ 771\ 800 = 2\ 165\ 500$$

Taux d'activité

$$f = d/a = (3\ 771\ 800/5\ 937\ 300) \times 100\ \% = 63,5\ \%$$

Taux de chômage

$$g = c/d = (331\ 400/3\ 771\ 800) \times 100\ \% = 8,8\ \%$$

Taux d'emploi

$$h = b/a = (3\ 440\ 400/5\ 937\ 300) \times 100\ \% = 57,9\ \%$$ ◀

EXERCICE 6.5

Complétez les données suivantes portant sur le marché du travail en 1999 dans la région métropolitaine de recensement de Sherbrooke[11].

Population de 15 ans et plus	123 300
Population active	77 000
Personnes occupées	69 600
Chômeurs	_____
Inactifs	_____
Taux d'activité	_____
Taux de chômage	_____
Taux d'emploi	_____

Statistique Canada calcule certaines de ces mesures selon plusieurs variables (sexe, province, âge), Il est donc possible de connaître, par exemple, l'estimation du taux de chômage pour les habitants du Québec de sexe masculin âgés de 25 à 44 ans.

10. Institut de la statistique du Québec, *L'Écostat,* Publications du Québec, septembre 2000, p. 44.
11. Statistique Canada, *Statistiques chronologiques sur la population active 1999,* n° 71-201-XPB au catalogue, mars 2000, p. 295 et 296.

6.2.2 Le taux de chômage : une mesure lacunaire

Les médias se contentent souvent d'annoncer le taux de chômage. Cette seule information ne permet pas de se faire une opinion juste au sujet du marché du travail.

Par exemple, le taux de chômage ne nous apprend rien sur le chômage partiel, car Statistique Canada ne considère pas une personne travaillant à temps partiel, mais qui voudrait travailler à temps plein, comme un chômeur. De plus, le taux de chômage ne tient pas compte des sans-emploi qui ont renoncé à chercher du travail. Le taux de chômage peut donc diminuer sans que le marché du travail se soit véritablement amélioré. C'est ce qui se produit lorsqu'on remplace un emploi à temps plein par des emplois à temps partiel ou lorsque des personnes n'occupant pas un emploi renoncent à chercher du travail.

Répétons que le taux de chômage ne varie pas nécessairement dans le même sens que le nombre d'emplois. Ainsi, il est possible que le taux de chômage baisse alors que le nombre de personnes occupées, c'est-à-dire le nombre d'emplois, diminue et vice versa. On observe souvent une baisse du chômage au milieu d'une récession et une augmentation de celui-ci au début d'une reprise économique : le déplacement de la population active vers la population inactive ou l'inverse explique ces variations pour le moins surprenantes.

Enfin, il serait tentant de faire des comparaisons entre les taux de chômage de différents pays. Toutefois, ces comparaisons sont parfois difficiles, parce que les pays n'ont pas tous les mêmes définitions des paramètres de l'emploi.

Bye bye, boss[12]

C'est le monde à l'envers. Il n'y a pas si longtemps, les emplois étaient si rares que le fait d'en avoir un était presque considéré comme une chance. Il a fallu trois ans pour que le marché du travail change du tout au tout. Trois ans pour que l'honnête travailleur ne se sente plus comme un privilégié à qui une entreprise fait la grâce d'un emploi mais bien comme quelqu'un dont les compétences sont utiles et indispensables à la croissance économique.

Les derniers chiffres publiés hier par Statistique Canada indiquent une légère remontée du taux de chômage au Canada et au Québec. Cela arrive fréquemment avec les statistiques sur l'emploi : la hausse du taux de chômage cache une amélioration du marché du travail. Comme l'économie se porte bien, de plus en plus de gens qui n'étaient pas sur le marché du travail se mettent à chercher un emploi, ce qui fait grimper le taux de chômage. Au total, il y a plus de gens qui travaillent.

[...]

Le taux de chômage canadien (6,9 %) reste élevé comparativement au taux de chômage américain, de 3,9 %, mais cet écart est trompeur. Il serait en

---

12. H. Baril, « Bye bye, boss », *Le Devoir,* 4 novembre 2000, p. B1.

réalité inférieur à 3 points de pourcentage parce que les deux pays n'utilisent pas les mêmes méthodes de mesure. Cette différence jouerait en faveur du Canada, estiment les spécialistes. S'ils ont raison, l'écart ne serait que de 2 points entre le Canada et les États-Unis.

[...]

On peut difficilement trouver un meilleur exemple de l'évolution du marché du travail. Le rapport de force a changé, c'est clair, nous dit cette pub qui affirme l'importance de l'individu par rapport à l'entreprise. Enfin! Il est peut-être fini le temps où le travailleur se sentait obligé de dire merci à son employeur pour avoir la bonté de le faire travailler. Fait à noter, les deux tiers de ceux qui envoient leur curriculum vitæ chez Jobboom ont déjà un emploi et cherchent à améliorer leur sort.

Pour pouvoir dire « *bye bye boss* », il n'est plus nécessaire de gagner à la 6/49.

Comme tout indicateur, le taux de chômage n'est donc pas parfait : il réduit une réalité très complexe à une mesure peut-être trop simple. Il ne suffit pas à rendre compte de la vigueur du marché du travail.

6.2.3 Données désaisonnalisées

Le marché du travail fluctue de mois en mois. Certaines de ces fluctuations sont de nature saisonnière et se produisent année après année. Les variations saisonnières peuvent avoir une base naturelle (les variations climatiques) ou une base proprement humaine. Dans ce dernier cas, on peut penser aux facteurs suivants :

- Les facteurs institutionnels tels que la rentrée scolaire et les vacances d'été ;
- Les facteurs sociaux tels que la fête de Noël et la fête des Mères ;
- Les facteurs administratifs tels que la période des bilans financiers de fin d'année et la période des impôts.

Ces différents éléments peuvent provoquer des variations subites, mais normales et prévisibles, dans les différents indicateurs de l'emploi. Ainsi, en été, on s'attend à ce que le nombre de personnes ayant un emploi augmente grâce aux nombreux remplacements en période de vacances et à l'augmentation de l'activité dans le domaine de la construction.

Statistique Canada désaisonnalise les données afin d'éliminer statistiquement les effets des variations saisonnières et de pouvoir présenter l'évolution à moyen terme du marché du travail à partir d'une mesure à court terme. Le graphique de la figure 6.1 montre comment la **désaisonnalisation** a pour effet de lisser la courbe du nombre d'emplois et de faire disparaître les fluctuations saisonnières. On y voit très bien que, quelle que soit l'année considérée, le marché de l'emploi au Québec est à son plus bas niveau réel au mois de janvier et atteint son sommet au mois de juillet, pour ensuite redescendre. La courbe désaisonnalisée annule l'effet des fluctuations saisonnières habituelles et révèle ainsi la tendance à moyen terme. On peut donc déterminer si la hausse ou la baisse observée n'est que passagère (saisonnière) ou si elle a un caractère plus durable.

Désaisonnalisation

Procédé statistique par lequel on élimine l'effet des variations saisonnières sur une série chronologique en vue de faire ressortir les tendances à plus long terme.

Figure 6.1

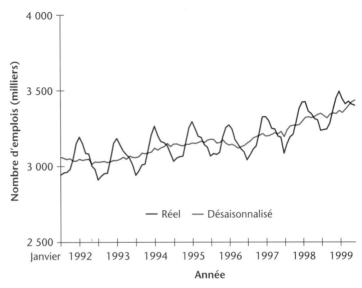

Évolution du nombre d'emplois, Québec, 1992-1999

Source : Statistique Canada, *Statistiques chronologiques sur la population active 1999,* n° 71-201-XPB au catalogue, mars 2000, p. 127.

6.3 La mesure de la population

Comme dans le cas du taux de chômage par rapport au marché du travail, une mesure unique ne saurait, à elle seule, décrire la dynamique des populations humaines : il faut tenir compte de plusieurs mesures. Dans les sections qui suivent nous allons traiter des mesures démographiques courantes telles que les taux de natalité, de mortalité et de fécondité ainsi que de l'indice synthétique de fécondité et du rapport de dépendance.

6.3.1 La population

Dans un premier temps, nous allons nous pencher sur l'évolution de la taille de la population du Québec entre 1931 et 1999 (tableau 6.6).

En s'appuyant sur les données de ce tableau, on peut calculer que la croissance moyenne annuelle de la population du Québec entre 1931 et 1999 a été d'environ 66 000 personnes par année.

Toutefois, cette croissance n'a pas été constante. En effet, elle a été particulièrement forte au cours de la période 1951–1961 et plus faible par la suite. Le graphique de la figure 6.2 représente le tableau 6.6. On constate que la pente de la courbe est plus forte au cours de la période 1951–1961 qu'à n'importe quelle autre période. D'ailleurs, entre 1951 et 1961, la population a augmenté de 29,7 %, tandis qu'elle n'a augmenté que de 8,4 % entre 1986 et 1996.

Tableau 6.6

Évolution de la taille de la population du Québec, 1931–1999

Année	Population (milliers)
1931	2 874,7
1941	3 331,9
1951	4 055,7
1956	4 628,4
1961	5 259,2
1966	5 780,8
1971	6 137,4
1976	6 396,7
1981	6 547,7
1986	6 708,4
1991	7 064,7
1996	7 274,0
1997	7 308,2
1998	7 335,1
1999	7 363,3

Source: Institut de la statistique du Québec, *La situation démographique au Québec. Bilan 1999. Rétrospective du 20e siècle*, Québec, Publications du Québec, 2000, p. 132.

Figure 6.2

Évolution de la taille de la population du Québec, 1931-1999

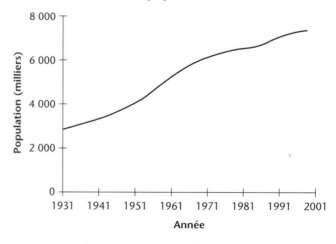

Source: Institut de la statistique du Québec, *La situation démographique au Québec. Bilan 1999. Rétrospective du 20e siècle*, Québec, Publications du Québec, 2000, p. 132.

EXERCICE 6.6

Évolution de la taille de la population du Canada, 1931–1999

Année	Population (milliers)
1931	10 376,8
1941	11 506,7
1951	14 009,4
1956	16 080,8
1961	18 238,2
1966	20 014,9
1971	21 962,1
1976	23 449,8
1981	24 820,4
1986	26 100,6
1991	28 030,9
1996	29 671,9
1997	30 008,4
1998	30 296,6
1999	30 568,0

Source: Institut de la statistique du Québec, *La situation démographique au Québec. Bilan 1999. Rétrospective du 20ᵉ siècle*, Québec, Publications du Québec, 2000, p. 132.

a) Représentez ce tableau au moyen d'un graphique.

b) Quelles ont été la variation, la variation relative et la variation moyenne de la population canadienne entre 1931 et 1999?

c) Quelle proportion de la population canadienne la population du Québec (tableau 6.6) représentait-elle pour chacune des années du tableau ci-dessus? Commentez la nouvelle série chronologique obtenue.

6.3.2 Les mesures de la natalité

Considérons à présent les gains et les pertes naturelles au sein de la population: les naissances et les décès. Dans un premier temps, nous allons analyser le phénomène de la natalité.

Le tableau 6.7 donne le nombre de naissances vivantes pour certaines années au Québec. Il montre une tendance à la baisse du nombre de naissances. Cette baisse est d'autant plus importante que la population de 1976 était moins nombreuse que celle de 1998. Afin de pouvoir comparer la natalité pour des populations de tailles différentes, les démographes tiennent compte de plusieurs mesures, dont le taux de natalité, le taux de fécondité et l'indice synthétique de fécondité.

Tableau 6.7

Évolution de la taille de la population et du nombre de naissances vivantes, Québec, 1976–1998

Année	Population (milliers)	Nombre de naissances (milliers)
1976	6 396,7	98,0
1981	6 547,7	95,2
1986	6 708,4	84,6
1991	7 064,7	97,3
1996	7 274,0	85,1
1997	7 308,2	79,7
1998	7 335,1	75,8

Source: Institut de la statistique du Québec, *La situation démographique au Québec. Bilan 1999. Rétrospective du 20ᵉ siècle*, Québec, Publications du Québec, 2000, p. 132 et 135.

A) LE TAUX DE NATALITÉ

Taux de natalité

Nombre de naissances vivantes au cours d'une année pour 1 000 habitants.

Le **taux de natalité** représente le nombre de naissances vivantes au cours d'une année pour 1 000 habitants. Il est donné par la formule suivante:

$$\text{Taux de natalité} = \frac{\text{Nombre de naissances vivantes}}{\text{Taille de la population}} \times 1\,000\ ‰$$

Comme le quotient est multiplié par mille, ce taux s'exprime en «pour mille» (‰).

▶ EXEMPLE

À partir du tableau 6.7, on constate qu'en 1976 le taux de natalité au Québec était de 15,3 ‰, soit (98,0/6 396,7) × 1 000 ‰. Au cours de cette année-là, on a donc observé en moyenne 15,3 naissances dans chaque groupe de 1 000 habitants du Québec. ◀

EXERCICE 6.7

a) À partir du tableau 6.7, calculez le taux de natalité au Québec pour chacune des années.

b) Présentez ces données sous la forme d'un graphique et commentez-le.

Afin de mieux apprécier la situation du Québec en matière de natalité, il est révélateur de la comparer avec celle des différentes régions du monde (tableau 6.8).

Tableau 6.8

Taux de natalité, 1995–2000

Région	Taux de natalité (‰)
Afrique	38,0
Amérique latine	23,1
Amérique du Nord	13,8
Asie	21,9
Europe	10,3
Océanie	17,9

Source : *État du monde 2001*, Montréal, Boréal, 2000, p. 621.

B ⟩ LE TAUX DE FÉCONDITÉ

Les démographes se servent également d'une autre mesure de la natalité, soit le taux de fécondité. Ce taux mesure le nombre de naissances non pas en fonction de la population totale, mais plutôt en fonction de la population qui est la plus susceptible de mettre des enfants au monde, soit les femmes âgées de 15 à 49 ans. Il nous donne une idée de la propension à enfanter des femmes d'une population.

Le **taux de fécondité** représente le nombre de naissances vivantes au cours d'une année pour 1 000 femmes âgées de 15 à 49 ans dans la population. Il est donné par la formule suivante :

$$\text{Taux de fécondité} = \frac{\text{Nombre de naissances vivantes}}{\text{Nombre de femmes (15 à 49 ans)}} \times 1\,000\ ‰$$

Ce taux peut se calculer par groupe d'âge. Le taux de fécondité par groupe d'âge est obtenu à l'aide de la formule suivante :

$$\text{Taux de fécondité par groupe d'âge} = \frac{\text{Nombre de naissances vivantes dans le groupe d'âge de la mère}}{\text{Nombre de femmes dans le même groupe d'âge}} \times 1\,000\ ‰$$

Le taux de fécondité par groupe d'âge représente le nombre de naissances vivantes au cours d'une année pour 1 000 femmes d'un groupe d'âge donné. Le tableau 6.9 donne le taux de fécondité par groupe d'âge au Québec, de 1976 à 1998.

Ainsi, en 1986, le taux de fécondité des femmes âgées de 25 à 29 ans était de 112,3 ‰. Ce taux signifie qu'au Québec, en 1986, chaque groupe de 1 000 femmes âgées de 25 à 29 ans a mis au monde 112,3 enfants, en moyenne. En 1991, pour le même groupe d'âge, le taux de fécondité passait à 129,3 ‰. On a donc assisté à une augmentation du nombre de naissances pour 1 000 femmes âgées de 25 à 29 ans.

Taux de fécondité

Nombre de naissances vivantes au cours d'une année pour 1 000 femmes âgées de 15 à 49 ans dans la population. On peut également calculer le taux de fécondité par groupe d'âge, qui représente le nombre de naissances vivantes au cours d'une année pour 1 000 femmes d'un groupe d'âge donné.

Tableau 6.9

Taux de fécondité par groupe d'âge (‰), Québec, 1976–1998

Année	Groupe d'âge (années)						
	15 – 19	20 – 24	25 – 29	30 – 34	35 – 39	40 – 44	45 – 49
1976	20,6	97,1	135,1	67,8	21,9	4,5	0,3
1981	14,4	85,0	128,4	66,8	17,5	2,6	0,2
1986	14,6	69,3	112,3	59,0	17,0	2,4	0,1
1991	17,6	80,0	129,3	78,0	22,7	3,0	0,1
1996	16,5	72,4	118,3	82,4	27,2	3,8	0,2
1997	15,6	67,5	111,6	80,8	26,6	3,8	0,1
1998	14,8	63,9	108,5	78,6	26,2	4,1	0,1

Source : Institut de la statistique du Québec, *La situation démographique au Québec. Bilan 1999. Rétrospective du 20ᵉ siècle*, Québec, Publications du Québec, 2000, p. 212.

C) L'INDICE SYNTHÉTIQUE DE FÉCONDITÉ

Indice synthétique de fécondité

Prédicteur du nombre d'enfants qu'aurait une femme au cours de sa vie, obtenu en supposant que, en matière de reproduction, elle se comportera, entre 15 et 49 ans, comme se comportent, au cours d'une année, toutes les femmes âgées de 15 à 49 ans. Cet indice mesure la productivité d'une génération fictive de femmes. On le calcule à partir des taux de fécondité de toutes les femmes âgées de 15 à 49 ans au cours d'une année.

Les démographes essaient de prédire l'avenir d'une population en calculant l'**indice synthétique de fécondité** d'après les taux de fécondité. Cet indice mesure la productivité d'une génération fictive de femmes, soit le nombre d'enfants qu'aurait une femme au cours de sa vie si, entre 15 et 49 ans, elle se comportait en matière de reproduction comme se comportent, au cours d'une année, toutes les femmes âgées de 15 à 49 ans. On le calcule à partir des taux de fécondité de toutes les femmes âgées de 15 à 49 ans au cours d'une année.

Si les comportements de reproduction étaient ceux de 1976, 1 000 jeunes filles âgées de 15 ans auraient eu, en moyenne, 20,6 enfants à cet âge ; 20,6 enfants à l'âge de 16 ans ; 20,6 enfants à l'âge de 17 ans ; 20,6 enfants à l'âge de 18 ans ; 20,6 enfants à l'âge de 19 ans. Elles auraient donc eu, au total, 103 enfants (soit $20,6 \times 5$) entre 15 et 19 ans. De la même manière, entre 20 et 24 ans, elles auraient eu, en moyenne, 485,5 enfants (soit $97,1 \times 5$). Ces 1 000 femmes auraient donc eu, entre 15 et 49 ans, un total de :

$$5 \times (20,6 + 97,1 + 135,1 + 67,8 + 21,9 + 4,5 + 0,3) = 1\,736,5 \text{ enfants}$$

En moyenne, chacune de ces 1 000 femmes aurait donc eu 1,7365 enfant (soit 1 736,5/1 000). Ce nombre correspond à l'indice synthétique de fécondité pour l'année 1976. Ainsi, cet indice est donné par l'expression suivante :

$$\frac{5 \times (20,6 + 97,1 + 135,1 + 67,8 + 21,9 + 4,5 + 0,3)}{1\,000} = 1,7365 \text{ enfant}$$

L'indice synthétique de fécondité est donc obtenu en divisant par 1 000 la somme des taux de fécondité par groupe d'âge multipliés par le nombre d'années que compte chaque groupe d'âge.

En s'appuyant sur le tableau 6.9, on peut calculer l'indice synthétique de fécondité de 1981 :

$$\frac{5 \times (14,4 + 85,0 + 128,4 + 66,8 + 17,5 + 2,6 + 0,2)}{1\,000} = 1,5745 \text{ enfant}$$

Cet indice signifie que, si l'activité reproductrice des femmes était restée la même qu'en 1981, les jeunes femmes âgées de 15 ans cette année-là auraient eu chacune, en moyenne, près de 1,6 enfant au cours de leur vie.

EXERCICE 6.8

Calculez l'indice synthétique de fécondité de 1998 et dites ce qu'il nous révèle.

Il va de soi que l'indice synthétique de fécondité ne sera pas nécessairement conforme à la réalité. En effet, l'évolution des mœurs, de l'environnement socioéconomique, des méthodes de régulation des naissances ou des modes de vie peuvent provoquer des changements dans les comportements reproducteurs des femmes. En d'autres termes, les jeunes femmes au début de leurs années de fécondité ne se comporteront peut-être pas comme leurs aînées. Ainsi, le nombre d'enfants (la descendance finale) qu'auront réellement les femmes au cours de leur vie peut différer de la valeur prédite par l'indice synthétique de fécondité.

D⟩ LE RENOUVELLEMENT DES GÉNÉRATIONS

Les démographes considèrent que, pour assurer le renouvellement des générations au Québec, chaque femme devrait en moyenne engendrer une fille qui puisse à son tour procréer. Ils avancent qu'un indice synthétique de fécondité de 2,1 est nécessaire pour assurer ce renouvellement. Cet indice doit être supérieur à 2 pour plusieurs raisons, dont la plus importante est sans doute que le rapport de masculinité à la naissance oscille autour de 106 au Québec depuis de nombreuses années, comme l'indique le tableau 6.10.

Tableau 6.10

Nombre de naissances vivantes par sexe et rapport de masculinité à la naissance, Québec, 1960–1997

Année	Sexe		Rapport de masculinité
	Masculin (*a*)	Féminin (*b*)	$(a/b) \times 100$
1960	70 795	67 055	106
1970	47 321	44 436	106
1980	50 107	47 314	106
1990	50 391	47 657	106
1997	40 964	38 760	106

Source : Site Internet du ministère de la Santé et des Services sociaux (msss.gouv.qc.ca.).

Rappelons que le rapport de masculinité représente le nombre d'hommes pour 100 femmes.

Ainsi, la probabilité d'avoir une fille à la naissance est plus faible que celle d'avoir un garçon. Pour obtenir 100 naissances féminines, il faut avoir eu 206 naissances (100 filles + 106 garçons). Par conséquent, pour qu'une femme engendre une fille, il faudrait qu'elle ait en moyenne 2,06 enfants. En outre, si l'on tient compte du fait que toutes les jeunes filles n'atteindront pas l'âge où elles seront en mesure de procréer, on comprend pourquoi l'indice synthétique de fécondité doit être supérieur à 2,06 pour assurer le renouvellement des générations. Il faut donc environ 210 naissances par 100 femmes pour permettre à une nouvelle génération de 100 femmes d'arriver à l'âge de la fécondité, ou encore, il faut une moyenne de 2,1 naissances par femme pour permettre qu'une fille nouvellement née puisse atteindre ses années de fécondité, remplacer sa mère et assurer le renouvellement des générations.

E ⟩ LE RÉGIME DÉMOGRAPHIQUE DU QUÉBEC

Une population peut continuer à croître, sans immigration, pendant un certain temps, même si l'indice synthétique de fécondité reste au-dessous de 2,1. En effet, le nombre de naissances au cours d'une période est fonction non seulement du nombre de naissances par femme, mais également du nombre de femmes en âge de procréer. De plus, si on observe une augmentation de l'espérance de vie, la population peut continuer à croître malgré une baisse des taux de natalité et de fécondité. Cette croissance est cependant éphémère. À long terme, à moins d'un important apport migratoire, un pays verra sa population décroître rapidement si l'indice de fécondité se maintient sous le seuil de 2,1.

Selon les données de l'Institut de la statistique du Québec, l'indice synthétique de fécondité du Québec a chuté de façon quasi systématique depuis le milieu du siècle dernier. Il est passé au-dessous de 2,1 en 1970 et il a atteint en 1987 son plus bas niveau (1,359) pour connaître par la suite un léger redressement jusqu'en 1992. Depuis l'ISF a recommencé à diminuer.

Comme le Québec, la plupart des pays industrialisés connaissent un faible indice de fécondité (tableau 6.11).

Plusieurs facteurs sont susceptibles d'avoir provoqué la chute du taux de natalité et de l'indice synthétique de fécondité depuis le milieu du siècle dernier: l'urbanisation, la généralisation de l'instruction, la montée de l'individualisme, les changements dans les systèmes de valeurs, le recul des valeurs religieuses, l'introduction de méthodes de contraception efficaces, l'amélioration générale du niveau de vie, la modification du rôle des femmes dans la société.

Les mesures de la natalité ne suffisent pas pour évaluer l'accroissement naturel de la population. Il faut en outre connaître le nombre des pertes naturelles de la population, c'est-à-dire les décès.

Tableau 6.11

Indice synthétique de fécondité par pays, 1997

Pays	Indice de fécondité
Allemagne	1,4
Belgique	1,6
Canada	1,6
Espagne	1,1
États-Unis	2,0
France	1,7
Italie	1,2
Japon	1,4
Royaume-Uni	1,7
Suède	1,7
Suisse	1,5

Source : Banque mondiale, *Le développement au seuil du XXIᵉ siècle. Rapport du développement dans le monde, 1999-2000*, Paris, Éditions Eska, 2000, p. 270-271.

6.3.3 Le taux de mortalité et le taux d'accroissement naturel

En l'absence de mouvements migratoires, une population croît lorsque le nombre de naissances est supérieur au nombre de décès. Les démographes s'intéressent donc également à la mesure du taux de mortalité et à celle du taux d'accroissement naturel.

Le **taux de mortalité** représente le nombre de décès pour 1 000 habitants au cours d'une année ; on l'obtient au moyen de la formule suivante :

Taux de mortalité

Nombre de décès pour 1 000 habitants au cours d'une année.

$$\text{Taux de mortalité} = \frac{\text{Nombre de décès}}{\text{Taille de la population}} \times 1\,000\,\text{‰}$$

Le **taux d'accroissement naturel** mesure l'augmentation de la taille de chaque groupe de 1 000 habitants au cours d'une année, en l'absence d'apports migratoires :

Taux d'accroissement naturel

Mesure de l'augmentation de la taille de chaque groupe de 1 000 habitants au cours d'une année, en l'absence d'apports migratoires.

$$\text{Taux d'accroissement naturel} = \frac{\text{Nombre de naissances} - \text{Nombre de décès}}{\text{Taille de la population}} \times 1\,000\,\text{‰}$$

EXERCICE 6.9 Complétez et commentez le tableau suivant :

Population ; naissances ; décès ; taux de natalité, de mortalité et d'accroissement naturel, Québec, 1976–1996

Année	Population	Nombre de naissances	Nombre de décès	Taux de natalité (‰)	Taux de mortalité (‰)	Taux d'accroissement naturel (‰)
1976	6 396 735	98 022	43 801			
1986	6 708 352	84 579	46 964			
1996	7 274 019	85 130	52 278			

Source : Institut de la statistique du Québec, *La situation démographique au Québec. Bilan 1999. Rétrospective du 20ᵉ siècle*, Québec, Publications du Québec, 2000, p. 132 et 135.

6.3.4 La structure d'âge de la population

Pyramide des âges

Représentation graphique de la composition d'une population selon le sexe et l'âge. Elle est formée de deux histogrammes (un pour les hommes et un pour les femmes) adossés l'un à l'autre.

 LA PYRAMIDE DES ÂGES

La façon habituelle de présenter la structure d'âge d'une population est de construire une **pyramide des âges** (figure 6.3), une représentation graphique formée de deux histogrammes adossés l'un à l'autre. Par convention, les

Figure 6.3

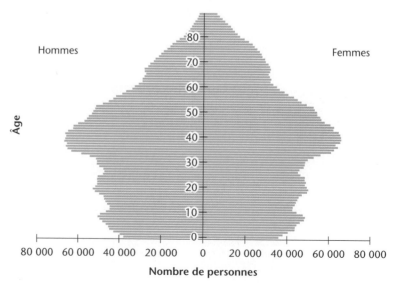

Pyramide des âges, Québec, 1999

Source : Institut de la statistique du Québec, site Internet de l'Institut (stat.gouv.qc.ca).

hommes sont représentés à gauche de la pyramide et les femmes à droite. Les effectifs les plus jeunes forment la base de la pyramide et les plus vieux, le sommet.

La pyramide de 1999 montre un phénomène de vieillissement de la population québécoise : la plus forte concentration des individus ne se situe pas à la base de la pyramide, mais dans le groupe des 35 à 55 ans, parmi lequel se trouvent les enfants du baby-boom. Par ailleurs, la pyramide illustre bien le phénomène de féminisation de la vieillesse : la répartition des individus au sommet de la pyramide présente une asymétrie en faveur des femmes. En revanche, à la base de la pyramide, le nombre de garçons dépasse celui des filles, le rapport de masculinité à la naissance étant supérieur à 100.

La pyramide des âges présente donc en un seul graphique une image du passé et de l'avenir, la base de la pyramide définissant l'importance des générations adultes de demain, et son sommet, le poids du troisième âge.

B ⟩ LE RAPPORT DE DÉPENDANCE

La pyramide des âges permet également de visualiser le poids, dans la population, des personnes âgées de 15 à 64 ans. Ces personnes constituent la population active de la pyramide, celle qui a principalement la charge de la production des biens et des services. Les démographes s'intéressent beaucoup au poids relatif des personnes dites dépendantes (les personnes âgées de moins de 15 ans ou de plus de 65 ans), parce que celles-ci participent moins aux activités de production que les personnes âgées de 15 à 64 ans. Ils mesurent le **rapport de dépendance**, soit le nombre de personnes dépendantes pour 100 personnes du groupe des 15 à 64 ans. Ce rapport donne donc le nombre de personnes additionnelles pour lesquelles les personnes non dépendantes doivent produire.

> **Rapport de dépendance**
> Nombre de personnes dépendantes (celles de moins de 15 ans et celles de 65 ans et plus) pour 100 personnes âgées de 15 à 64 ans.

▶ EXEMPLE

Étudions le rapport de dépendance à l'aide des données du tableau 6.12.

Tableau 6.12

Rapport de dépendance, Québec, 1991, 1996 et 1998

Année	Groupe d'âge			Rapport de dépendance $[(a + c)/b] \times 100$
	Moins de 15 ans a	15 – 64 ans b	65 ans et plus c	
1991	1 396 775	4 885 631	792 329	45
1996	1 382 635	5 021 180	870 204	
1998	1 357 210	5 063 780	912 293	

Source : Institut de la statistique du Québec, *La situation démographique au Québec. Bilan 1999. Rétrospective du 20ᵉ siècle*, Québec, Publications du Québec, 2000, p. 155.

Le rapport de dépendance en 1991 est de 45 : 100, rapport qu'on obtient en effectuant le calcul suivant :

$$\frac{1\ 396\ 775 + 792\ 329}{4\ 885\ 631} \times 100 = 45$$

Ainsi, en 1991, 100 personnes dans le groupe des 15 à 64 ans devaient produire pour 145 personnes, soit pour elles-mêmes et pour 45 autres personnes dépendantes. ◄

EXERCICE 6.10

a) Complétez le tableau 6.12, portant sur le rapport de dépendance.

b) À partir de la pyramide des âges de 1999, expliquez pourquoi, à défaut d'une hausse de la natalité et d'un apport migratoire, le rapport de dépendance devrait croître au cours des prochaines années.

6.4 La mesure des prix

Inflation. Dollars courants. Dollars constants. Autant d'expressions reliées à la notion de prix. Comme le prix des biens et des services est un facteur déterminant de la consommation, il nous paraît important d'en traiter maintenant.

6.4.1 L'indice élémentaire des prix

Le prix d'un bien de consommation varie généralement dans le temps. Une façon de mesurer cette variation consiste à utiliser un indice élémentaire des prix. Cet indice s'obtient en divisant le prix de ce bien par le prix du même bien à un temps fixe appelé *période de référence* ou *base*. Par convention, ce quotient est généralement multiplié par 100 et arrondi à une décimale.

► **EXEMPLE**

Le tableau 6.13 présente une série fictive du prix d'une boîte de biscuits soda de 450 g, de 1990 à 1999.

En prenant le prix de 1992 comme base, l'indice de prix d'une boîte de biscuits soda en 1990 est de 97,1, soit (1,70 \$/1,75 \$) × 100. En 1999, il est de 114,3, soit (2,00 \$/1,75 \$) × 100. L'indice de 1992 est évidemment de 100,0, puisque cette année sert de référence. Ce choix de la base est indiqué par l'expression « 1992 = 100 » dans le tableau.

Tableau 6.13

Prix et indice de prix d'une boîte de biscuits soda de 450 g, 1990–1999

Année	Prix ($)	Indice (1992 = 100)
1990	1,70	97,1
1991	1,70	97,1
1992	1,75	100,0
1993	1,80	—
1994	1,80	—
1995	1,85	105,7
1996	1,85	105,7
1997	1,90	—
1998	1,95	111,4
1999	2,00	114,3

[annotations manuscrites en marge :]

$$I(1993) = \frac{1,80}{1,75} \times 100$$

$$I(1993) = 102,86$$

$$I(1993) \approx 102,9$$

1992 → 1,75 ↗ 100
2004 → ? ↘ 112
? = 1,96

le prix a augmenté de 2,9 %.

L'indice de prix d'une boîte de biscuits soda permet de dire que la boîte de biscuits coûtait 2,9 % (soit 100 – 97,1) de moins en 1990 qu'en 1992, et 14,3 % de plus en 1999 qu'en 1992. ◀

EXERCICE 6.11

a) Complétez le tableau 6.13.

b) Si l'indice de prix d'une boîte de biscuits soda de 450 g était de 116,0 en 2000, quel était alors le prix de cette boîte de biscuits?

Si on désire changer l'année de référence, par exemple passer de « 1992 = 100 » à « 1996 = 100 », il suffit de diviser l'indice de chaque année par l'indice de 1996 et de le multiplier par 100. Nous obtenons alors le tableau 6.14 pour l'indice de prix d'une boîte de biscuits soda de 450 g.

Tableau 6.14

Indice de prix d'une boîte de biscuits soda de 450 g, 1990–1999

Année	Indice (1992 = 100)	Indice (1996 = 100)
1990	97,1	91,9
1991	97,1	91,9
1992	100,0	94,6
1993	102,9	97,4
1994	102,9	97,4
1995	105,7	100,0
1996	105,7	100,0
1997	108,6	102,7
1998	111,4	105,4
1999	114,3	108,1

EXERCICE 6.12 Quel aurait été l'indice de prix d'une boîte de biscuits soda de 450 g en 2000 (1996 = 100) si l'indice de 2000 (1992 = 100) était de 116,0?

6.4.2 L'indice des prix à la consommation (IPC)

A) L'IPC, UN INDICE COMPOSITE

Les consommateurs achètent un grand nombre de biens et, par conséquent, on souhaite disposer d'un indice qui tienne compte des dépenses effectuées pour l'ensemble des biens de consommation courante. Comme les dépenses dépendent non seulement du prix des biens, mais également de la quantité achetée, l'indice devrait aussi tenir compte de la quantité. En d'autres termes, si une banane coûte le même prix qu'une pomme, mais que nous consommons deux fois plus de pommes que de bananes, une variation de 0,10 $ du prix des pommes devrait provoquer une variation plus importante de l'indice qu'une variation de 0,10 $ du prix des bananes.

Afin de suivre l'évolution des prix au Canada, Statistique Canada effectue mensuellement une enquête sur les prix des principaux biens et services de consommation courante. L'**indice des prix à la consommation** (IPC) est défini comme une mesure de l'évolution des prix obtenue en comparant, dans le temps, le coût d'un panier fixe de biens et de services de consommation courante par rapport à son coût à une période de référence. Le panier est dit « fixe » parce qu'il est constitué de produits dont les quantités et la qualité sont invariables ou équivalentes au cours d'une période. L'indice des prix à la consommation mesure donc le mouvement pur des prix.

> **Indice des prix à la consommation (IPC)**
>
> Mesure de l'évolution des prix obtenue en comparant, dans le temps, le coût d'un panier fixe de biens et de services de consommation courante par rapport à son coût à une période de référence.

Plusieurs facteurs peuvent modifier les habitudes de consommation des individus, tels que l'introduction d'un nouveau produit sur le marché, les variations de prix des produits, les modes, les changements dans les styles de vie, l'évolution de la structure d'âge de la population et la situation économique en général. Le panier est donc mis à jour périodiquement – généralement tous les quatre ans – pour tenir compte de ces variations dans la répartition des dépenses courantes des consommateurs.

Les différents produits dans le panier servant à calculer l'IPC sont regroupées en huit composantes principales (Aliments; Logement; Dépenses et équipement du ménage; Habillement et chaussures; Transports; Santé et soins personnels; Loisirs, formation et lecture; Boissons alcoolisées et produits du tabac). Pour calculer l'IPC, Statistique Canada accorde un poids fixe à chacune des composantes du panier. L'IPC tient donc compte, en principe, de l'ensemble des prix et de l'importance relative des articles dans le budget d'un « ménage typique ». Ainsi, les poids (les pourcentages) sont introduits dans le calcul de l'IPC de façon à s'assurer que cette mesure soit sensible aux prix des biens selon leur importance relative dans l'ensemble des dépenses. Statistique Canada révise régulièrement les poids employés dans le calcul de l'IPC.

La plupart des prix des biens et des services servant au calcul de l'IPC sont relevés chaque mois. En revanche, les prix les plus stables, comme ceux de l'impôt foncier ou de l'électricité, le sont à des intervalles supérieurs à un mois.

L'échantillonnage des points de vente et des marques de produits est fait au jugé, mais il est conçu pour représenter les établissements à grand volume de vente. De nombreux résultats de l'enquête sont publiés mensuellement sous le numéro 62-001 au catalogue de Statistique Canada et sur le site Internet de Statistique Canada.

B INTERPRÉTATION DE L'IPC

Le tableau 6.15 nous donne l'IPC annuel au Canada de 1990 à 1999.

Tableau 6.15

IPC, moyenne annuelle, Canada, 1990–1999

Année	IPC (1992 = 100)
1990	93,3
1991	98,5
1992	100,0
1993	101,8
1994	102,0
1995	104,2
1996	105,9
1997	107,6
1998	108,6
1999	110,5

Source : Statistique Canada, *L'indice des prix à la consommation,* n° 62-001 au catalogue, juillet 2000, p. 18.

Étant donné que l'IPC de 1995 est de 104,2, on constate que le prix du panier de biens et de services servant de référence a augmenté de 4,2 % entre 1992 et 1995. Il fallait donc débourser, en moyenne, 104,20 $ en 1995 pour acheter ce qu'on pouvait payer 100 $ en 1992.

EXERCICE 6.13   Que signifie l'IPC de 1998 ?

6.4.3 Valeur réelle et valeur nominale de la monnaie

La lecture du tableau de l'IPC montre notamment que le pouvoir d'achat du dollar de 1999, mesuré en fonction de la quantité de biens et de services que l'on pouvait acheter avec un dollar cette année-là, a diminué par rapport à celui du dollar de l'année de référence (1992). Ainsi, comme il en coûtait 110,50 $ en 1999 pour acheter le panier de biens et de services qui valait 100 $ en 1992, on obtient l'équivalence suivante :

$$110,50\ \$_{1999} = 100\ \$_{1992}$$

$$1\ \$_{1999} = \frac{100}{110,50}\ \$_{1992}$$

$$1\ \$_{1999} = 0,90\ \$_{1992}$$

Pouvoir d'achat

Quantité de biens et de services qu'on peut acheter avec un dollar, exprimée en dollars constants.

Valeur réelle

Valeur corrigée pour tenir compte de l'effet de l'inflation. La valeur réelle de la monnaie s'exprime en dollars constants.

Dollar constant

Mesure de la valeur réelle de la monnaie, c'est-à-dire de la capacité d'acquérir des biens et des services.

Par conséquent, le pouvoir d'achat du dollar de 1999 correspond à 90 % de celui du dollar de 1992, soit à 0,90 $_{1992}. En 1999, on ne pouvait acheter, avec une pièce de 1 $, que 90 % des biens qu'on aurait pu acheter avec 1 $ en 1992. Le **pouvoir d'achat** (ou **valeur réelle**) de un dollar en l'an t est donc donné par l'expression suivante :

$$\text{Pouvoir d'achat de 1 \$ en l'an } t = \frac{100}{\text{IPC}(t)}$$

où IPC(t) représente l'indice des prix au temps t.

Le résultat de cette équation s'exprime en dollars de l'année de référence, qu'on appelle **dollars constants**.

EXERCICE 6.14 | En vous appuyant sur le tableau 6.15, calculez le pouvoir d'achat du dollar (1992 = 100) pour les années 1990 à 1995.

Valeur nominale

Valeur exprimée en unités monétaires courantes. La valeur nominale de la monnaie s'exprime en dollars courants.

Dollar courant

Valeur nominale de la monnaie, soit la valeur imprimée sur le billet de banque ou sur la pièce de monnaie.

Pour comparer les valeurs que prend une variable monétaire à des moments différents, il n'est donc pas adéquat de comparer leur **valeur nominale** (valeur exprimée en **dollars courants**). Il faut traduire les valeurs monétaires nominales en dollars constants pour comparer leur capacité d'acquérir des biens et des services. Pour transformer des dollars courants en dollars constants, on effectue l'opération suivante :

$$1 \text{ dollar courant} = 1\$_t = \frac{100}{\text{IPC}(t)} \text{ dollars constants}$$

On parle de **valeur réelle** lorsqu'on exprime une valeur en **dollars constants**, soit en dollars de l'année de référence (dans notre exemple, en dollars de 1992). Par le pouvoir d'achat, nous mesurons donc la valeur réelle de la monnaie.

▶ **EXEMPLE**

Pour comparer adéquatement un revenu de 35 000 $ gagné en 1990 avec un revenu de 40 000 $ gagné en 1998, il faut calculer le pouvoir d'achat de ces deux revenus, soit leur capacité d'acheter des biens et des services. Le pouvoir d'achat est obtenu en exprimant ces deux revenus en dollars constants de

1992, c'est-à-dire par rapport à une base de référence temporelle. Le revenu de 1990 est équivalent à 37 513,40 $_{1992}$, soit $35\,000 \times (100/93,3)$, tandis que le revenu de 1998 est de 36 832,41 $_{1992}$. Par conséquent, même si la valeur nominale du revenu de 1998 est supérieure à celle du revenu de 1990 (40 000 \$ > 35 000 \$), la valeur réelle du revenu de 1990 est supérieure à celle du revenu de 1998 (37 513,40 $_{1992}$ > 36 832,41 $_{1992}$). Il était donc possible d'obtenir plus de biens et de services avec 35 000 \$ en 1990 qu'avec 40 000 \$ en 1998. ◀

EXERCICE 6.15

a) Complétez le tableau suivant :

Rémunération hebdomadaire moyenne, exprimée en dollars courants et en dollars constants de 1992, Canada, 1990–1999

Année	IPC (1992 = 100)	Rémunération hebdomadaire exprimée en dollars courants	Rémunération hebdomadaire exprimée en dollars constants
1990	93,3	506,24	
1991	98,5	529,48	
1992	100,0	547,98	
1993	101,8	557,94	
1994	102,0	568,27	
1995	104,2	573,75	
1996	105,9	586,06	
1997	107,6	598,26	
1998	108,6	606,31	
1999	110,5	610,40	

Source : Statistique Canada, *L'observateur économique canadien, Supplément statistique historique 1999/00*, n° 11-210-XPB au catalogue, juillet 2000, p. 40 et 48.

b) Représentez graphiquement l'évolution de la rémunération hebdomadaire moyenne, exprimée en dollars courants et en dollars constants (1992 = 100), au Canada, entre 1990 et 1999.

c) Commentez votre graphique.

6.4.4 L'inflation

Comme pour d'autres variables qui fluctuent avec le temps, il est révélateur de calculer la variation relative de l'IPC. La variation relative de l'IPC entre deux mois consécutifs ou deux années consécutives porte le nom de **taux d'inflation**. Ce taux mesure le pourcentage d'augmentation ou de diminution du niveau général des prix au cours de la période considérée. Il se calcule au moyen de la formule suivante :

Taux d'inflation

Variation relative de l'indice des prix à la consommation (IPC) entre deux mois consécutifs ou deux années consécutives.

$$\text{Taux d'inflation au temps } t = \frac{\text{IPC}(t) - \text{IPC}(t-1)}{\text{IPC}(t-1)} \times 100\,\%$$

Le taux d'inflation sert notamment de référence pour indexer les salaires, c'est-à-dire pour les ajuster en fonction de l'augmentation des prix de façon à permettre le maintien total ou partiel du pouvoir d'achat.

▶ **EXEMPLE**

Au Canada, en juillet 1995, l'IPC était de 104,6 alors qu'il était de 104,4 en juin 1995 et de 102,0 en juillet 1994. En juillet 1995, le taux d'inflation a donc été de 0,2 % par rapport à juin 1995, soit [(104,6 – 104,4)/104,4] × 100 %, et de 2,5 % par rapport à juillet 1994. On peut donc dire que le niveau général des prix a augmenté de 0,2 % au cours du mois de juillet 1995 et de 2,5 % entre juillet 1994 et juillet 1995. ◀

EXERCICE 6.16 | Complétez le tableau suivant et interprétez le taux d'inflation de 1998.

IPC (moyenne annuelle) et taux d'inflation, Canada, 1990–1999

Année	IPC (1992 = 100)	Taux d'inflation (%)
1990	93,3	4,8
1991	98,5	
1992	100,0	
1993	101,8	
1994	102,0	
1995	104,2	
1996	105,9	
1997	107,6	
1998	108,6	
1999	110,5	

Source: Statistique Canada, *L'indice des prix à la consommation*, n° 62-001 au catalogue, juillet 2000, p. 18.

L'hyperinflation

L'inflation est relativement faible au Canada. En fait, elle est inférieure à 6 % par année depuis de nombreuses années. Le taux d'inflation peut cependant prendre des valeurs beaucoup plus grandes, si bien que, dans certains cas, on parle d'hyperinflation. En voici quelques exemples: en Allemagne, l'inflation a été de 140 % en 1921, de 4 100 % en 1922 et de 100 000 000 % de décembre 1922 à novembre 1923. En Hongrie, l'inflation a été d'environ 20 000 % par mois au cours de l'année 1946. Au cours du dernier mois de cette année-là, elle a été de 42 000 billions % ($4,2 \times 10^{16}$ %). L'unité monétaire était le pengo, et on a émis des billets de 100 trillions (100×10^{18}) de pengos. Plus récemment, en 1985, en Bolivie, le taux d'inflation a été de 12 807 % pour l'année. À Belgrade, au mois de novembre 1993, l'inflation mensuelle était de 20 000 %: on a émis des billets de 5 milliards de dinars qui valaient environ 6 $US. Dans ces contextes d'hyperinflation, l'économie s'arrête: les prix des biens changent tous les jours, voire toutes les heures.

RÉSUMÉ

Les disciplines des sciences humaines font couramment appel aux données publiques sur l'emploi, sur la population et sur les prix. Une grande partie de ces données sont élaborées à l'aide des concepts mathématiques de proportion, de taux, de rapport ou d'indice.

Les concepts mathématiques

Une proportion exprime, généralement sous la forme d'un pourcentage, la part d'une composante d'un ensemble par rapport au tout.

Un taux représente le quotient de deux quantités souvent exprimées en % (pour cent), ‰ (pour mille) ou ‰₀ (pour dix mille). En ramenant les quantités à une référence commune (100, 1 000 ou 10 000), les taux permettent les comparaisons.

Le rapport (ou ratio) exprime la taille d'un ensemble par comparaison avec la taille d'un autre ensemble servant de référence.

Les indices présentent une comparaison de la mesure d'une même variable à des temps ou en des lieux différents. On les dit soit élémentaires soit synthétiques (ou composites) selon qu'ils sont composés d'un seul ou de plusieurs éléments. Les indices à base temporelle servent à mesurer la variation relative d'une variable dans le temps à partir d'une période de référence appelée base. Un indice élémentaire à base temporelle se calcule ainsi :

$$I(t) = \frac{V(t)}{V(0)} \times 100$$

où :

$I(t)$ = Indice au temps t

$V(t)$ = Valeur de la variable au temps t

$V(0)$ = Valeur de la variable à la période de base

L'emploi

Les mesures de l'emploi sont fondées principalement sur le dénombrement de deux groupes : les chômeurs et la population active. Les chômeurs sont les personnes qui n'ont pas d'emploi, mais qui en recherchent un de manière active. Les personnes qui occupent un emploi et les chômeurs forment la population active. À partir de ces deux catégories, Statistique Canada mesure le taux de chômage, soit la proportion des chômeurs dans la population active.

Bien que révélateur, le taux de chômage présente des lacunes et ne constitue pas une mesure totalement adéquate de l'état du marché du travail. Il faut donc faire appel à d'autres indicateurs comme le nombre d'emplois, l'indice de l'emploi, le taux d'activité.

Les données du marché du travail peuvent être désaisonnalisées de façon à atténuer l'effet de fluctuations prévisibles occasionnées par des facteurs dits saisonniers.

Le tableau 6.5 (page 207) indique comment on calcule les indicateurs du marché du travail.

La population

Les mesures de la population portent surtout sur les naissances et les décès. Elles reposent notamment sur les taux.

Le taux de natalité donne le nombre de naissances pour 1 000 habitants et le taux de fécondité, le nombre de naissances pour 1 000 femmes âgées de 15 à 49 ans. À partir des taux de fécondité par groupe d'âge, les démographes calculent l'indice synthétique de fécondité, qui sert à faire une estimation du nombre d'enfants qu'aura une femme au cours de sa vie. On évalue que cet indice doit être supérieur à 2,1 pour assurer le renouvellement des générations. Comme dans beaucoup de pays industrialisés, l'indice synthétique de fécondité au Québec se situe actuellement en deçà de 2,1.

Le taux de mortalité donne le nombre de décès pour 1 000 habitants. La différence entre la natalité et la mortalité constitue l'accroissement naturel, soit l'augmentation d'une population pour 1 000 habitants en l'absence d'apports migratoires.

Les démographes s'intéressent également à la structure d'âge d'une population. La représentation graphique de cette structure est appelée pyramide des âges.

Voici les équations des mesures de la population expliquées dans ce chapitre :

$$\text{Taux de natalité} = \frac{\text{Nombre de naissances vivantes}}{\text{Taille de la population}} \times 1000\ \text{\textperthousand}$$

$$\text{Taux de fécondité} = \frac{\text{Nombre de naissances vivantes}}{\text{Nombre de femmes (15 à 49 ans)}} \times 1000\ \text{\textperthousand}$$

$$\text{Taux de fécondité par groupe d'âge} = \frac{\text{Nombre de naissances vivantes dans le groupe d'âge de la mère}}{\text{Nombre de femmes dans le même groupe d'âge}} \times 1000\ \text{\textperthousand}$$

$$\text{Taux de mortalité} = \frac{\text{Nombre de décès}}{\text{Taille de la population}} \times 1000\ \text{\textperthousand}$$

$$\text{Taux d'accroissement naturel} = \frac{\text{Nombre de naissances} - \text{Nombre de décès}}{\text{Taille de la population}} \times 1000\ \text{\textperthousand}$$

$$\text{Indice synthétique de fécondité (ISF)} = \frac{\text{Somme des taux de fécondité par groupe d'âge} \times \text{Nombre d'années par groupe d'âge}}{1\,000}$$

$$\text{Rapport de dépendance} = \frac{\text{Nombre de personnes âgées de moins de 15 ans ou de 65 ans et plus}}{\text{Nombre de personnes âgées de 15 à 64 ans}} \times 100$$

Les prix

L'indice des prix à la consommation (IPC) permet de mesurer l'évolution du coût d'un panier fixe de biens et de services courants à travers le temps. Il faut employer des dollars constants plutôt que des dollars courants pour évaluer le véritable pouvoir d'achat de la monnaie.

La variation relative de l'IPC entre deux périodes consécutives représente le taux d'inflation, dont on tient compte lors de l'indexation des salaires afin de maintenir totalement ou partiellement le pouvoir d'achat. Voici les équations permettant le calcul du pouvoir d'achat et du taux d'inflation :

$$\text{Pouvoir d'achat de 1\$ en l'an } t = \frac{100}{\text{IPC}(t)}$$

où IPC (t) représente l'indice des prix au temps t

$$\text{Taux d'inflation au temps } t = \frac{\text{IPC}(t) - \text{IPC}(t-1)}{\text{IPC}(t-1)} \times 100\,\%$$

MOTS CLÉS

Base, p. 205
Chômeur, p. 207
Désaisonnalisation, p. 210
Dollar constant, p. 226
Dollar courant, p. 226
Inactifs, p. 207
Indice à base, p. 205
Indice des prix à la consommation (IPC), p. 224
Indice élémentaire, p. 205
Indice synthétique, p. 205

Indice synthétique de fécondité, p. 216
Population active, p. 207
Pouvoir d'achat, p. 226
Proportion, p. 201
Pyramide des âges, p. 220
Rapport, p. 204
Rapport de dépendance, p. 221
Taux, p. 202
Taux d'accroissement naturel, p. 219

Taux d'activité, p. 207
Taux d'emploi, p. 207
Taux d'inflation, p. 227
Taux de chômage, p. 207
Taux de fécondité, p. 215
Taux de mortalité, p. 219
Taux de natalité, p. 214
Valeur nominale, p. 226
Valeur réelle, p. 226

EXERCICES RÉCAPITULATIFS

1. Examinez le tableau suivant et répondez aux questions qui s'y rapportent.

Nombre de salariés et nombre de syndiqués, provinces, 1999

Province	Nombre de salariés (milliers)	Nombre de syndiqués (milliers)
Terre-Neuve	178	69
Île-du-Prince-Édouard	50	14
Nouvelle-Écosse	348	100
Nouveau-Brunswick	285	75
Québec	2 844	1 007
Ontario	4 792	1 264
Manitoba	448	156
Saskatchewan	360	118
Alberta	1 250	
Colombie-Britannique		513

Source: E. B. Akyeampong, «Non-syndiqués assujettis à une convention collective», *L'emploi et le revenu en perspective*, Statistique Canada, n° 75-001-XPF au catalogue, automne 2000, p. 46.

a) Calculez le taux de syndicalisation au Québec et en Ontario.

b) Si le taux de syndicalisation est de 22,5 % en Alberta, combien y a-t-il de syndiqués dans cette province?

c) Si le taux de syndicalisation est de 33,9 % en Colombie-Britannique, combien y a-t-il de salariés dans cette province?

2. Depuis quelques années, les médias rapportent une pénurie d'infirmières et d'infirmiers au Québec. Examinez le tableau suivant et répondez aux questions qui s'y rapportent.

Taille de la population, nombre d'infirmières et d'infirmiers autorisés travaillant en soins infirmiers, Québec, 1994 – 1999

Année	Population (milliers)	Nombre d'infirmières et d'infirmiers
1994	7 190,3	61 218
1995	7 224,9	62 058
1996	7 274,0	57 291
1997	7 308,2	59 160
1998	7 335 ,1	56 825
1999	7 363,3	57 980

Source: Statistique Canada et Institut canadien d'information sur la santé (ICIS), «L'Institut canadien d'information sur la santé rapporte une baisse continue des infirmiers (ères) autorisés par habitant et le vieillissement de la main-d'œuvre», 19 juillet 2000, site Internet de l'ICIS (icis.ca).

a) Quelles sont la variation et la variation relative du nombre d'infirmières et d'infirmiers entre 1994 et 1999?

b) Calculez le taux d'infirmières et d'infirmiers par 10 000 habitants pour chacune des années.

c) Interprétez le taux observé en 1999.

d) Quelle a été la diminution relative du taux d'infirmières et d'infirmiers entre 1994 et 1999?

3. Dans une entreprise comptant 30 cadres, on constate que le rapport Cadre: Employés syndiqués est de 1: 5. Quel est le nombre d'employés syndiqués de cette entreprise?

4. Complétez. Une école compte 2 800 élèves et 200 professeurs. Le ratio Professeur: Élèves est de 1: _____.

5. En 1999, au Québec, le rapport de masculinité de la main d'œuvre syndiquée était de 125[13]. Quel était alors le taux de féminité de la main d'œuvre syndiquée, soit la proportion de la main d'œuvre de sexe féminin?

6. En 1999, l'indice de population étudiante d'un cégep était de 95 (1996 = 100), tandis que celui des professeurs était de 90.

a) Quelle était la taille de la population étudiante en 1999 si elle était de 2 000 en 1996?

b) Que nous apprend l'indice de 90?

c) Lequel des deux groupes a subi la plus forte diminution relative entre 1995 et 1999?

7. Interprétez chacun des taux présentés dans le tableau suivant:

Principales causes de décès chez les femmes, Canada, 1997

Cause	Nombre de décès	Taux pour 100 000 femmes
Maladies du système circulatoire	39 614	261,5
Cancer	27 142	179,1
Maladies respiratoires	9 425	62,2

Source: Statistique Canada, dans S. Girvan, dir., *Canadian Global Almanac 2001*, Toronto, Macmillan, 2000, p. 63.

8. Examinez les tableaux suivants et répondez aux questions qui s'y rapportent.

Évolution du nombre de mariages, Québec et provinces maritimes, 1976–1998

Année	Région	
	Québec	Provinces maritimes
1976	50 961	17 586
1986	33 108	15 798
1998	22 940	13 038

Source: Institut de la statistique du Québec, *La situation démographique au Québec. Bilan 1999. Rétrospective du 20ᵉ siècle*, Québec, Publications du Québec, 2000, p. 136.

---

13. E. B. Akyeampong, « Non-syndiqués assujettis à une convention collective », *L'emploi et le revenu en perspective*, Statistique Canada, n° 75-001-XPF au catalogue, automne 2000, p. 46 et 47.

**Évolution de la taille de la population, Québec
et provinces maritimes, 1976–1998**

Année	Région	
	Québec	Provinces maritimes
1976	6 396 735	2 205 980
1986	6 708 352	2 319 364
1998	7 335 075	2 371 443

Source : Institut de la statistique du Québec, *La situation démographique au Québec. Bilan 1999.
Rétrospective du 20ᵉ siècle*, Québec, Publications du Québec, 2000, p. 133.

a) Commentez le tableau présentant l'évolution du nombre de mariages.

b) Pourquoi ne doit-on pas utiliser le nombre de mariages pour comparer la vigueur de l'institution sociale du mariage au Québec et dans les provinces maritimes ?

c) Calculez le taux de nuptialité (nombre de mariages par 1 000 habitants) au Québec et dans les provinces maritimes pour chacune des années.

d) Que nous apprend le taux de nuptialité observé au Québec en 1998 ?

e) Dans laquelle des deux régions l'institution du mariage semble-t-elle la mieux établie ? Justifiez votre réponse.

9. Examinez le tableau suivant et répondez aux questions qui s'y rapportent.

**Évolution du nombre moyen d'emplois occupés par des hommes
et des femmes de 25 ans et plus, Québec, 1990–1999**

Année	Sexe	
	Hommes	Femmes
1990	1 496 700	1 105 600
1991	1 471 100	1 115 200
1992	1 452 900	1 113 400
1993	1 455 000	1 128 300
1994	1 479 100	1 144 900
1995	1 496 700	1 175 600
1996	1 501 200	1 190 200
1997	1 532 600	1 224 800
1998	1 565 400	1 254 200
1999	1 589 400	1 277 900

Source : Statistique Canada, *Statistiques chronologiques sur la population active 1999*, n° 71-201-XPB
au catalogue, mars 2000, p. 135 et 138.

a) Quel est le taux de féminité (soit la proportion des femmes) de la main-d'œuvre de 25 ans et plus au Québec en 1990 et en 1999 ?

b) De combien le taux de féminité de la main-d'œuvre de 25 ans et plus a-t-il diminué ou augmenté entre 1990 et 1999 ?

c) Quel est le rapport de masculinité de la main-d'œuvre de 25 ans et plus au Québec en 1990 et en 1999 ?

d) Quels sont les indices (1992 = 100) du nombre d'emplois occupés par des hommes de 25 ans et plus en 1990 et en 1999 ?

e) Que nous apprennent ces deux indices ?

10. L'avortement est un sujet qui soulève toujours autant de passions, tant au Québec que dans l'ensemble du Canada. Il existe plusieurs façons de mesurer l'ampleur du phénomène : nombre d'interruptions volontaires de grossesse, taux d'interruption volontaire de grossesse pour 100 naissances, taux d'interruption volontaire de grossesse pour 1 000 femmes d'un groupe d'âge, indice synthétique d'interruption volontaire de grossesse.

a) Complétez le tableau suivant :

Nombre de naissances, nombre d'interruptions volontaires de grossesse (IVG) et nombre d'interruptions volontaires de grossesse pour 100 naissances (taux d'IVG pour 100 naissances), Québec, 1977–1997

Année	Nombre de naissances	Nombre d'IVG	Nombre d'IVG pour 100 naissances
1977	97 266	8 069	
1987	83 600	15 475	
1997	79 724	27 993	

Source : Institut de la statistique du Québec, *La situation démographique au Québec. Bilan 1999. Rétrospective du 20ᵉ siècle*, Québec, Publications du Québec, 2000, p. 135 et 234.

b) Que nous apprend le taux d'IVG de 1997 ?

c) Commentez le tableau présenté en *a*.

d) En 1997, le Québec comptait 242 560 femmes âgées de 15 à 19 ans. Si on a dénombré 4 803 femmes de ce groupe d'âge ayant subi une IVG en 1997, calculez le taux d'IVG pour 1 000 femmes de ce groupe d'âge et dites ce que ce taux nous apprend ?

e) Au Québec, les taux d'IVG (pour 1 000 femmes) par groupe d'âge étaient les suivants :

Taux d'IVG pour 1 000 femmes par groupe d'âge, Québec, 1977–1997

Année	Groupe d'âge (années)							
	10 – 14	15 – 19	20 – 24	25 – 29	30 – 34	35 – 39	40 – 44	45 – 49
1977	0,3	4,8	7,5	6,3	4,9	3,2	1,1	0,2
1987	0,4	11,0	16,0	11,6	8,4	4,9	1,3	0,1
1997	0,7	19,8	35,1	24,4	15,7	8,8	2,7	0,2

Source : Institut de la statistique du Québec, *La situation démographique au Québec. Bilan 1999. Rétrospective du 20ᵉ siècle*, Québec, Publications du Québec, 2000, p. 235.

Calculez un indice synthétique d'interruption volontaire de grossesse pour chacune des années et donnez le sens de cette mesure pour 1997.

f) Quelle a été la variation relative de l'indice d'interruption volontaire de grossesse entre 1977 et 1997?

g) En 1997, dans les provinces de l'Ouest, on a dénombré 108 997 naissances[14] et 31 542 interruptions volontaires de grossesse[15]. Quel a été le taux d'IVG dans les provinces de l'Ouest en 1997?

h) Pourquoi devrait-on se servir d'un taux plutôt que du nombre d'IVG pour comparer l'ampleur du phénomène d'IVG au Québec et dans les provinces de l'Ouest?

11. La gérante d'une coopérative étudiante a constaté que le prix des manuels scolaires augmente régulièrement. Elle a dressé le tableau suivant montrant l'évolution du prix d'un livre de psychologie utilisé depuis de nombreuses années au cégep où elle travaille.

Évolution du prix et de l'indice de prix du manuel de psychologie

Année	Prix ($)	Indice de prix (1990 = 100)
1985	24,95	
1990	29,95	
1995	32,95	
2000	35,95	

a) Quelle est l'année de base de l'indice de prix?

b) Complétez le tableau.

c) Quelle a été la variation relative du prix entre 1990 et 2000?

d) Que nous apprend l'indice de prix observé en 2000?

12. Donnez quelques lacunes du taux de chômage tel que mesuré par Statistique Canada.

13. Répondez aux questions à partir du tableau suivant:

Sommaire du marché du travail, Canada, 1996–1999

Année	Population de 15 ans et plus (milliers)	Emplois à temps plein (milliers)	Emplois à temps partiel (milliers)	Chômeurs (milliers)
1996	29 671,9	10 883,0	2 579,6	1 436,9
1997	30 008,4	11 139,7	2 634,8	1 378,6
1998	30 296,6	11 466,6	2 673,8	1 277,3
1999	30 568,0	11 849,2	2 681,9	1 190,1

Sources: Institut de la statistique du Québec, *La situation démographique au Québec. Bilan 1999. Rétrospective du 20ᵉ siècle*, Québec, Publications du Québec, 2000, p. 132 et Statistique Canada, *Statistiques chronologiques sur la population active 1999*, nᵒ 71-201-XPB au catalogue, mars 2000, p. 1 à 3.

---

14. Institut de la statistique du Québec, *La situation démographique au Québec. Bilan 1999. Rétrospective du 20ᵉ siècle*, Québec, Publications du Québec, 2000, p. 135.

15. Statistique Canada, *Le Quotidien*, 7 avril 2000, statcan.ca.

a) Quelle a été la variation relative du nombre total d'emplois entre 1996 et 1999? Pourquoi ce nombre est-il positif?

b) Quelle a été la variation relative du nombre de chômeurs entre 1996 et 1999? Pourquoi ce nombre est-il négatif?

c) Combien y avait-il d'inactifs en 1999?

d) Complétez:

Année	Taux de chômage (%)	Taux d'activité (%)	Taux d'emploi (%)	Indice d'emploi à temps plein (1996 = 100)	Indice d'emploi à temps partiel (1996 = 100)
1996					
1997					
1998					
1999					

e) Quelle a été la variation relative des emplois à temps plein entre 1996 et 1999?

f) Quelle a été la variation relative des emplois à temps partiel entre 1996 et 1999?

g) Lequel des deux régimes de travail (temps plein ou temps partiel) a connu la plus forte croissance relative au cours de la période?

14. Commentez le graphique suivant:

Évolution de l'indice de l'emploi (1990 = 100) dans les secteurs de production de biens et de services, Québec, 1992-1999

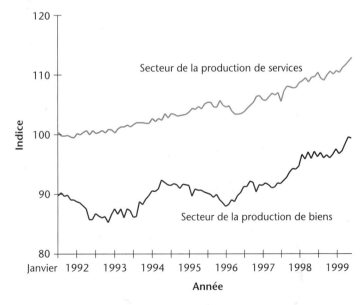

Source: Statistique Canada, *Statistiques chronologiques sur la population active 1999*, n° 71-201-XPB au catalogue, mars 2000, p. 141 et 144.

15. Vrai ou faux?

    a) Lorsque le nombre de personnes ayant un emploi augmente, le taux de chômage diminue toujours.

    b) Lorsque le nombre de chômeurs diminue, le taux de chômage diminue toujours.

    c) Les chômeurs ne font pas partie de la population active.

16. Nommez trois types de facteurs non climatiques qui peuvent provoquer des fluctuations saisonnières du marché du travail.

17. Comment calcule-t-on les taux suivants?

    a) Taux de natalité.

    b) Taux de fécondité.

18. Pourquoi la valeur numérique du taux de natalité est-elle toujours plus faible que celle du taux de fécondité?

19. Que représente l'indice synthétique de fécondité?

20. Donnez une raison pour laquelle l'indice synthétique de fécondité doit être supérieur à 2 pour assurer le renouvellement des générations.

21. Vrai ou faux?

    a) La population d'un pays commence à décroître dès que l'indice synthétique de fécondité tombe au-dessous de 2,1.

    b) L'indice synthétique de fécondité mesure précisément le nombre d'enfants qu'auront, en moyenne, les femmes de 15 ans au cours de leur vie.

    c) Depuis de nombreuses années, au Québec, on observe un plus grand nombre de naissances d'enfants de sexe masculin que féminin.

    d) Au Québec, l'indice synthétique de fécondité a toujours été supérieur à 2,1.

    e) La plupart des pays industrialisés présentent un indice synthétique de fécondité faible.

22. Comment calcule-t-on les taux suivants?

    a) Taux de mortalité.

    b) Taux d'accroissement naturel.

23. En 2000, le Canada comptait 15 232 909 hommes et 15 517 178 femmes, dont 7 799 055 étaient âgées de 15 à 49 ans. Au cours de cette année, on a dénombré 333 954 naissances et 229 138 décès. À partir de ces données, trouvez les éléments suivants:

    a) La taille de la population;

    b) Le rapport de masculinité;

    c) Le taux de natalité;

    d) Le taux de fécondité;

    e) Le taux de mortalité;

    f) Le taux d'accroissement naturel.

24. De quel graphique se sert-on pour représenter la structure d'âge d'une population selon le sexe?

25. Que nous apprend un rapport de dépendance de 50?

26. Pourquoi se sert-on d'un indice composite plutôt que d'un indice élémentaire pour mesurer l'évolution des prix à la consommation?

27. Quelle technique d'échantillonnage est employée lors de l'enquête sur les prix à la consommation?

28. En juillet 2000, l'IPC était de 111,9 à Québec et de 111,3 à Montréal. Doit-on en conclure qu'il est plus onéreux de vivre à Québec qu'à Montréal?

29. Examinez le tableau suivant et répondez aux questions qui s'y rapportent.

IPC, prix en dollars courants et en dollars constants (1992 = 100) d'un manuel de psychologie

Année	IPC (1992 = 100)	Prix ($ courants)	Prix ($ constants)
1985	75,0	24,95	
1990	93,3	29,95	
1995	104,2	32,95	
2000	115,1	35,95	

a) Complétez le tableau.

b) À l'aide du graphique approprié, représentez l'évolution du prix du manuel de psychologie exprimé en dollars courants et en dollars constants.

c) Entre 1985 et 2000, l'augmentation relative du prix du manuel (en dollars courants) a-t-elle été plus forte que celle de l'indice des prix à la consommation? Expliquez votre réponse.

d) Si le prix du manuel avait augmenté depuis 1985 au même rythme que l'IPC, quel aurait dû en être le prix (dollars courants) en 2000?

EXERCICES DE SYNTHÈSE

1. On peut trouver des données traitant de la population, de l'emploi et des prix sur les sites Internet de Statistique Canada (statcan.ca) et de l'Institut de la statistique du Québec (stat.gouv.qc.ca), de même que dans les publications de ces deux organismes. Consultez ces sources pour obtenir des données récentes sur:

a) Les indicateurs de l'emploi (population active, personnes occupant un emploi, chômeurs, taux d'activité, taux de chômage, taux d'emploi) au Canada et au Québec.

b) La composition de la population du Québec par groupe d'âge et par sexe, ce qui vous permettra de tracer une pyramide des âges et de calculer le rapport de dépendance.

c) Le nombre de naissances par sexe et le rapport de masculinité à la naissance.

d) Le taux de natalité au Québec.

e) Le taux de mortalité au Québec.

f) Les taux de fécondité par groupe d'âge au Québec.

g) L'indice synthétique de fécondité au Québec.

h) L'indice des prix à la consommation et le taux d'inflation.

2. Examinez les tableaux suivants et répondez aux questions qui s'y rapportent.

Nombre (en milliers) de personnes de 15 ans et plus occupant un emploi, selon le sexe et le niveau de scolarité, Québec, 1990–1999

Année	Sexe		Niveau de scolarité	
	Hommes	Femmes	Études secondaires ou moins	Études postsecondaires
1990	1 782,6	1 358,7	1 558,4	1 582,9
1991	1 723,5	1 358,1	1 497,0	1 584,6
1992	1 696,1	1 345,4	1 388,1	1 653,5
1993	1 689,7	1 350,2	1 341,2	1 698,7
1994	1 727,0	1 373,6	1 334,7	1 765,9
1995	1 746,1	1 401,5	1 275,8	1 871,7
1996	1 740,2	1 405,7	1 266,3	1 879,6
1997	1 762,0	1 433,1	1 179,7	2 015,5
1998	1 805,1	1 476,5	1 190,2	2 091,3
1999	1 849,9	1 507,5	1 230,0	2 127,5

Source : Institut de la statistique du Québec, site Internet (stat.gouv.qc.ca).

Nombre (en milliers) de personnes de 15 ans et plus occupant un emploi, selon le régime de travail et la catégorie d'emploi, Québec, 1990–1999

Année	Régime de travail		Catégorie d'emploi		
	Temps partiel	Temps plein	Salariés (secteur public)	Salariés (secteur privé)	Travailleurs autonomes
1990	488,3	2 653,1	686,9	2 039,2	399,1
1991	520,2	2 561,5	684,6	1 975,9	407,3
1992	524,4	2 517,1	690,4	1 931,3	404,3
1993	538,9	2 501,1	684,5	1 923,7	417,1
1994	532,2	2 568,4	675,5	2 004,8	407,6
1995	547,3	2 600,2	662,7	2 028,3	443,4
1996	564,6	2 581,3	652,4	2 018,0	459,3
1997	570,7	2 624,4	644,9	2 063,9	473,5
1998	579,6	2 701,9	630,5	2 142,5	495,1
1999	565,8	2 791,6	654,6	2 189,5	506,5

Source : Institut de la statistique du Québec, site Internet (stat.gouv.qc.ca).

a) Quel est le rapport de masculinité de la main-d'œuvre au Québec en 1990?

b) Quel est le taux de féminité de la main-d'œuvre au Québec pour chacune des années de la dernière décennie du 20e siècle?

c) De combien (en points de pourcentage et en pourcentage) le taux de féminité de la main-d'œuvre a-t-il augmenté ou diminué au cours de la dernière décennie du 20e siècle?

d) Au Québec, en 1990 et en 1999, quelle proportion des emplois étaient occupés par des personnes qui avaient fait des études postsecondaires?

e) Au Québec, entre 1990 et 1999, quelle est l'augmentation de la proportion des emplois occupés par des personnes qui avaient fait des études postsecondaires?

f) Représentez graphiquement l'évolution du nombre d'emplois par niveau de scolarité pour la période de 1990 à 1999 au Québec.

g) Dressez un tableau présentant l'évolution de l'indice de l'emploi (1990 = 100) pour chacun des deux régimes de travail pour la période 1990–1999 au Québec.

h) Déterminez, à partir du tableau dressé en *g*, la variation relative du nombre d'emplois à temps partiel, puis celle du nombre d'emplois à temps plein.

i) Représentez graphiquement l'évolution de l'indice de l'emploi (1990 = 100) par catégorie d'emploi pour la période de 1990 à 1999 au Québec.

j) Laquelle des catégories d'emploi a connu la plus forte augmentation relative entre 1990 et 1999? La plus faible augmentation entre 1990 et 1999?

k) Écrivez un court essai (environ 2 pages) qui décrirait les tendances du marché du travail à la fin du 20e siècle. Servez-vous notamment des réponses aux questions précédentes pour parler de la féminisation de la main-d'œuvre, de l'importance de la scolarisation, de la précarité des emplois (temps partiel), ainsi que de la place du secteur public, du secteur privé et des travailleurs autonomes dans le marché du travail.

7

Les mesures de tendance centrale

S'il est vrai que le revenu moyen augmente, comment peut-on expliquer que de plus en plus de gens ont un revenu inférieur à la moyenne?

À la fin de ce chapitre, vous devriez être en mesure de répondre aux questions suivantes:

- *Qu'est-ce qu'une mesure de tendance centrale?*
- *Que mesurent le mode, la médiane et la moyenne?*
- *Comment calcule-t-on le mode, la médiane et la moyenne?*
- *Dans quelles circonstances se sert-on du mode? De la médiane? De la moyenne?*
- *Comment repère-t-on le mode, la médiane et la moyenne dans un graphique?*

$\mathcal{N}$ous avons vu dans les chapitres précédents qu'il était possible d'analyser l'information contenue dans les tableaux et les graphiques à l'aide de mesures numériques (taux, proportion, variation, variation relative, variation moyenne). Nous allons maintenant approfondir l'analyse et l'interprétation en utilisant d'autres mesures numériques afin de faire ressortir certaines caractéristiques des données recueillies.

Les mesures de tendance centrale permettent de caractériser une série statistique au moyen d'une valeur ou d'une modalité typique. Elles apportent des réponses aux questions suivantes : quelle valeur ou modalité résume le mieux l'ensemble des données ? quelle mesure constitue la synthèse de l'ensemble des données ? quelle mesure permet de concentrer l'information d'une masse de données en une seule valeur ou modalité ? Dans ce chapitre, nous abordons trois mesures de tendance centrale : le mode, la médiane et la moyenne.

Par ailleurs, les mesures de dispersion caractérisent la variabilité d'une série ; elles permettent de déterminer si les données sont concentrées ou étalées. Au chapitre 8, nous aborderons quatre mesures de dispersion : l'étendue, la variance, l'écart type et le coefficient de variation.

Les mesures de position, quant à elles, situent les données les unes par rapport aux autres. Au chapitre 9, nous aborderons trois mesures de position : les quantiles, les rangs et la cote z.

7.1   Trois mesures de tendance centrale

Décrivons brièvement trois mesures de tendance centrale : le mode, la médiane et la moyenne.

Le **mode**, symbolisé par *Mo*, est la valeur ou la modalité la plus fréquente parmi les données. Il correspond par exemple à la réponse qui revient le plus souvent au cours d'une enquête par sondage, lorsqu'on utilise une question à choix multiple. Le mode peut être évalué pour une variable qualitative ou quantitative, quel que soit le type d'échelle de mesure employé.

La **médiane**, symbolisée par *Md*, est la valeur ou la modalité qui divise une série statistique ordonnée en deux groupes comprenant sensiblement la même proportion de données : environ 50 % des données sont inférieures (ou égales) à la médiane. Les données doivent donc présenter une relation d'ordre entre elles, si bien qu'on ne peut évaluer la médiane pour une variable mesurée à l'aide d'une échelle nominale, étant donné que cette échelle n'admet pas une relation d'ordre. Par conséquent, la médiane n'est définie que pour une variable mesurée à l'aide d'une échelle ordinale, d'intervalles ou de rapports.

La **moyenne**, symbolisée par $\bar{x}$ ou μ (le « m » grec que l'on prononce « mu »), correspond à la somme des valeurs de chaque donnée divisée par le nombre de données. En théorie, la moyenne n'est donc définie que pour une variable mesurée à l'aide d'une échelle qui permet une telle opération, soit une échelle d'intervalles ou de rapports.

Mode

Mesure de tendance centrale qui correspond à la valeur ou à la modalité la plus fréquente. Il peut y avoir plus d'un mode si plusieurs valeurs ou modalités sont nettement plus courantes que les autres. On dit alors que la distribution est bimodale (deux modes) ou multimodale (plusieurs modes). Le mode est symbolisé par *Mo*.

Médiane

Mesure de tendance centrale qui divise une série statistique ordonnée en deux groupes comptant chacun environ 50 % des données. Elle est symbolisée par *Md*.

Moyenne

Mesure de tendance centrale qui correspond à la somme des valeurs de chaque donnée divisée par le nombre de données. Elle est symbolisée par $\bar{x}$ ou μ selon qu'il s'agit de la moyenne de données provenant d'un échantillon ou d'une population.

Le mode, la médiane et la moyenne s'expriment dans les mêmes unités que la variable étudiée. Examinons maintenant plus attentivement chacune de ces mesures.

7.2 Le mode

Le mode est la mesure de tendance centrale la plus simple à évaluer. Il est représenté par la valeur ou par la modalité la plus fréquente ; c'est la valeur ou la modalité la plus « à la mode ».

7.2.1 Détermination du mode de données groupées par modalités ou par valeurs

Lorsque les données sont groupées par modalités ou par valeurs, le mode est la modalité ou la valeur qui apparaît le plus souvent. Il correspond à la modalité (ou à la valeur) où sont concentrées le plus grand nombre de données. C'est pourquoi on dit qu'il est le *centre de concentration*. Il est avantageux de regrouper les données dans un tableau de fréquences pour déterminer le mode, car ce dernier devient alors évident au premier coup d'œil.

▶ **EXEMPLE**

Voici les résultats de 30 étudiants qui ont réussi un cours de sociologie à l'université.

A, B, C, C, D, B, C, C, D, C, B, B, A, D, C, C, C, B, A, C, C, B, D, C, B, C, B, C, C, C

On regroupe ces résultats dans un tableau de fréquences (tableau 7.1).

Tableau 7.1

Répartition de 30 étudiants qui ont réussi un cours de sociologie, selon leur résultat

Résultat	Nombre d'étudiants
A	3
B	8
C	15
D	4
Total	**30**

Le résultat le plus fréquent est C. Le mode est donc C (*Mo* = C). Ce mode signifie que le résultat C est celui qui est le plus courant parmi les résultats des

30 étudiants ayant réussi ce cours de sociologie. Notez que le mode ne correspond pas à la fréquence la plus élevée (soit 15 dans notre exemple) mais à modalité la plus fréquente (soit C dans notre exemple). ◀

7.2.2　Détermination du mode de données groupées par classes

> **Classe modale**
>
> Classe qui présente la plus forte fréquence lorsque les données ont été groupées par classes de même amplitude. Le milieu de la classe modale est souvent utilisé comme mode.

Lorsque les données d'une série statistique sont groupées dans un tableau de fréquences selon des classes de même amplitude, on parle de **classe modale** plutôt que de mode. Si on désire disposer d'une seule valeur, le milieu de la classe modale peut servir de mode.

Il importe de souligner que les classes doivent toutes avoir la même amplitude, sinon la base de comparaison des fréquences est faussée. Si les classes n'ont pas la même amplitude, il faut les régulariser avant de déterminer la classe modale.

L'emploi de classes ouvertes ne pose pas de problèmes dans l'évaluation du mode, puisque ces classes ne devraient contenir que peu de données : ce sont les cas marginaux. Si tel n'est pas le cas, le tableau de fréquences ne donne pas une représentation adéquate de la série. Il faut alors former de nouvelles classes à l'intérieur de la classe ouverte pour remédier au problème.

▶ **EXEMPLE**

Déterminez la classe modale des données du tableau 7.2.

Tableau 7.2

Répartition des monarques d'Angleterre (roi ou reine), selon la durée de leur règne, 827-1952

Durée du règne (années)	Nombre de monarques
0 – 10	22
10 – 20	16
20 – 30	11
30 – 40	7
40 – 50	1
50 – 60	3
60 – 70	1
Total	**61**

Source : R. Porkess, *Dictionary of Statistics,* Londres, Collins, 1988, p. 70.

Dans ce contexte, la classe modale correspond à l'intervalle « 0 – 10 ». La durée de règne la plus courante des monarques d'Angleterre se situe donc entre 0 et 10 ans. Si on préfère évaluer un mode plutôt qu'une classe modale, le mode correspondra à $Mo = 5$ ans. ◀

EXERCICE 7.1

Voici des données portant sur les 150 employés d'une usine :

**Répartition des employés,
selon la langue maternelle**

Langue maternelle	Nombre d'employés
Français	120
Anglais	25
Autre	5
Total	**150**

Répartition en pourcentage des employés, selon le degré de satisfaction à l'égard de l'emploi

Degré de satisfaction	Pourcentage des employés (%)
Très insatisfait	12
Plutôt insatisfait	18
Plutôt satisfait	40
Très satisfait	30
Total	**100**

Répartition en pourcentage des employés, selon l'âge

Âge (années)	Pourcentage des employés (%)
20 – 30	10
30 – 40	12
40 – 50	44
50 – 60	20
60 – 70	14
Total	**100**

Répartition des employés, selon le nombre de jours d'absence en décembre

Nombre de jours d'absence	Nombre d'employés
0	125
1	18
2	6
3	1
Total	**150**

a) Quelle est la population étudiée ?

b) Donnez le rapport Non-francophones : Francophones.

c) Quel est le pourcentage des employés qui se déclarent plutôt satisfaits ou très satisfaits de leur emploi ?

d) Combien d'employés ont entre 30 et 50 ans ?

e) Pour chacun de ces tableaux, déterminez la variable étudiée, la nature de la variable ainsi que le mode et ce qu'il signifie.

7.2.3 Localisation du mode dans un graphique

Dans certains graphiques, il est facile de repérer le mode. Celui-ci correspond à la valeur en abscisse (la valeur en x) du sommet du polygone de fréquences (classes de même amplitude) ou du diagramme à bâtons. Dans un diagramme à bandes rectangulaires, le mode correspond à la modalité associée au rectangle le plus haut ou le plus long. Dans un diagramme linéaire ou un diagramme à secteurs, le mode correspond à la modalité qui occupe la plus grande surface. Dans un histogramme, il correspond au milieu de la classe pour laquelle on a tracé le rectangle le plus haut.

EXERCICE 7.2

Dans chacun des graphiques qui suivent, déterminez :

- La variable étudiée ;
- La nature de la variable ;
- Le mode et ce qu'il signifie.

Répartition en pourcentage des personnes de 15 ans et plus, selon l'état matrimonial, Québec, 1996

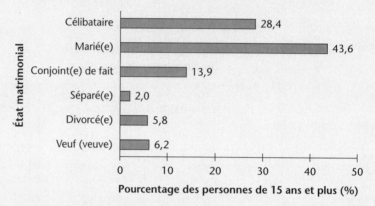

Les pourcentages étant arrondis, le total n'égale pas 100 %.

Source : Bureau de la statistique du Québec, *Un portrait statistique des familles et des enfants au Québec*, Québec, Gouvernement du Québec, 1999, p. 24.

Répartition en pourcentage des familles, selon la taille de la famille (nombre de personnes), Québec, 1997

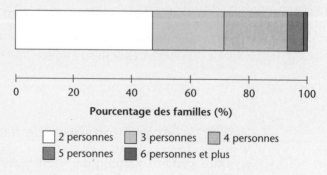

Source : Statistique Canada, *Annuaire du Canada 1999*, n° 11-402-XPF au catalogue, 1998, p. 207.

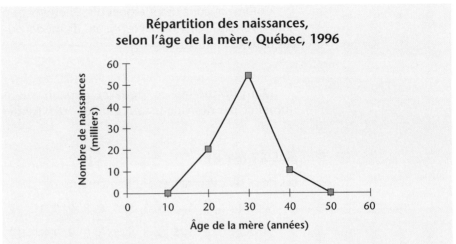

**Répartition des naissances,
selon l'âge de la mère, Québec, 1996**

Source : Bureau de la statistique du Québec, *Un portrait statistique des familles et des enfants au Québec*, Québec, Gouvernement du Québec, 1999, p. 44.

7.2.4 Remarques concernant le mode

Pour être révélateur, le mode doit présenter une fréquence nettement supérieure à celle des autres valeurs ou modalités. Si la majorité des classes, des valeurs ou des modalités sont sensiblement aussi fréquentes les unes que les autres, on dit que la variable n'a pas de mode.

▶ **EXEMPLE**

Le tableau 7.3 indique la popularité de cinq marques d'un produit.

Tableau 7.3

**Répartition en pourcentage des consommateurs,
selon la marque préférée**

Marque	Pourcentage des consommateurs (%)
A	19
B	21
C	22
D	18
E	20
Total	100

Comme aucune des marques n'est nettement plus populaire que les autres, nous dirons que cette variable n'a pas de mode, ou encore que le mode n'existe pas dans ce contexte. ◀

Étant donné que le mode ne dépend que des fréquences, il n'est pas influencé par des valeurs marginales ou extrêmes.

▶ **EXEMPLE**

Les deux séries suivantes ont le même mode : $Mo = 5$.

Série 1 : 5, 5, 5, 5, 5, 5, 5, 5, 8, 8, 9, 9, 10, 12, 12

Série 2 : 5, 5, 5, 5, 5, 5, 5, 5, 8, 8, 9, 9, 10, 12, 12, 20 000

Une valeur marginale éloignée des autres valeurs (20 000 par exemple) n'a donc pas d'effet sur le mode. ◀

Il peut arriver qu'il y ait plus d'un mode. On a alors une distribution bimodale (deux modes) ou multimodale (plusieurs modes), c'est-à-dire qu'il existe deux ou plusieurs modalités, valeurs ou classes ayant des fréquences nettement supérieures aux autres. Ce phénomène indique souvent la présence de deux ou de plusieurs sous-groupes ou sous-populations à l'intérieur d'une même population.

▶ **EXEMPLE**

Le tableau 7.4 indique le nombre de cours suivis par des diplômés de cégep.

Ce tableau présente deux modes : 28 cours et 42 cours. En effet, les fréquences de ces deux valeurs sont nettement supérieures à celles des autres. Il n'est pas nécessaire que les fréquences des modes soient strictement égales pour que la distribution soit bimodale : il suffit que la fréquence des valeurs modales soit beaucoup plus forte que celle des autres valeurs. Dans ce contexte, les modes correspondent au nombre de cours le plus souvent observé sur les relevés de notes des diplômés. La présence de deux modes témoigne probablement de l'existence de deux sous-groupes dans cette population : les diplômés du secteur préuniversitaire et les diplômés du secteur technique.

Tableau 7.4

Répartition de 2 000 diplômés de cégep, selon le nombre
de cours qui apparaissent sur le relevé de notes

Nombre de cours	Nombre de diplômés
26	30
27	40
28	300
29	100
30	85
31	75
32	40
33	30
34	20
35	10
36	40
37	65
38	80
39	85
40	100
41	130
42	325
43	175
44	140
45	80
46	30
47	20
Total	2 000

Lorsqu'une série statistique multimodale semble indiquer la présence de deux ou plusieurs sous-groupes identifiables, il est généralement préférable d'étudier les sous-populations de manière distincte. Dans l'exemple précédent, on aurait pu étudier séparément les diplômés du secteur préuniversitaire et ceux du secteur technique.

On constate également qu'un graphique peut présenter plus d'un mode.

▶ **EXEMPLE**

La figure 7.1 montre la répartition des employés d'une usine selon leur ancienneté.

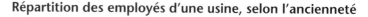

Figure 7.1

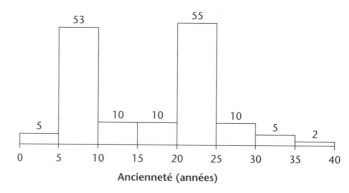

Répartition des employés d'une usine, selon l'ancienneté

Ancienneté (années)

Ce graphique présente deux classes modales : « 5 – 10 » et « 20 – 25 ». On en déduit que l'ancienneté la plus courante chez les employés de cette usine se situe entre 5 et 10 années et entre 20 et 25 années. La présence de deux classes modales semble indiquer que cette entreprise a connu deux importantes phases d'expansion ou de renouvellement du personnel. On aurait pu également déterminer deux modes : 7,5 années et 22,5 années. ◀

7.3 La médiane

La médiane est la mesure de tendance centrale qui divise une série statistique ordonnée en deux groupes comptant chacun environ 50 % des données. On devrait par conséquent trouver autant de données à gauche et à droite de la médiane : la médiane est le *centre de position*. Afin d'évaluer la médiane, il faut au moins avoir employé une échelle ordinale ; en effet, on ne peut trouver la médiane d'une variable mesurée à l'aide d'une échelle nominale. La première étape de l'évaluation de la médiane consiste à classer les données en ordre croissant et, au besoin, à les grouper par modalités, par valeurs ou par classes dans un tableau de fréquences.

7.3.1 Détermination de la médiane d'une variable qualitative ordinale

Pour déterminer la médiane d'une variable qualitative ordinale, il faut classer les données en ordre croissant. Lorsque la série comporte n observations, la médiane correspond à la modalité de la donnée qui occupe le rang $n/2$ ou $(n + 1)/2$, selon que le nombre d'observations est pair ou impair.

▶ **EXEMPLES**

1. On a demandé à 25 individus d'accomplir une tâche et on leur a attribué une cote selon la rapidité avec laquelle ils l'ont accomplie. L'échelle offrait un éventail de quatre possibilités : très lent (TL), lent (L), rapide (R) et très rapide (TR). Voici la série des observations :

   TL, L, L, TR, R, L, R, R, TL, TR, R, L, TR, TL, L, L, L, R, R, TR, TL, TL, TL, R, L

   En classant ces données par ordre croissant, on obtient la série :

   TL, TL, TL, TL, TL, TL, L, L, L, L, L, L, L, L, R, R, R, R, R, R, R, TR, TR, TR, TR

↑
13^e

   Cette série comporte 25 données ($n = 25$, un nombre impair). La médiane correspond donc à la modalité de la donnée de rang 13, soit $(n + 1)/2 = (25 + 1)/2$, c'est-à-dire à « lent ». Au moins 13 individus, soit au moins 50 % des personnes, ont une cote inférieure ou égale à « lent », et moins de 50 % ont une cote égale à « très lent ». On écrit ce résultat « Md = L ». Dans ce contexte, la médiane signifie qu'au moins 50 % des individus sont classés dans une modalité inférieure ou égale à « lent ».

2. On a fait passer un test de lecture à 250 personnes. On a ainsi pu répartir les individus selon quatre niveaux d'aptitude. Le niveau 1 regroupe ceux qui ne sont pas capables de lire ni de comprendre des instructions simples présentées par écrit, et le niveau 4, ceux qui sont capables de lire et de comprendre sans aucune difficulté une grande variété de textes. Les niveaux 2 et 3 correspondent à des niveaux intermédiaires. Les résultats de ce test sont présentés dans le tableau 7.5.

Tableau 7.5

Répartition des répondants, selon le niveau d'aptitude à la lecture

Niveau	Nombre de répondants
1	17
2	23
3	55
4	155
Total	250

Les données étant déjà classées et le nombre d'observations (250) étant pair, la médiane correspond à la modalité de la 125e donnée (soit $n/2 = 250/2$), c'est-à-dire à « 4 » ($Md = 4$). On peut alors affirmer que moins de 50 % des répondants ont un niveau d'aptitude pour la lecture inférieur à « 4 ». ◀

Les deux exemples qui précèdent (et ceux qui suivent) montrent qu'il faut être prudent dans l'interprétation de la médiane. Par exemple, on pourra dire soit qu'au moins 50 % des données prennent une modalité ou une valeur inférieure (ou égale) à la médiane, soit que moins de 50 % des données prennent une modalité ou une valeur inférieure à la médiane, ou encore qu'environ 50 % des données prennent une valeur inférieure (ou égale) à la médiane. C'est le contexte qui déterminera la formulation appropriée.

Si les données sont présentées dans un tableau de fréquences relatives où les modalités sont en ordre croissant, il faut faire le cumul des fréquences. La médiane correspond alors à la première modalité pour laquelle le cumul des fréquences relatives atteint ou dépasse 50 %.

▶ **EXEMPLE**

Le tableau 7.6 indique le degré d'aptitude de candidats à accomplir une tâche.

Tableau 7.6

Répartition et répartition cumulée des candidats, selon leur aptitude à accomplir une tâche

Degré d'aptitude	Pourcentage des candidats (%)	Pourcentage cumulé des candidats (%)
Inaptitude (I)	15	15
Réussite difficile (RD)	28	43
Réussite moyenne (RM)	40	83
Bonne réussite (BR)	12	95
Excellente réussite (ER)	5	100
Total	100	

La médiane correspond à « réussite moyenne » puisqu'au moins 50 % des données prennent une modalité inférieure ou égale à « réussite moyenne ». En effet, 15 % (15 % < 50 %) des candidats se sont montrés inaptes (I) à accomplir la tâche, 43 % (soit 28 % + 15 %) ont obtenu une cote inférieure ou égale à « RD », et 83 % (soit 15 % + 28 % + 40 %), une cote inférieure ou égale à « RM ». La médiane est donc Md = RM. Au moins 50 % des individus ont réussi la tâche au mieux de manière moyenne. ◀

EXERCICE 7.3

Évaluez la médiane de la série des résultats de 30 étudiants qui ont réussi un cours universitaire en sociologie :

A, B, C, C, D, B, C, C, D, C, B, B, A, D, C, C, C, B, A, C, C, B, D, C, B, C, B, C, C, C

7.3.2 Détermination de la médiane d'une variable quantitative

A) DONNÉES NON GROUPÉES

Afin d'évaluer la médiane d'une variable quantitative, il faut d'abord classer les données en ordre croissant. Nous distinguerons deux cas, selon que le nombre de données (n) est pair ou impair.

Si n est impair, la médiane correspond à la valeur de la donnée de rang $(n + 1)/2$.

Si n est pair, la médiane correspond à la demi-somme des valeurs des données de rang $n/2$ et $(n/2) + 1$.

► EXEMPLES

1. Prenons une série de 7 données :

$$2, 1, 13, 18, 7, 4, 6$$

Classons d'abord les données en ordre croissant. Nous obtenons la série suivante :

$$1, 2, 4, 6, 7, 13, 18$$
$$\uparrow$$
$$4^e$$

Puisqu'il y a 7 données, la médiane correspond à la valeur de la donnée de rang 4, soit $(n + 1)/2 = (7 + 1)/2$. La quatrième donnée de la série croissante étant 6, nous écrirons $Md = 6$. Nous saurons alors qu'au moins 50 % des données sont inférieures ou égales à 6.

2. Prenons maintenant une série ordonnée de 8 données :

$$1, 2, 4, 6, 7, 13, 18, 19$$
$$\uparrow \ \uparrow$$
$$4^e \ 5^e$$

Puisqu'il y a un nombre pair de données, la médiane est la demi-somme des données de rang 4, soit $n/2 = 8/2$, et de rang 5, soit $(n/2) + 1 = (8/2) + 1$, dans la série croissante, c'est-à-dire la demi-somme de 6 et 7 : $Md = 6,5$ [soit $(6 + 7)/2$]. Ce résultat signifie que 50 % des données prennent une valeur inférieure à 6,5. ◄

B) DONNÉES GROUPÉES PAR VALEURS

Lorsque les données ont été groupées par valeurs dans un tableau de fréquences, l'évaluation de la médiane s'en trouve facilitée. Lorsqu'on a n données, la médiane correspond à :

- la valeur de la donnée de rang $(n + 1)/2$ si n est impair ;
- la demi-somme des données de rang $n/2$ et $(n/2) + 1$ si n est pair.

▶ **EXEMPLES**

1. On a classé 125 élèves de cégep selon le nombre d'échecs en un trimestre.

Tableau 7.7

**Répartition de 125 élèves,
selon le nombre d'échecs en un trimestre**

Nombre d'échecs	Nombre d'élèves	Cumul
0	69	69
1	31	100
2	15	115
3	6	121
4	3	124
5	1	125
Total	**125**	

Comme le nombre de données est impair ($n = 125$), la médiane correspond à la valeur de la donnée de rang 63, soit:

$$\frac{n+1}{2} = \frac{125+1}{2} = 63$$

La 63ᵉ donnée valant zéro, la médiane est donc $Md = 0$ échec. Au moins 50 % de ces élèves n'ont connu aucun échec au cours du trimestre.

2. Le tableau 7.8 donne le nombre de billets gagnants du gros lot pour 56 tirages consécutifs du Lotto 6/49:

Tableau 7.8

**Répartition de 56 tirages consécutifs du Lotto 6/49,
selon le nombre de billets gagnants du gros lot**

Nombre de billets gagnants	Nombre de tirages	Cumul
0	16	16
1	12	28
2	11	39
3	8	47
4	7	54
5	1	55
6	1	56
Total	**56**	

Le nombre de données étant pair ($n = 56$), la médiane correspond à la demi-somme des 28ᵉ et 29ᵉ données: $Md = (1 + 2)/2 = 1,5$ billet gagnant. Ainsi, on observe moins de 1,5 billet gagnant du gros lot dans 50 % de ces tirages. ◀

Lorsque les données sont groupées par valeurs dans un tableau de fréquences relatives, il faut y ajouter la colonne des fréquences relatives cumulées afin de trouver la médiane. Cette dernière correspondra à la première valeur associée à une fréquence relative cumulée supérieure ou égale à 50 %.

▶ **EXEMPLE**

Trouvons la médiane à partir du tableau 7.9.

Tableau 7.9

Répartition et répartition cumulée des familles, selon le nombre de téléviseurs en bon état de fonctionnement qu'elles possèdent

Nombre de téléviseurs	Pourcentage des familles (%)	Pourcentage cumulé des familles (%)
0	1	1
1	30	31
2	45	76
3	15	91
4	9	100
Total	100	

La médiane est $Md = 2$ téléviseurs, puisque 2 est la première valeur pour laquelle la fréquence cumulée atteint ou dépasse 50 %. Cette médiane signifie qu'au moins 50 % des familles possèdent 2 téléviseurs ou moins en bon état de fonctionnement. ◀

EXERCICE 7.4

On a demandé à 75 propriétaires d'entreprise combien de voyages d'affaires ils ont effectués à l'étranger au cours du dernier mois.

Répartition de 75 propriétaires d'entreprise, selon le nombre de voyages d'affaires à l'étranger au cours d'un mois

Nombre de voyages	Nombre de propriétaires
0	25
1	35
2	10
3	3
4	2
Total	75

Déterminez la valeur de la médiane et dites ce qu'elle représente.

DONNÉES GROUPÉES PAR CLASSES

Lorsque les données sont groupées par classes, on peut procéder de deux façons pour évaluer la médiane : la méthode graphique et la méthode analytique. Dans les deux cas, on suppose que les données sont réparties de manière uniforme à l'intérieur de chaque classe.

Méthode graphique

La méthode graphique consiste à tracer la courbe des fréquences relatives cumulées, puis à lire la coordonnée en abscisse (la valeur de x) du point $(x ; 50 \%)$ sur la courbe.

▶ **EXEMPLE**

Évaluons la médiane à partir du tableau 7.10 selon la méthode graphique.

Tableau 7.10

Répartition et répartition cumulée de 2 000 élèves à temps plein d'un cégep, selon le nombre d'heures consacrées au travail rémunéré par semaine

Nombre d'heures	Nombre d'élèves	Pourcentage des élèves (%)	Pourcentage cumulé des élèves (%)
0 – 5	300	15,0	15,0
5 – 10	420	21,0	36,0
10 – 15	500	25,0	61,0
15 – 20	330	16,5	77,5
20 – 25	250	12,5	90,0
25 – 30	160	8,0	98,0
30 – 35	40	2,0	100,0
Total	2 000	100,0	

On trace la courbe des fréquences relatives cumulées et on évalue la médiane grâce à cette courbe (figure 7.2).

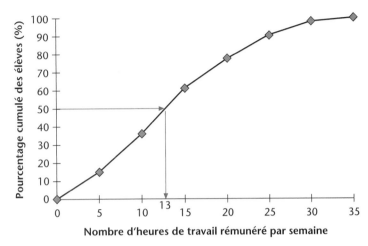

**Répartition cumulée de 2 000 élèves à temps plein
d'un cégep, selon le nombre d'heures consacrées
au travail rémunéré par semaine**

On cherche l'endroit où la courbe franchit 50 %, et on trouve la valeur de la médiane, soit environ 13 heures. Il s'agit d'une estimation, puisque la valeur obtenue dépend de la précision du graphique et de sa lecture. On écrira donc $Md \approx 13$ heures. Cette médiane signifie qu'environ 50 % des 2 000 élèves interrogés consacrent moins de 13 heures par semaine à un travail rémunéré. ◄

Méthode analytique

La méthode analytique requiert d'abord l'identification de la **classe médiane**, c'est-à-dire de la classe qui contient la médiane. Cette classe est celle où la fréquence cumulée atteint ou dépasse 50 % dans le tableau des fréquences relatives cumulées. Il faut ensuite déterminer à quelle valeur de cette classe correspond la médiane.

La médiane se calcule au moyen de la formule suivante :

$$Md \approx I + \left[\frac{(50\% - f_c)}{f_m} \times L \right]$$

où :

I = Borne inférieure de la classe médiane

f_c = Pourcentage des données de valeur inférieure à I

f_m = Pourcentage des données dans la classe médiane

L = Largeur (amplitude) de la classe médiane

Classe médiane
Classe dans laquelle se situe la médiane.

▶ **EXEMPLE**

Reprenons l'exemple concernant le travail rémunéré des élèves d'un cégep (tableau 7.10). Nous constatons que la classe médiane correspond à l'intervalle « 10 – 15 ». On a donc :

$l = 10$

f_c = Pourcentage des données de valeur inférieure à 10 = 36 %

f_m = Pourcentage des données dans la classe « 10 – 15 » = 25 %

L = Largeur (amplitude) de la classe « 10 – 15 » = 5

et :

$$Md \approx 10 + \left[\frac{(50\ \% - 36\ \%)}{25\ \%} \times 5 \right]$$

$$Md \approx 12,8 \text{ heures}$$

On en conclut qu'environ 50 % des 2 000 élèves à temps plein du cégep consacrent moins de 12,8 heures par semaine à un travail rémunéré.

Voyons en détail comment nous arrivons à ce résultat.

On sait que la médiane se situe dans la classe « 10 – 15 ». En effet, 36 % des données sont inférieures à 10, et 61 % des données sont inférieures à 15. Il existe donc un nombre, la médiane, compris entre 10 et 15, auquel 50 % des données sont inférieures.

Pour trouver ce nombre, il faut ajouter une valeur numérique à 10 (le l de la formule). Cette valeur doit être inférieure à 5 (le L de la formule), sinon nous dépasserions les 50 % recherchés. Il faut déterminer quelle partie de la classe « 10 – 15 », soit une fraction de la largeur d'intervalle, nous additionnerons à 10.

On sait que 36 % des données sont inférieures à 10. Il faut donc trouver la fraction de la largeur L qui correspond à 14 %, soit :

$$50\ \% - f_c = 50\ \% - 36\ \%$$

et qui nous donnerait les 50 % recherchés.

La classe « 10 – 15 » compte 25 % (le f_m de la formule) des données. La proportion de l'intervalle que nous voulons prendre est donc (50 % – 36 %)/25 %, et la largeur recherchée est :

$$\frac{(50\ \% - 36\ \%)}{25\ \%} \times 5$$

Cette expression donne la valeur qu'il faut ajouter à 10 pour obtenir les 14 % qui nous manquent. Par conséquent, la médiane est :

$$Md \approx 10 + \left[\frac{(50\ \% - 36\ \%)}{25\ \%} \times 5 \right]$$

$$Md \approx 12,8 \text{ heures}$$

◀

Le calcul de la médiane est possible même en présence de classes ouvertes. Qu'on utilise la méthode graphique ou analytique, seule la classe médiane, qui n'est généralement pas ouverte, a de l'importance.

EXERCICE 7.5

Pour chacun des tableaux de l'exercice 7.1 (page 247) déterminez la médiane, lorsque cela est possible, et dites ce qu'elle représente dans ce contexte.

7.3.3 Localisation de la médiane dans un graphique

À l'instar du mode, il est possible de localiser la médiane dans un graphique. Nous avons vu précédemment comment repérer la médiane lorsqu'on a utilisé une courbe des fréquences relatives cumulées. Dans le cas d'un histogramme, la médiane est la valeur de l'abscisse (x) qui sépare l'histogramme en deux surfaces de même aire.

▶ **EXEMPLE**

Dans l'histogramme de la figure 7.3, l'aire à gauche de 12,8 est donnée par :

$$5 \times 15{,}0 + 5 \times 21{,}0 + 2{,}8 \times 25{,}0 = 250 \text{ unités}^2$$

L'aire à droite de 12,8 est donnée par :

$$2{,}2 \times 25{,}0 + 5 \times 16{,}5 + 5 \times 12{,}5 + 5 \times 8{,}0 + 5 \times 2{,}0 = 250 \text{ unités}^2$$

Les aires à gauche et à droite de la médiane ($Md = 12{,}8$) sont donc égales.

Figure 7.3

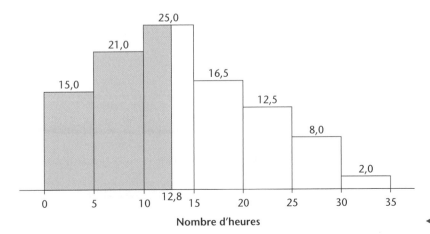

Répartition en pourcentage de 2 000 élèves à temps plein d'un cégep, selon le nombre d'heures consacrées au travail rémunéré par semaine

Nombre d'heures

7.4   La moyenne

La **moyenne** est la mesure de tendance centrale la plus connue. Elle est symbolisée par $\bar{x}$ ou par μ, selon qu'il s'agit de la moyenne d'un échantillon ou de la moyenne d'une population.

7.4.1   Calcul de la moyenne de données non groupées

La moyenne est la valeur unique que devrait prendre chacune des données d'une série pour que le nombre de données et la somme des valeurs de chaque donnée soient préservés. En d'autres mots, pour la série statistique générale :

$$x_1, x_2, x_3, ..., x_n$$

$\bar{x}$ représente la moyenne lorsque :

$$x_1 + x_2 + x_3 + \cdots + x_n = \underbrace{\bar{x} + \bar{x} + \bar{x} + \cdots + \bar{x}}_{n \text{ termes}} = n\bar{x}$$

On en déduit que :

$$\bar{x} = \frac{x_1 + x_2 + x_3 + \cdots + x_n}{n}$$

▶ **EXEMPLE**

La masse salariale d'une entreprise, c'est-à-dire la somme des salaires versés aux employés, est de 5 000 000 $. Cette entreprise compte 100 employés. Le salaire moyen dans cette entreprise est donc de 50 000 $ (soit 5 000 000 $/100), ce qui correspond au salaire que cette entreprise donnerait à chacun de ses employés si elle répartissait la masse salariale de manière égale entre tous ses employés. ◀

Afin d'abréger la formule de la moyenne, on écrit :

$$\bar{x} = \frac{\displaystyle\sum_{i=1}^{n} x_i}{n}$$

Le symbole Σ se prononce « sigma » et correspond au « S » grec (S pour « somme »). L'expression $\displaystyle\sum_{i=1}^{n} x_i$ représente la somme de tous les éléments x_i lorsqu'on laisse varier le i de 1 jusqu'à n. Si $n = 5$, alors l'expression $\displaystyle\sum_{i=1}^{n} x_i$ invite à faire la somme suivante :

$$x_1 + x_2 + x_3 + x_4 + x_5$$

Dans le cas d'une population, on se sert du symbole μ pour la moyenne et de N pour la taille de la population. On obtient alors la formule:

$$\mu = \frac{\sum_{i=1}^{N} x_i}{N}$$

Étant donné que le calcul de la moyenne nécessite une addition, la moyenne ne sera définie, en théorie, que si on emploie une échelle d'intervalles ou de rapports.

▶ **EXEMPLE**

On a interrogé 20 personnes sur le nombre de téléviseurs en bon état de fonctionnement qu'elles possèdent à leur domicile. Voilà la série de données obtenue pour cet échantillon:

0, 2, 3, 2, 1, 2, 1, 2, 3, 2, 2, 1, 2, 1, 1, 2, 3, 2, 4, 3

Le nombre moyen de téléviseurs à la disposition de ces personnes est:

$$\overline{x} = \frac{\sum_{i=1}^{n} x_i}{n}$$

$$= \frac{\sum_{i=1}^{20} x_i}{20}$$

$$= \frac{x_1 + x_2 + x_3 + \cdots + x_{20}}{20}$$

$$= \frac{0 + 2 + 3 + \cdots + 3}{20}$$

$$= 1,95$$

Le nombre moyen de téléviseurs en bon état de fonctionnement que possèdent ces personnes est de 1,95. ◀

Dans l'exemple précédent, la moyenne n'est ni un entier ni une valeur de la série. La moyenne est la valeur numérique unique que devrait prendre chaque observation pour préserver la somme des valeurs de chaque donnée.

Les calculatrices scientifiques offrent généralement des fonctions statistiques qui permettent de déterminer automatiquement la valeur de la moyenne en procédant à une simple saisie de données. Nous recommandons l'emploi d'une telle calculatrice. La façon de saisir les données varie d'une calculatrice à l'autre, de sorte qu'il est pratiquement impossible de décrire une façon universelle d'effectuer cette saisie. Il est donc préférable de se référer au manuel d'instructions de la calculatrice. Dans la plupart des cas, on y présente un exemple détaillé qui sert de modèle au calcul d'une moyenne. L'apprentissage du fonctionnement d'une calculatrice en mode statistique réduira considérablement la durée du travail et les risques d'erreur.

EXERCICE 7.6

Servez-vous des fonctions statistiques de votre calculatrice pour évaluer le nombre moyen de cours réussis au trimestre d'automne par 10 élèves qui ont réussi respectivement 7, 6, 5, 7, 6, 5, 4, 5, 6 et 6 cours.

7.4.2 Calcul de la moyenne de données groupées par valeurs

Le calcul de la moyenne peut être accéléré lorsque les données sont groupées par valeurs.

▶ **EXEMPLE**

Reprenons les données sur le nombre de téléviseurs en état de fonctionner de l'exemple précédent, et classons-les en ordre croissant :

$$0, 1, 1, 1, 1, 1, 2, 2, 2, 2, 2, 2, 2, 2, 2, 3, 3, 3, 3, 4$$

La moyenne de cette série est donnée par l'expression :

$$\bar{x} = \frac{\begin{matrix}0 + 1 + 1 + 1 + 1 + 1 + 2 + 2 + 2 + 2 \\ + 2 + 2 + 2 + 2 + 3 + 3 + 3 + 3 + 4\end{matrix}}{20} = 1,95$$

On aurait pu écrire cette expression sous la forme abrégée :

$$\bar{x} = \frac{0 \times 1 + 1 \times 5 + 2 \times 9 + 3 \times 4 + 4 \times 1}{20} = 1,95$$

Les nombres 1, 5, 9, 4 et 1 qui apparaissent dans l'expression précédente sont les fréquences respectives des différentes valeurs. Remarquez qu'en additionnant ces fréquences on obtient le nombre de données (1 + 5 + 9 + 4 + 1 = 20). Cela n'est pas propre à cet exemple : si on fait la somme des fréquences des valeurs de la variable, on obtient toujours le nombre de données. ◀

La moyenne correspond donc à la somme des valeurs multipliées par leurs fréquences respectives, divisée par le nombre total de données. La formule de la moyenne devient :

$$\bar{x} = \frac{\sum_{i=1}^{k} v_i f_i}{n} \qquad \text{ou} \qquad \mu = \frac{\sum_{i=1}^{k} v_i f_i}{N}$$

Dans cette formule :

$$v_i = i\text{-ième valeur}$$
$$f_i = \text{Fréquence de la } i\text{-ième valeur}$$
$$k = \text{Nombre de valeurs}$$
$$n \text{ ou } N = \text{Nombre de données} = f_1 + f_2 + \cdots + f_k = \sum_{i=1}^{k} f_i$$

▶ **EXEMPLE**

Calculons le nombre moyen d'échecs en un trimestre d'un échantillon de 126 élèves d'après le tableau 7.11.

Tableau 7.11

Répartition de 126 élèves, selon le nombre d'échecs en un trimestre

Nombre d'échecs	Nombre d'élèves
0	70
1	31
2	15
3	6
4	3
5	1
Total	**126**

Ces données ayant été groupées par valeurs dans un tableau de fréquences, on peut employer la formule :

$$\bar{x} = \frac{\sum_{i=1}^{k} v_i f_i}{n}$$

Dans ce contexte :

$$k = 6, \text{ puisqu'on a 6 valeurs possibles (0, 1, 2, 3, 4, 5)}$$

$$n = \sum_{i=1}^{6} f_i$$
$$= f_1 + f_2 + f_3 + f_4 + f_5 + f_6$$
$$= 70 + 31 + 15 + 6 + 3 + 1$$
$$= 126$$

$$v_1 = 0 \text{ et } f_1 = 70$$

$$v_2 = 1 \text{ et } f_2 = 31$$

$$v_3 = 2 \text{ et } f_3 = 15$$

etc.

La moyenne est donc :

$$\bar{x} = \frac{\sum\limits_{i=1}^{k} v_i f_i}{n}$$

$$= \frac{\sum\limits_{i=1}^{6} v_i f_i}{126}$$

$$= \frac{v_1 f_1 + v_2 f_2 + \cdots + v_6 f_6}{126}$$

$$= \frac{0 \times 70 + 1 \times 31 + 2 \times 15 + 3 \times 6 + 4 \times 3 + 5 \times 1}{126}$$

$$= 0,76$$

On en conclut que le nombre moyen d'échecs de ces élèves en un trimestre est de 0,76.

Il est également possible d'employer les fonctions statistiques d'une calculatrice pour évaluer la moyenne de cette façon. ◀

EXERCICE 7.7

Calculez la valeur moyenne de la variable présentée dans l'exercice 7.4 (page 257) et dites ce qu'elle représente dans ce contexte.

7.4.3   Calcul de la moyenne de données groupées par classes

Nous avons déjà vu que l'on perd de l'information lorsqu'on groupe des données par classes. Théoriquement, on n'est pas en mesure de calculer la moyenne dans un tel cas, à moins bien sûr de disposer de la série des données brutes.

Pour remédier à cette situation, on avance l'hypothèse que les données à l'intérieur d'une classe sont concentrées au milieu de la classe, ce qui permet de donner une valeur approximative de la moyenne. Cette approximation sera d'autant plus juste que les classes seront de faible largeur. La formule de la moyenne devient alors :

$$\bar{x} \approx \frac{\sum\limits_{i=1}^{k} m_i f_i}{n} \quad \text{ou} \quad \mu \approx \frac{\sum\limits_{i=1}^{k} m_i f_i}{N}$$

Dans cette formule :

m_i = Milieu de la i-ième classe

f_i = Fréquence de la i-ième classe

k = Nombre de classes

n ou N = Nombre de données = $\sum\limits_{i=1}^{k} f_i$

▶ **EXEMPLE**

Calculons la moyenne des données groupées par classes dans le tableau 7.12.

Tableau 7.12

Répartition de 150 employés, selon l'ancienneté

Ancienneté (années)	Milieu de classe (m_i)	Nombre d'employés (f_i)
0 – 5	2,5	5
5 – 10	7,5	53
10 – 15	12,5	10
15 – 20	17,5	10
20 – 25	22,5	55
25 – 30	27,5	10
30 – 35	32,5	5
35 – 40	37,5	2
Total		150

La deuxième colonne de ce tableau donne les milieux de classe. Cette colonne est nécessaire pour trouver la valeur approximative de l'ancienneté moyenne. Nous supposerons que les employés d'une même classe ont tous la même ancienneté, celle qui correspond au milieu de la classe.

L'ancienneté moyenne des employés a pour valeur approximative :

$$\overline{x} \approx \frac{\sum_{i=1}^{k} m_i f_i}{n}$$

où :

k = Nombre de classes = 8

n = Nombre de données

$$= \sum_{i=1}^{8} f_i$$

$$= f_1 + f_2 + f_3 + f_4 + f_5 + f_6 + f_7 + f_8$$

$$= 5 + 53 + 10 + 10 + 55 + 10 + 5 + 2$$

$$= 150$$

$m_1 = 2,5$ et $f_1 = 5$

$m_2 = 7,5$ et $f_2 = 53$

$m_3 = 12,5$ et $f_3 = 10$

etc.

La valeur approximative de l'ancienneté moyenne est donc :

$$\overline{x} \approx \frac{\displaystyle\sum_{i=1}^{k} m_i f_i}{n}$$

$$\approx \frac{\displaystyle\sum_{i=1}^{8} m_i f_i}{150}$$

$$\approx \frac{m_1 f_1 + m_2 f_2 + \cdots + m_8 f_8}{150}$$

$$\approx \frac{2,5 \times 5 + 7,5 \times 53 + \cdots + 37,5 \times 2}{150}$$

$$\approx 16,4$$

L'ancienneté moyenne des employés de l'échantillon est approximativement de 16,4 années. ◀

Lorsqu'un tableau de fréquences présente des classes ouvertes, il n'est pas possible de trouver une valeur approximative de la moyenne, puisqu'on ne connaît pas le milieu des classes ouvertes. Il faudrait donc avancer une autre hypothèse afin de fermer ces classes. Le problème sera de savoir où il convient de fermer les classes ouvertes, c'est-à-dire de choisir à quelle valeur minimale ou maximale fermer les classes ouvertes. Par conséquent, à moins de disposer de renseignements additionnels sur les classes ouvertes, il est préférable de ne pas évaluer la moyenne.

EXERCICE 7.8

Voici des données provenant d'un échantillon de 150 employés d'une grande usine. Calculez, lorsque c'est possible, la valeur moyenne de chaque variable en vous servant des fonctions statistiques de votre calculatrice.

Répartition des employés, selon la langue maternelle

Langue maternelle	Nombre d'employés
Français	120
Anglais	25
Autre	5
Total	150

Répartition en pourcentage des employés, selon le degré de satisfaction à l'égard de l'emploi

Degré de satisfaction	Pourcentage des employés (%)
Très insatisfait	12
Plutôt insatisfait	18
Plutôt satisfait	40
Très satisfait	30
Total	100

Répartition des employés, selon l'âge		Répartition des employés, selon le nombre de jours d'absence en décembre	
Âge (années)	Nombre d'employés	Nombre de jours d'absence	Nombre d'employés
20 – 30	15	0	125
30 – 40	18	1	18
40 – 50	66	2	6
50 – 60	30	3	1
60 – 70	21		
Total	150	Total	150

7.4.4. Localisation de la moyenne dans un graphique

À l'instar du mode et de la médiane, il est possible de localiser la moyenne dans un graphique. La moyenne représente le *centre d'équilibre* du diagramme à bâtons, de l'histogramme ou du polygone de fréquences sur l'axe des *x*. Elle se trouve à l'endroit où il faudrait placer un pivot pour que le graphique soit en équilibre (figure 7.4).

Figure 7.4

Localisation de la moyenne dans un graphique

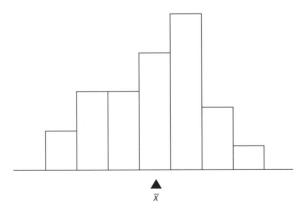

Si on déplaçait le pivot vers la gauche, le graphique pencherait vers la droite et inversement. C'est pourquoi on dit de la moyenne qu'elle est le *centre d'équilibre*.

7.4.5 Extension du concept de moyenne à une variable mesurée au moyen d'une échelle ordinale

On peut étendre le concept de moyenne à une variable mesurée au moyen d'une échelle ordinale en calculant la moyenne des codes associés aux différentes modalités. On agit alors comme si ces codes possédaient les propriétés des valeurs d'une échelle de rapports ou d'intervalles, ce qui, bien sûr, n'est pas le cas. Une telle moyenne doit donc être considérée avec prudence.

▶ **EXEMPLE**

On peut calculer la moyenne d'un étudiant dont les résultats sont présentés sous une forme littérale en se servant des codes associés aux différentes modalités (tableau 7.13). On suppose ici que tous les cours sont d'égale importance, c'est-à-dire qu'ils donnent tous le même nombre de crédits.

Tableau 7.13

Répartition des cours d'un étudiant, selon la note obtenue

Note	Code	Nombre de cours
A	4	18
B	3	10
C	2	1
D	1	1
E	0	0
Total		**30**

La moyenne de cet étudiant sera donnée par :

$$\overline{x} = \frac{\sum\limits_{i=1}^{k} v_i f_i}{n}$$

$$= \frac{\sum\limits_{i=1}^{5} v_i f_i}{30}$$

$$= \frac{v_1 f_1 + v_2 f_2 + v_3 f_3 + v_4 f_4 + v_5 f_5}{30}$$

$$= \frac{4 \times 18 + 3 \times 10 + 2 \times 1 + 1 \times 1 + 0 \times 0}{30}$$

$$= 3,5$$

Cet étudiant a donc obtenu une note moyenne de 3,5 pour l'ensemble de ses cours ; en moyenne, ses résultats se situaient entre A et B.

L'attribution des codes comporte une part d'arbitraire, et la moyenne changerait avec des codes différents. Répétons donc que la prudence est de mise lorsqu'on interprète la moyenne d'une variable mesurée à l'aide d'une échelle ordinale, parce qu'on accorde alors à cette échelle des propriétés qu'elle n'a pas. ◀

7.4.6 Utilisation de la moyenne en inférence statistique

Nous avons vu au chapitre 1 que l'inférence statistique est un procédé de généralisation de résultats échantillonnaux à l'ensemble de la population. Ce procédé comporte deux volets : l'estimation et le test d'hypothèse.

L'estimation consiste à évaluer un paramètre d'une population (μ, par exemple) d'après la statistique correspondante ($\bar{x}$) obtenue auprès d'un échantillon. Ainsi, un fabricant d'ampoules électriques qui veut estimer la durée de vie moyenne des ampoules qu'il produit prélèvera un échantillon de sa production et estimera la vie moyenne de l'ensemble des ampoules d'après la durée moyenne observée dans l'échantillon. On fait donc de l'inférence statistique lorsqu'on estime la moyenne d'une population à partir de la moyenne d'un échantillon tiré de cette population.

Il arrive également qu'on veuille comparer deux groupes. Le critère de comparaison retenu est souvent la moyenne. Par exemple, on pourrait se demander si le manque de sommeil diminue la performance des étudiants lors d'un examen. Afin de vérifier cette hypothèse, on formera deux groupes d'étudiants (deux échantillons). Dans le cas du premier groupe, le groupe de contrôle qu'on désignera par A, on permettra aux étudiants d'avoir une nuit normale de sommeil avant de leur faire passer un examen ; dans l'autre cas, celui du groupe expérimental qu'on désignera par B, on empêchera les étudiants de dormir la veille de l'examen. On comparera ensuite les performances des deux groupes en utilisant la note moyenne comme indicateur de performance. Dans ce contexte, si on constate que la moyenne du groupe A est supérieure à celle du groupe B, soit $\bar{x}_A > \bar{x}_B$, on pourra dire que le groupe A a eu une meilleure performance que le groupe B.

Toutefois, on voudra généraliser ce résultat et l'appliquer à l'ensemble des étudiants, afin de pouvoir dire : « Lorsque des étudiants sont privés de sommeil, leurs résultats aux examens sont moins bons ». En se fondant sur le fait que $\bar{x}_A > \bar{x}_B$, on voudra pouvoir dire avec un certain degré de confiance que la performance moyenne de l'ensemble de tous les étudiants non privés de sommeil (μ_A) est supérieure à celle des l'ensemble de tous les étudiants privés de sommeil (μ_B), soit que $\mu_A > \mu_B$. Cette inférence n'est pas automatique. Il faudrait effectuer un test d'hypothèse, sujet que nous aborderons au chapitre 11.

7.4.7 Limites d'utilisation de la moyenne

Comme la moyenne dépend de toutes les données, elle est sensible aux valeurs extrêmes. Des valeurs très grandes ou très petites, même si elles sont rares, peuvent exercer une influence indue sur la moyenne, ce qui n'est pas le cas pour la médiane ni pour le mode.

▶ **EXEMPLE**

Illustrons à l'aide de séries statistiques l'effet des valeurs extrêmes sur la moyenne.

Série 1 : 20, 21, 22, 24, 24, 26, 26, 26, 26, 26, 26, 26, 27, 29, 30

Série 2 : 20, 21, 22, 24, 24, 26, 26, 26, 26, 26, 26, 26, 27, 100, 150

Série 3 : 0, 1, 22, 24, 24, 26, 26, 26, 26, 26, 26, 26, 27, 29, 30

Ces trois séries donnent les mesures de tendance centrale suivantes :

Série 1 : $Mo = 26$ $Md = 26$ $\bar{x} = 25,3$

Série 2 : $Mo = 26$ $Md = 26$ $\bar{x} = 38$

Série 3 : $Mo = 26$ $Md = 26$ $\bar{x} = 22,6$

Ces séries sont très semblables. Cependant, la série 2 présente certaines valeurs beaucoup plus élevées que les autres, et la série 3 certaines valeurs beaucoup plus faibles que les autres. Ces valeurs extrêmes n'ont pas d'effet sur le mode ni sur la médiane. Toutefois, elles déplacent la moyenne vers le haut dans la série 2, où 87 % des données prennent une valeur inférieure à la moyenne. C'est ce qui se passe lorsqu'on trouve ne serait-ce qu'un ou deux élèves très doués dans une classe : ils font monter la moyenne.

Dans le cas de la série 3, c'est le contraire ; la moyenne est ramenée vers le bas, et 80 % des données prennent une valeur supérieure à la moyenne. Lorsqu'un ou deux élèves d'une classe sont très faibles, ils font baisser la moyenne.

Les valeurs extrêmes des séries 2 et 3 exercent une influence indue sur la moyenne, et cette dernière décrit mal les données qu'elle devrait représenter. Le mode et la médiane caractérisent alors beaucoup mieux ces deux séries parce que, d'une certaine façon, elles font abstraction des cas marginaux. ◀

La présence de cas marginaux est fréquente dans certains domaines. On peut penser au domaine de l'évaluation immobilière où quelques maisons très luxueuses font grimper l'évaluation moyenne des résidences d'un quartier. Le même phénomène se produit dans l'évaluation des revenus d'une population. Quelques revenus très élevés déplacent la moyenne vers le haut. La comparaison des revenus moyens est donc souvent trompeuse. Dans de telles circonstances, il est plus révélateur de présenter conjointement la médiane et la moyenne de la variable considérée.

▶ **EXEMPLE**

Examinons la rémunération horaire de 10 employés de 2 usines :

Usine 1 : 10 $, 10 $, 10 $, 10 $, 10 $, 10 $, 15 $, 15 $, 50 $, 50 $
$\bar{x} = 19\,$$

Usine 2 : 16 $, 16 $, 17 $, 17 $, 17 $, 17 $, 17 $, 17 $, 18 $, 19 $
$\bar{x} = 17,10\,$$

Le salaire horaire moyen des employés de l'usine 1 est supérieur à celui des employés de l'usine 2, tandis que tous les employés de l'usine 2 sont mieux rémunérés que 80 % des employés de l'usine 1. On remarque immédiatement pourquoi le salaire horaire moyen des employés de l'usine 1 n'est pas représentatif : deux salaires sont nettement supérieurs aux autres. Dans cet exemple, il aurait été préférable de comparer les revenus médians ou même modaux. ◀

7.5 La position relative des mesures de tendance centrale

Asymétrie nulle

Se dit d'une distribution de données pour laquelle la médiane et la moyenne coïncident.

Asymétrie positive

Se dit d'une distribution de données dans laquelle quelques valeurs nettement supérieures aux autres déplacent la moyenne vers la droite de la médiane.

Asymétrie négative

Se dit d'une distribution de données dans laquelle quelques valeurs nettement inférieures aux autres déplacent la moyenne vers la gauche de la médiane.

Les distributions unimodales présentent généralement une des formes représentées dans la figure 7.5.

Lorsqu'une distribution unimodale est relativement symétrique (**asymétrie nulle**), le mode, la médiane et la moyenne se confondent : $Mo = Md = \bar{x}$.

On a une **asymétrie positive** lorsque des valeurs nettement plus grandes que les autres déplacent la moyenne vers la droite. Le mode est alors inférieur à la médiane, elle-même inférieure à la moyenne, c'est-à-dire que $Mo < Md < \bar{x}$.

On observe la situation contraire dans l'**asymétrie négative** : des valeurs faibles déplacent la moyenne vers la gauche. On a alors $\bar{x} < Md < Mo$.

Lorsqu'une distribution unimodale est fortement asymétrique, la médiane constitue la mesure de tendance centrale la plus révélatrice. Puisque la moyenne subit trop l'influence des valeurs extrêmement élevées ou extrêmement faibles, la médiane se révèle une mesure plus typique.

Figure 7.5

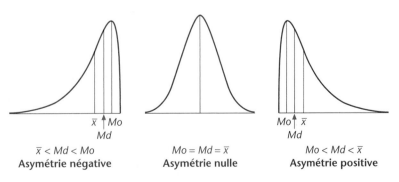

Formes courantes des distributions unimodales

$\bar{x} < Md < Mo$
Asymétrie négative

$Mo = Md = \bar{x}$
Asymétrie nulle

$Mo < Md < \bar{x}$
Asymétrie positive

7.6 De quelle mesure de tendance centrale se servira-t-on ?

Les mesures de tendance centrale font ressortir une modalité ou une valeur typique d'une série statistique, c'est-à-dire une modalité ou une valeur autour de laquelle se trouve un grand nombre de données. On ne s'intéresse pas à une mesure qui ne serait pas représentative du phénomène étudié. L'évaluation d'une mesure de tendance centrale ne doit pas se borner à un exercice de calcul, elle doit plutôt servir à décrire adéquatement les données. C'est ce critère qui sert à déterminer la mesure de tendance centrale la plus appropriée au contexte.

7.6.1 Le mode

Lorsque la distribution est multimodale, il n'y a pas une seule mesure typique, mais plusieurs mesures typiques : il y a plusieurs modes. Les modes sont alors beaucoup plus appropriés que la médiane ou la moyenne pour analyser les données. Le graphique de la figure 7.6 devrait vous en convaincre.

Figure 7.6

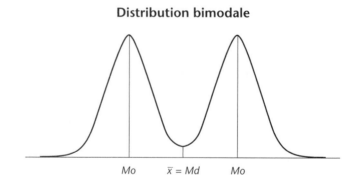

Distribution bimodale

Dans ce graphique, il n'y a pratiquement pas de données qui prennent la valeur de la médiane ou de la moyenne : ces mesures ne représentent pas adéquatement le phénomène étudié. Les valeurs typiques sont plutôt les deux modes.

Le mode est naturellement la mesure la plus utile lorsqu'on veut connaître une mesure qui correspond à une modalité ou à une valeur prise par un grand nombre d'unités statistiques. Un manufacturier de vêtements n'a pas intérêt à produire pour le client moyen, mais plutôt pour le plus grand nombre de clients. Il s'intéressera donc davantage à la taille modale, soit la taille la plus fréquente, qu'à la taille moyenne qui ne correspond peut-être à la taille d'aucun client.

Enfin, lorsque le phénomène étudié est mesuré au moyen d'une échelle nominale, on doit utiliser le mode puisque c'est alors la seule mesure de tendance centrale que l'on puisse évaluer.

7.6.2   La médiane

Lorsqu'on étudie une variable quantitative dont la distribution est fortement asymétrique et unimodale, il est préférable de se référer à la médiane plutôt qu'à la moyenne. Cette dernière risque de trop subir l'influence des valeurs extrêmes pour être vraiment représentative. D'ailleurs, plus la moyenne s'éloigne de la médiane, moins elle est représentative, et la médiane est alors plus typique que la moyenne.

7.6.3   La moyenne

Même si elle nécessite l'emploi d'une échelle de rapports ou d'intervalles (et, dans certains cas particuliers, d'une échelle ordinale), la moyenne est la mesure de tendance centrale la plus courante. C'est sans doute parce qu'elle se prête bien à l'inférence, c'est-à-dire à la généralisation des résultats provenant d'un échantillon à l'ensemble de la population. À moins que sa valeur ne diffère grandement de celle de la médiane, la moyenne reste la mesure de tendance centrale à privilégier dans l'étude de phénomènes quantitatifs.

RÉSUMÉ

Pour faciliter la lecture de l'information contenue dans une série statistique ou dans un tableau, il est recommandé de calculer des mesures de tendance centrale. Ces mesures servent à représenter une série par une valeur ou une modalité typique. Nous en avons étudié trois : le mode, la médiane et la moyenne. Le type d'échelle utilisé pour mesurer une variable détermine les mesures de tendance centrale qu'il est théoriquement possible d'employer (tableau 7.14).

Le mode (Mo) est la modalité ou la valeur la plus fréquente d'une série.

La médiane (Md) sépare une série ordonnée en deux groupes qui comptent chacun environ 50 % des données. La figure 7.7 présente les différentes façons de déterminer la médiane selon la nature de la variable.

La moyenne ($\bar{x}$ ou μ) est la valeur que prendrait chaque donnée d'une série si on voulait préserver le nombre et la somme des valeurs de chaque donnée. Le tableau 7.15 présente les formules employées pour calculer la moyenne selon la façon dont on a groupé les données.

Tableau 7.14

Mesures de tendance centrale, selon l'échelle de mesure employée

Échelle	Mesures de tendance centrale
Nominale	Mode
Ordinale	Mode Médiane
D'intervalles	Mode Médiane Moyenne
De rapports	Mode Médiane Moyenne

Figure 7.7

La médiane

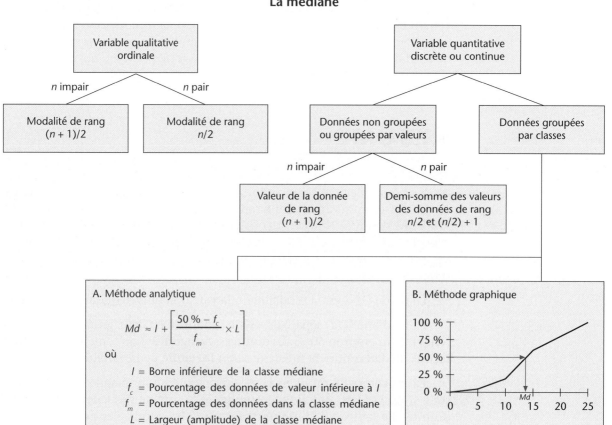

A. Méthode analytique

$$Md \approx I + \left[\frac{50\% - f_c}{f_m} \times L \right]$$

où

I = Borne inférieure de la classe médiane
f_c = Pourcentage des données de valeur inférieure à I
f_m = Pourcentage des données dans la classe médiane
L = Largeur (amplitude) de la classe médiane

B. Méthode graphique

Tableau 7.15

La moyenne

	Données non groupées	Données groupées par valeurs	Données groupées par classes
Population	$\mu = \dfrac{\displaystyle\sum_{i=1}^{N} x_i}{N}$	$\mu = \dfrac{\displaystyle\sum_{i=1}^{k} v_i f_i}{N}$	$\mu \approx \dfrac{\displaystyle\sum_{i=1}^{k} m_i f_i}{N}$
Échantillon	$\overline{x} = \dfrac{\displaystyle\sum_{i=1}^{n} x_i}{n}$	$\overline{x} = \dfrac{\displaystyle\sum_{i=1}^{k} v_i f_i}{n}$	$\overline{x} \approx \dfrac{\displaystyle\sum_{i=1}^{k} m_i f_i}{n}$

À moins que la répartition des données ne soit fortement asymétrique ou multimodale, la moyenne est la mesure de tendance centrale la plus employée, notamment parce qu'elle permet l'inférence statistique. Il est souvent révélateur de la présenter conjointement avec la médiane.

Le tableau 7.16 compare les principales caractéristiques des mesures de tendance centrale.

Tableau 7.16

Comparaison des mesures de tendance centrale

Mode (*Mo*)	Médiane (*Md*)	Moyenne (μ ou *x*)
Il représente la valeur ou la modalité ayant la plus grande fréquence. C'est le centre de concentration de la distribution.	Elle sépare une série statistique ordonnée en deux groupes de même taille. C'est le centre de position de la distribution.	Elle représente la somme des valeurs de chaque donnée divisée par le nombre de données. C'est le centre d'équilibre de la distribution.
Il peut être déterminé quelle que soit l'échelle de mesure employée.	Elle se calcule seulement lorsqu'une échelle ordinale, d'intervalles ou de rapports a été employée.	En théorie, elle se calcule seulement lorsqu'une échelle d'intervalles ou de rapports a été employée.
Il peut être déterminé même s'il y a des classes ouvertes.	Elle peut être déterminée même s'il y a des classes ouvertes.	Elle ne devrait pas être calculée s'il y a des classes ouvertes.
Il peut y avoir plus d'un mode.	La médiane est unique.	La moyenne est unique.
Le mode ne dépend que de la fréquence des modalités ou des valeurs.	La médiane dépend du nombre de données et de leur rang.	La moyenne dépend de toutes les données et de leur nombre.

Tableau 7.16

Comparaison des mesures de tendance centrale (suite)

Mode	Médiane	Moyenne
Il ne tient pas compte de toutes les données. Il ne subit pas l'influence des données marginales ou extrêmes. Dans certains contextes, cela constitue un avantage par rapport à la moyenne.	Elle ne tient compte que de la position des données. Elle ne subit pas l'influence des données marginales ou extrêmes. Dans certains cas, cela constitue un avantage par rapport à la moyenne.	Elle tient compte de toutes les données. Elle peut subir l'influence des données marginales ou extrêmes de manière indue. On lui préfère la médiane lorsque la distribution est fortement asymétrique.
Il est facile à déterminer et à interpréter.	Elle est facile à déterminer, mais il faut d'abord ordonner les données.	Elle exige de longs calculs lorsque les données sont nombreuses.
Il représente l'abscisse du (des) sommet(s) du polygone de fréquences ou du diagramme à bâtons. Dans un diagramme à bandes rectangulaires, il correspond à la modalité associée au rectangle le plus haut ou le plus long. Il correspond au milieu de la classe pour laquelle on a tracé le rectangle le plus haut dans un histogramme. Il correspond aussi à la modalité qui occupe la plus grande surface du diagramme à secteurs ou du diagramme linéaire.	Elle représente l'abscisse qui sépare l'histogramme en deux surfaces de même aire. Elle correspond à l'abscisse du couple $(x; 50\%)$ lorsqu'on trace une courbe des fréquences relatives cumulées.	Elle représente le pivot sur lequel l'histogramme, le polygone de fréquences ou le diagramme à bâtons tiendraient en équilibre.
Il est la mesure de tendance centrale la moins employée parce qu'il est trop sommaire. Il n'a de sens que si la fréquence du mode est nettement supérieure à celle des autres valeurs ou modalités.	Elle est plus courante que le mode, mais moins que la moyenne. On s'en sert surtout dans le cas de distributions très asymétriques. Elle représente un bon complément de la moyenne.	C'est la mesure de tendance centrale la plus employée, notamment en inférence statistique. C'est la mesure idéale lorsque la distribution est relativement symétrique et unimodale.

MOTS CLÉS

Asymétrie négative, p. 273
Asymétrie nulle, p. 273
Asymétrie positive, p. 273

Classe médiane, p. 259
Classe modale, p. 246
Médiane, p. 244

Mode, p. 244
Moyenne, p. 244

EXERCICES RÉCAPITULATIFS

1. À quoi servent les mesures de tendance centrale ?

2. Qu'est-ce que le mode ?

3. Quel est le pourcentage des données qui sont inférieures ou égales à la médiane ?

4. Quel est le mode des séries suivantes ?

   a) Résultats d'un cours d'histoire notés par R (réussite), E (échec) et I (incomplet) :

   R, E, I, E, R, R, R, R, E, R, E, R, E, R, R, R, I, R, E, R, R, R 2^3

   b) Nombre de billets gagnants du gros lot du Lotto 6/49 pour un échantillon de 25 tirages :

   5, 1, 2, 3, 2, 0, 0, 0, 4, 2, 0, 1, 2, 0, 2, 0, 1, 6, 0, 0, 3, 2, 0, 1, 0   25

   c) Degré d'adhésion à une nouvelle politique mesuré par 1 (très défavorable), 2 (défavorable), 3 (favorable) et 4 (très favorable) :

   4, 4, 3, 4, 3, 2, 2, 2, 1, 2, 2, 4, 2, 2, 3, 1, 2, 4, 1, 2, 2, 1, 2, 2, 3, 2   26

5. Pour chacun des tableaux, déterminez :

   • la variable étudiée ;

   • sa nature ;

   • le mode et ce qu'il signifie.

   a) **Répartition en pourcentage des habitants du globe, selon le continent de résidence, 2000 (projection)**

Continent de résidence	Pourcentage de la population (%)
Afrique	12,9
Amérique latine	8,6
Amérique du Nord (Mexique non compris)	5,1
Asie	60,8
Europe	12,1
Océanie	0,5
Total	100,0

Source : *État du monde 2001*, Montréal, Éditions du Boréal, 2000, p. 619.

b)

Répartition en pourcentage des Nord-Américains, selon le groupe sanguin

Groupe sanguin	Pourcentage des Nord-Américains (%)
O$^+$	37,4
O$^-$	6,6
A$^+$	35,7
A$^-$	6,3
B$^+$	8,5
B$^-$	1,5
AB$^+$	3,4
AB$^-$	0,6
Total	100,0

Source : S. Strauss, *The Sizesaurus*, New York, Kodansha International, 1995, p. 179.

c)

Répartition de 70 candidats, selon le temps requis pour effectuer une simulation au cours d'une entrevue de sélection

Temps (minutes)	Nombre de candidats
0 – 2	2
2 – 4	7
4 – 6	50
6 – 8	9
8 – 10	2
Total	70

d)

Répartition de 70 candidats, selon le nombre de fautes commises au cours d'une simulation

Nombre de fautes	Nombre de candidats
0	5
1	8
2	26
3	25
4	4
5	2
Total	70

6. Pour chacun des graphiques suivants, déterminez :
- la variable étudiée ;
- la nature de la variable ;
- le mode et ce qu'il signifie.

a) **Répartition en pourcentage des conducteurs de 18 et 19 ans, selon la fréquence de conduite avec facultés affaiblies au cours des 12 derniers mois, Canada, 1996-1997**

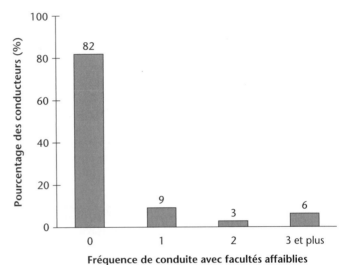

Source : Statistique Canada, *Rapport statistique sur la santé de la population canadienne*, n° 82-570-X1F au catalogue, mars 2000, p. 199.

b) **Répartition en pourcentage des Québécois, selon la langue parlée à la maison (réponses uniques), 1996**

Source : Statistique Canada, *Profil des divisions et subdivisions de recensement du Québec*, vol. 1, n° 95-186-XPB au catalogue, 1999, p. 36.

c)

Répartition de 49 mois d'octobre, selon le nombre d'heures d'ensoleillement, Montréal, 1942-1990

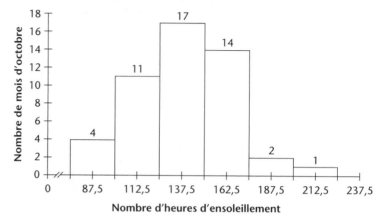

Sources : *Monthly Record of Meteorological Observations in Canada* et *Canadian Weather Review.*

d)

Répartition en pourcentage des jeunes Québécois âgés de 15 à 29 ans, selon le degré de satisfaction à l'égard de leur emploi

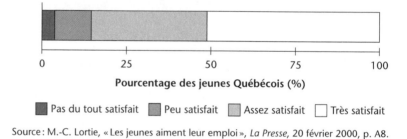

Source : M.-C. Lortie, « Les jeunes aiment leur emploi », *La Presse*, 20 février 2000, p. A8.

e)

Répartition en pourcentage des vols de voitures, selon le lieu du vol

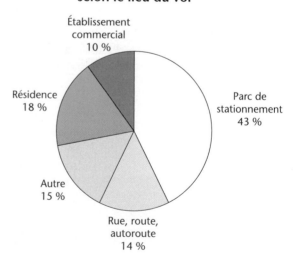

Source : Groupement des assureurs automobile (GAA), « Le Québec possède les meilleurs voleurs de voitures », *La Presse*, 20 septembre 2000, p. A31.

f)

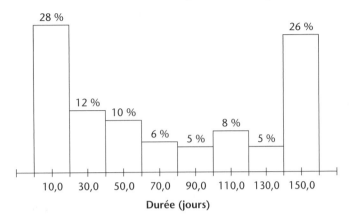

**Répartition en pourcentage de 1 000 voyageurs
selon la durée du séjour à l'étranger**

7. Vrai ou faux ?

a) Le mode est unique.

b) Le mode subit l'influence des valeurs extrêmes de certaines données.

c) Lorsque les données sont groupées par classes, le mode est donné par le milieu de la classe modale.

d) Il faut que toutes les classes aient la même amplitude pour évaluer le mode.

e) Lorsqu'une représentation graphique présente plus d'un sommet, il y a plus d'un mode.

f) Le mode ne peut pas être évalué lorsqu'il y a des classes ouvertes.

8. Qu'indique généralement la présence de deux modes ? Qu'est-il conseillé de faire dans cette situation ?

9. Déterminez, si possible, la médiane de chacune des variables des exercices 4, 5 et 6. Dites ce que la médiane signifie dans chacun de ces contextes.

10. Vrai ou faux ?

a) La médiane d'une série comportant 25 observations correspond à la 13e observation.

b) Une série statistique peut présenter plus d'une médiane.

c) La médiane correspond nécessairement à une valeur de la série.

d) Pour évaluer la médiane, les données doivent être classées de façon croissante ou décroissante.

e) Dans une série statistique où toutes les données sont positives, on remplace la donnée ayant la plus forte valeur par une donnée dont la valeur est dix fois plus grande. La médiane demeure inchangée.

11. Un professeur a fait passer un examen dans un groupe où deux élèves étaient absents. Il corrige les copies d'examen et, après la compilation des notes, il obtient une moyenne de 70 pour les 28 élèves qui se sont présentés à l'examen. Les deux élèves absents ont pu justifier leur absence. Le

professeur accepte de leur faire reprendre l'examen. Ils obtiennent respectivement des notes de 75 et 80.

a) L'inclusion des notes des deux absents aura-t-elle pour effet de faire augmenter ou de faire diminuer la note moyenne du groupe? Justifiez votre réponse.

b) Quelle sera la nouvelle note moyenne du groupe si on tient compte de ces deux nouveaux résultats?

12. Dans la formule $\bar{x} = \dfrac{\sum\limits_{i=1}^{k} v_i f_i}{n}$, que représentent v_i, f_i, k, n?

13. Examinez la formule servant au calcul de la valeur approximative de la moyenne:

$$\bar{x} \approx \dfrac{\sum\limits_{i=1}^{k} m_i f_i}{n}$$

a) Quelle hypothèse avance-t-on lorsqu'on emploie cette formule?

b) Que vaut $\sum\limits_{i=1}^{k} f_i$?

c) Que représente k?

d) Que représente m_i?

14. Calculez, si possible, la moyenne de chacune des variables des exercices 4, 5 et 6.

15. Les revenus moyens et médians des familles et des personnes seules pour les 10 provinces canadiennes en 1997 sont présentés dans le tableau suivant:

Revenus moyens et médians, familles et personnes seules, Canada, 1997

Province	Revenu moyen ($)	Revenu médian ($)
Terre-Neuve	37 438	31 125
Île-du-Prince-Édouard	37 914	32 466
Nouvelle-Écosse	38 524	32 585
Nouveau-Brunswick	39 549	33 977
Québec	41 499	33 858
Ontario	52 072	42 753
Manitoba	43 556	36 872
Saskatchewan	40 921	32 974
Alberta	47 539	40 403
Colombie-Britannique	47 041	37 957

Source: Statistique Canada, *Répartition du revenu au Canada selon la taille du revenu*, n° 13-207-XPB au catalogue, 1999, p. 116-117.

a) À votre avis, pourquoi le revenu moyen observé dans chacune des provinces est-il supérieur au revenu médian ?

b) Un de vos amis décide de faire la moyenne des données présentées dans la deuxième colonne. Il obtient 42 605,30 $. Il en déduit que le revenu moyen des familles et des personnes seules pour l'ensemble du Canada est de 42 605,30 $, ce qui ne correspond pas à la valeur publiée par Statistique Canada, soit 46 556 $. Expliquez l'erreur de raisonnement de votre ami.

16. On a mené une expérience en psychologie sur la capacité des hommes adultes à évaluer une durée. L'expérimentateur donnait un signal et demandait au sujet de lui indiquer quand il croyait qu'une période de 60 secondes s'était écoulée. De son côté, il mesurait le temps réel qui s'était écoulé à l'aide d'un chronomètre. Voici la série statistique obtenue auprès des 40 individus sélectionnés pour l'expérience.

**Évaluation, mesurée en secondes, de la durée
d'une période de 60 secondes par 40 individus**

45	55	59	62	70
46	56	60	62	71
48	56	60	63	72
50	56	60	64	74
51	57	60	65	75
52	57	60	65	77
54	58	60	68	78
55	59	61	70	79

a) Quelle est la population étudiée ?

b) L'étude porte-t-elle sur la population ou sur un échantillon ?

c) Quelle est la variable étudiée ?

d) Quelle est sa nature ?

e) Quelle est l'échelle de mesure employée ?

f) Présentez ces données sous la forme d'un tableau de fréquences. Prenez 45 secondes comme limite inférieure de la première classe et 5 secondes comme amplitude. Respectez les normes de présentation.

g) À partir de ce tableau, déterminez le mode, la médiane et la moyenne. Interprétez ces valeurs.

17. Un propriétaire d'un club vidéo vous présente les données suivantes pour un échantillon de 90 membres de ce club.

Répartition de 90 membres d'un club vidéo, selon le nombre de locations au cours de la dernière semaine

Nombre de locations	Nombre de membres
0	35
1	15
2	3
3	30
4	4
5	3
Total	90

a) Quelle est la variable étudiée ?

b) De quelle nature est-elle ?

c) Quelle échelle de mesure a été employée ?

d) Représentez ces données sous une forme graphique appropriée.

e) Comment qualifie-t-on une telle distribution ?

f) Généralement, qu'est-ce que cela indique ?

g) Quel est le nombre modal de locations ?

h) Que signifie cette mesure ?

i) Quelle stratégie publicitaire pourrait expliquer le fait qu'un des modes correspond à 3 locations ?

j) Quelle est le nombre médian de locations ?

k) Que signifie cette mesure ?

l) Que valent f_2 et f_4 ?

m) Que valent v_1 et v_5 ?

n) Que vaut n ?

o) Calculez le nombre moyen de locations.

p) Si vous aviez à décrire le membre type de ce club vidéo, quelle mesure de tendance centrale choisiriez-vous ? Expliquez votre choix.

18. « Qui s'instruit, s'enrichit ». Cet adage semble être confirmé par la statistique suivante : « Au Canada, en 1997, le revenu moyen d'un diplômé du secondaire était de 24 402 $, alors que celui d'un diplômé universitaire était de 42 331 $. » Une amie vous dit que cet adage est faux puisque son père, qui n'a terminé que son secondaire, a gagné 80 000 $ en 1997. Expliquez en quoi cela ne contredit pas la statistique avancée.

19. Un institut de sondage fait publier le message suivant dans un quotidien :

Souffrez-vous d'asthme ?

À l'heure actuelle, 9 % de la population du Québec souffre, à divers degrés, d'asthme. Si vous êtes un habitant du Québec âgé entre 18 et 65 ans, que vous souffrez actuellement d'asthme chronique ou allergique, que vous utilisez personnellement un inhalateur et que vous désirez exprimer votre opinion sur les éléments de la réforme de la santé concernant les asthmatiques, appelez-nous au numéro [...].

Le lendemain de la parution de l'annonce, 50 personnes, qui répondent aux conditions énoncées, prennent contact avec l'institut de sondage pour participer à l'enquête. Une des questions de l'enquête porte sur les dépenses consacrées à l'achat de médicaments. À la question : « Au cours du mois dernier, combien avez-vous dépensé pour l'achat de médicaments destinés à combattre les symptômes de l'asthme ? », l'institut de sondage obtient les résultats suivants :

Montant ($) dépensé pour des médicaments destinés à combattre les symptômes de l'asthme au cours du mois dernier

5	17	26	33	44
6	18	26	34	44
6	20	27	35	46
8	20	27	35	47
10	20	28	36	48
12	22	29	38	50
14	23	30	39	50
15	24	30	40	52
15	25	31	41	53
16	25	32	42	54

a) Quelle est la dépense médiane ?

b) Quelle est la dépense moyenne ?

c) Dressez un tableau de fréquences (absolues, relatives et relatives cumulées) pour ces données. Prenez 5 $ comme limite inférieure de la première classe et 10 $ comme amplitude. Respectez les normes de présentation.

d) Calculez la valeur approximative de la dépense moyenne d'après le tableau de fréquences.

e) Expliquez pourquoi cette valeur diffère de la réponse obtenue en *b*.

f) Tracez la courbe des fréquences relatives cumulées.

g) Évaluez la dépense médiane à partir de cette courbe. Que signifie cette valeur ?

h) Calculez la dépense médiane au moyen de la méthode analytique. Votre réponse est-elle voisine de la réponse obtenue en *a* et en *g* ?

i) Tracez l'histogramme.

j) Déterminez la dépense modale d'après ce graphique.

k) Quel type de symétrie présente cette courbe ?

l) Quelle est la relation entre $\bar{x}$, *Md* et *Mo* ?

20. Vrai ou faux ?

a) Pour calculer la moyenne d'une série de données, il faut d'abord classer les données en ordre croissant.

b) La moyenne subit l'influence des valeurs extrêmes.

c) La moyenne peut être employée sans réserve lorsqu'une série statistique présente quelques valeurs marginales nettement supérieures aux autres.

d) La moyenne est toujours plus grande que la médiane.

21. Au cours d'une expérience en psychologie portant sur la mémoire et l'apprentissage, des sujets devaient écrire les mots qu'ils avaient retenus parmi une liste de 30 mots qu'on leur avait présentée pendant 120 secondes. Le chercheur voulait vérifier si l'environnement sonore influait sur leur performance. Il a donc constitué deux groupes (un groupe de contrôle et un groupe expérimental) de 25 personnes chacun. L'expérience s'est déroulée dans un environnement silencieux pour le groupe de contrôle et dans un environnement bruyant pour le groupe expérimental. Voici la série statistique donnant le nombre de mots retenus par chacun des deux groupes.

Groupe de contrôle						Groupe expérimental				
16	18	20	16	18		15	16	16	17	18
17	19	21	17	18		14	15	16	17	19
17	18	19	20	16		16	18	15	15	17
18	16	17	16	15		15	19	18	15	20
21	18	16	17	18		16	17	16	17	20

a) Quelle est la variable étudiée ?

b) Quelle est sa nature ?

c) Quelle est l'échelle de mesure employée ?

d) Présentez les données obtenues pour chacun des deux groupes sous la forme d'un tableau de fréquences.

e) Calculez le nombre moyen de mots retenus dans chacun des deux groupes.

f) La moyenne du groupe de contrôle est plus élevée que celle du groupe expérimental. Peut-on en conclure que le bruit diminue la capacité de mémoriser des mots?

22. Une chercheuse effectue une étude sur les naissances en milieu hospitalier au Québec en 2000. Elle décide de procéder à une étude préliminaire. Elle choisit arbitrairement un hôpital général d'une ville et consulte les dossiers de naissance des enfants nés au cours du mois de mai. Elle y trouve des renseignements sur le sexe, la masse et la longueur des nouveau-nés:

Sexe	Masse (g)	Longueur (cm)	Sexe	Masse (g)	Longueur (cm)	Sexe	Masse (g)	Longueur (cm)	Sexe	Masse (g)	Longueur (cm)
F	2 310	44,0	F	3 420	51,5	M	2 600	49,0	M	3 680	52,0
F	2 850	47,0	F	3 445	49,0	M	2 750	48,0	M	3 725	56,0
F	2 905	50,0	F	3 455	51,0	M	2 910	51,0	M	3 750	52,5
F	2 905	51,0	F	3 565	52,0	M	2 955	51,0	M	3 900	51,0
F	2 930	51,0	F	3 565	52,0	M	2 985	47,0	M	3 935	53,0
F	3 045	50,0	F	3 670	53,0	M	3 000	49,5	M	3 940	54,5
F	3 105	49,5	F	3 680	52,0	M	3 140	50,5	M	4 020	53,5
F	3 160	52,0	F	3 690	52,0	M	3 255	48,5	M	4 035	54,0
F	3 275	48,0	F	3 770	53,5	M	3 350	51,0	M	4 065	54,0
F	3 295	52,0	F	3 835	49,5	M	3 395	50,0	M	4 095	52,0
F	3 340	54,0	F	3 885	53,5	M	3 490	52,0	M	4 125	52,0
F	3 390	48,0	F	3 900	53,5	M	3 570	51,5	M	4 140	54,0
F	3 395	53,0	F	4 000	53,5	M	3 675	52,0	M	4 570	56,0

a) Quelle est la population étudiée?

b) La technique d'échantillonnage employée est-elle probabiliste?

c) Cette technique est-elle appropriée dans ce contexte?

d) Est-ce que les résultats échantillonnaux peuvent servir à faire de l'inférence statistique?

e) Quelles sont les variables étudiées?

f) Donnez la nature de chacune des variables.

g) Indiquez l'échelle de mesure employée pour chacune des variables.

h) Présentez la série des masses observées sous la forme d'un tableau de fréquences. Prenez 2 300 g comme limite inférieure de la première classe et 400 g comme amplitude. Respectez les normes de présentation.

i) Quelle est la masse modale?

j) Tracez l'histogramme et la courbe des fréquences relatives cumulées de la masse des nouveau-nés.

k) D'après la courbe des fréquences relatives cumulées, déterminez le pourcentage des nouveau-nés échantillonnés qui pèsent moins de 3 700 grammes.

l) À partir de la courbe des fréquences relatives cumulées, déterminez la masse médiane.

m) Que signifie cette mesure ?

n) Quelle est la valeur approximative de la masse moyenne ?

o) Présentez la série des longueurs observées sous la forme d'un tableau de fréquences. Prenez 44 cm comme limite inférieure de la première classe et 2 cm comme amplitude. Respectez les normes de présentation.

p) Quelle en est la classe modale des longueurs ?

q) Quelle est la longueur médiane ? Servez-vous de la méthode analytique pour vos calculs.

r) Quelle est la valeur approximative de la longueur moyenne des nouveau-nés ?

EXERCICES DE SYNTHÈSE

1. Répondez aux questions portant sur le texte suivant.

Un portrait des députés de l'Assemblée nationale[1]

L'Assemblée nationale du Québec est l'un des plus anciens parlements au monde. Elle se compose de 125 députés élus par la population selon un mode de scrutin majoritaire uninominal à un tour. En vertu de la Constitution, des élections générales se tiennent au Québec à tous les cinq ans au maximum.

Dans le système parlementaire québécois, d'inspiration britannique, les députés votent les lois et exercent une surveillance sur tous les actes du gouvernement formé par le parti dont la députation est la plus nombreuse. Le 17 mars 2000, le Parti québécois formait le gouvernement avec 76 députés, dont 19 femmes, alors que le Parti libéral formait l'opposition officielle avec 48 députés, dont 10 femmes, et que l'Action démocratique du Québec comptait un seul député, son chef, Mario Dumont.

Les députés n'ont pas tous la même expérience politique. Ainsi, avant leur élection à la 36e législature, 24 députés n'avaient jamais gagné une élection provinciale, 55 en avaient déjà gagné une, 21 en avaient gagné deux, 9 en avaient gagné trois, 10 en avaient gagné quatre et les autres en avaient gagné cinq.

Avant leur élection, 27 députés pratiquaient le droit, 35 travaillaient dans le domaine de l'éducation, 11 dans celui de la santé et des services sociaux, 21 occupaient des fonctions dans les secteurs de la gestion et

---

1. Les informations contenues dans ce texte ont été obtenues sur le site Internet de l'Assemblée nationale du Québec (assnat.qc.ca) le 17 mars 2000.

de l'économie, 5 travaillaient dans le domaine des communications et des relations publiques et les autres, dans d'autres secteurs d'occupation.

Le 17 mars 2000, à 26 ans, Jean-Sébastien Lamoureux était le plus jeune député de l'Assemblée nationale, tandis qu'à 67 ans Madeleine Bélanger était la députée la plus âgée. Seulement quatre députés n'ont pas révélé leur âge dans leur résumé de carrière sur le site Internet de l'Assemblée nationale. Le tableau 1 présente la répartition des 121 députés ayant révélé leur âge, selon l'âge.

Tableau 1

Répartition de 121 députés de l'Assemblée nationale, selon l'âge

Âge (années)	Nombre de députés		
27,5	25 – 30	2 ×27,5	55
32,5	30 – 35	7 × 32,5	227,5
37,5	35 – 40	7 × 37,5	262,5
42,5	40 – 45	10 × 42,5	425
47,5	45 – 50	18 × 47,5	855
52,5	50 – 55	34 × 52,5	1785
57,5	55 – 60	24 × 57,5	1380
62,5	60 – 65	13 × 62,5	812,5
67,5	65 – 70	6 × 67,5	405
	Total	**121**	

Source : Site Internet de l'Assemblée nationale du Québec (assnat.qc.ca), 17 mars 2000.

a) Quelles sont les deux variables qualitatives présentées dans le deuxième paragraphe ?

b) Si cela est possible, donnez le mode, la médiane et la moyenne de chacune de ces deux variables et dites ce que ces mesures nous apprennent.

c) Présentez les renseignements contenus dans le deuxième paragraphe dans un tableau à double entrée et dans un diagramme à bandes rectangulaires.

d) Quel indicateur a-t-on utilisé pour mesurer l'expérience politique des députés ?

e) Quelle est la nature de la variable correspondant à cet indicateur ?

f) Donnez une représentation graphique appropriée de l'expérience politique des députés.

g) À quoi reconnaît-on le mode dans la représentation graphique de l'expérience politique des députés ?

h) Quelle est l'expérience politique modale ?

i) Évaluez l'expérience politique médiane et dites ce qu'elle nous apprend dans le contexte.

j) Quelle est l'expérience politique moyenne des députés ?

k) Dressez un diagramme à secteurs pour représenter le secteur d'occupation des députés avant leur élection.

l) Quel est le mode de la variable « secteur d'occupation » ?

m) Quel groupe d'âge est le plus courant chez les députés de la 36e législature ? Quel nom donne-t-on à cette mesure ?

n) À partir des données présentées dans le tableau 1, estimez l'âge médian des députés de la 36e législature. Que nous apprend cette mesure ?

o) À partir des données présentées dans le tableau 1, estimez l'âge moyen des députés de la 36e législature.

p) Construisez la courbe des fréquences relatives cumulées pour les données présentées dans le tableau 1.

q) À partir de cette courbe, estimez le pourcentage des députés âgés de moins de 48 ans.

r) Complétez : « Environ 75 % des députés sont âgés de moins de ___ ans. »

2. Répondez aux questions portant sur le texte suivant.

Les unions et les divorces

Au cours des dernières années, de nombreuses institutions sociales, dont le mariage, ont été ébranlées. Ainsi, au Québec, le nombre de mariages a diminué de façon notable entre 1986 et 1996, alors que le nombre de divorces a semblé se stabiliser.

La chute de la nuptialité, particulièrement forte au Québec, résulte de la progression marquée des unions libres. Ainsi, les données du recensement de 1996 montrent que 25 % des couples québécois vivaient en union libre alors que cette proportion n'était que de 12 % dans les autres provinces canadiennes. La proportion des couples vivant en union libre est nettement plus forte chez les jeunes que chez les personnes âgées. Ainsi, en 1996, 54 % des couples dont la conjointe était âgée de 25 à 29 ans vivaient en union libre alors que cette proportion n'était que d'environ 18 % chez les couples dont la conjointe était âgée de 45 à 49 ans.

Par ailleurs, la stabilisation du nombre de divorces s'explique à la fois par la chute de la nuptialité (le mariage n'est-il pas la principale cause du divorce !), par la multiplication des unions libres et également par une augmentation de l'âge moyen au mariage. En effet, il semble que les mariages de conjoints plus âgés soient plus stables.

D'autre part, on a assisté à une diminution de la durée moyenne du mariage pour les unions qui ont résulté en un divorce (tableau 1).

Tableau 1

Évolution de la durée moyenne du mariage des personnes divorcées dans l'année, Québec, 1986-1996

Année	Durée moyenne (années)
1986	11,5
1988	11,1
1990	10,8
1992	10,7
1994	10,6
1996	10,4

Source : A. Bélanger, *Rapport sur l'état de la population du Canada 1998-1999*, Statistique Canada, n° 91-209-XPF au catalogue, 1999, p. 105.

Un individualisme plus poussé et un plus grand nombre de choix de modes de vie ont vraisemblablement contribué à ces changements.

a) Commentez le tableau 1.

b) Représentez graphiquement les données présentées dans le tableau 1.

c) L'information concernant la durée du mariage des personnes qui ont divorcé en 1997 au Québec est présentée dans la figure qui suit.

Répartition des divorces, selon la durée du mariage, Québec, 1997

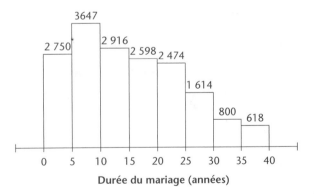

Note : Tous les mariages dont la durée avait été d'au moins 35 ans ont été inclus dans la catégorie 35 - 40 et les mariages dont la durée n'était pas déclarée ont été exclus.

Source : Institut de la statistique du Québec, *Statistiques démographiques, les mariages et les divorces*, stat.gouv.qc.ca.

Quel type d'asymétrie présente cet histogramme ?

d) Dans le contexte, quelle mesure de tendance centrale décrit le mieux la durée du mariage ?

e) Calculez les durées modale, médiane et moyenne du mariage pour les personnes qui ont divorcé en 1997 et dont la durée du mariage avait été déclarée. Dites ce que nous apprend chacune de ces mesures.

f) Tracez la courbe des fréquences relatives cumulées pour les données présentées en *c* et évaluez à partir de cette courbe le pourcentage des divorces de 1997 qui sont survenus après un mariage d'une durée inférieure à 8 ans.

g) Tracez le polygone de fréquences décrivant les renseignements contenus dans le tableau suivant :

Répartition de 200 personnes qui se sont mariées en 1999, selon l'âge, Québec

Âge (années)	Nombre de personnes
15 – 20	15
20 – 25	43
25 – 30	70
30 – 35	31
35 – 40	18
40 – 45	10
45 – 50	5
50 – 55	4
55 – 60	3
60 – 65	1
Total	200

h) Déterminez à partir de ce polygone l'âge modal au mariage et dites ce que cette mesure nous apprend.

i) À partir des données présentées en *g*, calculez la valeur approximative de l'âge moyen au mariage.

8

Les mesures
de dispersion

Ce qui n'est pas constant est variable.

À la fin de ce chapitre, vous devriez être en mesure de répondre aux questions suivantes:

- *Pourquoi les mesures de tendance centrale ne sont-elles pas suffisantes pour décrire un phénomène?*
- *Comment mesure-t-on la variabilité d'un phénomène?*
- *Comment calcule-t-on l'étendue, la variance, l'écart type et le coefficient de variation?*
- *Comment choisir la mesure de dispersion adaptée à un contexte donné?*

es mesures de tendance centrale ne sont généralement pas suffisantes pour décrire une série de données. Par exemple, deux séries très différentes pourraient présenter la même moyenne.

▶ EXEMPLE

Vous travaillez dans une colonie de vacances, et on vous propose de choisir de travailler avec l'un des deux groupes d'enfants présents. Vous demandez l'âge des enfants, et on vous répond que l'âge moyen est de 10 ans dans les deux groupes. On vous présente ensuite la série des âges dans chacun de ces groupes :

Groupe 1 : 7, 8, 9, 10, 11, 12, 13
Groupe 2 : 10, 10, 10, 10, 10, 10, 10

L'âge moyen des enfants dans chacun de ces deux groupes est effectivement 10 ans. Cependant, ces deux groupes sont très différents quant à leur composition. Le deuxième groupe est très homogène, car la série des âges y est très concentrée : tous les enfants ont 10 ans. Le premier groupe est plutôt hétérogène, car la série des âges y est très étalée : il y a des écarts d'âge importants entre les enfants. Caractériser ces groupes par une seule mesure, telle la moyenne, ne révèle rien de leur composition. ◀

Les mesures de dispersion améliorent la description des séries statistiques en quantifiant l'étalement et la variabilité des données et, du même coup, leur degré d'homogénéité ou de concentration. Toutefois, les mesures de dispersion ne se calculent que pour des variables quantitatives.

8.1 L'intérêt des mesures de dispersion

Nous allons présenter deux situations qui illustrent l'intérêt de ces mesures.

1. Lorsqu'on fait passer un test de sélection, on veut pouvoir choisir le ou les meilleurs candidats. Si le test est plutôt facile et que tous les candidats obtiennent sensiblement le même résultat, il est difficile de choisir les meilleurs. En revanche, lorsque le test est difficile et qu'il y a beaucoup d'écarts entre les résultats des candidats, il est plus aisé de faire un choix. Un bon test permet de distinguer les meilleurs candidats des moins bons grâce à des résultats très étalés. En d'autres termes, un bon test présentera une grande dispersion des résultats.

2. Un manufacturier d'ampoules électriques qui offre une garantie concernant la durée de vie de son produit souhaite que la durée de vie de ses ampoules soit relativement homogène, c'est-à-dire que la plupart de ces dernières aient sensiblement la même durée de vie. Ce fabricant ne s'intéresse pas seulement à la durée de vie moyenne des ampoules, mais également à la variabilité de leur durée de vie. Il sera

plus satisfait d'une production correspondant à une série homogène (série 2) qu'à une série étalée (série 1), même si ces deux séries ont une durée de vie moyenne équivalente (1 200 heures) :

Série 1 : 800, 900, 1 000, 1 100, 1 200, 1 300, 1 400, 1 500, 1 600

Série 2 : 1 160, 1 170, 1 180, 1 190, 1 200, 1 210, 1 220, 1 230, 1 240

La série 1 présente une grande variabilité, ce qui pourrait indiquer un problème de production : mauvaise qualité des composantes, dérèglement de la machine, inexpérience ou incompétence de l'opérateur. La série 2 est beaucoup plus homogène, c'est-à-dire que la variabilité des données y est plus faible. Dans ce contexte, une variabilité faible indique une plus grande fiabilité du produit.

Il est normal qu'un procédé de fabrication engendre une certaine variabilité. Le procédé est maîtrisé lorsque la variabilité est faible. Encore faut-il disposer d'un critère afin de déterminer ce qu'on entend par une variabilité faible ou forte, par un procédé maîtrisé ou non. Les mesures de dispersion fournissent ces critères.

Selon les circonstances, on souhaitera donc obtenir des données très concentrées ou, au contraire, très étalées.

8.2   L'étendue

8.2.1   Le calcul de l'étendue de données non groupées ou groupées par valeurs

Étendue

Mesure de dispersion symbolisée par E. Elle mesure l'écart entre la plus grande et la plus petite valeur d'une série statistique quantitative. Elle s'exprime dans les mêmes unités que la variable.

L'**étendue**, symbolisée par E, est la mesure de dispersion la plus simple à calculer. Elle caractérise l'étalement d'une série par l'écart entre la valeur maximale et la valeur minimale de cette série :

$$E = V_{max} - V_{min}$$

L'étendue s'exprime dans les mêmes unités que la variable.

▶ **EXEMPLE**

La série suivante donne, en secondes, le temps qu'ont mis 10 sujets à accomplir une tâche simple :

$$15, 17, 20, 14, 15, 17, 18, 18, 24, 14$$

L'étendue est donnée par l'expression

$$E = V_{max} - V_{min} = 24 - 14 = 10 \text{ secondes}$$

Dans ce contexte, ce résultat signifie que l'individu le plus lent a mis 10 secondes de plus pour accomplir la tâche que l'individu le plus rapide. Remarquez que l'étendue est mesurée dans les mêmes unités que la variable, soit en secondes. ◀

8.2.2 La valeur approximative de l'étendue de données groupées par classes

Lorsque les données sont groupées par classes, on peut approximer la valeur de l'étendue en faisant la différence entre la limite supérieure de la dernière classe et la limite inférieure de la première:

$$E \approx \text{Lim}_{sup} - \text{Lim}_{inf}$$

À moins de disposer de renseignements supplémentaires sur les données, on ne peut pas évaluer l'étendue lorsque le tableau de fréquences comporte des classes ouvertes.

▶ **EXEMPLE**

Évaluons l'étendue des données du tableau 8.1.

Tableau 8.1

Répartition de 150 employés, selon l'ancienneté

Ancienneté (années)	Nombre d'employés
0 – 5	5
5 – 10	53
10 – 15	10
15 – 20	10
20 – 25	55
25 – 30	10
30 – 35	5
35 – 40	2
Total	150

La limite supérieure de la dernière classe est 40, la limite inférieure de la première est 0; la valeur approximative de l'étendue est donc $E \approx 40 - 0 = 40$ années. ◀

EXERCICE 8.1

Dans chacun des cas suivants, évaluez l'étendue, s'il y a lieu.

a) Résultats à un cours d'histoire notés par R (réussite), E (échec) et I (incomplet):

R, E, I, E, R, R, R, R, E, R, E, R, E, R, R, R, I, I, R, E, R, R, R

b) Nombre de billets gagnants du gros lot du Lotto 6/49 pour un échantillon de 25 tirages:

5, 1, 2, 3, 2, 0, 0, 0, 4, 2, 0, 1, 2, 0, 2, 0, 1, 6, 0, 0, 3, 2, 0, 1, 0

c) Degré d'adhésion à une nouvelle politique mesuré par 1 (très défavorable), 2 (défavorable), 3 (favorable) et 4 (très favorable):

4, 4, 3, 4, 3, 2, 2, 2, 1, 2, 2, 4, 2, 2, 3, 1, 2, 4, 1, 2, 2, 1, 2, 2, 3, 2

d) Âge de l'épouse au moment du mariage, pour des mariages célébrés en 2000 dans un palais de justice.

Répartition en pourcentage des épouses, selon l'âge au moment du mariage

Âge (années)	Pourcentage des épouses (%)
15 – 25	3
25 – 35	45
35 – 45	30
45 – 55	15
55 – 65	5
65 – 75	2
Total	100

e) Nombre d'échecs pour des élèves en un trimestre.

Répartition de 126 élèves, selon le nombre d'échecs en un trimestre

Nombre d'échecs	Nombre d'élèves
0	70
1	31
2	15
3	6
4	3
5	1
Total	126

8.2.3 Les limites d'utilisation de l'étendue

L'étendue est une mesure de dispersion très sommaire. Elle donne rapidement une idée de l'étalement d'une variable. Toutefois, puisqu'elle ne tient compte que des valeurs extrêmes de la distribution, elle ne constitue pas une mesure très fiable de la dispersion des données. Par conséquent, il faut se référer à l'étendue avec beaucoup de circonspection.

▶ **EXEMPLE**

Considérons les deux séries suivantes :

Série 1 : 1, 2, 3, 4, 5, 6, 7, 8, 9 $E = 8$
Série 2 : 1, 1, 1, 1, 1, 1, 1, 1, 10 $E = 9$

La deuxième série fluctue moins que la première malgré sa plus grande étendue. Cela s'explique par le fait que l'étendue ne tient compte que des valeurs extrêmes. ◀

8.3 La variance

La description de l'étalement d'une distribution peut être affinée au moyen d'autres mesures de dispersion. Ainsi, la variance et l'écart type tiennent compte de l'ensemble des données. Plutôt que d'évaluer l'écart entre les valeurs extrêmes d'une série, la variance et l'écart type caractérisent l'écart entre les valeurs des données et le centre d'équilibre de la série, c'est-à-dire la moyenne.

8.3.1 Le calcul de la variance

La variance d'une population de taille N est symbolisée par σ^2. Elle se calcule au moyen de la formule suivante :

$$\sigma^2 = \frac{\sum_{i=1}^{N} (x_i - \mu)^2}{N}$$

Le rôle d'une mesure de dispersion est de quantifier la variabilité des observations. Dans la formule de σ^2, l'expression « $x_i - \mu$ » mesure l'écart entre la valeur de la i-ième donnée et la moyenne μ, soit la distance entre x_i et μ. Afin de tenir compte de la contribution de chacun de ces écarts, on pourrait penser en faire la somme. Or, ces écarts sont soit négatifs, soit positifs, selon que $x_i < \mu$ ou que $x_i > \mu$. En additionnant tous les écarts, on obtient une somme nulle quelle que soit la série, puisque μ en est le centre d'équilibre. Pour contourner cette difficulté, on met ces écarts au carré, de façon à les rendre tous positifs : $d_i^2 = (x_i - \mu)^2$. On obtient ainsi une nouvelle valeur, $d_i^2 > 0$, qui correspond au carré de l'écart entre x_i et la moyenne des données μ. Il ne reste plus qu'à en faire la moyenne pour avoir une idée de la valeur typique de ces carrés d'écarts. On obtient ainsi la variance σ^2.

$$\frac{\sum\limits_{i=1}^{N} d_i^2}{N} = \frac{\sum\limits_{i=1}^{N} (x_i - \mu)^2}{N} = \sigma^2$$

Variance

Mesure de dispersion symbolisée par s^2 ou σ^2 selon qu'elle a été évaluée à partir de l'ensemble d'une population ou à partir d'un échantillon. Elle correspond à la moyenne des carrés des écarts des valeurs des données par rapport à la moyenne de la série.

La **variance** représente donc la moyenne des d_i^2, soit la moyenne des carrés des écarts des valeurs des données par rapport à la moyenne de la série. Plus la variabilité des données est importante, plus les carrés des écarts, $d_i^2 = (x_i - \mu)^2$, sont grands, et plus la variance est forte : les données sont éloignées de la moyenne. Inversement, plus la variance est petite, plus les données sont concentrées autour de la moyenne.

La variance d'un échantillon de taille n est symbolisée par s^2. Elle se calcule au moyen de la formule suivante :

$$s^2 = \frac{\sum\limits_{i=1}^{n} (x_i - \overline{x})^2}{n - 1}$$

Dans cette formule, on fait la division par $n - 1$ plutôt que par n pour des raisons techniques liées à l'inférence statistique.

On dispose également de formules de calcul de la variance et de l'écart type qui s'appliquent à des données groupées ne présentant pas de classes ouvertes. Les symboles utilisés dans ces formules sont les mêmes que ceux qui servent au calcul de la moyenne. La formule de la variance de données groupées par valeurs est :

$$\sigma^2 = \frac{\sum\limits_{i=1}^{k} (v_i - \mu)^2 f_i}{N} \qquad \text{ou} \qquad s^2 = \frac{\sum\limits_{i=1}^{k} (v_i - \overline{x})^2 f_i}{n - 1}$$

et la formule de la variance de données groupées par classes est :

$$\sigma^2 \approx \frac{\sum\limits_{i=1}^{k} (m_i - \mu)^2 f_i}{N} \qquad \text{ou} \qquad s^2 \approx \frac{\sum\limits_{i=1}^{k} (m_i - \overline{x})^2 f_i}{n - 1}$$

Dans ces formules :

$v_i = i$-ième valeur ;

$m_i = $ Milieu de la i-ième classe ;

$f_i = $ Fréquence de la i-ième valeur ;

$k = $ Nombre de valeurs ou de classes

n ou $N = $ Nombre de données $= \sum\limits_{i=1}^{k} f_i$.

▶ **EXEMPLES**

1. On a prélevé un échantillon de 5 nouveau-nés qu'on a mesurés. La série statistique des longueurs (cm) obtenues est

$$53, 47, 51, 49, 50$$

Pour calculer la variance, il faut d'abord trouver la moyenne de cette série :

$$\bar{x} = \frac{\sum_{i=1}^{n} x_i}{n}$$

$$= \frac{\sum_{i=1}^{5} x_i}{5}$$

$$= \frac{x_1 + x_2 + x_3 + x_4 + x_5}{5}$$

$$= \frac{53 + 47 + 51 + 49 + 50}{5}$$

$$= \frac{250}{5}$$

$$= 50 \text{ cm}$$

La longueur moyenne de ces nouveau-nés est de 50 cm.

La variance est :

$$s^2 = \frac{\sum_{i=1}^{n} (x_i - \bar{x})^2}{n-1}$$

$$= \frac{\sum_{i=1}^{5} (x_i - 50)^2}{4}$$

$$= \frac{(x_1 - 50)^2 + (x_2 - 50)^2 + (x_3 - 50)^2 + (x_4 - 50)^2 + (x_5 - 50)^2}{4}$$

$$= \frac{(53 - 50)^2 + (47 - 50)^2 + (51 - 50)^2 + (49 - 50)^2 + (50 - 50)^2}{4}$$

$$= 5 \text{ cm}^2$$

La variance est de 5 cm².

2. Calculons la variance des données obtenues à partir d'un échantillon de 126 élèves (tableau 8.2).

Tableau 8.2

Répartition de 126 élèves, selon le nombre d'échecs en un trimestre

Nombre d'échecs	Nombre d'élèves
0	70
1	31
2	15
3	6
4	3
5	1
Total	**126**

Il faut d'abord évaluer la moyenne :

$$\bar{x} = \frac{\displaystyle\sum_{i=1}^{k} v_i f_i}{n}$$

$$= \frac{\displaystyle\sum_{i=1}^{6} v_i f_i}{126}$$

$$= \frac{v_1 f_1 + v_2 f_2 + \cdots + v_6 f_6}{126}$$

$$= \frac{0 \times 70 + 1 \times 31 + 2 \times 15 + 3 \times 6 + 4 \times 3 + 5 \times 1}{126}$$

$$= 0,76 \text{ échec}$$

La variance est :

$$s^2 = \frac{\displaystyle\sum_{i=1}^{k} (v_i - \bar{x})^2 f_i}{n-1}$$

$$= \frac{\displaystyle\sum_{i=1}^{6} (v_i - 0,76)^2 f_i}{125}$$

$$= \frac{(v_1 - 0,76)^2 f_1 + (v_2 - 0,76)^2 f_2 + \cdots + (v_6 - 0,76)^2 f_6}{125}$$

$$= \frac{(0 - 0,76)^2 \times 70 + (1 - 0,76)^2 \times 31 + \cdots + (5 - 0,76)^2 \times 1}{125}$$

$$= 1,16 \text{ échec}^2$$

La variance est de 1,16 échec^2.

3. Considérons le graphique de la figure 8.1 présentant des données d'ensoleillement obtenues à partir d'un échantillon de 49 mois d'octobre.

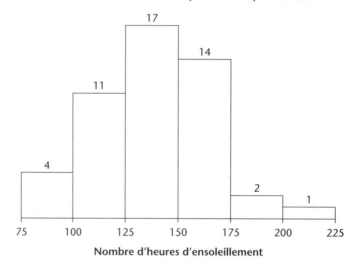

**Répartition de 49 mois d'octobre, selon le nombre
d'heures d'ensoleillement, Montréal, 1942-1990**

Sources : *Monthly Record of Meteorological Observations in Canada* et *Canadian Weather Review.*

La moyenne des données présentées dans ce graphique est :

$$\overline{x} \approx \frac{\sum\limits_{i=1}^{k} m_i f_i}{n}$$

$$\approx \frac{\sum\limits_{i=1}^{6} m_i f_i}{49}$$

$$\approx \frac{m_1 f_1 + m_2 f_2 + \cdots + m_6 f_6}{49}$$

$$\approx \frac{87,5 \times 4 + 112,5 \times 11 + \cdots + 212,5 \times 1}{49}$$

$$\approx 138,5 \text{ heures d'ensoleillement}$$

La variance est :

$$s^2 \approx \frac{\displaystyle\sum_{i=1}^{k} (m_i - \bar{x})^2 f_i}{n-1}$$

$$\approx \frac{\displaystyle\sum_{i=1}^{6} (m_i - 138,5)^2 f_i}{48}$$

$$\approx \frac{(m_1 - 138,5)^2 f_1 + (m_2 - 138,5)^2 f_2 + \cdots + (m_6 - 138,5)^2 f_6}{48}$$

$$\approx \frac{(87,5 - 138,5)^2 \times 4 + (112,5 - 138,5)^2 \times 11 + \cdots + (212,5 - 138,5)^2 \times 1}{48}$$

$$\approx 754,1 \text{ (heures d'ensoleillement)}^2$$

La variance est d'environ 754,1 (heures d'ensoleillement)^2. ◀

8.3.2   Les limites d'utilisation de la variance

Dans ces quelques exemples, on constate que la variance ne s'exprime pas dans les mêmes unités que la variable : les données du premier exemple sont exprimées en cm, alors que la variance est en cm^2. Afin d'exprimer la dispersion dans les mêmes unités que la variable, on définit l'écart type (σ ou s).

8.4   L'écart type

8.4.1   Le calcul de l'écart type

Écart type

Mesure de dispersion symbolisée par σ ou s selon qu'elle a été évaluée à partir de l'ensemble d'une population ou à partir d'un échantillon. Elle correspond à la racine carrée de la variance. Elle s'exprime dans les mêmes unités que la variable.

L'**écart type** correspond à la racine carrée de la variance :

$$\sigma = \sqrt{\sigma^2} \quad \text{ou} \quad s = \sqrt{s^2}$$

▶ **EXEMPLE**

Calculons l'écart type pour les données des trois exemples précédents. Nous avions obtenu des variances de 5 cm^2, de 1,16 échec^2 et de 754,1 (heures d'ensoleillement)^2. Les écarts types sont alors :

$$s = \sqrt{5 \text{ cm}^2} = 2,24 \text{ cm}$$

$$s = \sqrt{1,16 \text{ échec}^2} = 1,08 \text{ échec}$$

$$s \approx \sqrt{754,1 \text{ (heures d'ensoleillement)}^2} \approx 27,5 \text{ heures d'ensoleillement} \quad ◀$$

Puisque la variance ne devrait pas être évaluée lorsque les données ont été regroupées dans un tableau qui comporte des classes ouvertes, l'écart type ne devrait pas l'être non plus dans ce cas.

Les fonctions statistiques d'une calculatrice permettent de trouver la valeur de l'écart type. La saisie des données est identique à celle effectuée pour le calcul de la moyenne.

EXERCICE 8.2

Calculez la variance et l'écart type de chacune des variables suivantes à l'aide des fonctions statistiques d'une calculatrice. Les données proviennent d'échantillons.

a) Nombre de billets gagnants du gros lot du Lotto 6/49 pour 25 tirages :

5, 1, 2, 3, 2, 0, 0, 0, 4, 2, 0, 1, 2, 0, 2, 0, 1, 6, 0, 0, 3, 2, 0, 1, 0

b)

Répartition de 150 employés, selon l'âge

Âge (années)	Nombre d'employés
20 – 30	15
30 – 40	18
40 – 50	66
50 – 60	30
60 – 70	21
Total	150

c)

Répartition de 150 employés, selon le nombre de jours d'absence en décembre

Nombre de jours d'absence	Nombre d'employés
0	125
1	18
2	6
3	1
Total	150

8.4.2 La signification de l'écart type

L'écart type donne une mesure de la dispersion plus fine que l'étendue puisqu'il tient compte de toutes les données et non seulement des valeurs extrêmes. Par ailleurs, contrairement à la variance, l'écart type s'exprime dans les mêmes unités que la variable.

La figure 8.2 compare l'écart type de deux séries statistiques mesurées dans les mêmes unités et ayant la même moyenne : plus l'écart type est faible, plus les données sont concentrées autour de la moyenne, et plus l'écart type est élevé, plus les données sont dispersées.

Figure 8.2

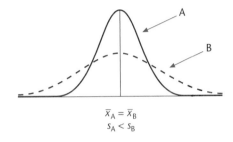

Comparaison de l'écart type de deux séries
statistiques ayant la même moyenne

$$\bar{x}_A = \bar{x}_B$$
$$s_A < s_B$$

▶ **EXEMPLE**

Supposons que la rémunération horaire moyenne dans deux usines est respectivement de 12,50 $ et de 12,60 $, mais que, dans la première, l'écart type est de 2,50 $ et, dans l'autre, de 1,25 $. On pourrait probablement en conclure que la répartition de la rémunération horaire fluctue moins dans la deuxième usine, puisque l'écart type y est plus faible : la série des rémunérations horaires y est plus concentrée autour de la moyenne. On n'aurait pas pu faire cette comparaison si les moyennes n'avaient pas été similaires. ◀

8.4.3 Les limites d'utilisation de l'écart type

Si nous avons pu comparer la variabilité de deux séries ayant sensiblement la même moyenne à l'aide de l'écart type, il en va tout autrement lorsque les séries ont des moyennes très différentes.

Il est clair qu'on ne peut pas comparer la variabilité d'une série de mesures de la masse de souris domestiques adultes avec celle d'une série de mesures de la masse d'éléphants en utilisant leurs écarts types respectifs. Un écart de 5 g est très important chez les souris adultes, alors qu'il est totalement négligeable chez les éléphants. De la même façon, un écart de 1 000 $ est moins important par rapport à un revenu moyen de 50 000 $ que par rapport à un revenu moyen de 20 000 $.

Ces deux exemples font ressortir le fait que, dans certaines circonstances, la moyenne et l'écart type varient ensemble : à des moyennes faibles correspondent des écarts types faibles, et à des moyennes élevées, des écarts types élevés. L'écart type est souvent fonction de l'ordre de grandeur de la moyenne : un écart type de 100 g peut être important ou faible selon la moyenne de la série.

Il est donc inadéquat de se fonder sur l'écart type pour comparer la variabilité de deux séries qui ont des moyennes très différentes. Il faut alors faire appel à une mesure qui soit indépendante de l'ordre de grandeur de la moyenne, c'est-à-dire à une mesure relative de la dispersion : le coefficient de variation.

8.5   Le coefficient de variation

Coefficient de variation

Mesure relative de dispersion symbolisée par *c.v.* Elle exprime l'écart type en pourcentage de la moyenne.

Le **coefficient de variation** est une mesure relative de la dispersion. Il exprime l'écart type en pourcentage de la moyenne.

8.5.1   Le calcul du coefficient de variation

Selon qu'il s'agit de toute la population ou simplement d'un d'échantillon, la formule qui permet de calculer le coefficient de variation (*c.v.*) est :

$$c.v. = \frac{\sigma}{\mu} \times 100\,\% \quad \text{(population)}$$

ou

$$c.v. = \frac{s}{\overline{x}} \times 100\,\% \quad \text{(échantillon)}$$

▶ **EXEMPLE**

Dans un hôpital, on a pesé les nouveau-nés à la naissance au cours du mois de septembre. On a obtenu une masse moyenne de 3 500 g avec un écart type de 150 g. Le coefficient de variation est 4,3 % [soit (150/3 500) × 100 %]. La valeur de l'écart type correspond donc à 4,3 % de la valeur de la moyenne. ◀

8.5.2   L'intérêt du coefficient de variation

Le coefficient de variation est un nombre pur : contrairement à l'écart type, sa valeur ne comporte pas d'unité. De plus, sa valeur numérique est indépendante de l'unité de mesure. Par exemple, la valeur numérique du coefficient de variation d'une série de longueurs est la même, que la mesure ait été faite en pieds, en mètres, en pouces ou en centimètres. Grâce à cette propriété, le coefficient de variation pourra servir à comparer la variabilité de deux séries qui ont des moyennes très différentes ou qui ne sont pas mesurées dans les mêmes unités.

Le coefficient de variation indique donc l'homogénéité ou la stabilité d'une série statistique : plus il est faible, plus la série est homogène, et plus il est élevé, moins la série est homogène (plus elle est hétérogène).

On peut donc se servir du coefficient de variation afin de comparer la répartition des revenus de deux groupes distincts.

▶ **EXEMPLE**

Considérons le tableau 8.3, qui présente la rémunération des diplômés d'un programme d'études universitaires selon l'année d'obtention du diplôme. En supposant que les deux distributions de revenus sont unimodales, il semble que celle des revenus des plus anciens diplômés soit plus symétrique que celle des plus récents. En effet, le revenu médian est plus proche du revenu moyen pour les diplômés de 1988 que pour ceux de 1998 : la présence de revenus nettement supérieurs aux autres se fait moins sentir chez les plus anciens diplômés.

Tableau 8.3

Rémunération des diplômés, selon l'année d'obtention du diplôme

Année	Revenu moyen ($)	Revenu médian ($)	Écart type ($)	c.v. (%)
1998	39 000	34 000	10 000	25,6
1996	41 500	39 000	8 000	19,3
1994	46 500	43 000	9 250	19,9
1992	49 500	47 500	9 000	18,2
1990	50 000	48 500	9 500	19,0
1988	54 000	52 500	9 000	16,7

On ne peut pas se servir de l'écart type pour comparer la dispersion des revenus des promotions successives : les moyennes sont trop différentes (elles varient de 39 000 $ à 54 000 $). Toutefois, l'examen de la dispersion relative (le coefficient de variation) permet de constater que les revenus sont généralement plus homogènes chez les diplômés plus anciens que chez les nouveaux diplômés : le coefficient de variation passe de 16,7 % pour les diplômés de 1988 à 25,6 % pour les diplômés de 1998. Selon toute vraisemblance, la répartition des revenus fluctue moins chez les anciens diplômés que chez les plus récents. ◀

EXERCICE 8.3

Une brochure d'un fabricant d'automobiles stipule qu'une voiture de modèle A a une consommation d'essence moyenne de 35 milles/gallon avec un écart type de 5 milles/gallon. Vous avez lu dans un dépliant du gouvernement canadien qu'une voiture de modèle B consomme en moyenne 9,8 litres/100 km avec un écart type de 1,8 litre/100 km. Si on suppose que ces données ont été obtenues par des procédés rigoureux qui reflètent bien la consommation d'essence, quel modèle de voiture, A ou B, offre la plus grande stabilité sur le plan de la consommation d'essence ?

8.5.3 Les limites d'utilisation du coefficient de variation

Malgré ses avantages, notamment celui de permettre la comparaison de la variabilité de séries statistiques très différentes, l'emploi du coefficient de variation a des limites.

Ainsi, il faut notamment que les observations aient été faites au moyen d'une échelle de rapports (puisqu'on doit diviser l'écart type par la moyenne afin d'obtenir le coefficient de variation), sans quoi on pourrait obtenir des résultats surprenants ou carrément aberrants comme :

- une mesure de dispersion négative due à une moyenne négative ;
- un coefficient de variation très élevé, voire infini, lorsque la moyenne avoisine zéro.

C'est pourquoi on ne doit pas, par exemple, se servir du coefficient de variation pour comparer la variabilité de la température durant une certaine période en deux endroits, étant donné que la température est mesurée à l'aide d'une échelle d'intervalles (ce qui ne permet pas de faire des divisions).

RÉSUMÉ

Lorsqu'on désire caractériser une série de données, il n'est pas suffisant de s'en remettre à une mesure de tendance centrale. Il est tout aussi important de quantifier la variabilité d'une série de données à l'aide de mesures de dispersion.

Nous avons présenté quatre mesures de dispersion : l'étendue (E), la variance (σ^2 ou s^2), l'écart type (σ ou s) et le coefficient de variation (c.v.). Ces mesures ne s'utilisent que pour des variables quantitatives parce qu'elles font appel à au moins une des opérations arithmétiques de base ($+, -, \times, \div$).

L'étendue est très facile à calculer et donne rapidement, mais de façon trop sommaire, une idée de la dispersion d'une série. Elle s'exprime dans les mêmes unités que la variable. Toutefois, parce qu'elle ne mesure que l'écart entre les deux valeurs extrêmes d'une série, l'étendue est peu révélatrice. Selon le type de regroupement des données, la formule de l'étendue est :

$$E = V_{max} - V_{min} \quad \text{ou} \quad E \approx \text{Lim}_{sup} - \text{Lim}_{inf}$$

Pour pallier cette lacune, on calcule la variance, qui tient compte de toutes les données et non seulement des valeurs extrêmes. Essentiellement, la variance correspond à la moyenne des carrés des écarts des valeurs des données par rapport à la moyenne de la série (tableau 8.4).

La variance présente cependant l'inconvénient de ne pas être exprimée dans les mêmes unités que la variable : la variance d'une variable mesurée en cm s'exprime en cm^2. C'est sans doute ce qui explique qu'on lui préfère souvent l'écart type.

Tableau 8.4

Calcul de la variance

	Données non groupées	Données groupées par valeurs	Données groupées par classes
Population	$\sigma^2 = \dfrac{\displaystyle\sum_{i=1}^{N}(x_i - \mu)^2}{N}$	$\sigma^2 = \dfrac{\displaystyle\sum_{i=1}^{k}(v_i - \mu)^2 f_i}{N}$	$\sigma^2 \approx \dfrac{\displaystyle\sum_{i=1}^{k}(m_i - \mu)^2 f_i}{N}$
Échantillon	$s^2 = \dfrac{\displaystyle\sum_{i=1}^{n}(x_i - \bar{x})^2}{n-1}$	$s^2 = \dfrac{\displaystyle\sum_{i=1}^{k}(v_i - \bar{x})^2 f_i}{n-1}$	$s^2 \approx \dfrac{\displaystyle\sum_{i=1}^{k}(m_i - \bar{x})^2 f_i}{n-1}$

L'écart type est la mesure de dispersion la plus employée. Il est donné par la racine carrée de la variance et il s'exprime dans les mêmes unités que la variable. L'écart type peut servir à comparer la variabilité de deux séries présentant des moyennes similaires. Plus l'écart type est petit, plus les données sont concentrées autour de la moyenne; plus il est grand, plus les données sont étalées.

L'écart type est donné par :

$$\sigma = \sqrt{\sigma^2} \qquad \text{(population)}$$

$$s = \sqrt{s^2} \qquad \text{(échantillon)}$$

Lorsqu'on veut comparer la variabilité de deux séries présentant des moyennes très différentes, on fera plutôt appel au coefficient de variation. Ce coefficient est une mesure de l'homogénéité d'une série et il exprime l'écart type en pourcentage de la moyenne. Toutefois, l'emploi d'une échelle de rapports est requis, puisque le coefficient de variation se calcule à partir du quotient de l'écart type et de la moyenne :

$$c.v. = \frac{\sigma}{\mu} \times 100 \ \% \qquad \text{(population)}$$

$$c.v. = \frac{s}{\bar{x}} \times 100 \ \% \qquad \text{(échantillon)}$$

Le tableau 8.5 présente une comparaison des principales caractéristiques des mesures de dispersion.

Tableau 8.5

Comparaison des mesures de dispersion

Étendue (E)	Écart type (σ ou s)	Coefficient de variation (c.v.)
Elle représente l'écart entre la plus grande valeur et la plus petite valeur d'une série.	Il représente essentiellement la racine carrée de la moyenne des carrés des écarts des valeurs des données par rapport à la moyenne de la série.	Il représente le quotient de l'écart type par la moyenne multiplié par 100 %. Il exprime donc l'écart type en pourcentage de la moyenne.
Elle ne tient compte que des deux valeurs extrêmes de la série.	Il tient compte de toutes les valeurs de la série.	Il tient compte de toutes les valeurs de la série.
Elle est exprimée dans les mêmes unités de mesure que la variable.	Il est exprimé dans les mêmes unités de mesure que la variable.	Il est exprimé en pourcentage.
Elle ne se calcule que pour une variable quantitative.	Il ne se calcule que pour une variable quantitative.	Il ne se calcule que pour une variable mesurée à l'aide d'une échelle de rapports.
On peut en donner la valeur approximative lorsque les données ont été groupées par classes, mais seulement s'il n'y a pas de classes ouvertes.	On peut en donner la valeur approximative lorsque les données ont été groupées par classes, mais seulement s'il n'y a pas de classes ouvertes.	On peut en donner la valeur approximative lorsque les données ont été groupées par classes, mais seulement s'il n'y a pas de classes ouvertes.
C'est la mesure de dispersion la plus simple à calculer.	C'est la mesure de dispersion la plus couramment employée.	Cette mesure de dispersion devrait être plus fréquemment employée, notamment pour caractériser l'homogénéité d'une série de données.
	Plus il est petit, plus les données sont concentrées autour de la moyenne. Il permet de comparer la dispersion de séries de même nature et de moyennes similaires.	Plus il est petit, plus la série de données est homogène. Il permet de comparer l'homogénéité de séries présentant des moyennes différentes.

MOTS CLÉS

Coefficient de variation, p. 308
Écart type, p. 305
Étendue, p. 297
Variance, p. 301

EXERCICES RÉCAPITULATIFS

1. Quel est l'intérêt des mesures de dispersion ?

2. Que mesure l'étendue ?

3. Comment évalue-t-on l'étendue de données groupées par classes ?

4. Quel est le symbole de la variance d'une population ? D'un échantillon ?

5. Vrai ou faux ?

   a) L'étendue tient compte de toutes les valeurs d'une série.

   b) Si une variable est exprimée en mètres, la variance de cette variable l'est aussi.

   c) L'écart type est donné par la racine carrée de la variance.

   d) La variance peut être négative.

   e) La variance peut être nulle.

   f) Si deux séries statistiques ont des moyennes similaires, celle qui présente la plus grande variance est alors la plus étalée.

6. Le 1er janvier 1980, des amis dont l'âge moyen était de 25 ans (l'écart type des âges était de 1,5 an), se sont entendus pour se retrouver afin de fêter le nouveau millénaire le 1er janvier 2000.

   a) Quel était l'âge moyen de ces amis le 1er janvier 2000 ?

   b) Quel était l'écart type des âges le 1er janvier 2000 ?

   c) Quel était le coefficient de variation des âges le 1er janvier 2000 ?

7. Dans une région aride, il n'a pas plu durant 40 jours. Que vaut l'écart type de la quantité quotidienne de précipitations au cours de cette période ?

8. Dans chacun des cas suivants, déterminez, si possible, l'étendue, la variance et l'écart type de la variable considérée. Les données des questions *b*, *c*, *d*, *e*, *f*, *g* et *i* proviennent d'échantillons.

Répartition en pourcentage des habitants du globe, selon le continent de résidence, 2000 (projection)

Continent de résidence	Pourcentage de la population (%)		
Afrique	12,9	−3,77	14,2
Amérique latine	8,6	−8,07	65,1
Amérique du Nord (Mexique non compris)	5,1	−11,57	133,86
Asie	60,8	44,13	1947,46
Europe	12,1	−4,57	2089
Océanie	0,5	−16,17	261,47
Total $\mu = 16,67$	100,0		

Source : *État du monde 2001*, Montréal, Éditions du Boréal, 2000, p. 619.

b)

Répartition de 30 étudiants qui ont réussi un cours de sociologie, selon leur résultat

Résultat	Nombre d'étudiants
A	3
B	8
C	15
D	4
Total	30

c)

Répartition de 70 candidats à une entrevue de sélection, selon le temps requis pour effectuer une simulation

32,96   16,48 = −4,06
29,68   4,24   −2,06
0,18   0,0036 −0,06
33,84   3,76   1,94
31,04   15,52   3,94

Temps (minutes)	Nombre de candidats
1 0 – 2	2
3 2 – 4	7
5 4 – 6	50
7 6 – 8	9
9 8 – 10	2
Total	70

d)

Répartition de 70 candidats, selon le nombre de fautes commises au cours d'une simulation

$(v_i - \bar{x})^2$ $(v_i - \bar{x})$

26,45   5,29   −2,3
13,52   1,69   −1,3
2,34   0,09   −0,3
12,25   0,49   0,7
11,56   2,89   1,7
14,58   7,29   2,7

Nombre de fautes	Nombre de candidats
0	5
1	8
2	26
3	25
4	4
5	2
Total	70

$\bar{x} = \frac{8 + 52 + 75 + 16 + 10}{70}$

$\bar{x} = 2,3$

e)

Handwritten table:

	fréq.			
0	3	-2,1	4,41	13,23
1	15	-1,1	1,21	18,15
2	14	-0,1	0,01	0,14
3	5	0,9	0,81	4,05
4	5	1,9	3,61	18,05
5	3	2,9	8,41	25,23
	45			78,85

$\bar{x} = 2,1$

$\sigma^2 \dfrac{78,85}{45} = 1,75$

f)

Nombre d'enfants souhaités pour un échantillon de 45 adultes

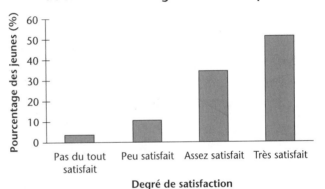

0 0 0 1 1 1 1 1 1 1

0	5	1	2	4	0	3	1	2	
2	1	1	1	4	2	5	3	2	
3	2	2	2	1	1	2	4	5	
4	2	1	1	3	2	1	1	1	
0	1	2	1	4	1	2	3	2	

Répartition en pourcentage des jeunes Québécois âgés de 15 à 29 ans, selon le degré de satisfaction à l'égard de leur emploi

Source : M.-C. Lortie, « Les jeunes aiment leur emploi », *La Presse*, 20 février 2000, p. A8.

g)

Handwritten table:

Nbr mots	Fréquence			
1	0			
2	0			
3	0			
4	0			
5	15	-1,95	3,8	57
6	25	-0,95	0,9	22,5
7	30	0,05	0,0025	0,075
8	15	1,05	1,1	16,5
9	10	2,05	4,2	42
10	5	3,05	9,3	46,5
11	0			
	100			184,575

$\bar{x} = 6,95$

$\sigma^2 \dfrac{184,575}{100} = 1,84575$

Répartition de 100 sujets, selon le nombre de mots retenus

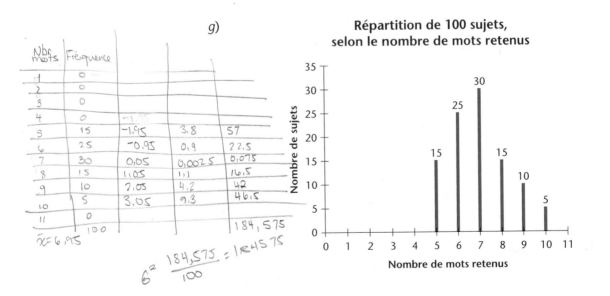

Répartition en pourcentage des familles à faible revenu, selon les caractéristiques de la famille, Canada, 1997

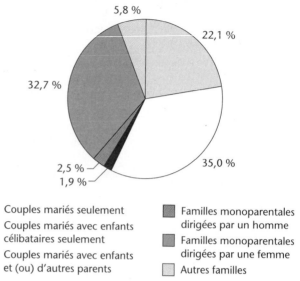

5,8 %

22,1 %

32,7 %

2,5 %

1,9 %

35,0 %

▢ Couples mariés seulement	▨ Familles monoparentales dirigées par un homme
▢ Couples mariés avec enfants célibataires seulement	▨ Familles monoparentales dirigées par une femme
▮ Couples mariés avec enfants et (ou) d'autres parents	▢ Autres familles

Source : Statistique Canada, *Répartition du revenu au Canada selon la taille du revenu*, n° 13-207-XPB au catalogue, 1999, p. 192.

i) **Répartition de 26 élèves de sciences humaines, selon le nombre d'heures consacrées hebdomadairement aux études en dehors des heures de cours**

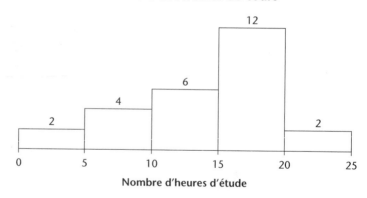

Nombre d'heures d'étude

	Mi			
[0-5[	2	2,5	-11,5	132,25	264,5
[5-10[	4	7,5	-6,5	42,25	169
[10-15[	6	12,5	-1,5	2,25	13,5
[15-20[	12	17,5	3,5	12,25	147
[20-25[	2	22,5	8,5	72,25	144,5
	26				

$\bar{x} = 14$

9. Un chercheur du ministère des Transports a réalisé une étude sur la vitesse de conduite sur une autoroute du Québec. Voici un relevé des vitesses, en km/h, enregistrées par un radar.

95,0	103,1	106,3	110,2	113,5	119,5
98,7	104,5	106,5	110,3	114,3	122,3
100,2	105,0	106,8	110,5	114,8	124,0
101,7	105,1	107,1	111,2	114,9	129,0
102,5	105,3	110,1	111,6	115,3	
102,7	106,1	110,2	112,4	118,3	

a) Quelle est la variable étudiée ?

b) De quelle nature est-elle ?

c) Quelle échelle de mesure a été employée ?

d) Combien y a-t-il d'observations ?

e) Quelle est l'étendue de la série ?

f) Regroupez ces observations dans un tableau de fréquences. Prenez 95 km/h comme limite inférieure de la première classe et 5 km/h comme amplitude. Respectez les normes de présentation.

g) À partir de ce tableau, donnez la valeur approximative de la vitesse moyenne.

h) À partir de ce tableau, donnez la valeur approximative de l'écart type.

i) Le même chercheur a effectué une autre étude sur la vitesse de conduite dans un quartier résidentiel où la limite de vitesse est de 50 km/h. Il a obtenu une vitesse moyenne de 45 km/h et un écart type de 5 km/h. Laquelle des deux séries d'observations est la plus homogène ?

10. Dans quelle circonstance préfère-t-on se servir du coefficient de variation plutôt que de l'écart type pour mesurer la dispersion ?

11. Au golf, le résultat d'une partie correspond au nombre de fois qu'il a fallu frapper la balle pour terminer un parcours de 18 trous. Voici les résultats de 40 parties d'un couple de golfeurs, Luc et Carole. Déterminez, en vous servant de la mesure appropriée, lequel des deux golfeurs a eu les résultats les plus stables.

Répartition des parties de Luc, selon le résultat obtenu

Résultat	Nombre de parties
80	1
81	2
82	5
83	8
84	9
85	13
86	1
88	1
Total	**40**

$\bar{x} = 83,775$

**Répartition des parties de Carole,
selon le résultat obtenu**

Résultat	Nombre de parties
95	1
96	2
97	3
98	4
100	6
101	7
102	5
103	6
104	4
105	2
Total	**40**

12. Étudions une variable que l'on peut mesurer de deux façons différentes, A et B, lesquelles font appel à des unités de mesure différentes. Les deux méthodes sont valides, mais on veut déterminer laquelle est la plus fiable. On demande à 30 personnes de mesurer la variable : 15 personnes emploient la méthode A, et les 15 autres, la méthode B. Si on suppose que les résultats obtenus sont représentatifs et que les moyennes et écarts types respectifs sont

$$\bar{x}_A = 75 \text{ et } s_A = 4$$

$$\bar{x}_B = 15 \text{ et } s_B = 1$$

quelle méthode vous paraît la plus fiable ? Justifiez votre réponse en vous servant de la mesure appropriée.

13. Un travailleur qui réside sur la rive sud de Montréal et qui travaille à Montréal peut utiliser un des quatre ponts suivants : Hippolyte-Lafontaine, Jacques-Cartier, Champlain ou Victoria. Il les a tous empruntés à plusieurs reprises dans des conditions similaires et il a noté méticuleusement le temps qu'il lui fallait pour se rendre à son travail. Au bout d'une année, il a obtenu les résultats suivants :

	Hippolyte-Lafontaine	Jacques-Cartier	Champlain	Victoria
$\bar{x}$	46 min	40 min	35 min	45 min
s	8,5 min	8 min	12 min	10 min

Quel trajet est le plus homogène quant au temps de parcours ?

Répondez aux questions portant sur le texte suivant.

L'indice de masse corporelle et la santé[1]

On établit généralement un lien entre le poids et la santé d'une personne. Plusieurs études ont à cet égard fait un parallèle entre le surpoids et certains problèmes de santé comme la maladie cardiaque, le diabète, l'hypertension et l'accident vasculaire cérébral. À l'inverse, être trop maigre peut aussi nuire à la santé. Ainsi, des chercheurs ont étudié la prévalence de l'insuffisance pondérale, généralement chez la femme, et son lien avec les troubles de l'alimentation. Les résultats présentés dans ce texte proviennent d'une étude menée auprès d'un échantillon de 50 347 Canadiens âgés de 20 à 64 ans (les femmes enceintes ont été exclues). L'objectif de cette recherche consiste à présenter la prévalence[2] de quatre catégories internationales de poids définies d'après l'indice de masse corporelle (IMC) en fonction de certaines caractéristiques sociodémographiques et à examiner l'association entre l'IMC et divers problèmes de santé.

L'indice de masse corporelle se calcule en divisant la masse (en kilogrammes) par le carré de la taille (en mètres). Ainsi, une personne pesant 73 kg et mesurant 1,75 m aura un IMC de 23,8 kg/m^2. Les catégories internationales reconnues sont les suivantes : poids insuffisant (IMC de moins de 18,5), poids normal (IMC compris entre 18,5 et 25,0), surpoids ou embonpoint (IMC compris entre 25,0 et 30,0) et obésité (IMC de 30,0 ou plus).

En 1996-1997, le poids de presque la moitié (48 %) des Canadiens de 20 à 64 ans se situait dans la fourchette appropriée (poids normal) alors que 34 % faisaient de l'embonpoint et que 12 % étaient obèses.

Comme on peut le constater à la lecture du tableau qui suit, il y a un lien entre le sexe et l'IMC. Ainsi, les femmes sont nettement plus susceptibles que les hommes d'avoir un poids normal ou insuffisant, tandis que la prévalence de l'embonpoint et de l'obésité est beaucoup plus forte chez les hommes.

---

1. Adapté de J. Gilmore, « L'indice de masse corporelle et la santé », *Rapports sur la santé*, vol. 11, n° 1, Statistique Canada, n° 82-003-XIF au catalogue, 1999, p. 33 à 47.
2. La prévalence d'une catégorie donne le pourcentage des individus de cette catégorie par rapport à l'ensemble des individus. Ainsi, une prévalence de 30 % dans la catégorie de surpoids indiquerait que 30 % de la population (ou de l'échantillon) présenterait un surpoids.

Prévalence des catégories d'indice
de masse corporelle par sexe

Catégorie d'indice de masse corporelle	Sexe	
	Hommes	Femmes
Poids insuffisant	1 %	4 %
Poids normal	40 %	56 %
Surpoids	44 %	24 %
Obésité	13 %	11 %
Non déclaré	2 %	5 %

Les données de recherche montrent que, à mesure que le niveau de scolarité augmente, la proportion de personnes dont l'IMC est acceptable tend à augmenter, tandis que la proportion de personnes faisant de l'embonpoint ou de l'obésité semble diminuer.

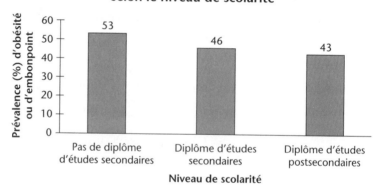

Prévalence d'embonpoint ou d'obésité,
selon le niveau de scolarité

Ces résultats concordent avec des données déjà publiées et pourraient tenir, du moins en partie, au fait que les personnes plus instruites connaissent mieux les saines habitudes alimentaires, les bienfaits de l'exercice et les risques que l'obésité comporte pour la santé.

Selon les données recueillies, le risque de souffrir d'asthme, d'arthrite, de maux de dos, d'hypertension, de diabète, de troubles thyroïdiens, d'une limitation des activités ou d'une blessure est nettement plus élevé chez les personnes qui font de l'embonpoint que chez les personnes de poids normal. Chez les personnes obèses, le nombre de problèmes de santé connexes est encore plus élevé et les liens sont d'autant plus marqués.

a) Le texte présente-t-il une problématique ? Si vous répondez oui, indiquez le paragraphe qui la contient.

b) Formulez une question à laquelle la recherche présentée tente de répondre.

c) Quelle est la population étudiée ?

d) Pourquoi les femmes enceintes ont-elles été exclues de cette population ?

e) Les données présentées dans le texte sont-elles des données de recensement ou de sondage ? Justifiez votre réponse en citant un extrait du texte.

f) Calculez votre IMC et déterminez la catégorie d'IMC à laquelle vous appartenez.

g) Pourquoi croyez-vous qu'on a utilisé l'IMC (kg/m^2) et non la masse (kg) comme indicateur ?

h) En 1996-1997, quelle était la prévalence de la catégorie « poids insuffisant » ?

i) Consignez les données explicites et implicites du troisième paragraphe (*En 1996-1997, le poids de presque...*) dans un graphique approprié.

j) Trouvez une variable qualitative nominale présentée dans le texte.

k) Trouvez une variable qualitative ordinale présentée dans le texte.

l) De quelle nature est la variable « masse » ?

m) Quelle échelle de mesure a-t-on employée pour la scolarité ?

n) Le sixième paragraphe (*Ces résultats concordent...*) comporte une hypothèse qui n'a pas été vérifiée par l'étude. Quelle est-elle ?

o) Quel type d'erreur aurait été commise dans cette étude si on avait tenu compte des réponses de Denise, une femme enceinte âgée de 30 ans ?

p) Le pèse-personne de Pierre était défectueux et il a inscrit que sa masse était de 70 kg alors qu'elle est plutôt de 80 kg. Quel type d'erreur a-t-on alors commis ?

q) Formulez deux hypothèses qui semblent être confirmées par les données présentées dans le graphique suivant :

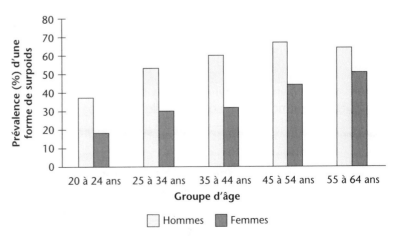

**Prévalence d'une forme de surpoids
(obésité ou embonpoint) par sexe, selon l'âge**

Examinez le tableau suivant donnant la répartition d'un échantillon de 300 Canadiens selon leur indice de masse corporelle.

Répartition de 300 Canadiens âgés de 20 à 64 ans, selon leur indice de masse corporelle (IMC), par sexe

	Sexe		
IMC (kg/m²)	Hommes	Femmes	Total
15,0 – 18,5	2	4	6
18,5 – 25,0	75	59	134
25,0 – 30,0	92	26	118
30,0 – 35,0	31	11	42
Total	200	100	300

(annotations manuscrites dans la marge : 16.75, 21.75, 27.5, 32.5)

r) Quel pourcentage des personnes de l'échantillon souffrent d'obésité?

s) Quel pourcentage des hommes de l'échantillon font de l'embonpoint?

t) Donnez la valeur approximative de l'étendue de l'IMC.

u) Donnez la valeur approximative de l'IMC moyen des hommes de l'échantillon.

v) Donnez la valeur approximative de l'IMC moyen des femmes de l'échantillon.

w) Dans quelle catégorie d'indice de masse corporelle est «l'homme moyen»?

x) Donnez la valeur approximative de l'écart type de l'IMC des hommes de l'échantillon.

y) Donnez la valeur approximative de l'écart type de l'IMC des femmes de l'échantillon.

z) Lequel des deux sexes est le plus homogène en ce qui a trait à l'IMC? Justifiez votre réponse en vous servant de la mesure appropriée.

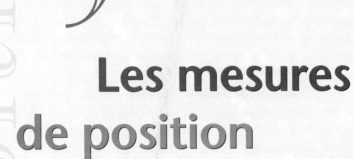

Les mesures de position

Je préférerais être le premier dans un village gaulois que le deuxième à Rome.

ATTRIBUÉ À JULES CÉSAR

À la fin de ce chapitre, vous devriez être en mesure de répondre aux questions suivantes :

- *Qu'est-ce qu'une mesure de position ?*
- *Quelles sont les principales mesures de position ?*
- *Comment évalue-t-on les principales mesures de position ?*
- *Que représentent les différents quantiles ?*
- *Que représentent les différents rangs ?*
- *Que représente la cote z ?*

es mesures de tendance centrale et de dispersion ont permis de caractériser une série statistique. Il reste maintenant à voir comment caractériser une donnée tirée d'une série statistique par rapport à l'ensemble des données. Les mesures de position permettent de situer les données les unes par rapport aux autres. Nous en étudierons trois types : les quantiles, les rangs et la cote z.

9.1 Les quantiles

Quantiles

Mesures de position qui divisent une série statistique ordonnée en plusieurs groupes comportant sensiblement la même proportion de données. Les quantiles les plus courants sont les centiles, les déciles, les quintiles et les quartiles.

Quartiles

Les quartiles sont trois valeurs (Q_1, Q_2, Q_3) qui divisent une série statistique ordonnée en quatre groupes comprenant chacun environ 25 % des données.

Quintiles

Les quintiles sont quatre valeurs (V_1, V_2, V_3, V_4) qui divisent une série statistique ordonnée en cinq groupes comprenant chacun environ 20 % des données.

Déciles

Les déciles sont 9 valeurs (D_1, D_2, ..., D_9) qui divisent une série statistique ordonnée en 10 groupes comprenant chacun environ 10 % des données.

Les **quantiles** sont des valeurs qui divisent une série statistique ordonnée en plusieurs groupes comprenant sensiblement la même proportion de données. Les quantiles les plus couramment utilisés sont les quartiles, les quintiles, les déciles et les centiles.

Les **quartiles**, symbolisés par Q_1, Q_2 et Q_3, divisent une série statistique ordonnée en quatre groupes comprenant chacun approximativement 25 % des données de la série. On observe donc qu'environ :

- 25 % des données sont inférieures à Q_1 ;
- 50 % des données sont inférieures à Q_2 ;
- 75 % des données sont inférieures à Q_3.

Nous voyons immédiatement que la médiane, Md, correspond à Q_2. Cette constatation laisse à penser qu'on peut évaluer les quantiles de la même façon que la médiane, notamment en utilisant la courbe des fréquences relatives cumulées.

Les **quintiles**, symbolisés par V_1, V_2, V_3 et V_4, divisent une série statistique ordonnée en cinq groupes[1] comprenant chacun approximativement 20 % des données de la série. On observe donc qu'environ :

- 20 % des données sont inférieures à V_1 ;
- 40 % des données sont inférieures à V_2 ;
- 60 % des données sont inférieures à V_3 ;
- 80 % des données sont inférieures à V_4.

Les **déciles**, symbolisés par D_1, D_2, D_3, D_4, D_5, D_6, D_7, D_8 et D_9, divisent une série statistique ordonnée en 10 groupes comprenant chacun approximativement 10 % des données. On observe donc qu'environ :

- 10 % des données sont inférieures à D_1 ;
- 20 % des données sont inférieures à D_2 ;
- ⋮
- 90 % des données sont inférieures à D_9.

---

1. On utilise la lettre V pour désigner les différents quintiles puisque que c'est la lettre qui désigne le nombre 5 en chiffres romains.

Les **centiles**, C_1, C_2, C_3, ..., C_{98} et C_{99}, sont 99 valeurs qui divisent une série statistique ordonnée en 100 groupes comprenant chacun approximativement 1 % des données. On observe donc qu'environ :

- 1 % des données sont inférieures à C_1 ;
- 2 % des données sont inférieures à C_2 ;
- ⋮
- 99 % des données sont inférieures à C_{99}.

Les quantiles n'offrent généralement un intérêt que pour des séries statistiques comportant un très grand nombre de données. Dans de tels cas, les données sont généralement groupées par classes, de sorte qu'il est possible de construire la courbe des fréquences relatives cumulées.

Pour évaluer des quantiles, on peut recourir à une méthode graphique similaire à celle que l'on a employée pour évaluer la médiane. Pour trouver la médiane à partir d'une courbe de fréquences relatives cumulées, il faut lire, sur l'axe des abscisses, la valeur associée à une fréquence cumulée de 50 % ; pour les quantiles, on lit la valeur associée au pourcentage du quantile considéré : 25 % pour Q_1, 40 % pour V_2, 70 % pour D_7, 85 % pour C_{85}, et ainsi de suite.

▶ **EXEMPLE**

Le tableau 9.1 présente des données sur l'ancienneté des 150 employés d'une usine.

Tableau 9.1

Répartition et répartition cumulée de 150 employés, selon l'ancienneté

Ancienneté (années)	Nombre d'employés	Pourcentage des employés (%)	Pourcentage cumulé des employés (%)
0 – 5	5	3,3	3,3
5 – 10	53	35,3	38,6
10 – 15	10	6,7	45,3
15 – 20	10	6,7	52,0
20 – 25	55	36,7	88,7
25 – 30	10	6,7	95,4
30 – 35	5	3,3	98,7
35 – 40	2	1,3	100,0
Total	150	100,0	

Afin de déterminer, par exemple, Q_1, V_2, C_{65}, Q_3 et D_9, nous devons tracer la courbe des fréquences relatives cumulées (figure 9.1).

Figure 9.1

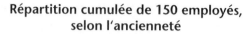

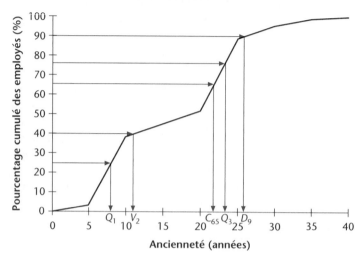

Répartition cumulée de 150 employés, selon l'ancienneté

Nous obtenons alors $Q_1 \approx 8$ années, $V_2 \approx 11$ années, $C_{65} \approx 22$ années, $Q_3 \approx 23$ années, $D_9 \approx 26$ années. Cela nous permet d'affirmer qu'environ 25 % des employés ont moins de 8 années d'ancienneté ; 40 % des employés, moins de 11 années d'ancienneté ; 65 % des employés, moins de 22 années d'ancienneté ; 75 % des employés, moins de 23 années d'ancienneté et 90 % des employés, moins de 26 années d'ancienneté. ◀

EXERCICE 9.1

Le tableau suivant donne la valeur des logements privés occupés par leur propriétaire, au Québec, en 1996.

Répartition en pourcentage des logements privés occupés par le propriétaire, selon la valeur du logement, Québec, 1996

Valeur du logement (milliers $)	Pourcentage des logements (%)
Moins de 50	11,4
50 – 100	46,8
100 – 150	26,1
150 – 200	9,1
200 ou plus	6,6
Total	100,0

Source : Statistique Canada, données du recensement de 1996, statcan.ca.

a) Tracez la portion réalisable de la courbe des fréquences relatives cumulées correspondant au tableau.

b) Déterminez Q_1, Q_3, D_8, V_3 et C_{45} à partir de cette courbe.

c) Que signifie chacune de ces mesures ?

d) Est-il possible d'évaluer D_1 et C_{95} à partir de la courbe tracée en *a* ?

e) Complétez :

$$Md = C\_ = D\_ = Q\_$$

Nous avons vu au chapitre 8 que l'étendue constituait une mesure de dispersion sommaire dont le principal défaut était de ne tenir compte que des valeurs extrêmes. Afin de mieux caractériser l'étalement de la série, on peut évaluer l'étendue des données qui se situent au centre de la série ordonnée plutôt qu'à ses extrémités. Cette mesure de dispersion, basée sur les quartiles, est l'**écart interquartile** : $Q_3 - Q_1$. L'écart interquartile prend en considération les bornes de la portion centrale qui regroupe 50 % des données.

Écart interquartile

Mesure de dispersion qui correspond à l'écart entre Q_3 et Q_1, soit l'écart entre les extrémités du groupe de données occupant les 50 % du centre de la série statistique ordonnée.

▶ **EXEMPLE**

L'écart interquartile des données représentées dans la figure 9.1 est :

$$Q_3 - Q_1 \approx 23 - 8 = 15 \text{ années}$$ ◀

EXERCICE 9.2

Évaluez l'écart interquartile à partir des données de l'exercice 9.1.

9.2 Les rangs

On distingue trois types de rangs : le rang brut, le rang cinquième et le rang centile. Nous allons examiner l'utilité de chacun.

9.2.1 Le rang brut

Rang brut

Position d'une donnée dans une série statistique ordonnée.

Lorsqu'il s'agit de situer des données les unes par rapport aux autres, il suffit souvent de les classer par ordre : première, deuxième, troisième, et ainsi de suite jusqu'à la dernière. On parle alors du **rang brut** d'une donnée. Selon le contexte, la valeur associée au premier rang peut être la valeur la plus grande ou la plus petite. Au golf, le classement se fait par ordre croissant : un résultat de 75 donne un meilleur rang qu'un résultat de 85. Au hockey, le classement se fait par ordre décroissant : le premier rang est attribué à l'équipe qui a accumulé le plus de points, le deuxième, à celle qui a accumulé le deuxième plus grand nombre de points, et ainsi de suite. Dans tous les cas, on accorde le même rang aux données de même valeur.

Selon l'ordre de rangement employé, le rang brut d'une donnée dont la valeur est x, noté $R_b(x)$, s'obtient à l'aide de la formule suivante :

$$R_b(x) = \begin{cases} 1 + \text{Nombre de données de valeur inférieure à } x \text{ (ordre croissant)} \\ 1 + \text{Nombre de données de valeur supérieure à } x \text{ (ordre décroissant)} \end{cases}$$

▶ **EXEMPLE**

Voici le nombre de victoires remportées par 10 équipes :

$$15, 10, 10, 17, 7, 5, 10, 7, 7, 5$$

Pour trouver le rang brut associé à ces résultats, on les classe en ordre décroissant : l'équipe qui occupe le premier rang est celle qui a obtenu le plus grand nombre de victoires, et ainsi de suite :

Nombre de victoires :	17	15	10	10	10	7	7	7	5	5
Rang brut :	1	2	3	3	3	6	6	6	9	9

La donnée de valeur 17 occupe le premier rang (rang 1) puisqu'aucune donnée ne lui est supérieure, la donnée de valeur 15 occupe le deuxième rang (rang 2) puisqu'une seule donnée lui est supérieure, les données de valeur 10 occupent le troisième rang (rang 3) puisque deux données leur sont supérieures, les données de valeur 7 occupent le sixième rang (rang 6) puisque cinq données leur sont supérieures, et les données de valeur 5 occupent le neuvième rang (rang 9) puisque huit données leur sont supérieures. ◀

EXERCICE 9.3

Donnez le rang brut des golfeurs dont les résultats au cours d'un tournoi sont :

$$75, 75, 80, 80, 80, 80, 85, 86, 87, 90$$

Donner un rang brut sans citer le nombre de données peut prêter à confusion. Par exemple, le fait d'être le dixième dans un groupe de 10 n'indique pas une aussi bonne performance que le fait d'être le dixième dans un groupe de 1 000. Afin de préciser l'information fournie par le rang brut, on se sert d'une autre mesure de rang : le rang cinquième.

9.2.2 Le rang cinquième

Rang cinquième

Mesure de position qui indique essentiellement le rang (classement par ordre décroissant des valeurs) qu'occuperait une donnée dans un groupe de cinq données.

Le **rang cinquième** est le rang qu'occuperait une donnée (par ordre décroissant des valeurs) dans une série de cinq données. Plus le rang cinquième est élevé, plus le résultat est faible. Ainsi, un résultat associé à un rang cinquième de « 4 » indique que ce résultat serait le quatrième s'il avait été dans un groupe de cinq.

Pour calculer le rang cinquième, nous supposerons que le classement des données s'effectue par ordre décroissant; une donnée de valeur plus élevée qu'une autre indique une meilleure performance.

Le rang cinquième d'une donnée dont la valeur est x, noté $R_5(x)$, est un des nombres entiers 1, 2, 3, 4 ou 5. Il s'obtient en arrondissant à l'entier le résultat de la formule :

$$R_5(x) \approx 0,5 + \left(\frac{\text{Nombre de données de valeur supérieure à } x + \frac{1}{2} \times \text{Nombre de données dont la valeur est } x}{\text{Nombre total de données}} \times 5 \right)$$

Le rang cinquième est surtout employé dans le domaine de l'éducation, notamment pour classer les résultats scolaires des individus. Une personne dont le rang cinquième est « 1 » a un résultat qui se situe dans les 20 % supérieurs ; une autre dont le rang cinquième est « 2 » a un résultat qui se situe dans les 40 % supérieurs (sans pour autant être dans les 20 % supérieurs), et ainsi de suite. Enfin, un individu dont le rang cinquième est « 5 » a un résultat qui se situe dans les 20 % inférieurs.

Dans la formule du rang cinquième, on s'est servi du symbole ≈ (environ égal à) pour indiquer qu'il faut arrondir à l'entier. Le « 0,5 » qu'on trouve au début de cette formule est nécessaire, car il garantit que le plus petit rang cinquième possible est « 1 ». L'intérêt du rang cinquième est d'offrir une base de comparaison, soit une série comprenant cinq données. C'est pour cette raison que l'expression est multipliée par 5.

On peut repérer le rang cinquième d'une donnée à partir de la courbe des fréquences relatives cumulées (figure 9.2).

Figure 9.2

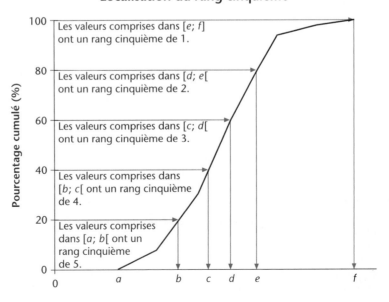

Localisation du rang cinquième

▶ **EXEMPLE**

L'examen final d'un cours d'économie comportait notamment 20 questions objectives. Le tableau 9.2 présente les résultats des 803 élèves présents à cet examen.

Tableau 9.2

Répartition des 803 élèves, selon le nombre de bonnes réponses obtenues à la partie objective de l'examen d'économie

Nombre de bonnes réponses	Nombre d'élèves
11	24
12	55
13	92
14	127
15	145
16	128
17	85
18	77
19	43
20	27
Total	803

Le rang cinquième d'un élève qui a eu 14 bonnes réponses est donné par l'expression :

$$R_5(14) \approx 0,5 + \left[\frac{(145 + 128 + 85 + 77 + 43 + 27) + \frac{1}{2} \times 127}{803} \times 5 \right] = 4,04$$

$$R_5(14) = 4$$

Cela signifie qu'un élève de ce cours d'économie ayant obtenu 14 bonnes réponses à la partie objective de l'examen aurait été quatrième s'il avait été dans un groupe de 5 élèves. On pourrait également dire qu'avec 14 bonnes réponses, un élève se situe dans les 40 % inférieurs, sans être dans les 20 % inférieurs. ◀

EXERCICE 9.4

Calculez le rang cinquième d'un élève qui a obtenu 18 bonnes réponses à la partie objective de l'examen d'économie de l'exemple précédent et donnez le sens de cette mesure dans le contexte.

9.2.3 Le rang centile

Lorsqu'on calcule le rang cinquième, on classe des données dans des groupes qui comptent chacun 20 % des données en utilisant 5 comme base de comparaison. On peut affiner l'information obtenue en employant une base de comparaison de 100 au lieu d'une base de 5. On calculera alors le rang centile.

Pour calculer le rang centile, nous supposerons que le classement des données s'effectue par ordre décroissant; une donnée de valeur plus élevée qu'une autre indique une meilleure performance.

Le **rang centile** d'une donnée de valeur x correspond au pourcentage, arrondi à l'entier, des données ayant une valeur inférieure ou égale à x. Par convention, on accorde un rang centile de « 1 » aux pourcentages inférieurs à 1 %, et de « 99 » à tous ceux qui sont supérieurs à 99 %.

Le rang centile d'une donnée dont la valeur est x s'obtient à partir de la formule suivante:

$$R_{100}(x) \approx \frac{\text{Nombre de données de valeur inférieure à } x + \frac{1}{2} \times \text{Nombre de données dont la valeur est } x}{\text{Nombre total de données}} \times 100$$

Le rang centile peut être repéré dans la courbe des fréquences relatives cumulées (figure 9.3).

> **Rang centile**
>
> Mesure de position qui indique essentiellement le pourcentage, arrondi à l'entier, des données qui ont une valeur inférieure ou égale à la valeur d'une donnée.

Figure 9.3

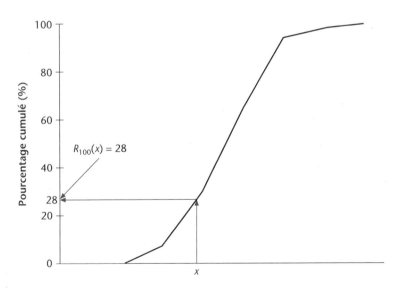

Localisation du rang centile

Le rang centile ne se révèle utile que lorsqu'on étudie une quantité considérable de données.

▶ **EXEMPLE**

Le rang centile d'un élève qui a obtenu 17 bonnes réponses (tableau 9.2) est

$$R_{100}(17) \approx \frac{(24 + 55 + 92 + 127 + 145 + 128) + \frac{1}{2} \times 85}{803} \times 100 = 76{,}4$$

$$R_{100}(17) = 76$$

Un rang centile de 76 signifie qu'environ 76 % des élèves ont eu 17 bonnes réponses ou moins à la partie objective de l'examen. ◀

EXERCICE 9.5

À partir de la courbe tracée dans l'exercice 9.1a, déterminez le rang centile d'un logement évalué à 175 000 $ et donnez le sens de cette mesure dans le contexte.

Comme le rang centile est fondé sur une base de 100, il peut notamment être utilisé pour comparer la position relative de données provenant de séries différentes. Ainsi, on pourrait comparer la performance d'un individu A à deux parties distinctes (perception spatiale et vocabulaire, par exemple) d'un test d'aptitude en faisant appel aux rangs centiles. Si l'individu A obtenait un rang centile de 75 à la partie du test portant sur la perception spatiale et de 90 à la partie portant sur le vocabulaire, on pourrait dire que sa performance relative était meilleure en vocabulaire. En effet, environ 75 % des candidats auraient eu une performance inférieure ou égale à A dans la partie du test portant sur la perception spatiale contre 90 % dans la partie portant sur le vocabulaire.

9.3 La cote z

Cote z

Mesure de position qui indique à combien d'écarts types au-dessus ou au-dessous de la moyenne se situe une donnée. Également appelée *cote standard*.

Pour situer une donnée par rapport aux autres, on peut aussi mesurer la distance qui la sépare d'un point de repère fixe. La **cote z** ou *cote standard* d'une valeur x correspond à la distance, mesurée en écarts types, entre cette valeur et la moyenne :

$$z = \frac{x - \mu}{\sigma}$$

Une cote z négative signifie que la valeur est au-dessous de la moyenne ; une cote z positive, que la valeur est au-dessus de la moyenne. La cote z d'une donnée indique à combien d'écarts types, au-dessus ou au-dessous de la moyenne, cette donnée se situe. Ainsi, lorsque la cote z d'une donnée est « 2 », on en déduit que la valeur de cette donnée se trouve à 2 écarts types au-dessus de la moyenne, alors que si la cote z vaut « −1,5 », la valeur de la donnée se trouve à 1,5 écart type au-dessous de la moyenne. En général, la valeur de la cote z est comprise entre « –3 » et « 3 », de telle sorte que la majorité des données se trouvent à moins de 3 écarts types de la moyenne.

La cote z constitue donc une mesure de la position relative d'une donnée par rapport à la valeur centrale des données.

La cote z est très utile parce qu'il s'agit d'une mesure sans unité. De plus, lorsqu'on traduit toutes les données d'une série statistique en cotes z, la série des cotes z aura 0 pour moyenne et 1 pour écart type, quelle que soit la série statistique d'origine. La cote z permet donc de comparer des données provenant de séries statistiques différentes.

▶ **EXEMPLE**

Le tableau 9.3 présente les résultats d'un élève dans trois cours.

Tableau 9.3

Résultats d'un élève dans trois cours

Matière	Note de l'élève (x)	Moyenne (μ)	Écart à la moyenne $(x - \mu)$	Écart type (σ)	Cote z $[(x - \mu)/\sigma]$
Philosophie	85	87,5	–2,5	5	–0,5
Français	84	69	15	10	1,5
Méthodes quantitatives	80	70	10	5	2

La note est à 1,5 écart-type au dessus de la moyenne

La note est à 2 écart types au dessus de la moyenne

Cet élève a obtenu sa meilleure note en philosophie et sa plus faible, en méthodes quantitatives. Pourtant, il présente un écart par rapport à la moyenne beaucoup plus important en méthodes quantitatives qu'en philosophie : sa note est au-dessous de la moyenne (un écart négatif) en philosophie et au-dessus (un écart positif) en méthodes quantitatives. Faut-il pour autant conclure que cet élève a obtenu son meilleur résultat en français, parce que c'est dans cette matière qu'on observe l'écart à la moyenne le plus important ?

L'écart par rapport à la moyenne n'est pas une mesure tout à fait satisfaisante du niveau de cet élève. Il faudrait mesurer l'importance relative de cet écart par rapport à la dispersion observée dans chacune de ces matières. Pour relativiser l'écart par rapport à la moyenne, on le divisera par l'écart type, ce qui donne la cote z. Ainsi, par rapport à son groupe, cet élève est plus fort en méthodes quantitatives. Les cotes z de cet élève montrent qu'il se situe à 0,5 écart type au-dessous de la moyenne en philosophie, alors qu'il se situe à 1,5 écart type au-dessus en français et à 2 écarts types au-dessus en méthodes quantitatives. Sa performance relative se révèle donc meilleure en méthodes quantitatives. ◀

EXERCICE 9.6

On suppose que la masse moyenne d'un homme adulte est de 83 kg avec un écart type de 10 kg, et que la taille moyenne est de 178 cm avec un écart type de 5 cm. Si Jean mesure 185 cm et pèse 88 kg, est-il relativement plus grand que lourd ?

RÉSUMÉ

Les mesures de position servent à situer une donnée par rapport à l'ensemble des données d'une série. Nous avons étudié trois types de mesures de position : les quantiles, les rangs et la cote z.

Les quantiles usuels sont les quartiles (Q_1, Q_2, Q_3), les quintiles (V_1, V_2, V_3, V_4), les déciles (D_1, D_2, D_3, ..., D_9) et les centiles (C_1, C_2, ..., C_{99}). Les quartiles divisent une série statistique ordonnée en 4 groupes comptant chacun environ 25 % des données, les quintiles en 5 groupes comptant chacun environ 20 % des données, les déciles en 10 groupes comptant chacun environ 10 % des données et les centiles en 100 groupes comptant chacun environ 1 % des données. Pour évaluer des quantiles, on trace d'abord la courbe des fréquences relatives cumulées, puis on lit, sur cette courbe, la valeur en abscisse qui correspond au pourcentage du quantile considéré : 25 % pour Q_1, 40 % pour V_2, 70 % pour D_7, 85 % pour C_{85}, et ainsi de suite. La figure 9.1 (page 326) montre comment repérer les quantiles à partir d'une courbe des fréquences relatives cumulées.

Ainsi :

- environ 25 % des données sont inférieures à Q_1 ;
- environ 50 % des données sont inférieures à Q_2 ;
- environ 75 % des données sont inférieures à Q_3 ;

- environ 20 % des données sont inférieures à V_1 ;
- environ 40 % des données sont inférieures à V_2 ;
- environ 60 % des données sont inférieures à V_3 ;
- environ 80 % des données sont inférieures à V_4 ;

- environ 10 % des données sont inférieures à D_1 ;
- environ 20 % des données sont inférieures à D_2 ;
- ⋮
- environ 90 % des données sont inférieures à D_9 ;

- environ 1 % des données sont inférieures à C_1 ;
- environ 2 % des données sont inférieures à C_2 ;
- ⋮
- environ 99 % des données sont inférieures à C_{99}.

Les quartiles sont à la base d'une mesure de dispersion : l'écart interquartile. L'écart interquartile ($Q_3 - Q_1$) donne l'écart entre les extrémités des données qui occupent les 50 % du centre d'une série statistique ordonnée.

Les rangs les plus courants sont le rang brut, le rang cinquième et le rang centile. Le rang brut désigne la place qu'occupe une donnée dans une série statistique ordonnée. Le rang cinquième donne le rang qu'occuperait une donnée (par ordre décroissant des valeurs) si la série ne comptait que cinq données. Le rang centile d'une donnée indique le pourcentage des données de valeur inférieure ou égale à celle-ci.

Tableau 9.4

Calcul des rangs

Rang brut

$$R_b(x) = \begin{cases} 1 + \text{Nombre de données de valeur inférieure à } x & \text{(ordre croissant)} \\ 1 + \text{Nombre de données de valeur supérieure à } x & \text{(ordre décroissant)} \end{cases}$$

Rang cinquième

$$R_5(x) \approx 0,5 + \left(\frac{\begin{array}{c}\text{Nombre de données}\\\text{de valeur supérieure à } x\end{array} + \frac{1}{2} \times \begin{array}{c}\text{Nombre de données}\\\text{dont la valeur est } x\end{array}}{\text{Nombre total de données}} \times 5 \right)$$

Rang centile

$$R_{100}(x) \approx \frac{\begin{array}{c}\text{Nombre de données}\\\text{de valeur inférieure à } x\end{array} + \frac{1}{2} \times \begin{array}{c}\text{Nombre de données}\\\text{dont la valeur est } x\end{array}}{\text{Nombre total de données}} \times 100$$

On peut également localiser les rangs cinquième et centile à partir d'une courbe des fréquences relatives cumulées comme cela est indiqué dans les figures 9.2 (page 329) et 9.3 (page 331).

La dernière mesure de position que nous avons abordée est la cote z ou cote standard. La cote z d'une donnée permet de savoir à combien d'écarts types au-dessus (cote z positive) ou au-dessous (cote z négative) de la moyenne se trouve la donnée. La cote z constitue donc une mesure de la position relative d'une donnée par rapport à la valeur centrale des données.

Étant donné que la cote z s'exprime sans unité et que la série des cotes z est toujours de moyenne 0 et d'écart type 1, la cote z est très utile pour comparer des données provenant de séries statistiques différentes.

La cote z s'obtient en effectuant le calcul suivant :

$$z = \frac{x - \mu}{\sigma}$$

MOTS CLÉS

Centiles, p. 325
Cote z, p. 332
Déciles, p. 324
Écart interquartile, p. 327

Quantiles, p. 324
Quartiles, p. 324
Quintiles, p. 324
Rang brut, p. 327

Rang centile, p. 331
Rang cinquième, p. 328

EXERCICES RÉCAPITULATIFS

1. Complétez :

   a) Les valeurs qui divisent une série statistique ordonnée en cent parties comprenant chacune environ 1 % des données sont des _____ .

   b) Les déciles divisent une série statistique ordonnée en _____ parties comprenant chacune environ _____ % des données.

   c) Il y a _____ quartiles qui divisent une série statistique ordonnée en _____ parties comprenant chacune environ ____ % des données.

   d) Environ _____ % des données sont inférieures à V_4.

2. Répondez aux questions à partir du graphique suivant :

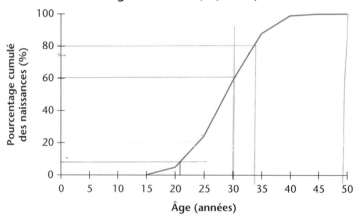

Répartition cumulée des naissances, selon l'âge de la mère, Québec, 1996

Source : Bureau de la statistique du Québec, *Un portrait statistique des familles et des enfants au Québec*, Québec, Gouvernement du Québec, 1999, p. 44 et 46.

   a) Parmi les femmes qui ont donné naissance à un enfant au Québec, en 1996, quel est le pourcentage de celles qui étaient âgées de moins de 30 ans ?

   b) Évaluez C_8 et dites ce que ce nombre signifie.

   c) Évaluez l'étendue.

   d) Évaluez l'écart interquartile.

3. Un concessionnaire d'automobiles recommande à ses clients d'effectuer une vidange d'huile tous les 4 000 km. Il a compilé un tableau qui donne la distance parcourue entre les vidanges d'huile pour les automobiles de ses clients :

Répartition et répartition cumulée des automobiles, selon la distance parcourue entre deux vidanges d'huile

Distance (km)	Pourcentage des automobiles (%)	Pourcentage cumulé des automobiles (%)
3 000 – 3 500	5	
3 500 – 4 000	8	
4 000 – 4 500	10	
4 500 – 5 000	22	
5 000 – 5 500	35	
5 500 – 6 000	20	
Total	100	

a) Complétez ce tableau.

b) Tracez le polygone de fréquences.

c) Quel type d'asymétrie observe-t-on ?

d) Dans quel ordre devrait-on retrouver la moyenne, la médiane et le mode ?

e) Quel est le mode ?

f) Que nous apprend cette mesure ?

g) Quelle est la valeur de la médiane ?

h) Que nous apprend cette mesure ?

i) Tracez la courbe des fréquences relatives cumulées.

j) À partir de cette courbe, estimez Q_1, Q_3, D_9 et C_{11}.

k) Que signifie chacune de ces mesures ?

l) Que vaut l'écart interquartile ?

4. Répondez aux questions à partir du tableau suivant.

Répartition en pourcentage des contrevenants au code de la route, selon l'âge du contrevenant

Âge (années)	Pourcentage des contrevenants (%)
Moins de 20	20
20 – 30	35
30 – 40	20
40 – 50	15
50 – 60	5
60 et plus	5
Total	100

a) Tracez la portion réalisable de la courbe des fréquences relatives cumulées.

b) En vous servant de cette courbe, pouvez-vous évaluer D_1? Justifiez votre réponse.

c) Évaluez Q_1, Q_3 et C_{43}. Expliquez ce que ces valeurs signifient.

d) Quelle mesure de dispersion pouvons-nous évaluer à partir de ces données? Que vaut-elle?

5. Répondez aux questions à partir du tableau suivant.

Température et précipitations moyennes annuelles pour certaines villes

Ville	Température moyenne annuelle (°C)	Précipitations moyennes annuelles (mm)
Berlin	8,4	590
Delhi	25,1	680
Durban	21,4	1 070
Hong Kong	22,2	2 230
Le Caire	21,7	20
Le Cap	16,8	640
Lisbonne	15,5	760
Londres	9,8	620
Madrid	13,6	440
Melbourne	14,7	650
Mexico	15,6	580
Montréal	6,0	1 030
Moscou	3,6	610
New York	11,1	1 090
Paris	10,1	580
Pékin	11,8	630
Rome	15,3	920
San Francisco	12,8	560
Stockholm	5,7	550
Tōkyō	14,0	1 610
Vienne	9,2	660

Source: G. Brunacci, M. Bonini et R. M. Panattoni, dir., *Encyclopédie géographique,* Paris, Éditions Stock, 1969, p. 68.

a) Donnez le rang brut de chacune de ces villes par rapport à la température moyenne (de la plus faible à la plus élevée).

b) Donnez le rang brut de chacune de ces villes par rapport aux précipitations moyennes (des plus faibles aux plus élevées).

6. Répondez aux questions à partir des données du tableau suivant.

Les principaux fleuves du monde

Fleuve	Longueur (km)	Fleuve	Longueur (km)
Amazone	7 025	Mississippi	4 200
Amour	4 500	Missouri	4 300
Brahmapoutre	2 900	Niger	4 100
Congo	4 200	Nil	6 600
Danube	2 900	Ob-Irtych	5 200
Darling	2 800	Paraná	3 900
Don	2 100	Purus	2 900
Èbre	900	Rhin	1 320
Euphrate	2 700	Rhône	812
Gange	2 700	Saint-Laurent	3 800
Houang-Ho	4 200	Seine	776
Indus	3 100	Vistule	1 300
Léna	4 200	Volga	3 600
Loire	1 010	Yang-Tsé-Kiang	5 500
Mackenzie	4 200	Yukon	3 700
Mékong	4 500	Zambèze	2 600

Source : Sélection du Reader's Digest, *Grand Atlas mondial*, 8e éd., 1970, p. 178.

a) Quel est le rang brut associé à ces fleuves par rapport à la variable « longueur » (du plus long au moins long) ?

b) Si on ne considère que ces fleuves, quel est le rang cinquième associé au :

- Saint-Laurent ?
- Mackenzie ?
- Danube ?

7. Au cours d'une expérience en psychologie, on montre pendant une minute une liste de 30 mots à des sujets, puis on leur demande d'écrire les mots dont ils se souviennent. Cinq minutes plus tard, on reprend la même expérience avec les mêmes mots et les mêmes sujets. Le nombre moyen de mots retenus par les sujets au cours de la première étape est de 12 mots avec un écart type de 3 mots. Pendant la deuxième étape, la moyenne passe à 22 mots avec un écart type de 2 mots. Un des candidats a écrit 17 mots à la première étape et 24 mots à la deuxième étape. Par rapport à l'ensemble des sujets, laquelle de ces deux performances est la meilleure ?

8. On a fait passer deux tests de sélection, *A* et *B*, à 250 candidats. Plus le résultat est élevé, plus le rendement au test est bon. Les résultats à ces tests sont compilés dans les tableaux qui suivent:

Répartition des candidats, selon le résultat obtenu au test *A*

Résultat	Nombre de candidats
0	3
1	10
2	13
3	20
4	30
5	40
6	60
7	30
8	20
9	12
10	12
Total	250

Répartition des candidats, selon le résultat obtenu au test *B*

Résultat	Nombre de candidats
0	20
1	40
2	80
3	70
4	25
5	15
Total	250

a) Quel est le rang brut, le rang cinquième, le rang centile et la cote *z* d'une personne qui a eu un résultat de:

- 7 au test *A*?
- 3 au test *B*?

b) Une personne a obtenu des résultats de 7 au test *A* et de 3 au test *B*. Dans quel test a-t-elle eu la meilleure performance relative? Justifiez votre réponse à partir des résultats obtenus en *a*.

9. En considérant l'écart type indiqué, et sachant que la moyenne est au point *B*, donnez la valeur de la cote *z* des points *A*, *B* et *C* et placez les points *D* et *E* qui ont respectivement des cotes *z* de –1,5 et de 2.

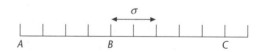

10. Voici la courbe des fréquences relatives cumulées donnant les résultats de tous les élèves inscrits à un cours de méthodes quantitatives :

Répartition cumulée des élèves, selon la note

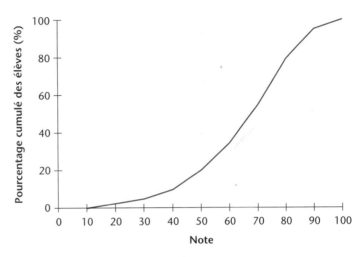

a) Quel est le rang centile d'un élève qui a obtenu une note de 65 ?

b) Quel est le rang cinquième d'un élève qui a obtenu une note de 65 ?

c) Quelle est la proportion des élèves qui ont réussi le cours (la note de passage est de 60) ?

EXERCICE DE SYNTHÈSE

Répondez aux questions portant sur le texte suivant.

Le revenu des familles

Au Canada, en 1997, le revenu médian des familles époux-épouse (familles comprenant les couples mariés et les personnes vivant en union libre, avec ou sans enfants) était de 50 800 $, ce qui marquait une hausse de moins de 1 % par rapport à l'année précédente, alors que le revenu médian des familles monoparentales atteignait seulement 21 300 $ et que celui des personnes hors familles n'était que de 16 500 $.

Comme le montre le tableau 1, la situation de ces trois groupes variait d'une province à l'autre. Ainsi, le revenu médian des familles époux-épouse n'était que 38 000 $ à Terre-Neuve alors qu'il était de 55 300 $ en Ontario.

Par ailleurs, au Canada, les revenus moyen et médian de l'ensemble des familles ont augmenté entre 1990 et 1997 (tableau 2).

Tableau 1

Revenu médian, provinces, 1997

Province	Unité d'observation		
	Familles époux-épouse	Familles monoparentales	Personnes hors famille
Terre-Neuve	38 000	16 000	12 400
Île-du-Prince-Édouard	43 600	20 600	14 000
Nouvelle-Écosse	45 000	17 600	14 400
Nouveau-Brunswick	43 200	16 800	13 800
Québec	47 000	21 100	14 600
Ontario	55 300	23 000	18 300
Manitoba	47 800	19 200	15 900
Saskatchewan	47 600	18 300	15 600
Alberta	54 700	22 400	18 600
Colombie-Britannique	51 300	21 600	18 200

Source : Statistique Canada, *Le Quotidien*, 4 août 1999, statcan.ca.

Tableau 2

Évolution des revenus moyen et médian des familles, Canada, 1990-1997

Année	Revenu moyen ($)	Revenu médian ($)
1990	51 122	45 618
1991	52 711	46 389
1992	53 206	47 189
1993	53 065	46 717
1994	54 153	48 091
1995	55 247	48 079
1996	56 629	49 411
1997	57 146	50 361

Source : Statistique Canada, *Répartition du revenu au Canada selon la taille du revenu 1997*, n° 13-207-XPB au catalogue, avril 1999, p. 63.

Toutefois, en 1997, le partage des revenus entre les familles québécoises n'était pas égalitaire, comme on peut facilement le constater en lisant le tableau 3.

Tableau 3

Répartition des familles, selon le revenu, Québec, 1997

Revenu (milliers $)	Pourcentage des familles (%)
Moins de 10	2,6
10 – 20	11,3 *13,9*
20 – 30	15,2 *29,1*
30 – 40	14,7 *43,8*
40 – 50	12,3 *56,1*
50 – 60	10,9 *67*
60 – 70	10,4 *77,4*
70 – 80	7,5 *84,9*
80 – 90	5,1 *90*
90 – 100	2,9 *92,9*
100 et plus	7,1 *100*
Total	**100,0**

Source : Statistique Canada, *Répartition du revenu au Canada selon la taille du revenu 1997*, n° 13-207-XPB au catalogue, avril 1999, p. 64.

a) Représentez graphiquement les données contenues dans le tableau 1. Respectez les normes de présentation.

b) Quel était le revenu médian des familles monoparentales québécoises en 1997 ?

c) Que nous apprend cette mesure ?

d) Si on considère les revenus des familles époux-épouse au Québec en 1997, que vaut D_5 ?

e) Remplissez le tableau suivant en inscrivant le rang brut (ordre décroissant) de chacune des provinces en fonction du revenu médian pour chacune des unités d'observation.

Rang des provinces par rapport au revenu médian, 1997

Province	Unité d'observation		
	Familles époux-épouse	Familles monoparentales	Personnes hors famille
Terre-Neuve			
Île-du-Prince-Édouard			
Nouvelle-Écosse			
Nouveau-Brunswick			
Québec			
Ontario			
Manitoba			
Saskatchewan			
Alberta			
Colombie-Britannique			

f) Que faut-il comprendre du fait que Terre-Neuve occupe le 10e rang en ce qui a trait au revenu médian quelle que soit l'unité d'observation ?

g) Représentez les données contenues dans le tableau 2 sous une forme graphique appropriée. Respectez les normes de présentation.

h) Commentez le tableau 2. Dans votre commentaire, émettez une hypothèse sur la répartition des revenus qui expliquerait pourquoi le revenu moyen est toujours supérieur au revenu médian.

i) L'inégalité des revenus dans une population peut se mesurer par la variabilité des revenus. Quel type de mesure (tendance centrale, dispersion ou position) permettrait de quantifier l'inégalité des revenus des familles canadiennes ?

j) Au Canada en 1980, le revenu moyen des familles était de 27 686 $ et l'écart type d'environ 16 000 $; en 1997, le revenu moyen des familles était de 57 146 $ et l'écart type d'environ 35 000 $. En quelle année la répartition des revenus était-elle la plus égalitaire ? Justifiez votre réponse après avoir calculé la mesure appropriée.

k) Tracez la portion réalisable de la courbe des fréquences relatives cumulées pour les données du tableau 3. Respectez les normes de présentation.

l) Estimez le revenu médian à partir de la courbe construite en *k*.

m) À partir de la courbe construite en *k*, estimez la valeur de V_2, Q_1 et C_{65}.

n) Expliquez ce que nous apprend chacune des mesures calculées en *m*.

o) Quel était l'écart interquartile des revenus au Québec en 1997 ?

p) Quel rang cinquième occupait une famille québécoise dont le revenu était de 35 000 $ en 1997 ?

q) Que nous apprend cette mesure dans le contexte ?

r) Quel rang centile occupait une famille québécoise dont le revenu était de 75 000 $ en 1997 ?

s) Que nous apprend cette mesure dans le contexte ?

t) Tracez l'histogramme pour les données présentées dans le tableau 3. Fermez les classes ouvertes à 0 $ et à 140 000 $. Respectez les normes de présentation.

u) Quel type d'asymétrie présente l'histogramme ? Cela concorde-t-il avec l'hypothèse que vous avez émise en *h* ?

v) En 1997, les revenus moyens des familles ontariennes et québécoises étaient respectivement de 63 503 $ et 51 256 $. Les écarts types des revenus étaient respectivement d'environ 35 000 $ et 30 000 $. Quel revenu une famille québécoise qui a gagné 72 000 $ aurait-elle dû gagner pour conserver sa position relative si elle avait vécu en Ontario ?

10

La loi normale et l'estimation de paramètres

La statistique traite de l'information imparfaite, obtenue le plus souvent par échantillonnage; par conséquent, elle est la science de l'incertitude et des erreurs. Le statisticien sait qu'il peut se tromper, ne sait jamais quand il se trompe (autrement, il se corrigerait sur-le-champ!), mais plusieurs des techniques qu'il utilise lui indiquent la probabilité qu'il a de se tromper.

CLAUDE ANGERS

À la fin de ce chapitre, vous devriez être en mesure de répondre aux questions suivantes:

- *Qu'est-ce qui caractérise une loi normale?*
- *Comment consulte-t-on une table de la loi normale centrée réduite?*
- *En quoi consiste l'estimation?*
- *Quel est le lien entre l'estimation par intervalle de confiance et la loi normale?*
- *Comment établit-on un intervalle de confiance pour une moyenne et pour une proportion?*
- *Que représentent le niveau de confiance et la marge d'erreur dans une estimation par intervalle de confiance?*

N ous avons vu au chapitre 1 que la démarche scientifique pouvait être décomposée en six étapes, au nombre desquelles on trouve l'analyse et l'interprétation des résultats. Cette étape consiste à tirer des conclusions en se fondant sur les données recueillies, à donner un sens aux mesures effectuées et à décider de la validité des hypothèses de recherche. On y fait largement appel à l'inférence statistique, soit à la généralisation de l'information obtenue auprès d'échantillons à l'ensemble de la population. L'inférence statistique comporte deux volets : l'estimation de paramètres et le test d'hypothèse. Nous étudierons le premier volet dans ce chapitre et le second dans les chapitres 11 et 12.

10.1 Les types d'estimation de paramètres

On estime des paramètres en se basant sur des résultats échantillonnaux, notamment parce qu'il serait trop onéreux de les mesurer directement auprès de la population. On peut faire une estimation ponctuelle ou une estimation par intervalle de confiance.

Estimation ponctuelle

Estimation de la valeur d'un paramètre d'une population faite à partir de la statistique correspondante mesurée dans un échantillon.

L'**estimation ponctuelle** permet de connaître la valeur d'un paramètre d'une population, en particulier une moyenne (μ) ou une proportion (π), d'après la mesure (ou la statistique) correspondante dans l'échantillon, notamment $\bar{x}$ ou p.

Ainsi, on pourrait s'intéresser au temps de réaction moyen (μ) à un stimulus et l'estimer à partir du temps de réaction moyen observé ($\bar{x}$) dans un échantillon de la population étudiée. De même, on pourrait estimer la proportion (π) des élèves de cégep qui sont sexuellement actifs selon la proportion observée (p) dans un échantillon d'élèves de cégep qui auraient été interrogés par le biais d'un questionnaire sur leurs comportements sexuels.

Estimation par intervalle de confiance

Estimation de la valeur d'un paramètre d'une population au moyen d'un intervalle construit autour de la statistique correspondante de l'échantillon. La probabilité que l'intervalle englobe la valeur réelle du paramètre est le niveau de confiance.

En vertu d'une loi mathématique – la loi des grands nombres –, plus la taille de l'échantillon est grande, plus l'estimation d'une moyenne (ou d'une proportion) devrait se rapprocher de la vraie valeur de ce paramètre dans la population. Par contre, comme les échantillons ne sont pas des répliques exactes de la population, différents échantillons donneront différentes estimations. C'est pourquoi nous voudrions être en mesure de quantifier l'écart probable entre la vraie valeur d'un paramètre et l'estimation de ce dernier. Dans ce but, nous recourrons à l'estimation par intervalle de confiance.

Marge d'erreur

Dans une estimation par intervalle de confiance d'une moyenne ou d'une proportion, la marge d'erreur (*ME*) correspond à la moitié de la largeur de l'intervalle.

Niveau de confiance

Probabilité qu'un intervalle de confiance contienne la valeur réelle d'un paramètre d'une population.

L'**estimation par intervalle de confiance** consiste à ajouter et à retrancher une **marge d'erreur** (*ME*) à l'estimation ponctuelle, de façon à former un intervalle, soit $[\bar{x} - ME; \bar{x} + ME]$ ou $[p - ME; p + ME]$ selon le paramètre considéré. En fonction du **niveau de confiance** choisi (généralement 95 % ou 99 %), ces intervalles sont établis de telle façon que, si on prélevait tous les échantillons possibles[1] d'une taille donnée, 95 % ou 99 % de ces derniers contiendraient la valeur exacte du paramètre estimé (μ ou π). Ainsi, lorsque le niveau de confiance est de 95 %, l'intervalle obtenu à partir d'un échantillon contiendra 95 fois sur 100 la vraie valeur du paramètre estimé.

Dans ce chapitre, nous allons présenter les principes sous-jacents à l'estimation par intervalle de confiance d'une moyenne (μ) et d'une proportion (π) d'une population selon des mesures correspondantes ($\bar{x}$ et p) obtenues auprès d'un échantillon. Nous allons également appliquer ces principes pour former des intervalles de confiance.

L'estimation par intervalle de confiance nécessite cependant l'emploi de lois de probabilité[2], notamment la loi normale. Nous devons donc d'abord faire une brève présentation de la loi normale.

10.2 La loi normale

10.2.1 Historique de l'utilisation de la loi normale

En examinant les polygones de fréquences de différentes séries statistiques, on constate que, dans bien des cas, ils présentent une silhouette caractéristique, soit une forme de cloche. Dans un graphique comme celui de la figure 10.1, on peut voir que la moyenne, le mode et la médiane coïncident. Il s'agit d'une courbe unimodale, symétrique, aplatie aux deux extrémités et telle que la fréquence des données décroît à mesure qu'on s'éloigne du centre, que ce soit vers la gauche ou vers la droite. C'est là l'idée que l'on a généralement de la normalité : beaucoup de données se situent autour de la moyenne et le nombre de données diminue à mesure qu'on s'éloigne de celle-ci. C'est pourquoi une courbe de cette nature porte le nom de courbe normale.

Figure 10.1

Courbe normale

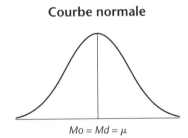

$Mo = Md = \mu$

---

1. En pratique, lorsqu'on fait un sondage, on ne prélève qu'un seul échantillon. Toutefois, pour comprendre la notion de niveau de confiance, il faut se mettre dans une situation hypothétique, soit celle qui consiste à prélever tous les échantillons possibles. On peut alors analyser le « comportement » de l'ensemble des échantillons et se prononcer sur la possibilité de trouver la valeur du paramètre recherché dans un intervalle construit autour de la statistique calculée à partir de l'échantillon qui sera effectivement prélevé.
2. La théorie des probabilités est la branche des mathématiques dont l'objet est la mesure de la vraisemblance d'événements incertains (ou aléatoires).

Dans une publication datant de 1733, un mathématicien, Abraham De Moivre, a fait pour la première fois l'étude d'une fonction dont le graphique présentait la forme de cloche propre à la courbe normale. Cette fonction avait pour équation :

$$f(x) = ae^{-bx^2}$$

où a et b sont des constantes, et e correspond à la base des logarithmes népériens ($e \approx 2{,}7183$). Cette équation s'apparente à la **loi normale** de moyenne μ et d'écart type σ dont l'équation est donnée par l'expression :

$$f(x) = \frac{1}{\sigma\sqrt{2\pi}} e^{-\frac{(x-\mu)^2}{2\sigma^2}}$$

La courbe normale se nomme également *courbe de Laplace-Gauss*, en l'honneur de deux mathématiciens qui l'ont employée pour décrire les erreurs d'observation commises en astronomie et qui ont démontré certaines des propriétés de la fonction qui détermine cette courbe.

Un statisticien belge, Lambert Adolphe Quételet, a eu l'idée de se servir de cette courbe comme d'un modèle descriptif de certaines caractéristiques humaines. Dans une étude classique, il a constaté que le polygone de fréquences qui représente le tour de poitrine de 5 738 soldats écossais pouvait être décrit assez fidèlement par une courbe en forme de cloche[3]. La figure 10.2 montre le polygone de fréquences obtenu à partir des données de Quételet. Comme on peut le constater, la forme de ce polygone s'apparente à celle de la courbe normale.

> **Loi normale**
>
> Expression mathématique d'une courbe normale. La moyenne, le mode et la médiane d'une variable soumise à la loi normale coïncident. La loi normale permet de décrire de nombreux phénomènes naturels ou produits par l'activité humaine. Elle est utilisée en inférence statistique.

Figure 10.2

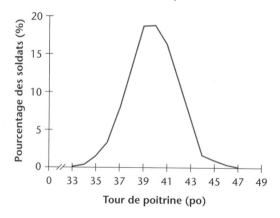

Répartition en pourcentage des soldats, selon leur tour de poitrine

---

3. L. A. Quételet, *Lettre à S.A.R. le duc régnant de Saxe-Cobourg et Gotha sur la théorie des probabilités appliquées aux sciences morales et politiques*, dans S. M. Stigler, *The History of Statistics. The Measurement of Uncertainty Before 1900*, Cambridge, Belknap Press of Havard University Press, 1986, p. 207.

De nombreux auteurs, à la suite de Quételet, ont pu constater que la courbe normale constituait un modèle adéquat pour décrire une multitude de phénomènes.

Le mathématicien Émile Borel a montré que la loi normale décrivait particulièrement bien les phénomènes dont les variations étaient dues à de nombreux facteurs agissant de manière indépendante et provoquant de faibles effets, sensiblement de même amplitude.

On trouve ces conditions dans de nombreux événements naturels ou produits par l'activité humaine, ce qui expliquerait que la loi normale s'applique à un grand nombre de situations. Parmi celles-ci, on retrouve la description de certaines caractéristiques des êtres humains (taille, mensurations diverses, pression artérielle, performance à un test de mémoire) ou des espèces animales ou végétales (longueur des épis de maïs, circonférence des troncs d'arbres). Citons également la répartition des erreurs d'observation dans une expérience, celle des temps de réaction à un stimulus, celle du temps que mettent des rats pour parcourir un labyrinthe, celle des variations par rapport aux normes dans les procédés de fabrication de pièces usinées et celle de la distance parcourue par un projectile (balle de fusil, balle de golf).

La loi normale est un modèle descriptif tellement utilisé que l'on pourrait penser que la plupart des phénomènes y sont soumis. Tel n'est pourtant pas le cas. Par exemple, la répartition des Canadiens selon l'âge n'obéit pas à la loi normale.

Certaines mesures sont élaborées de manière à épouser la forme de la courbe normale, alors que le concept mesuré ne s'y prête pas. Il en est ainsi des résultats à des tests de quotient intellectuel (QI), qui sont répartis selon la loi normale. Cependant, il ne faut pas croire pour autant que l'intelligence est répartie dans la population de façon aussi régulière.

La loi normale est souvent utilisée en inférence statistique. Comme nous le verrons plus loin, c'est sans doute là son principal intérêt.

10.2.2 Les caractéristiques de la loi normale

En plus de sa forme typique de cloche, la courbe normale possède plusieurs propriétés intéressantes. D'abord, en étudiant l'équation qui la définit, on constate qu'elle est entièrement déterminée par sa moyenne (μ) et son écart type (σ) : il existe une loi normale pour chaque valeur de μ et de σ.

On pourrait aussi montrer que l'aire entre une courbe normale et l'axe des abscisses vaut toujours 1 (figure 10.3 *a*). De plus, puisque la courbe normale est symétrique, l'aire de la surface sous la courbe à droite (ou à gauche) de la moyenne (μ) vaut 0,5 (figure 10.3 *b*).

Lorsqu'une variable X obéit à une loi normale de moyenne μ et de variance σ^2, on écrit $X \sim N(\mu; \sigma^2)$. La proportion des données comprises entre deux valeurs x_1 et x_2 de la variable X correspond alors à la mesure de l'aire de la surface comprise sous la courbe normale entre ces valeurs. On note cette proportion $P(x_1 < X < x_2)$.

Figure 10.3

Symétrie de la courbe normale

a) Aire de la surface ombragée = 1

b) Aire de la surface ombragée = 0,5

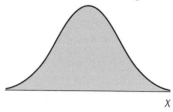

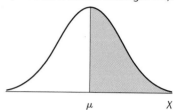

Ainsi, lorsque $X \sim N(10\,;25)$, la proportion des données de valeur supérieure à 5 mais inférieure à 20, notée $P(5 < X < 20)$, correspond à l'aire de la surface ombragée dans la figure 10.4 *a*. Par ailleurs, l'expression $P(X = x)$ vaut 0 quelle que soit la valeur *x* puisque l'aire de cette région est nulle (figure 10.4 *b*).

Figure 10.4

Mesures de proportions avec la courbe normale

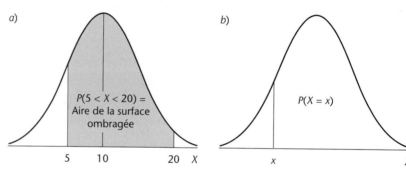

a)

$P(5 < X < 20) =$
Aire de la surface
ombragée

b)

$P(X = x)$

Par conséquent, si $X \sim N(\mu\,;\sigma^2)$, alors

$$P(x_1 < X < x_2) = P(x_1 \leq X < x_2) = P(x_1 < X \leq x_2) = P(x_1 \leq X \leq x_2)$$

De plus, on peut montrer que 68,26 % des données sont situées à moins d'un écart type de la moyenne ; 95 % des données, à moins de 1,96 écart type de la moyenne et 99 % des données à moins de 2,575 écarts types de la moyenne. Ces résultats s'expriment de la manière suivante en langage symbolique :

$$P(\mu - \sigma < X < \mu + \sigma) = 0,6826$$
$$P(\mu - 1,96\sigma < X < \mu + 1,96\sigma) = 0,95$$
$$P(\mu - 2,575\sigma < X < \mu + 2,575\sigma) = 0,99$$

10.2.3 La loi normale centrée réduite

A ÉVALUATION DE PROPORTIONS

Loi normale centrée réduite
Loi normale de moyenne 0 et de variance 1.

Pour évaluer des proportions lorsque la variable étudiée est soumise à une loi normale, il faut disposer d'une façon simple de mesurer des aires sous une courbe normale. Heureusement, grâce à une propriété des courbes normales, il suffit de considérer seulement le cas de la **loi normale centrée réduite**, c'est-à-dire la loi normale de moyenne 0 et de variance 1. En effet, on peut montrer que si la variable X obéit à la loi normale de moyenne μ et de variance σ^2, c'est-à-dire si $X \sim N(\mu; \sigma^2)$, alors la cote z de cette variable,

soit $Z = \dfrac{X - \mu}{\sigma}$, obéit à la loi normale centrée réduite, c'est-à-dire que

$Z = \dfrac{X - \mu}{\sigma} \sim N(0; 1)$. Nous utiliserons cette propriété chaque fois que nous

voudrons évaluer des proportions dans le contexte de la loi normale.

Ainsi, pour évaluer la proportion des données dont la valeur est comprise entre x_1 et x_2, il suffit d'évaluer la proportion des cotes z des données qui prennent une valeur comprise entre les cotes z de x_1 et x_2, c'est-à-dire que

$$P(x_1 < X < x_2) = P\left(\frac{x_1 - \mu}{\sigma} < \frac{X - \mu}{\sigma} < \frac{x_2 - \mu}{\sigma}\right) = P\left(\frac{x_1 - \mu}{\sigma} < Z < \frac{x_2 - \mu}{\sigma}\right)$$

EXERCICE 10.1

Soit $X \sim N(100; 64)$.

a) Quels sont la moyenne et l'écart type de la variable X?

b) Complétez:

$$P(92 < X < 112) = P\left(\frac{92 - \underline{\quad}}{\underline{\quad}} < \frac{X - \underline{\quad}}{\underline{\quad}} < \frac{112 - \underline{\quad}}{\underline{\quad}}\right)$$

$$= P(\underline{\quad} < Z < \underline{\quad})$$

Comme nous allons régulièrement faire appel à la loi normale centrée réduite, il convient d'expliquer certains éléments des graphiques que nous utiliserons. Dans la figure 10.5 [où $Z \sim N(0; 1)$], nous avons tracé, en a, la

fonction de la courbe normale centrée réduite, soit $f(z) = \dfrac{1}{\sqrt{2\pi}} e^{-\frac{z^2}{2}}$. En b,

nous avons indiqué l'intervalle de valeurs $-1 < Z < 1,5$. Enfin, en c, nous avons ombragé la région dont l'aire correspond à la proportion des données qui prennent une valeur comprise entre -1 et $1,5$, soit $P(-1 < Z < 1,5)$.

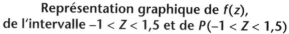

Figure 10.5

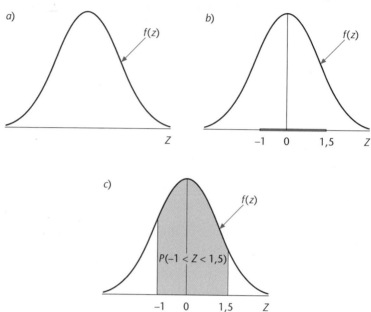

**Représentation graphique de $f(z)$,
de l'intervalle $-1 < Z < 1,5$ et de $P(-1 < Z < 1,5)$**

Le tableau 10.1 présente une table de la loi normale centrée réduite. À partir de cette table, nous serons en mesure d'évaluer des proportions du type $P(a \leq Z \leq b)$ en faisant appel à des arguments de symétrie et à des transformations géométriques simples.

Ainsi, pour évaluer la proportion des cotes z qui prennent une valeur supérieure ou égale à 0 mais inférieure ou égale à 0,21, soit $P(0 \leq Z \leq 0,21)$, il suffit de lire l'entrée de la table qui correspond à l'intersection de la ligne 0,20 et de la colonne 0,01 (si on fait la somme de ces deux chiffres, on obtient la valeur 0,21) comme cela est indiqué dans le tableau 10.2. La table nous donne donc $P(0 \leq Z \leq 0,21) = 0,0832$.

Puisque $P(Z = 0) = 0$ et que $P(Z = 0,21) = 0$, on peut également conclure que :

$$P(0 < Z < 0,21) = P(0 \leq Z < 0,21) = P(0 < Z \leq 0,21) = 0,0832$$

Illustrons maintenant l'emploi de la table de la loi normale avec quelques exemples. Pour évaluer une proportion qui n'est pas de la forme $P(0 \leq Z \leq z)$, il faut d'abord faire quelques manipulations sur des graphiques de façon à obtenir des régions d'aires équivalentes qu'on pourra évaluer à l'aide de la table de la loi normale centrée réduite.

Tableau 10.1

Table de la loi normale centrée réduite N(0 ; 1)

Les valeurs de la table correspondent à $P(0 \leq Z \leq z)$.

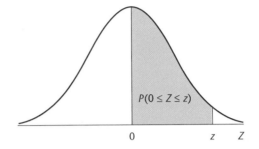

$P(0 \leq Z \leq z)$

z	0,00	0,01	0,02	0,03	0,04	0,05	0,06	0,07	0,08	0,09
0,00	0,0000	0,0040	0,0080	0,0120	0,0160	0,0199	0,0239	0,0279	0,0319	0,0359
0,10	0,0398	0,0438	0,0478	0,0517	0,0557	0,0596	0,0636	0,0675	0,0714	0,0753
0,20	0,0793	0,0832	0,0871	0,0910	0,0948	0,0987	0,1026	0,1064	0,1103	0,1141
0,30	0,1179	0,1217	0,1255	0,1293	0,1331	0,1368	0,1406	0,1443	0,1480	0,1517
0,40	0,1554	0,1591	0,1628	0,1664	0,1700	0,1736	0,1772	0,1808	0,1844	0,1879
0,50	0,1915	0,1950	0,1985	0,2019	0,2054	0,2088	0,2123	0,2157	0,2190	0,2224
0,60	0,2257	0,2291	0,2324	0,2357	0,2389	0,2422	0,2454	0,2486	0,2517	0,2549
0,70	0,2580	0,2611	0,2642	0,2673	0,2704	0,2734	0,2764	0,2794	0,2823	0,2852
0,80	0,2881	0,2910	0,2939	0,2967	0,2995	0,3023	0,3051	0,3078	0,3106	0,3133
0,90	0,3159	0,3186	0,3212	0,3238	0,3264	0,3289	0,3315	0,3340	0,3365	0,3389
1,00	0,3413	0,3438	0,3461	0,3485	0,3508	0,3531	0,3554	0,3577	0,3599	0,3621
1,10	0,3643	0,3665	0,3686	0,3708	0,3729	0,3749	0,3770	0,3790	0,3810	0,3830
1,20	0,3849	0,3869	0,3888	0,3907	0,3925	0,3944	0,3962	0,3980	0,3997	0,4015
1,30	0,4032	0,4049	0,4066	0,4082	0,4099	0,4115	0,4131	0,4147	0,4162	0,4177
1,40	0,4192	0,4207	0,4222	0,4236	0,4251	0,4265	0,4279	0,4292	0,4306	0,4319
1,50	0,4332	0,4345	0,4357	0,4370	0,4382	0,4394	0,4406	0,4418	0,4429	0,4441
1,60	0,4452	0,4463	0,4474	0,4484	0,4495	0,4505	0,4515	0,4525	0,4535	0,4545
1,70	0,4554	0,4564	0,4573	0,4582	0,4591	0,4599	0,4608	0,4616	0,4625	0,4633
1,80	0,4641	0,4649	0,4656	0,4664	0,4671	0,4678	0,4686	0,4693	0,4699	0,4706
1,90	0,4713	0,4719	0,4726	0,4732	0,4738	0,4744	0,4750	0,4756	0,4761	0,4767
2,00	0,4772	0,4778	0,4783	0,4788	0,4793	0,4798	0,4803	0,4808	0,4812	0,4817
2,10	0,4821	0,4826	0,4830	0,4834	0,4838	0,4842	0,4846	0,4850	0,4854	0,4857
2,20	0,4861	0,4864	0,4868	0,4871	0,4875	0,4878	0,4881	0,4884	0,4887	0,4890
2,30	0,4893	0,4896	0,4898	0,4901	0,4904	0,4906	0,4909	0,4911	0,4913	0,4916
2,40	0,4918	0,4920	0,4922	0,4925	0,4927	0,4929	0,4931	0,4932	0,4934	0,4936
2,50	0,4938	0,4940	0,4941	0,4943	0,4945	0,4946	0,4948	0,4949	0,4951	0,4952
2,60	0,4953	0,4955	0,4956	0,4957	0,4959	0,4960	0,4961	0,4962	0,4963	0,4964
2,70	0,4965	0,4966	0,4967	0,4968	0,4969	0,4970	0,4971	0,4972	0,4973	0,4974
2,80	0,4974	0,4975	0,4976	0,4977	0,4977	0,4978	0,4979	0,4979	0,4980	0,4981
2,90	0,4981	0,4982	0,4982	0,4983	0,4984	0,4984	0,4985	0,4985	0,4986	0,4986
3,00	0,4987	0,4987	0,4987	0,4988	0,4988	0,4989	0,4989	0,4989	0,4990	0,4990
3,10	0,4990	0,4991	0,4991	0,4991	0,4992	0,4992	0,4992	0,4992	0,4993	0,4993
3,20	0,4993	0,4993	0,4994	0,4994	0,4994	0,4994	0,4994	0,4995	0,4995	0,4995
3,30	0,4995	0,4995	0,4995	0,4996	0,4996	0,4996	0,4996	0,4996	0,4996	0,4997
3,40	0,4997	0,4997	0,4997	0,4997	0,4997	0,4997	0,4997	0,4997	0,4997	0,4998
3,50	0,4998	0,4998	0,4998	0,4998	0,4998	0,4998	0,4998	0,4998	0,4998	0,4998
3,60	0,4998	0,4998	0,4999	0,4999	0,4999	0,4999	0,4999	0,4999	0,4999	0,4999
3,70	0,4999	0,4999	0,4999	0,4999	0,4999	0,4999	0,4999	0,4999	0,4999	0,4999
3,80	0,4999	0,4999	0,4999	0,4999	0,4999	0,4999	0,4999	0,4999	0,4999	0,4999
3,90	0,5000	0,5000	0,5000	0,5000	0,5000	0,5000	0,5000	0,5000	0,5000	0,5000

Tableau 10.2

Extrait de la table de la loi normale centrée réduite

z	0,00	0,01	0,02	0,03
0,00	0,0000	0,0040	0,0080	0,0120
0,10	0,0398	0,0438	0,0478	0,0517
0,20	0,0793	0,0832	0,0871	0,0910
0,30	0,1179	0,1217	0,1255	0,1293
0,40	0,1554	0,1591	0,1628	0,1664

▶ **EXEMPLES**

1. Sachant que les résultats (X) à un test de QI de Wechsler pour des adultes se répartissent selon le modèle de la loi normale de moyenne 100 et d'écart type 15, la proportion des personnes ayant un QI compris entre 90 et 100 est donnée par :

$$P(90 < X < 100) = P\left(\frac{90-100}{15} < \frac{X-100}{15} < \frac{100-100}{15}\right)$$
$$= P(-0,67 < Z < 0)$$

On ne peut pas évaluer $P(-0,67 < Z < 0)$ directement à partir de la table de la loi normale centrée réduite. Toutefois, étant donné la symétrie de la courbe normale, on sait que l'aire sous la courbe normale comprise entre les valeurs – 0,67 et 0 est la même que celle comprise entre les valeurs 0 et 0,67 (figure 10.6).

Par conséquent, les proportions associées à ces régions sont les mêmes :

$$P(-0,67 < Z < 0) = P(0 < Z < 0,67) = 0,2486$$

Ainsi, près du quart (24,86 %) des résultats à un test de QI de Wechsler sont compris entre 90 et 100.

Figure 10.6

Transformation graphique pour évaluer $P(-0,67 < Z < 0)$

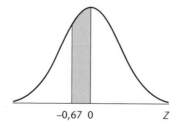
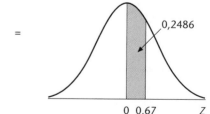

2. Si la répartition des Canadiens adultes de sexe masculin selon la taille (*X*) obéit à la loi normale de moyenne de 1,78 m et d'écart type de 6,9 cm, alors la proportion des Canadiens adultes de sexe masculin dont la taille est comprise entre 1,65 m et 1,75 m est donnée par :

$$P(1,65 < X < 1,75) = P\left(\frac{1,65 - 1,78}{0,069} < \frac{X - 1,78}{0,069} < \frac{1,75 - 1,78}{0,069}\right)$$
$$= P(-1,88 < Z < -0,43)$$

Or, $P(-1,88 < Z < -0,43)$ ne peut pas être évaluée directement à partir de la table de la loi normale centrée réduite puisque cette proportion ne présente pas la forme $P(0 \leq Z \leq z)$. On doit donc se baser sur la symétrie de la courbe normale pour transformer la surface correspondant à la proportion recherchée en une série de surfaces d'aire équivalente. La figure 10.7 illustre cette décomposition.

Figure 10.7

Transformation graphique pour évaluer $P(-1,88 < Z < -0,43)$

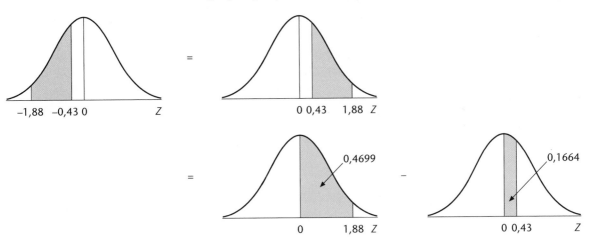

Par conséquent, $P(-1,88 < Z < -0,43) = 0,4699 - 0,1664 = 0,3035$, ce qui nous amène à dire que 30,35 % des Canadiens adultes de sexe masculin ont une taille comprise entre 1,65 m et 1,75 m. ◀

Les principales transformations graphiques à réaliser dans l'évaluation de proportions à partir de la loi normale sont présentées dans la figure 10.8.

Figure 10.8

Modèles de transformations graphiques employées pour évaluer des proportions à partir de la loi normale centrée réduite
(*a* et *b* sont deux nombres positifs)

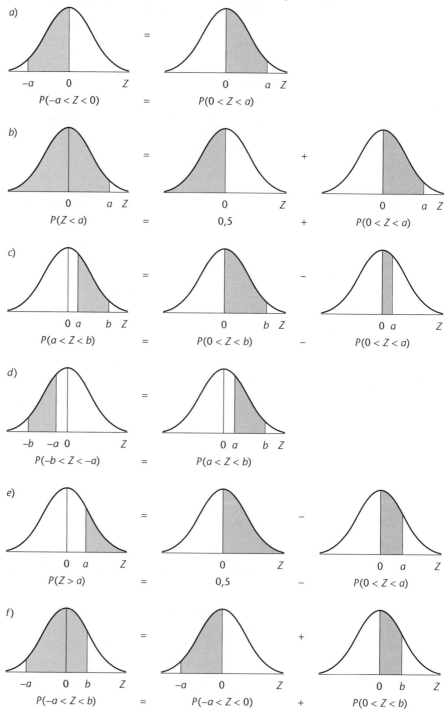

EXERCICES 10.2

1. Si $X \sim N(\mu; \sigma^2)$, vérifiez que $P(\mu - \sigma < X < \mu + \sigma) = 0,6826$ et représentez cette information dans un graphique (tracez la courbe normale; placez $\mu - \sigma$, μ, $\mu + \sigma$ et 0,6826 aux endroits appropriés, identifiez correctement l'axe des abscisses).

2. Si $X \sim N(\mu; \sigma^2)$, vérifiez que $P(\mu - 1,96\sigma < X < \mu + 1,96\sigma) = 0,95$ et représentez cette information dans un graphique.

3. La durée de vie (X) d'un lecteur de disques compacts est une variable qui obéit à une loi normale. La durée de vie moyenne de ces appareils est de 7 ans et l'écart type est de 1,2 an.

   a) Complétez: « $X \sim N(\_\_\_; \_\_\_\_)$ ».

   b) Quelle proportion de lecteurs ont une durée de vie comprise entre 8 et 9 ans?

   c) Quelle proportion de lecteurs ont une durée de vie supérieure à 7,5 ans?

   d) Quelle proportion de lecteurs ont une durée de vie inférieure à 5,5 ans?

B) ÉVALUATION D'UNE COTE Z

Il nous arrivera de chercher la réponse à des questions comme: «Déterminez la valeur de k telle que $P(0 \leq Z \leq k) = 0,4864$». Pour résoudre ce problème, nous devrons également utiliser la table de la loi normale centrée réduite dont on a reproduit un extrait au tableau 10.3.

Tableau 10.3

Extrait de la table de la loi normale centrée réduite

z	0,00	0,01	0,02	0,03
2,00	0,4772	0,4778	0,4783	0,4788
2,10	0,4821	0,4826	0,4830	0,4834
2,20	0,4861	0,4864	0,4868	0,4871
2,30	0,4893	0,4896	0,4898	0,4901
2,40	0,4918	0,4920	0,4922	0,4925

On constate que $k = 2,21$ puisque $P(0 \leq Z \leq 2,21) = 0,4864$

► EXEMPLE

Les résultats (X) à un test de QI de Wechsler pour des adultes se répartissent selon le modèle d'une loi normale de moyenne 100 et d'écart type 15. On veut déterminer la valeur de k de QI telle que seulement 2,5 % de l'ensemble des résultats au test sont supérieurs à cette valeur. On cherche donc la valeur de k telle que $P(X > k) = 0,025$.

Comme d'habitude, lorsqu'on a affaire à une loi normale quelconque, il faut d'abord exprimer l'expression recherchée en fonction de la loi normale centrée réduite et représenter la situation dans un graphique (figure 10.9):

$$P(X > k) = 0,025 \quad \Rightarrow \quad P\left(\frac{X - 100}{15} > \frac{k - 100}{15}\right) = 0,025$$

$$\Rightarrow \quad P\left(Z > \frac{k - 100}{15}\right) = 0,025$$

Figure 10.9

Représentation graphique de $P\left(Z > \dfrac{k - 100}{15}\right) = 0,025$

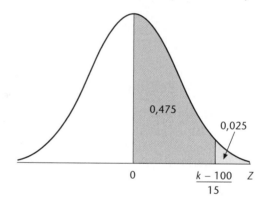

Il suffit ensuite de consulter la table de la loi normale centrée réduite pour trouver que $\dfrac{k - 100}{15} = 1,96$. Ainsi, la cote z de k vaut 1,96, ce qui nous amène à conclure que k se trouve à une distance de 1,96 écart type au-dessus de la moyenne, c'est à dire que $k = 100 + 1,96(15) = 129,4$.

Par conséquent, seulement 2,5 % des résultats à un test de Wechsler sont situés à plus de 1,96 écart type au-dessus de la moyenne, soit à plus de 129,4. ◀

EXERCICE 10.3

Un commerçant offre une garantie de remplacement sur la durée de vie des lecteurs de disques compacts qu'il vend. Il sait que la durée de vie des lecteurs est une variable qui obéit à la loi normale de moyenne 7 ans et d'écart type 1,2 an. Quelle durée de vie maximale doit-il garantir s'il ne souhaite reprendre qu'au plus 2,5 % des lecteurs vendus?

Il arrive que la cote z recherchée n'apparaisse pas directement dans la table de la loi normale centrée réduite.

Par exemple, si $Z \sim N(0\,;1)$, on ne peut pas trouver directement la valeur de k telle que $P(0 \le Z \le k) = 0,2100$. En effet, quand on consulte la table de la loi normale centrée réduite, on constate que:

$$P(0 \le Z \le 0,55) = 0,2088 \text{ et } P(0 \le Z \le 0,56) = 0,2123$$

On en déduit que $0,55 < k < 0,56$. On choisira pour valeur de k la valeur dans la table la plus proche de la proportion donnée. Comme 0,2088 est plus près de 0,2100 que ne l'est 0,2123, on prend $k = 0,55$.

Lorsque les deux proportions de la table sont équidistantes de la proportion donnée, on en fait la moyenne. Ainsi, pour trouver la valeur de k telle que $P(0 \le Z \le k) = 0,3953$, on repère d'abord les cotes z qui donnent une proportion voisine de 0,3953. La table de la loi normale centrée réduite indique que ces cotes z sont 1,25 et 1,26, puisque $P(0 \le Z \le 1,25) = 0,3944$ et que $P(0 \le Z \le 1,26) = 0,3962$. Les deux proportions tirées de la table sont équidistantes de 0,3953. En effet,

$$(0,3962 - 0,3953) = 0,0009 = (0,3953 - 0,3944)$$

Dans ces circonstances, on choisit de prendre pour valeur de k la moyenne des deux cotes z trouvées dans la table, c'est-à-dire 1,255.

NOTATION z_α

Nous noterons par z_α (se dit z «alpha») la valeur d'une variable normale centrée réduite telle que $P(Z > z_\alpha) = \alpha$. La proportion des cotes z supérieures à z_α vaut donc α. La figure 10.10, nous permet de constater que $P(Z < z_\alpha) = 1 - \alpha$.

Figure 10.10

Représentation graphique de z_α

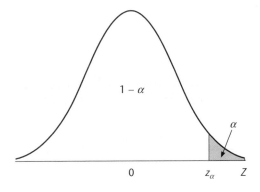

À partir de la définition de z_α et de la symétrie de la courbe normale (figure 10.11), on peut déduire que $P(-z_{\alpha/2} < Z < z_{\alpha/2}) = 1 - \alpha$.

Figure 10.11

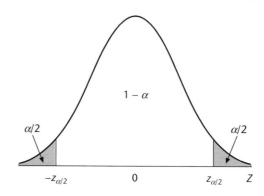

Représentation graphique de $z_{\alpha/2}$ et $-z_{\alpha/2}$

▶ **EXEMPLE**

Pour trouver $z_{0,05}$, il faut déterminer la cote z dans la table de la loi normale centrée réduite telle que $P(Z > z_{0,05}) = 0,05$ ou telle que $P(0 < Z < z_{0,05}) = 0,45$. On obtient que $z_{0,05} = 1,645$. ◀

EXERCICE 10.4

Évaluez chacune des expressions suivantes :

a) $z_{0,005}$

b) $z_{0,01}$

c) $z_{0,02}$

10.3 La distribution de la moyenne échantillonnale

Il arrive fréquemment qu'on veuille estimer la valeur moyenne d'une variable dans une population (revenu moyen des Canadiens, durée de vie moyenne d'un appareil électronique, dépenses moyennes d'un ménage québécois) d'après la valeur moyenne d'un échantillon. Même quand la variable étudiée n'obéit pas à la loi normale, la répartition des différents échantillons de même taille, selon la valeur moyenne des données de l'échantillon, tend vers la loi normale lorsque la taille de l'échantillon (n) est suffisamment grande ($n > 30$ convient généralement).

Par exemple, supposons que la taille moyenne des élèves de sexe féminin de cégep est de $\mu = 1,63$ m avec un écart type de $\sigma = 6,6$ cm. Les élèves de sexe féminin forment la population et leur taille est la variable étudiée. Prélevons maintenant un échantillon aléatoire simple[4] de 50 élèves dont nous calculerons la taille moyenne, notée $\overline{x}_1$. Répétons cette opération afin de déterminer comment se distribuent les moyennes de chaque échantillon.

On obtient ainsi une nouvelle moyenne à chaque échantillon : $\overline{x}_1$, $\overline{x}_2$, $\overline{x}_3$, $\overline{x}_4$, $\overline{x}_5$, $\overline{x}_6$, et ainsi de suite. Chaque échantillon prélevé devient alors une unité statistique sur laquelle on mesure une variable (la moyenne de l'échantillon) qu'on note $\overline{X}$ et qu'on appelle moyenne échantillonnale. On peut traiter la série des moyennes $\overline{x}_1$, $\overline{x}_2$, $\overline{x}_3$, $\overline{x}_4$, $\overline{x}_5$, $\overline{x}_6$, ..., comme toute série, c'est-à-dire qu'on peut la représenter sous une forme graphique et qu'on peut en calculer la moyenne et l'écart type.

Si on traçait le polygone de fréquences de cette nouvelle série, on verrait qu'il a la forme de cloche de la courbe normale, ce qui porte à penser que la distribution de la variable $\overline{X}$ (la moyenne échantillonnale) tend vers la loi normale lorsque la taille des échantillons est suffisamment grande.

Si on avait prélevé tous les échantillons possibles de cette population (il y en aurait eu un nombre astronomique), on aurait pu calculer la moyenne et l'écart type de la variable $\overline{X}$ qui en aurait résulté. Désignons ces deux paramètres par $\mu_{\overline{x}}$ et $\sigma_{\overline{x}}$. On peut montrer qu'ils sont liés aux paramètres de la population d'origine (μ et σ). En effet, pour des échantillons de taille n, on peut établir les relations suivantes :

$$\mu_{\overline{x}} = \mu \quad \text{et} \quad \sigma_{\overline{x}} = \frac{\sigma}{\sqrt{n}}$$

On remarque que la moyenne est la même que celle de la population d'origine, alors que l'écart type diminue en fonction de la racine carrée de la taille de l'échantillon. Pour notre exemple fictif portant sur la taille des élèves de sexe féminin, cela revient à dire que :

$$\mu_{\overline{x}} = \mu = 1,63 \text{ m} \quad \text{et} \quad \sigma_{\overline{x}} = \frac{\sigma}{\sqrt{n}} = \frac{0,066}{\sqrt{50}} \text{ m} = 0,009 \text{ m}$$

On peut conclure que la variable $\overline{X}$, la moyenne échantillonnale, obéit à une loi normale de moyenne $\mu_{\overline{x}} = 1,63$ m et d'écart type $\sigma_{\overline{x}} = 0,009$ m.

La moyenne échantillonnale se comporte donc comme la loi normale de moyenne $\mu_{\overline{x}} = \mu$ et d'écart type $\sigma_{\overline{x}} = \frac{\sigma}{\sqrt{n}}$. Ce résultat important porte le nom de *théorème central limite*. Ce théorème s'énonce ainsi :

Si des échantillons aléatoires de taille n sont tirés, avec remise, d'une population quelconque de moyenne μ et d'écart type σ, alors la variable $\overline{X}$ donnant

---

4. Tous les résultats présentés dans ce chapitre sont fondés sur la sélection d'échantillons aléatoires simples, avec remise, de grande taille ($n > 30$).

la moyenne des échantillons présentera les caractéristiques de la loi normale de moyenne $\mu_{\bar{x}} = \mu$ et d'écart type $\sigma_{\bar{x}} = \dfrac{\sigma}{\sqrt{n}}$, pour autant que la taille des échantillons soit suffisamment grande ($n > 30$). C'est donc dire que $\overline{X} \sim N(\mu_{\bar{x}};\, \sigma_{\bar{x}}^2)$ ou encore que $\overline{X} \sim N\left(\mu;\, \dfrac{\sigma^2}{n}\right)$.

EXERCICE 10.5

Quels seraient la moyenne et l'écart type de la série statistique composée des moyennes des échantillons de taille 100 prélevés aléatoirement avec remise dans une population de moyenne 80 et d'écart type 20 ?

Comme $\overline{X} \sim N\left(\mu;\, \dfrac{\sigma^2}{n}\right)$, 68,26 % des échantillons prélevés devraient présenter une moyenne ($\bar{x}$) qui s'écarte de la moyenne ($\mu_{\bar{x}} = \mu$) de la variable $\overline{X}$ de moins de 1 écart type $\left(\sigma_{\bar{x}} = \dfrac{\sigma}{\sqrt{n}}\right)$. En effet,

$$P\left(\mu - \frac{\sigma}{\sqrt{n}} < \overline{X} < \mu + \frac{\sigma}{\sqrt{n}}\right) = P\left(\frac{\mu - \frac{\sigma}{\sqrt{n}} - \mu}{\frac{\sigma}{\sqrt{n}}} < \frac{\overline{X} - \mu}{\frac{\sigma}{\sqrt{n}}} < \frac{\mu + \frac{\sigma}{\sqrt{n}} - \mu}{\frac{\sigma}{\sqrt{n}}}\right)$$

$$= P(-1 < Z < 1)$$
$$= 2\, P(0 < Z < 1)$$
$$= 0,6826$$

En vertu d'un raisonnement similaire, 95 % des échantillons prélevés devraient présenter une moyenne ($\bar{x}$) qui s'écarte de celle de la population d'origine de moins de 1,96 écart type et 99 % des échantillons prélevés devraient présenter une moyenne ($\bar{x}$) qui s'écarte de celle de la population d'origine de moins de 2,575 écarts types. En général, $1 - \alpha$ des échantillons ont une moyenne qui s'écarte de celle de la population d'origine de moins de $z_{\alpha/2}$ écart type (figure 10.12).

On peut formuler ces affirmations autrement : 68,26 % des échantillons ont une moyenne située dans l'intervalle $\left[\mu - \dfrac{\sigma}{\sqrt{n}}; \mu + \dfrac{\sigma}{\sqrt{n}}\right]$, 95 % des échantillons ont une moyenne située dans l'intervalle $\left[\mu - 1,96\dfrac{\sigma}{\sqrt{n}}; \mu + 1,96\dfrac{\sigma}{\sqrt{n}}\right]$, 99 % des échantillons ont une moyenne située dans l'intervalle $\left[\mu - 2,575\dfrac{\sigma}{\sqrt{n}}; \mu + 2,575\dfrac{\sigma}{\sqrt{n}}\right]$, et $1 - \alpha$ des échantillons ont une moyenne située dans l'intervalle $\left[\mu - z_{\alpha/2}\dfrac{\sigma}{\sqrt{n}}; \mu + z_{\alpha/2}\dfrac{\sigma}{\sqrt{n}}\right]$.

Figure 10.12

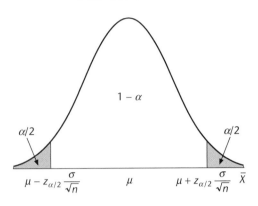

Distribution de $\bar{X}$

▶ **EXEMPLE**

Supposons qu'en 1999 la masse moyenne de tous les nouveau-nés au Québec ait été de $\mu = 3\ 350$ g avec un écart type de $\sigma = 600$ g ; alors 95 % ($\alpha = 0,05$ ou 5 %) de l'ensemble de tous les échantillons aléatoires de 100 nouveau-nés auraient présenté une masse moyenne ($\bar{x}$) telle que :

$$\bar{x} \in \left[\mu - z_{\alpha/2}\frac{\sigma}{\sqrt{n}} \ ; \ \mu + z_{\alpha/2}\frac{\sigma}{\sqrt{n}} \right]$$

$$\bar{x} \in \left[3\ 350 - 1,96\frac{600}{\sqrt{100}} \ ; \ 3\ 350 + 1,96\frac{600}{\sqrt{100}} \right]$$

$$\bar{x} \in [3\ 350 - 117,6; 3\ 350 + 117,6]$$

$$\bar{x} \in [3\ 232,4; 3\ 467,6]$$

◀

10.4 L'estimation par intervalle de confiance

Dans la pratique, on connaît $\bar{x}$; on cherche la valeur de la moyenne de la population μ. On veut faire l'estimation de μ à partir de $\bar{x}$ et non l'inverse : $\bar{x}$ est une estimation ponctuelle de μ. Il en est de même de p par rapport à π et de s par rapport à σ.

10.4.1 L'estimation d'une moyenne par intervalle de confiance

Grâce au théorème central limite, on sait que 95 % des échantillons de taille n sont tels que la moyenne de l'échantillon se situe à moins de 1,96 écart type ($\sigma_{\bar{x}}$) de la moyenne de la population d'origine. De même, on peut dire que la moyenne de la population se situe à moins de 1,96 écart type de la moyenne de 95 % des échantillons de cette taille. On peut écrire cette équivalence sous la forme mathématique suivante :

$$\mu - 1,96\frac{\sigma}{\sqrt{n}} \le \bar{x} \le \mu + 1,96\frac{\sigma}{\sqrt{n}}$$

$$\bar{x} - 1,96\frac{\sigma}{\sqrt{n}} \le \mu \le \bar{x} + 1,96\frac{\sigma}{\sqrt{n}}$$

$$\mu \in \left[\bar{x} - 1,96\frac{\sigma}{\sqrt{n}}\,;\,\bar{x} + 1,96\frac{\sigma}{\sqrt{n}}\right]$$

Dans ce dernier intervalle, $\bar{x}$ correspond à l'estimation ponctuelle de la moyenne de la population μ, et le terme $1,96\frac{\sigma}{\sqrt{n}}$, à la marge d'erreur (*ME*) de cette estimation. Le lien entre μ et $\bar{x}$ est valable pour 95 % des échantillons.

Comme l'illustre la figure 10.13, si on prélève un certain nombre d'échantillons et qu'on établit des intervalles de confiance pour chacun d'eux, alors 95 % des intervalles devraient contenir la moyenne de la population. Cette figure illustre la position des intervalles de confiance construits à partir de 20 échantillons prélevés d'une population de moyenne μ. Chacun des intervalles de confiance est représenté par un segment de droite dont la longueur équivaut au double de la marge d'erreur. Le centre de chacun de ces segments correspond à la moyenne de l'échantillon ; chaque segment couvre donc l'intervalle $[\bar{x} - ME\,;\,\bar{x} + ME]$. On peut constater que 19 de ces intervalles $[(19/20) \times 100 = 95\,\%]$ recouvrent la moyenne μ et que un seul (le treizième) ne la recouvre pas. Ainsi, 95 % des intervalles $\left[\bar{x} - 1,96\frac{\sigma}{\sqrt{n}}\,;\,\bar{x} + 1,96\frac{\sigma}{\sqrt{n}}\right]$ contiennent la moyenne μ.

Comme on ne connaît généralement pas la valeur de σ (l'écart type de la population), on utilise plutôt la valeur de l'écart type calculée à partir de l'échantillon, soit s, afin de définir l'intervalle de confiance. Cela est acceptable pour autant que la taille de l'échantillon soit suffisamment grande. Dans un tel contexte, l'estimation par intervalle de confiance de la moyenne de la population à un niveau de confiance de 95 % est fournie par l'expression :

$$\mu \in \left[\bar{x} - 1,96\frac{s}{\sqrt{n}}\,;\,\bar{x} + 1,96\frac{s}{\sqrt{n}}\right]$$

En général, l'estimation par intervalle de confiance de la moyenne de la population à un niveau de confiance de $1 - \alpha$ est fournie par l'expression :

$$\mu \in \left[\bar{x} - z_{\alpha/2}\frac{s}{\sqrt{n}}\,;\,\bar{x} + z_{\alpha/2}\frac{s}{\sqrt{n}}\right]$$

Figure 10.13

**Intervalles de confiance pour 20 échantillons
(numérotés de 1 à 20) d'une population de moyenne μ**

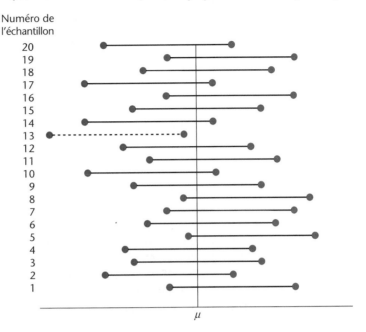

▶ **EXEMPLE**

On a prélevé un échantillon aléatoire de 90 dossiers médicaux de Canadiens de sexe masculin décédés au cours de l'année 2000. L'âge moyen de ces individus au moment du décès était $\bar{x}$ = 68,3 ans avec un écart type s = 8,1 ans. D'après cet échantillon, on peut conclure que l'âge moyen des hommes décédés en 2000 au Canada se situait vraisemblablement dans l'intervalle :

$$\mu \in \left[\bar{x} - z_{\alpha/2}\frac{s}{\sqrt{n}} \; ; \; \bar{x} + z_{\alpha/2}\frac{s}{\sqrt{n}} \right]$$

$$\mu \in \left[68,3 - 2,575\frac{8,1}{\sqrt{90}} \; ; \; 68,3 + 2,575\frac{8,1}{\sqrt{90}} \right]$$

$$\mu \in [68,3 - 2,2; 68,3 + 2,2]$$

$$\mu \in [66,1; 70,5]$$

avec un niveau de confiance de 99 % (α = 0,01 ou 1 %). La marge d'erreur est de :

$$ME = z_{\alpha/2}\frac{s}{\sqrt{n}} = 2,575\frac{8,1}{\sqrt{90}} = 2,2\,\text{ans}$$

Ainsi, on peut affirmer, avec un niveau de confiance de 99 %, que l'âge moyen des hommes décédés au Canada en 2000 se situe entre 66,1 ans et 70,5 ans. ◀

EXERCICE 10.6

a) Estimez par un intervalle de confiance le temps d'attente moyen au comptoir d'une chaîne de restauration rapide, sachant qu'un échantillon aléatoire de 81 temps d'attente présente une moyenne de 8,2 minutes avec un écart type de 1,5 minute. Employez un niveau de confiance de 98 %.

b) Donnez le sens de l'intervalle de confiance obtenu en *a*.

10.4.2 L'estimation d'une proportion par intervalle de confiance

L'estimation d'une proportion par intervalle de confiance se révèle particulièrement utile dans des cas comme les suivants : le responsable d'une campagne électorale d'un parti politique aimerait connaître la proportion des électeurs favorables à son parti, à un candidat particulier ou à une nouvelle orientation qu'entend prendre son parti ; le responsable d'une campagne publicitaire s'intéresse aux cotes d'écoute d'une station radiophonique : il cherche à savoir, notamment, la proportion des auditeurs qui écoutent cette station à un moment donné ainsi que la proportion des auditeurs par catégorie d'âge, afin de mieux cibler sa clientèle et de rentabiliser les investissements publicitaires.

Le principe sous-jacent à l'estimation par intervalle de confiance d'une proportion (π) de la population donnée est sensiblement le même que pour l'estimation d'une moyenne. On peut montrer que, lorsque certaines conditions sont réunies (par exemple, un échantillon de taille suffisamment grande), l'intervalle de confiance (à un niveau de confiance de 95 %) d'une proportion est donné par l'expression :

$$\pi \in \left[p - 1{,}96\sqrt{\frac{p(1-p)}{n}} \; ; \; p + 1{,}96\sqrt{\frac{p(1-p)}{n}} \right]$$

ou par :

$$p - 1{,}96\sqrt{\frac{p(1-p)}{n}} \leq \pi \leq p + 1{,}96\sqrt{\frac{p(1-p)}{n}}$$

où π représente la proportion des individus d'une population qui présentent une certaine caractéristique, *p,* la proportion obtenue dans l'échantillon, et le terme $1{,}96\sqrt{\frac{p(1-p)}{n}}$, la marge d'erreur garantissant un niveau de confiance de 95 %. Dans un intervalle de confiance sur une proportion exprimée en pourcentage, la marge d'erreur se mesure en points de pourcentage. Toutefois, il ne faut pas s'offusquer outre mesure de la trouver exprimée en pourcentage dans les médias.

En général, à un niveau de confiance de $1 - \alpha$, l'intervalle de confiance est donné par l'expression :

$$\pi \in \left[p - z_{\alpha/2} \sqrt{\frac{p(1-p)}{n}} \, ; p + z_{\alpha/2} \sqrt{\frac{p(1-p)}{n}} \right]$$

La marge d'erreur est alors $ME = z_{\alpha/2} \sqrt{\frac{p(1-p)}{n}}$.

▶ **EXEMPLE**

On a effectué un sondage auprès de 1 126 couples hétérosexuels vivant au Québec. Dans 432 de ces couples, l'homme avait la responsabilité de l'épicerie.

Dans cet échantillon, la proportion des couples où l'homme a la responsabilité de l'épicerie est de 0,384 (soit 432/1 126). Par conséquent, l'estimation par intervalle de confiance à un niveau de confiance de 95 % (soit 19 fois sur 20 ; $\alpha = 0,05$ ou 5 %) de la proportion de ces couples dans la population est donnée par l'expression :

$$\pi \in \left[p - z_{\alpha/2} \sqrt{\frac{p(1-p)}{n}} \, ; p + z_{\alpha/2} \sqrt{\frac{p(1-p)}{n}} \right]$$

$$\pi \in \left[0,384 - 1,96 \sqrt{\frac{0,384(0,616)}{1\,126}} \, ; 0,384 + 1,96 \sqrt{\frac{0,384(0,616)}{1\,126}} \right]$$

$$\pi \in [0,384 - 0,028 \, ; 0,384 + 0,028]$$

$$\pi \in [0,356 \, ; 0,412]$$

L'estimation ponctuelle de π est donc 38,4 %, et la marge d'erreur est de 2,8 points de pourcentage (même s'il est courant de dire qu'elle est de 2,8 %).

Ainsi, on peut affirmer, avec un niveau de confiance de 95 %, que la véritable proportion des hommes qui ont la responsabilité de l'épicerie se situe entre 35,6 % et 41,2 % ou encore qu'elle appartient à l'intervalle [0,356 ; 0,412]. ◀

EXERCICE 10.7

Un échantillon aléatoire de 2 326 élèves inscrits pour la première fois à un cégep au trimestre d'automne 2000 montre que 90 % d'entre eux ont été acceptés dans le programme d'études correspondant à leur premier choix.

a) Quelle est la population étudiée ?

b) Quelle est la valeur de l'estimation ponctuelle de la proportion des élèves inscrits pour la première fois à un cégep au trimestre d'automne 2000 qui ont été acceptés dans le programme d'études correspondant à leur premier choix ?

c) Estimez par un intervalle de confiance la proportion des individus de cette population qui ont été acceptés dans le programme d'études correspondant à leur premier choix. Employez un niveau de confiance de 99 %.

d) Quelle est la marge d'erreur de cette estimation ?

e) Donnez le sens de l'intervalle obtenu en c.

RÉSUMÉ

On généralise à l'ensemble de la population des informations obtenues auprès d'échantillons grâce à l'inférence statistique et, notamment, grâce à l'estimation, le premier volet de l'inférence. On peut faire une estimation ponctuelle ou une estimation par intervalle de confiance : la première consiste à déterminer la valeur d'un paramètre d'une population (en particulier μ ou π) par la mesure (ou la statistique) correspondante dans l'échantillon ($\overline{x}$ ou p) ; la seconde consiste à ajouter et à retrancher une marge d'erreur (ME) à l'estimation ponctuelle de façon à former un intervalle, soit $[\overline{x} - ME; \overline{x} + ME]$ ou $[p - ME; p + ME]$ (selon le paramètre dont on fait l'estimation), qui contienne vraisemblablement la valeur du paramètre étudié.

Selon le niveau de confiance choisi (généralement 95 % ou 99 %), les intervalles sont établis de telle façon que, si on prélevait tous les échantillons possibles d'une taille donnée, alors 95 % ou 99 % de ces derniers contiendraient la valeur exacte du paramètre estimé (μ ou π).

Les échantillons de grande taille ($n > 30$ est généralement suffisant) permettent de faire appel à la loi normale pour évaluer la marge d'erreur. Cette loi mathématique est un modèle qui sert à décrire plusieurs phénomènes naturels ou produits par l'activité humaine. La courbe normale obtenue à partir de la loi normale a une forme de cloche, elle est unimodale et symétrique (figure 10.1, page 347), et elle est complètement déterminée par la moyenne et l'écart type de la variable qu'elle décrit.

Lorsqu'une variable X obéit à une loi normale de moyenne μ et de variance σ^2, on écrit $\overline{X} \sim N(\mu; \sigma^2)$. Toute variable normale X de moyenne μ et de variance σ^2 peut être ramenée à une variable normale centrée réduite Z (soit une variable normale de moyenne 0 et de variance 1) grâce à la transformation $Z = \dfrac{X - \mu}{\sigma}$.

Par convention, on note z_α la valeur d'une variable normale centrée réduite telle que $P(Z > z_\alpha) = \alpha$ (figure 10.10, page 359). On en déduit que $P(-z_{\alpha/2} < Z < z_{\alpha/2}) = 1 - \alpha$ (figure 10.11, page 360). Ces valeurs s'obtiennent à partir de la table de la loi normale centrée réduite (tableau 10.1, page 353).

Si une variable obéit à la loi normale, alors sa moyenne, son mode et sa médiane coïncident. De plus, 68,26 %, 95 % et 99 % des données se situent respectivement à moins de 1 écart type, à moins de 1,96 écart type et à moins de 2,575 écarts types de la moyenne.

En vertu du théorème central limite, on peut affirmer que, pour des échantillons de grande taille ($n > 30$), la série statistique des moyennes des échantillons de taille n obéit à la loi normale de moyenne $\mu_{\bar{x}} = \mu$ et d'écart type $\sigma_{\bar{x}} = \dfrac{\sigma}{\sqrt{n}}$, où μ et σ représentent respectivement la moyenne et l'écart type de la population d'origine. Par conséquent, la variable $\overline{X}$ (la moyenne échantillonnale) obéit à une loi normale : $\overline{X} \sim N\left(\mu; \dfrac{\sigma^2}{n}\right)$.

C'est le théorème central limite qui permet d'établir les intervalles de confiance pour une moyenne et pour une proportion. Ces intervalles sont présentés dans le tableau 10.4.

Tableau 10.4

Intervalles de confiance

Paramètre	Niveau de confiance de $1 - \alpha$
μ	$\left[\bar{x} - z_{\alpha/2}\dfrac{s}{\sqrt{n}}\,;\, \bar{x} + z_{\alpha/2}\dfrac{s}{\sqrt{n}}\right]$
π	$\left[p - z_{\alpha/2}\sqrt{\dfrac{p(1-p)}{n}}\,;\, p + z_{\alpha/2}\sqrt{\dfrac{p(1-p)}{n}}\right]$

Pour être valables, ces intervalles de confiance doivent répondre à deux conditions : d'une part, l'échantillon doit avoir été prélevé par échantillonnage aléatoire simple avec remise et, d'autre part, la taille de l'échantillon doit être suffisamment grande ($n > 30$ est généralement suffisant).

MOTS CLÉS

Estimation par intervalle de confiance, p. 346

Estimation ponctuelle, p. 346

Loi normale, p. 348

Loi normale centrée réduite, p. 351

Marge d'erreur, p. 346

Niveau de confiance, p. 346

EXERCICES RÉCAPITULATIFS[5]

1. Si une variable se comporte selon la loi normale de moyenne μ et d'écart type σ, alors environ _____ % des données se situent dans l'intervalle $[\mu - \sigma; \mu + \sigma]$, environ _____ % des données se situent dans l'intervalle $[\mu - 1{,}96\sigma; \mu + 1{,}96\sigma]$ et environ _____ % des données se situent dans l'intervalle $[\mu - 2{,}575\sigma; \mu + 2{,}575\sigma]$.

2. Lors de fouilles en Égypte, des archéologues ont mis au jour le crâne d'un hominidé dont le diamètre était de 119 mm. Si des recherches antérieures ont montré que le diamètre des crânes des hommes adultes qui vivaient dans la région des fouilles 3000 ans avant Jésus-Christ était distribué selon une loi normale de moyenne de 133 mm et d'écart type de 5 mm, est-il vraisemblable de penser que le crâne trouvé est celui d'un homme ayant vécu dans cette région 3000 ans avant Jésus-Christ? Indice : Déterminez si le fait d'avoir un crâne dont le diamètre est inférieur ou égal à 119 mm constitue un phénomène rare en évaluant la proportion des crânes qui ont un diamètre inférieur ou égal à 119 mm.

3. Si $Z \sim N(0, 1)$, évaluez chaque expression.

   a) $P(z_{0,05} < Z < z_{0,01})$

   b) $P(Z > -z_{0,02})$

   c) $P(Z < -z_{0,1})$

4. La durée de la gestation des Québécoises enceintes est une variable qui obéit à la loi normale de moyenne de 273 jours et d'écart type de 9 jours.

   a) Quel pourcentage des naissances devraient survenir après une gestation d'au plus 280 jours?

   b) Une gestation de plus de 295 jours vous apparaît-elle exceptionnelle? Justifiez votre réponse.

   c) Une naissance prématurée est une naissance qui se produit avant 37 semaines complètes de gestation. Évaluez la proportion des naissances prématurées.

   d) Évaluez Q_1. Que nous apprend ce nombre dans le contexte?

   e) Si on avait défini le concept de prématurité comme étant la durée en deçà de laquelle on observe 4 % des naissances, quelle aurait été la durée de gestation servant de critère pour déterminer la prématurité? À quel centile correspond cette valeur?

   f) En deçà de quelle durée de gestation surviennent 90 % des naissances au Québec? À quel décile correspond cette valeur?

5. Josée doit passer un test pour être admise dans un programme d'études contingenté. Les résultats de ce test sont répartis selon la loi normale de

---

5. Dans les exercices récapitulatifs et de synthèse qui suivent, supposez que les échantillons sont de grande taille et qu'ils ont été prélevés par échantillonnage aléatoire simple avec remise.

moyenne 500 et d'écart type 100. Seuls les candidates et candidats dont les notes sont dans les 10 % supérieurs sont acceptés.

a) Si Josée obtient une note de 600, sera-t-elle acceptée?

b) Quel est le rang centile de Josée?

c) Quelle note devrait obtenir Josée pour être acceptée?

6. Répondez aux questions à partir des données ci-dessous.

Répartition et répartition cumulée de 1 000 nouveau-nées, selon la masse à la naissance

Masse (g)	Nombre de nouveau-nées	Pourcentage des nouveau-nées (%)	Pourcentage cumulé des nouveau-nées (%)
2 500 – 2 600	1		
2 600 – 2 700	4		
2 700 – 2 800	8		
2 800 – 2 900	25		
2 900 – 3 000	47		
3 000 – 3 100	64		
3 100 – 3 200	75		
3 200 – 3 300	95		
3 300 – 3 400	112		
3 400 – 3 500	147		
3 500 – 3 600	109		
3 600 – 3 700	93		
3 700 – 3 800	88		
3 800 – 3 900	51		
3 900 – 4 000	40		
4 000 – 4 100	25		
4 100 – 4 200	9		
4 200 – 4 300	6		
4 300 – 4 400	1		
Total	1 000		

a) Complétez le tableau.

b) Quel est le mode de ces données?

c) Tracez l'histogramme.

d) Quel type d'asymétrie observez-vous?

e) La loi normale semble-t-elle un modèle approprié pour décrire la variable?

f) Dans ce contexte, de quelle valeur devraient se rapprocher la médiane et la moyenne?

g) Calculez les valeurs approximatives de la moyenne et de l'écart type.

h) Tracez la courbe des fréquences relatives cumulées.

i) Estimez la médiane à partir de cette courbe.

j) D'après cette courbe, estimez le pourcentage des bébés qui ont une masse inférieure à $\bar{x} - s$, puis à $\bar{x} + s$.

k) Quel est le pourcentage des bébés qui ont une masse comprise dans l'intervalle $[\bar{x} - s; \bar{x} + s]$? Dans l'intervalle $[\bar{x} - 1,96s; \bar{x} + 1,96s]$? Dans l'intervalle $[\bar{x} - 2,575s; \bar{x} + 2,575s]$?

l) Ces pourcentages correspondent-ils approximativement à la distribution de la loi normale pour les mêmes intervalles ?

7. Les données de l'Enquête sur les finances des consommateurs (EFC) réalisée auprès d'un vaste échantillon par Statistique Canada montrent que le revenu moyen des familles québécoises en 1997 était estimé à 51 256 $ et l'écart type de la moyenne $(\sigma_{\bar{x}})$ était estimé à 682 $. Ces deux mesures étaient respectivement de 63 503 $ et de 676 $ pour les familles ontariennes (*Répartition du revenu au Canada selon la taille du revenu*, n° 13-207-XPB au catalogue, avril 1999, p. 64 et 65).

a) Quelle est l'estimation ponctuelle du revenu moyen des familles québécoises en 1997 ?

b) Estimez par un intervalle de confiance le revenu moyen des familles québécoises en 1997. Utilisez un niveau de confiance de 99 %.

c) Estimez par un intervalle de confiance le revenu moyen des familles ontariennes en 1997. Utilisez un niveau de confiance de 95 %.

8. On a prélevé un échantillon aléatoire de 100 femmes qui se sont mariées au Québec en 1998. L'âge moyen de ces femmes au moment du mariage était de 31 ans et l'écart type de 10 ans.

a) Quelle est l'estimation ponctuelle de l'âge moyen de toutes les femmes qui se sont mariées au Québec en 1998 ?

b) Estimez par un intervalle de confiance l'âge moyen de toutes les femmes qui se sont mariées au Québec en 1998. Employez un niveau de confiance de 95 %.

c) Quelle est la marge d'erreur de cette estimation ?

d) Donnez le sens de l'intervalle de confiance obtenu en *b.*

e) Au niveau de confiance de 95 %, quelle taille d'échantillon aurait-il fallu utiliser pour obtenir une marge d'erreur qui ne soit pas supérieure à un an ? Vous pouvez supposer que l'écart type de 10 ans serait encore valable pour cet échantillon.

9. On a compilé le tableau suivant à partir d'un échantillon aléatoire de 86 élèves de cégep à qui on a demandé combien de livres ils avaient lus au cours de la dernière année :

**Répartition de 86 élèves de cégep,
selon le nombre de livres lus**

Nombre de livres lus	Nombre d'élèves
0	3
1	6
2	8
3	15
4	30
5	11
6	6
7	5
8	2
Total	**86**

a) Quelle est la population étudiée ?

b) Quelle est la variable étudiée ?

c) Quelle est la nature de cette variable ?

d) Estimez par un intervalle de confiance le nombre moyen de livres lus par les élèves de cégep au cours de la dernière année. Employez un niveau de confiance de 95 %.

10. Un producteur déclare que le jus de pomme qu'il produit contient en moyenne 350 mg/L de vitamine C. Vous prélevez un échantillon de 48 bouteilles de jus et vous obtenez les concentrations suivantes (mg/L) :

345	345	345	346	346	346	346	347	348	348	348	348
348	348	349	349	349	349	349	350	350	350	350	350
350	350	350	350	350	350	350	350	350	350	351	351
351	351	351	351	351	351	351	351	351	352	353	353

Estimez la concentration moyenne en vitamine C à l'aide d'un intervalle de confiance, et dites si la déclaration du producteur semble être compatible avec l'intervalle obtenu. Employez un niveau de confiance de 95 %.

11. On a compilé le tableau suivant à partir d'un échantillon aléatoire de 1 230 dossiers de femmes qui ont subi une interruption volontaire de grossesse (IVG) au Canada, en 2000:

Répartition de 1 230 dossiers d'IVG, selon l'âge de la femme et l'âge gestationnel au moment de l'IVG

| Âge (années) | Âge gestationnel (semaines) | | | | | Total |
	6 – 9	9 – 12	12 – 15	15 – 18	18 – 21	
15 – 20	42	105	30	32	6	
20 – 25	110	150	80	48	8	
25 – 30	75	125	50	17	7	
30 – 35	55	75	25	14	6	
35 – 40	30	40	18	9	3	
40 – 45	10	12	15	6	2	
45 – 50	5	4	8	4	4	
Total						1 230

a) Estimez par un intervalle de confiance l'âge moyen des femmes ayant subi une IVG au Canada, en 2000. Employez un niveau de confiance de 99 %.

b) Estimez par un intervalle de confiance la durée moyenne de gestation au moment de l'IVG au Canada, en 2000. Employez un niveau de confiance de 95 %.

c) Estimez par un intervalle de confiance la proportion des femmes ayant subi une IVG au Canada en 2000 dont l'IVG a eu lieu avant la quinzième semaine de grossesse. Employez un niveau de confiance de 98 %.

12. En 1990, la *Carnegie Foundation for the Advancement of Teaching* a réalisé un sondage auprès de 5 000 professeurs d'université. À la question « Croyez-vous que les étudiants trichent plus volontiers que dans le passé pour obtenir de meilleures notes ? », 43 % des professeurs ont répondu « Oui » (Source : T. Sincich, *Statistics by Example*, New York, Dellen Macmillan, 1993, p. 362). Sur la base de cet échantillon, estimez par un intervalle de confiance le pourcentage de l'ensemble des professeurs qui considèrent que les étudiants trichent plus volontiers que dans le passé. Utilisez un niveau de confiance de 95 %.

13. En page A1 de son édition du 1er avril 2000 et en page A10 de son édition du 4 avril de la même année, *La Presse* rapportait les résultats d'un sondage portant sur le plagiat. L'étude a été réalisée par le professeur Don McCabe de l'Université Rutgers auprès de 2 100 étudiants répartis sur une vingtaine de campus américains. De ce nombre, 1 470 ont affirmé avoir triché sérieusement au moins une fois à l'université. Par ailleurs, 10 % des répondants ont

indiqué qu'ils avaient déjà copié un texte obtenu sur Internet. Enfin, 5 % des répondants ont soumis un travail acheté en ligne.

a) Donnez une estimation ponctuelle de la proportion des étudiants américains qui ont triché sérieusement au moins une fois à l'université.

b) Estimez par un intervalle de confiance la proportion des étudiants américains qui ont triché sérieusement au moins une fois à l'université. Employez un niveau de confiance de 99 %.

c) Donnez le sens de l'intervalle de confiance obtenu en *b*.

d) Estimez par un intervalle de confiance la proportion des étudiants américains qui ont déjà copié un texte obtenu sur Internet. Employez un niveau de confiance de 98 %.

e) Estimez par un intervalle de confiance la proportion des étudiants américains qui ont soumis un travail acheté en ligne. Employez un niveau de confiance de 90 %.

14. Le graphique suivant présente les résultats d'un sondage Som-*La Presse* (20 février 2000, p. A8) sur la satisfaction de jeunes Québécois âgés de 15 à 29 ans à l'endroit de l'emploi qu'ils occupent.

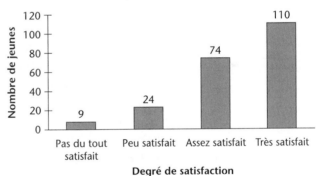

Répartition de jeunes Québécois, selon le degré de satisfaction à l'endroit de l'emploi qu'ils occupent

a) Quelle est la population étudiée ?

b) Quelle est la variable étudiée ?

c) De quelle nature est cette variable ?

d) Quelle est la taille de l'échantillon ?

e) Quel symbole utilise-t-on généralement pour représenter la proportion des individus d'un échantillon qui possèdent une certaine caractéristique, comme le fait d'être très ou assez satisfait de son emploi ?

f) À partir des données présentées dans le graphique, donnez la proportion des jeunes Québécois de l'échantillon qui se sont déclarés très ou assez satisfaits de leur emploi.

g) À partir des données présentées dans le graphique, donnez une estimation par intervalle de confiance de la proportion des jeunes Québécois qui sont très ou assez satisfaits de leur emploi et donnez le sens de cette estimation. Employez un niveau de confiance de 98 %.

h) Quelle est la marge d'erreur sur cette estimation ?

i) Qu'aurait pu faire le sondeur pour réduire la marge d'erreur à ce niveau de confiance ?

15. Les résultats d'un sondage mené auprès de 1 100 électeurs montrent que 450 d'entre eux voteraient pour la candidate Tremblay, que 410 voteraient pour le candidat Dupont et que les autres répondants se répartiraient entre les autres candidats.

a) Estimez par un intervalle de confiance (à un niveau de confiance de 95 %) la proportion des électeurs qui voteraient pour la candidate Tremblay.

b) Estimez par un intervalle de confiance (à un niveau de confiance de 95 %) la proportion des électeurs qui voteraient pour le candidat Dupont.

c) Expliquez pourquoi ces résultats ne permettent pas à la candidate Tremblay d'être assurée de remporter la victoire aux élections.

16. Lors d'un sondage réalisé auprès de 1 240 élèves inscrits dans un programme technique au cégep, 960 se sont déclarés satisfaits de leur programme d'études.

a) Quelle est la population étudiée ?

b) Quel symbole désigne la proportion des élèves satisfaits parmi l'ensemble des élèves inscrits dans un programme technique au cégep ?

c) Quelle est l'estimation ponctuelle de la proportion de tous les élèves du secteur technique satisfaits de leur programme d'études ?

d) Estimez par un intervalle de confiance (à un niveau de confiance de 95 %) la proportion des élèves du secteur technique satisfaits de leur programme d'études.

e) Un directeur des études affirme que 80 % des élèves inscrits au secteur technique sont satisfaits de leur programme d'études. Cette affirmation est-elle compatible avec l'intervalle de confiance que vous avez obtenu ?

f) Vous décidez de rencontrer ce directeur des études pour lui faire part du résultat que vous avez obtenu en *e*. Ce dernier vous dit que vous ne mettriez pas son affirmation en doute si vous aviez utilisé un niveau de confiance de 99 %. A-t-il raison ?

17. Vrai ou faux ?

a) Toutes choses étant égales par ailleurs, la marge d'erreur dans une estimation par intervalle de confiance augmente avec la taille de l'échantillon.

b) Toutes choses étant égales par ailleurs, la marge d'erreur dans une estimation par intervalle de confiance augmente avec le niveau de confiance.

c) La série statistique des moyennes des échantillons présente la même moyenne que celle de la population d'où sont tirés les échantillons.

d) La marge d'erreur de l'estimation d'une proportion par un intervalle de confiance (à un niveau de confiance de 99 %) est:

$$ME = 1,96\sqrt{\frac{p(1-p)}{n}}$$

e) Pour un échantillon suffisamment grand, quadrupler la taille de l'échantillon a pour effet de diminuer la marge d'erreur de moitié.

EXERCICE DE SYNTHÈSE

Répondez aux questions portant sur le texte suivant.

Un portrait de la profession d'avocat

Au Canada, en 1995, on comptait 57 665 avocats dont 40 155 étaient des hommes et 17 510, des femmes. Alors que, dans l'ensemble de la population occupant un emploi, l'âge médian des hommes (41,2 ans) différait de moins de un an de celui des femmes (40,5), chez les avocats l'écart était d'au delà de 7 ans.

Tableau 1

Répartition des avocats par sexe, selon l'âge, Canada, 1995

Âge (années)	Sexe	
	Masculin	Féminin
25 – 30	2 990	3 555
30 – 35	5 690	4 330
35 – 40	6 150	3 830
40 – 45	7 950	2 965
45 – 50	7 730	1 805
50 – 55	4 310	590
55 – 60	2 170	230
60 – 65	1 550	90
65 – 70	1 615	115
Total	40 155	17 510

Source: A. Rashid, « Le revenu d'emploi des avocats », *L'emploi et le revenu en perspective*, Statistique Canada, n° 75-001-XPF au catalogue, printemps 2000, p. 18.

Note: La catégorie 65 – 70 compte tous les avocats de 65 ans et plus.

Souhaitant connaître les conditions de travail dans le milieu juridique, une association d'avocats a récemment fait réaliser un vaste sondage auprès d'un échantillon aléatoire de 1 000 avocats, composé de 700 hommes et de 300 femmes. Au nombre des questions auxquelles les sujets devaient répondre, on retrouvait une question portant sur le nombre d'heures travaillées dans une année, une autre sur le type de travail (salarié ou autonome) et une autre portant sur le revenu.

De ce sondage, il ressort que les hommes travaillent en moyenne 2 300 heures par année avec un écart type de 600 heures, alors que ces mesures sont respectivement de 1 945 heures et de 625 heures chez les femmes. On a également constaté que 35 % des femmes interrogées sont des travailleuses autonomes alors que ce pourcentage est de 62 % chez leurs collègues masculins. Les données relatives au revenu sont présentées dans le tableau 2.

Tableau 2

**Répartition de 1 000 avocats,
selon le revenu d'emploi**

Revenu d'emploi ($)	Nombre d'avocats
Moins de 20 000	138
20 000 – 40 000	186
40 000 – 60 000	177
60 000 – 80 000	168
80 000 – 120 000	164
120 000 – 160 000	72
160 000 – 200 000	50
200 000 et plus	45
Total	1 000

a) Au Canada, en 1995, quel était le rapport de masculinité dans la profession d'avocat chez les 25 – 30 ans ? Chez les 30 – 35 ans ? Chez les 65 – 70 ans ?

b) L'affirmation : « Au Canada, la profession d'avocat est en train de se féminiser, » vous semble-t-elle fondée ? Justifiez votre réponse.

c) Au Canada, en 1995, quel était l'âge modal des hommes exerçant la profession d'avocat ?

d) Au Canada, en 1995, quel était l'âge modal des femmes exerçant la profession d'avocat ?

e) Au Canada, en 1995, quel était l'âge médian des femmes exerçant la profession d'avocat ?

f) Au Canada, en 1995, quel était l'âge moyen des femmes exerçant la profession d'avocat ? S'agit-il de μ ou de $\bar{x}$? Justifiez votre réponse.

g) Tracez le polygone de fréquences de la répartition des femmes exerçant la profession d'avocat selon l'âge. Quel type d'asymétrie présente cette courbe? La position relative des mesures de tendance centrale (mode, médiane et moyenne) est-elle conforme à celle qu'on retrouve généralement avec ce type d'asymétrie?

h) Au Canada, en 1995, lequel des deux groupes d'avocats, les hommes ou les femmes, présentait la répartition la plus homogène selon l'âge? Justifiez votre réponse.

i) Dressez un tableau présentant la répartition des avocats (les deux sexes confondus) selon l'âge.

j) Le sondage réalisé par l'association respecte la composition du groupe des avocats par rapport au sexe. Quelle technique d'échantillonnage aléatoire respecte la composition d'une population, par rapport à un ou plusieurs critères, dans l'échantillon?

k) Estimez par un intervalle de confiance le nombre moyen d'heures travaillées dans une année par un homme exerçant la profession d'avocat. Utilisez un niveau de confiance de 98 %.

l) L'énoncé « 35 % des femmes exerçant la profession d'avocat qu'on a interrogées sont des travailleuses autonomes » est-il un énoncé descriptif ou inférentiel? Justifiez votre réponse.

m) Estimez par un intervalle de confiance la proportion de l'ensemble des femmes exerçant la profession d'avocat qui sont des travailleuses autonomes. Employez un niveau de confiance de 95 %.

n) Estimez par un intervalle de confiance la proportion de l'ensemble des hommes exerçant la profession d'avocat qui sont des travailleurs autonomes. Employez un niveau de confiance de 95 %.

o) À partir des estimations obtenues en *m* et *n*, peut-on raisonnablement penser que l'hypothèse selon laquelle une plus grande proportion d'hommes que de femmes exerçant la profession d'avocat sont des travailleurs autonomes est fondée? Justifiez votre réponse.

p) À partir des données présentées dans le tableau 2, estimez ponctuellement le revenu moyen des avocats. Faites comme si les classes ouvertes étaient fermées à 0 $ et à 300 000 $ respectivement.

q) À partir des données présentées dans le tableau 2, donnez la valeur approximative de l'écart type du revenu des avocats. Faites comme si les classes ouvertes étaient fermées à 0 $ et à 300 000 $ respectivement.

r) À partir des résultats obtenus en *p* et *q*, estimez le revenu moyen des avocats par un intervalle de confiance. Utilisez un niveau de confiance de 90 %.

s) Tracez l'histogramme de la répartition des avocats selon le revenu. Fermez les classes ouvertes à 0 $ et à 300 000 $ respectivement.

11

Les liens entre les variables et les tests d'hypothèses

Lorsque ce n'est pas en notre pouvoir de déterminer ce qui est vrai, nous devons suivre ce qui est le plus probable.

RENÉ DESCARTES

À la fin de ce chapitre, vous devriez être en mesure de répondre aux questions suivantes :

- *Pourquoi l'étude des liens entre des variables est-elle si importante ?*
- *Quels sont les principaux types de liens entre des variables ?*
- *Quelles sont les principales étapes d'un test d'hypothèse ?*
- *Dans quelles circonstances procède-t-on à un test d'indépendance du χ^2 ?*
- *Dans quelles circonstances procède-t-on à un test de la différence entre deux moyennes ?*

*J*usqu'à présent, nous nous sommes contentés d'étudier une seule variable à la fois. En sciences humaines, l'étude de variables isolées a cependant beaucoup moins d'intérêt que l'étude des relations entre variables. D'ailleurs, comme nous l'avons mentionné au chapitre 1, une hypothèse de recherche s'exprime souvent sous la forme d'une relation entre deux variables. (Reportez-vous à la description de la première étape de la démarche scientifique et notamment à la rubrique « La formulation d'hypothèses », page 6.)

Lorsque deux variables sont liées, l'information sur une des variables nous renseigne sur l'autre. On pourra alors rejoindre deux des objectifs de la science mentionnés dans le premier chapitre, soit prédire des phénomènes et les maîtriser ou les modifier.

Nous allons illustrer l'importance de l'étude des liens entre des variables à l'aide de quelques exemples simples.

▶ EXEMPLES

1. Un économiste cherche à vérifier l'existence d'un lien entre le revenu disponible des consommateurs et leur consommation (ou leur épargne). Il pourra ainsi anticiper la variation de la consommation (ou de l'épargne) à la suite d'une variation du revenu disponible.

2. Une économiste cherche à quantifier le lien entre le prix d'un bien et la quantité qui sera consommée. Compte tenu des coûts de production, elle pourra alors déterminer le prix de vente qui maximisera les profits du producteur.

3. Un écologiste tente de montrer l'existence d'un lien entre la proportion des personnes qui présentent des problèmes de santé et le taux de pollution qui sévit dans leur environnement afin d'inciter les gouvernements à voter des lois protégeant l'environnement et, par le fait même, les citoyens.

4. Une sociologue qui étudie le marché du travail s'intéresse aux différences entre les hommes et les femmes quant à la rémunération, au régime de travail et au type d'emploi occupé. Elle cherche à montrer comment ces différences sont liées au sexe.

5. Le responsable d'une campagne électorale pour un parti politique veut expliquer les différences observées entre les intentions de vote des individus selon leur sexe, leur âge, leur origine ethnique, leur langue maternelle et leur niveau de scolarité. Il pourra alors mieux cibler les interventions des candidats de son parti.

6. La directrice du personnel d'une entreprise fait passer des épreuves de sélection aux candidats à un poste, car elle pense qu'il y a un lien entre les résultats à ces épreuves et le rendement au travail. D'une certaine façon, elle tente de prédire le rendement au travail d'après les résultats de ces épreuves.

7. Dans le cadre d'une expérience, un psychologue essaie de montrer que la privation de sommeil a un effet sur la capacité d'accomplir une tâche intellectuelle. Pour ce faire, il forme deux groupes de sujets. Il laisse dormir norma-

lement les sujets du premier groupe et prive de sommeil ceux du deuxième. Ensuite, il soumet les sujets à une épreuve et compare les résultats des deux groupes. S'il observe un écart suffisamment important entre ces résultats, il postulera l'existence d'un lien entre la privation de sommeil et la capacité d'accomplir une tâche intellectuelle. ◀

11.1 Les types de liens entre variables

Variables indépendantes

Variables qui ne présentent pas de lien entre elles.

Avant d'analyser les liens entre variables, nous allons définir les termes employés pour les décrire. Lorsqu'il n'existe aucun lien entre deux **variables**, on les dit **indépendantes**. La connaissance d'une de ces variables ne renseigne alors en rien sur l'autre.

▶ EXEMPLE

Il n'y a aucun lien entre la couleur des yeux d'un individu et la réussite scolaire ; la proportion de personnes qui réussissent leurs études est la même chez les personnes aux yeux bleus que chez les personnes aux yeux noirs. Connaître la couleur des yeux d'une personne ne nous apprend donc rien sur ses chances de réussite scolaire : la couleur des yeux et la réussite scolaire sont des variables indépendantes. ◀

Variables corrélées

Variables qui présentent un lien entre elles.

Lorsqu'il existe un lien entre deux **variables**, on les dit **corrélées**. La connaissance d'une des deux variables peut alors renseigner sur l'autre.

▶ EXEMPLES

1. Il y a un lien entre le sexe et la calvitie : les hommes sont plus susceptibles de devenir chauves que les femmes. Connaître le sexe d'une personne renseigne sur le risque qu'elle soit atteinte de calvitie.

2. Au Canada, le revenu d'emploi moyen des femmes correspond approximativement à 70 % de celui des hommes. Le revenu et le sexe sont des variables corrélées. Si ces variables étaient indépendantes, on n'observerait aucune différence entre le revenu moyen des hommes et celui des femmes.

3. Le salaire et le niveau de scolarité sont également corrélés : de façon générale, plus le niveau de scolarité est élevé, plus le salaire est élevé, et plus le niveau de scolarité est faible, plus le salaire est faible.

4. Il y a un lien entre le tabagisme et le cancer du poumon. Les compagnies d'assurance-vie accordent des réductions de prime aux non-fumeurs. Les renseignements sur la consommation de tabac permettent à l'assureur d'évaluer les risques de décès des assurés. ◀

Lorsque les deux variables mises en relation sont quantitatives, on peut préciser la corrélation (le lien) entre ces variables. Il y a **corrélation positive** ou *corrélation directe* si les valeurs des variables augmentent ou diminuent conjointement : aux valeurs faibles de l'une sont associées les valeurs faibles de l'autre, et aux valeurs élevées de l'une, les valeurs élevées de l'autre. C'est le cas des variables « scolarité » et « salaire ». Il y a **corrélation négative** ou *corrélation inverse* si les valeurs des variables augmentent ou diminuent en sens contraire. C'est le cas des variables « demande d'un bien » et « prix de ce bien » : un prix élevé est généralement associé à une faible demande.

Entre des variables corrélées, il peut exister des liens de concomitance, d'interdépendance et de causalité. On parle de **concomitance** ou de *cooccurrence* lorsque deux phénomènes se produisent en même temps, souvent sous l'influence d'un troisième facteur. Ainsi, on observe généralement un nombre élevé de voitures par habitant dans les pays qui présentent un taux de natalité faible[1]. Ces variables sont concomitantes : faible natalité et nombre élevé de voitures par habitant se produisent simultanément. Il arrive souvent qu'il soit impossible d'expliquer logiquement le lien entre des variables concomitantes sans faire appel à d'autres variables. Dans notre exemple, c'est par la richesse des habitants qu'on peut l'expliquer : les gens riches ont tendance à avoir peu d'enfants et à posséder un plus grand nombre de voitures.

On parle d'**interdépendance** lorsque deux variables influent l'une sur l'autre. Le fameux slogan publicitaire d'une marque de saucisse dit : « Plus de gens en mangent parce qu'elles sont plus fraîches, et elles sont plus fraîches parce que plus de gens en mangent[2] ». Fraîcheur et consommation influent l'une sur l'autre : la fraîcheur favorise la consommation et, réciproquement, la consommation favorise la fraîcheur.

Corrélation positive

Lien entre deux variables qui augmentent ou diminuent conjointement : les valeurs faibles de l'une sont associées aux valeurs faibles de l'autre ; les valeurs élevées de l'une, aux valeurs élevées de l'autre. Également appelée *corrélation directe*.

Corrélation négative

Lien entre deux variables qui varient en sens contraire : aux valeurs élevées de la première correspondent les valeurs faibles de la seconde ; aux valeurs faibles de la première, les valeurs élevées de la seconde. Également appelée *corrélation inverse*.

Concomitance

Nature du lien entre deux variables présentant un rapport de simultanéité, souvent sous l'influence d'une troisième variable. Également appelée *cooccurrence*.

Interdépendance

Nature du lien entre deux variables qui influent l'une sur l'autre.

Fécondité, nuptialité et présence des femmes sur le marché du travail

Au Québec, le marché du travail a subi d'importantes transformations depuis 30 ans : stagnation du mouvement syndical, développement de la sous-traitance, précarisation des emplois, apparition de nouvelles formes de travail (télé-travail). Un des changements les plus marquants a certes été la venue des femmes sur le marché du travail, qu'on peut expliquer de plusieurs façons :

---

1. On observe une corrélation négative entre la natalité et le nombre de voitures par habitant : une faible natalité est associée à un nombre élevé de voitures par habitant. Cet exemple est tiré de R. Porkess, *Dictionary of Statistics*, Londres, Collins, 1988, p. 26.
2. On observe une corrélation positive entre la fraîcheur du produit et le volume de vente : la forte consommation est associée à la plus grande fraîcheur du produit.

La fécondité est un quatrième facteur à prendre en compte [pour expliquer la venue des femmes sur le marché du travail], bien que le sens de la causalité entre la fécondité et l'activité rémunérée ne soit pas nécessairement univoque.

[...]

Il est fort possible que les deux facteurs s'influencent mutuellement. En effet, la diminution du nombre d'enfants par femme permet d'expliquer qu'elles travaillent davantage et plus longtemps (en nombre d'années) à l'extérieur du foyer, mais il est également possible que le fait d'occuper un emploi rémunéré les incite à réduire le nombre d'enfants auxquels elles donnent naissance afin de pouvoir vivre à la fois une vie professionnelle et une vie familiale équilibrées.

[...]

Ajoutons, comme cinquième facteur relié à la progression des femmes sur le marché du travail, l'augmentation du taux de divorce ainsi que la baisse du taux de « nuptialité » (mariage). Encore là, il est possible qu'il y ait des effets de réciprocité entre les facteurs. Si les facteurs de nuptialité et de divorce influent positivement sur l'activité des femmes, puisqu'elles cherchent alors davantage à assurer leur autonomie financière, cette même autonomie leur permet à son tour d'être plus libres dans leurs choix de vie : il est plus facile de divorcer et de repousser le mariage lorsqu'on est financièrement indépendante[3].

Causalité

Nature du lien constaté entre deux variables lorsqu'une de celles-ci (la cause) agit directement sur l'autre et provoque un effet.

Variable indépendante

Lorsque deux variables sont corrélées, la variable indépendante est celle des deux variables qui influe sur l'autre. Lorsqu'on se sert de l'équation $y = f(x)$ pour décrire le lien entre deux variables, le terme x désigne la variable indépendante. Dans un contexte expérimental, la variable indépendante est également appelée *variable manipulée* puisque c'est celle qu'on fait varier pour observer l'influence qu'elle exerce sur la variable dépendante. Étant donné que, dans une relation causale, la variable indépendante représente la cause, elle doit être antérieure à la variable dépendante.

Variable dépendante

Variable qu'on exprime en fonction d'une autre variable. Lorsqu'on se sert de l'équation $y = f(x)$ pour décrire le lien entre deux variables, le terme y désigne la variable dépendante. Dans une relation causale, la variable dépendante est celle sur laquelle l'autre agit.

On peut établir la présence d'un lien de concomitance ou d'interdépendance d'après des données recueillies par observation directe, par enquête ou au moyen d'une recherche documentaire. La découverte d'un lien de causalité s'effectue plutôt à partir de données expérimentales.

On parle de *lien de cause à effet* ou de **causalité** entre deux variables lorsque l'une agit directement sur l'autre. La variable qui agit porte le nom de **variable indépendante** (ou *variable explicative*) ; l'autre, de **variable dépendante** (ou *variable expliquée*). La variable dépendante est déterminée par la variable indépendante ; c'est celle que l'on cherche à expliquer par la variable indépendante. La variable indépendante constitue en quelque sorte la « cause », et la variable dépendante « l'effet ». Le chercheur agit sur la variable indépendante (également appelée, en contexte expérimental, *variable manipulée*) et observe les effets provoqués sur la variable dépendante[4].

Strictement parlant, il faut se placer dans un cadre expérimental pour montrer la causalité. Comme nous l'avons déjà mentionné dans le premier chapitre de ce manuel, il est difficile, en sciences humaines, de travailler dans un tel cadre de manière à attribuer un effet à une seule cause : plusieurs facteurs influent généralement sur la variable étudiée.

---

3. D. G. Tremblay, *Travail et société*, Sainte-Foy, Télé-université, 1992, p. 358-359.

4. L'emploi des expressions « variable indépendante » et « variable dépendante » n'est pas uniquement réservé à l'analyse d'une relation causale. En effet, chaque fois qu'on exprime un lien entre variables sous la forme d'une fonction $y = f(x)$, on dit que x est la variable indépendante, et y, la variable dépendante. Dans un contexte non expérimental, c'est la tradition, la logique, l'ordre chronologique ou une justification quelconque qui guide le choix de la variable dont on se servira comme variable indépendante.

Pour montrer un lien de causalité, il faut neutraliser ou écarter l'effet de tous les facteurs (à l'exception de la variable indépendante) qui pourraient exercer une influence sur la variable dépendante. On appelle **variables contrôlées** les facteurs qui ne sont pas à l'étude dans la recherche, mais dont on veut neutraliser les effets parce qu'ils pourraient contaminer les résultats. Dans l'exemple 7 de la page 382, nous faisions référence à une expérience dont les résultats devaient permettre d'attribuer au manque de sommeil les baisses de rendement dans l'accomplissement d'une tâche intellectuelle. Afin d'atteindre cet objectif, le chercheur aura pris soin de neutraliser certaines variables, autres que la privation de sommeil, qui auraient pu exercer une influence sur la capacité d'accomplir la tâche. Ainsi, il se sera assuré que tous les sujets ont bénéficié des mêmes conditions sur les plans de l'environnement sonore, de la température ambiante, de la quantité de lumière, du temps accordé, et ainsi de suite. Il aura également pu écarter la variable « sexe » en ne sélectionnant que des sujets de sexe masculin (ou féminin).

Pour pouvoir avancer que la variable indépendante constitue la cause, le chercheur doit agir de façon que tous les facteurs, à l'exception de cette variable, soient fixes ou inopérants. Les économistes emploient souvent l'expression *ceteris paribus* (toutes choses étant égales par ailleurs), pour signifier qu'ils ont fixé toutes les variables à l'exception de la variable indépendante.

On pourra affirmer qu'une variable (la variable indépendante ou manipulée) exerce une influence sur une autre (la variable dépendante), c'est-à-dire qu'elle constitue un facteur causal, si les deux conditions ci-dessous sont remplies :

1. Il existe un lien statistique non fortuit entre les deux variables, et on peut expliquer ce lien de manière logique. On doit être en mesure de dire comment la variable indépendante agit sur la variable dépendante. Il faut montrer que son effet n'est pas le fruit du hasard, que la relation observée n'est pas factice. On doit également être en mesure de réfuter tout argument qui expliquerait le phénomène par d'autres variables qui auraient pu influer sur la variable dépendante.

2. Puisque la cause précède l'effet, on doit observer, entre les deux variables, un ordre temporel approprié, soit l'antériorité des variations de la variable indépendante. Une modification de la variable indépendante précédera donc chronologiquement ou logiquement une variation prévisible et vérifiée statistiquement de la variable dépendante. Toutefois, le fait que deux choses se succèdent ne signifie pas nécessairement que la première est la cause de la seconde : « après » ne veut pas dire « à cause de ».

EXERCICE 11.1

Sans présumer un lien de causalité, déterminez quelle est la variable qui vous semble le plus susceptible d'être indépendante. Dites si l'expression de la corrélation entre les variables devrait être positive ou négative.

a) Le salaire et l'expérience.

b) Le degré de prématurité (le nombre de jours avant terme) d'un bébé né avant terme et sa masse à la naissance.

c) La gravité d'un accident d'automobile (mesurée par le coût des dégats matériels) et la vitesse de l'automobile au moment de l'accident.

En sciences humaines, il est difficile d'établir l'existence de relations causales strictes. On doit souvent être beaucoup plus modeste et se contenter de faire des associations systématiques.

Il est bon de se méfier des conclusions trop hâtives : on ne peut pas induire la causalité à partir d'un simple raisonnement. Pour des phénomènes complexes, les variables indépendantes et dépendantes peuvent même être difficiles à déterminer hors d'un cadre expérimental.

▶ **EXEMPLE**

Un jeune citadin de six ans raconte ses vacances passées chez son oncle agriculteur. Il dit qu'il a surtout aimé aller à la porcherie pour assister aux soins donnés aux petits cochons. Il n'était dérangé que par l'odeur, qui ressemblait étrangement à celle de son oncle. Il en conclut que si les petits cochons sentent si mauvais, c'est sans doute parce que son oncle passe beaucoup de temps à la porcherie et leur transmet ainsi sa propre odeur.

Voilà qui montre qu'on doit se garder des conclusions hâtives ! ◀

Par ailleurs, la variable explicative et la variable expliquée sont difficilement identifiables dans certains contextes :

• On établit un lien entre la pauvreté et la taille des familles dans plusieurs pays. Les habitants de ces pays sont-ils pauvres parce que les familles y sont nombreuses, ou les familles sont-elles nombreuses parce que les gens y sont pauvres ?

• On a observé que la pratique d'une religion est moins courante chez les délinquants. La délinquance entraîne-t-elle un retrait par rapport aux normes sociales, ou est-ce le détachement à l'égard de certaines valeurs qui favorise l'apparition de comportements déviants ?

Les liens entre des variables sociales sont complexes. Non seulement est-il parfois difficile de déterminer la variable dépendante, mais même lorsqu'on y parvient, cette variable peut dépendre de plusieurs facteurs qui, hors d'un cadre expérimental, ne sont pas tous contrôlables. C'est sans doute pourquoi on parle surtout de « causes partielles », de « facteurs contributifs » ou de « variables explicatives ».

▶ **EXEMPLES**

1. Dans la société nord-américaine contemporaine, le salaire est fonction de la scolarité, mais également d'autres facteurs tels que l'expérience, le sexe, les risques associés à l'emploi, le degré de responsabilité et la présence d'un syndicat.

2. Le prix d'une voiture d'occasion dépend de plusieurs facteurs tels que la marque, le modèle, l'âge, le kilométrage, l'état de la mécanique et l'apparence. ◀

Ainsi, lorsqu'on a établi l'existence d'un lien entre deux variables, il faut résister à la tentation de conclure, même si cela semble logique, que ce lien est de nature causale. Il peut ne s'agir que de concomitance.

▶ **EXEMPLES**[5]

1. On a observé une chute de la mortalité due aux accidents de la circulation aux États-Unis après l'instauration, en 1974, d'une limite de vitesse de 55 milles à l'heure. On ne doit pas en conclure que la nouvelle limite de vitesse a été l'unique cause de cette baisse de la mortalité. En effet, certains ont fait remarquer que, au moment où on a imposé cette nouvelle limite de vitesse, le prix de l'essence subissait une hausse tellement marquée qu'elle s'accompagna d'une réduction de l'utilisation des véhicules automobiles et, par conséquent, des risques d'accidents. La hausse du prix de l'essence pourrait donc elle aussi être un facteur explicatif de la chute de la mortalité par accident de la circulation.

2. En comparant l'évolution du revenu d'emploi des enseignants et celle du chiffre des ventes de boissons alcooliques, on peut probablement constater un lien entre ces deux variables. Il ne faut pas pour autant conclure à une relation causale entre ces deux phénomènes. Le lien entre ces deux variables s'explique vraisemblablement par les mouvements d'une troisième variable, c'est-à-dire les prix.

3. Un chercheur a obtenu une forte corrélation entre le nombre d'églises et le nombre de crimes commis dans une ville. Il ne peut pas pour autant conclure que la présence de lieux de culte entraîne la criminalité ni que la criminalité pousse les gens vers la religion. Selon toute vraisemblance, cette corrélation s'explique par une autre variable, soit la taille de la population. On s'attend en effet à ce que le nombre d'églises et le nombre de crimes augmentent avec la taille de la population d'une ville. ◀

Dans ce manuel, nous nous intéressons non pas tant à la nature des liens qu'à leur mesure. La statistique offre des moyens de montrer la présence d'un lien entre des variables notamment à l'aide de tests d'hypothèses. Un

---

5. Les deux premiers exemples sont adaptés de G. McCabe et D. Moore, *Introduction to the Practice of Statistics*, New York, W. H. Freeman, 1989 ; le troisième, de M. Sabourin, « Méthodes d'acquisition des connaissances », dans M. Robert, *Fondements et étapes de la recherche scientifique en psychologie*, Saint-Hyacinthe, Édisem, 1988.

test d'hypothèse est une forme d'inférence statistique : il sert à généraliser à l'ensemble de la population des résultats obtenus auprès d'un échantillon. Nous traiterons de trois de ces tests qui permettent de vérifier s'il y un a lien entre deux variables : le test d'indépendance du khi carré et le test de la différence entre deux moyennes (dans le présent chapitre) ainsi que le test sur un coefficient de corrélation linéaire (au chapitre 12).

11.2 Les principes du test d'indépendance du khi carré

Avant de formaliser la démarche des tests d'hypothèses, nous allons en exposer les principes au moyen d'un exemple d'application du test d'indépendance du χ^2 (khi carré), qui permet de confirmer ou d'infirmer la présence d'un lien entre deux variables qualitatives[6].

11.2.1 Fréquences théoriques et fréquences observées

Le directeur du personnel d'une très grande entreprise veut vérifier s'il existe un lien entre la performance à une épreuve de sélection et le rendement au travail. Le tableau 11.1 présente les résultats d'un échantillon aléatoire de 200 employés à une épreuve de sélection ainsi que les évaluations de rendement de ces employés au travail.

Tableau 11.1

Répartition de 200 employés, selon le résultat obtenu à une épreuve de sélection et le rendement au travail

Rendement au travail	Résultat à l'épreuve			Total
	Moyen	Élevé	Très élevé	
Inférieur	30	10	10	50
Moyen	10	60	10	80
Supérieur	20	30	20	70
Total	60	100	40	200

Un tel tableau, dans lequel les unités statistiques sont classées selon deux variables, porte le nom de **tableau de contingence** (ou *tableau à double entrée*).

Tableau de contingence

Tableau de répartition des unités statistiques selon deux variables. Également appelé *tableau à double entrée*.

6. Il peut également s'agir de variables quantitatives dont les valeurs ont été regroupées par catégories ou par classes.

Lorsque le contexte s'y prête, on place les modalités (ou les catégories) de la variable explicative horizontalement en haut du tableau et les modalités (ou les catégories) de la variable expliquée verticalement à gauche du tableau.

Dans notre exemple, les deux critères de classification sont le résultat à l'épreuve de sélection (variable explicative) et l'évaluation du rendement au travail (variable expliquée).

Dans un tableau de contingence, il est d'usage de calculer le total de chaque ligne et de chaque colonne. La ligne et la colonne correspondant au total portent le nom de **marges,** parce qu'elles montrent la **distribution marginale** des individus, soit la répartition des individus selon une seule des deux variables.

Ainsi, nous constatons que les employés de l'échantillon se répartissent selon le rendement de la façon suivante : 50 employés présentent un rendement inférieur ; 80 employés, un rendement moyen ; 70 employés, un rendement supérieur. La colonne de droite intitulée « Total » présente donc la répartition des employés sélectionnés (sans distinction du résultat à l'épreuve), selon le rendement au travail.

De même, nous pouvons voir, sur la dernière ligne, la répartition des employés de l'échantillon selon le résultat à l'épreuve de sélection (sans distinction du rendement au travail) : 60 employés ont eu un résultat moyen à l'épreuve de sélection ; 100 employés, un résultat élevé ; 40 employés, un résultat très élevé.

On pourrait également étudier la distribution, en pourcentage, de la variable expliquée pour chacune des catégories de la variable explicative. Nous obtiendrions alors le tableau 11.2, qui donne la **distribution conditionnelle** de la variable expliquée (rendement au travail) pour chacune des catégories de la variable explicative (le résultat à l'épreuve de sélection).

Ainsi, 33,3 % des employés sélectionnés ayant eu un résultat moyen à l'épreuve de sélection ont eu un rendement supérieur au travail (soit $20 \div 60 \times 100$ %), alors que seulement 25,0 % des employés sélectionnés ayant eu un résultat très élevé à l'épreuve de sélection ont eu un rendement inférieur au travail (soit $10 \div 40 \times 100$ %). Enfin, 25,0 % des employés sélectionnés ont eu un rendement inférieur ; 40,0 % des employés, un rendement moyen ; 35,0 % des employés, un rendement supérieur.

Le tableau 11.2 nous permet de soupçonner la présence d'un lien entre les deux variables. En effet, s'il n'y avait pas de lien entre les variables, les distributions conditionnelles seraient identiques les unes aux autres et à la distribution marginale (soit la distribution obtenue sans tenir compte du résultat à l'épreuve, c'est-à-dire la colonne intitulée « Tous »). En l'absence de lien entre les deux variables, les employés ayant eu un rendement inférieur au travail devraient représenter une proportion de 25,0 % dans chacune des catégories de résultat à l'épreuve de sélection, puisque les employés ayant eu un rendement inférieur au travail représentent 25,0 % des

---

Marge

Dans un tableau de contingence, la marge présente la répartition des unités statistiques selon une des deux variables. C'est la ligne ou la colonne correspondant aux totaux.

Distribution marginale

Dans un tableau à double entrée, une distribution marginale est une répartition des unités statistiques selon une seule variable.

Distribution conditionnelle

Dans un tableau à double entrée, une distribution conditionnelle est une répartition des unités statistiques selon une variable pour une catégorie (une modalité) de l'autre variable.

Tableau 11.2

Répartition en pourcentage des employés sélectionnés, selon le rendement au travail par catégorie de résultat à l'épreuve de sélection

Rendement au travail	Résultat à l'épreuve			Tous
	Moyen	Élevé	Très élevé	
Inférieur	50,0	10,0	25,0	25,0
Moyen	16,7	60,0	25,0	40,0
Supérieur	33,3	30,0	50,0	35,0
Total	100,0	100,0	100,0	100,0

employés. Les proportions observées sont plutôt de 50,0 %, 10,0 % et 25,0 % pour chacune des catégories de résultat à l'épreuve de sélection.

Toutefois, comme les données proviennent d'un échantillon, il ne faut pas généraliser trop hâtivement ce constat de dépendance apparente des variables à l'ensemble de la population : il faut effectuer un test d'hypothèse afin de vérifier s'il y a vraiment un lien entre les deux variables.

Déterminons d'abord le nombre d'individus que l'on devrait théoriquement retrouver dans chacune des cellules du tableau à double entrée si les variables étaient indépendantes, c'est-à-dire s'il n'y avait aucun lien entre elles. Si l'écart entre les **fréquences théoriques** (f_t) que nous calculerons et les **fréquences observées** (f_o) obtenues chez les employés de l'échantillon est important, nous en conclurons que l'hypothèse proposée (l'indépendance des variables) ne concorde pas avec la pratique (les données qu'on retrouve dans le tableau de contingence). Quand une hypothèse ne rend pas compte des observations, il faut la rejeter ou expliquer les écarts. Dans le cadre d'un test d'hypothèse, nous rejetterons l'idée de l'indépendance des variables et nous conclurons que ces dernières sont liées.

Procédons au calcul des fréquences théoriques. Les employés dont le rendement est inférieur représentent 25,0 % de l'échantillon [soit $(50 \div 200) \times 100 \%$]. Si le résultat à l'épreuve de sélection et le rendement au travail sont des variables indépendantes, on devrait retrouver cette proportion dans chacune des catégories de résultat à l'épreuve de sélection. Ainsi, 25,0 % des employés ayant eu un résultat moyen à l'épreuve de sélection devraient avoir présenté un rendement inférieur. Étant donné que notre échantillon compte 60 employés qui ont obtenu un résultat moyen à l'épreuve de sélection, 25,0 % d'entre eux, c'est-à-dire 15 employés [soit $(50 \div 200) \times 60$], devraient avoir présenté un rendement inférieur au travail. De même, 25,0 % des employés ayant eu un résultat élevé à l'épreuve de sélection devrait avoir présenté un rendement inférieur. Étant donné que notre échantillon compte 100 employés qui ont obtenu un résultat élevé à l'épreuve de sélection, 25,0 % d'entre eux, c'est-à-dire 25 employés [soit $(50 \div 200) \times 100$], devraient avoir présenté un rendement inférieur au travail.

Fréquences théoriques

Fréquences que l'on retrouverait dans un tableau de contingence si les variables étudiées étaient indépendantes. Elles sont désignées par f_t.

Fréquences observées

Fréquences obtenues lors de la collecte des données et qu'on place dans un tableau de contingence. Elles sont désignées par f_o.

Nous avons inscrit les calculs à effectuer pour trouver les fréquences théoriques dans chacune des cellules du tableau 11.3. (Nous n'avons pas donné de titre aux tableaux 11.3, 11.4 et 11.5, puisqu'il s'agit de tableaux de travail.)

Tableau 11.3

Rendement au travail	Résultat à l'épreuve			Total
	Moyen	Élevé	Très élevé	
Inférieur	$(50 \div 200) \times 60 = 15$	$(50 \div 200) \times 100 = 25$	$(50 \div 200) \times 40 = 10$	50
Moyen	$(80 \div 200) \times 60 = 24$	$(80 \div 200) \times 100 = 40$	$(80 \div 200) \times 40 = 16$	80
Supérieur	$(70 \div 200) \times 60 = 21$	$(70 \div 200) \times 100 = 35$	$(70 \div 200) \times 40 = 14$	70
Total	60	100	40	200

Le tableau 11.4 présente la répartition théorique des répondants dans le cas où le résultat à l'épreuve de sélection et l'évaluation de rendement au travail seraient des variables indépendantes.

Tableau 11.4

Rendement au travail	Résultat à l'épreuve			Total
	Moyen	Élevé	Très élevé	
Inférieur	15	25	10	50
Moyen	24	40	16	80
Supérieur	21	35	14	70
Total	60	100	40	200

En général, dans un tableau de contingence, la fréquence théorique associée à la cellule qui se situe à l'intersection de la i-ième ligne et de la j-ième colonne est donnée par l'expression

$$f_t = \frac{\text{Total de la } i \text{ - ième ligne} \times \text{Total de la } j \text{ - ième colonne}}{\text{Nombre total de données}}$$

Afin de faciliter la comparaison entre les fréquences théoriques et les fréquences observées, on les regroupe dans un même tableau (tableau 11.5). Par convention, on place la fréquence observée (f_o) dans le coin supérieur gauche de chaque cellule et la fréquence théorique (f_t) dans le coin inférieur droit.

Au premier coup d'œil, il semble que les écarts entre les fréquences théoriques et les fréquences observées soient relativement importants. Ces écarts peuvent cependant relever du hasard, car un échantillon ne constitue pas toujours une réplique de la population aussi fidèle qu'on le souhaiterait.

Tableau 11.5

Rendement au travail	Résultat à l'épreuve			Total
	Moyen	Élevé	Très élevé	
Inférieur	30 / 15	10 / 25	10 / 10	50
Moyen	10 / 24	60 / 40	10 / 16	80
Supérieur	20 / 21	30 / 35	20 / 14	70
Total	60	100	40	200

Une simple impression n'est donc pas suffisante : il faut quantifier cette impression pour confirmer ou infirmer l'hypothèse avancée, soit celle de l'indépendance des variables. On doit donc déterminer :

- une statistique (une valeur) qui mesure l'importance des écarts entre les fréquences théoriques et les fréquences observées ;
- un critère qui permette de décider si les variables sont liées, c'est-à-dire si les observations s'éloignent trop de l'hypothèse de l'indépendance des variables pour que celle-ci soit vraisemblable ou, en d'autres termes, si les écarts sont trop importants pour que le hasard seul en soit responsable.

Ce sont là deux étapes importantes du test d'indépendance, mais il faut aller plus loin. Si on réussit à établir l'existence d'un lien entre les variables, il faudra ensuite mesurer l'intensité de ce lien.

EXERCICE 11.2

Des données tirées d'une enquête au sujet de l'emploi menée auprès de 400 Québécois de la population active sont présentées dans le tableau suivant. L'échantillon prélevé est aléatoire. On a placé les catégories de scolarité horizontalement, puisqu'on considère que la variable « scolarité » constitue la variable explicative.

Répartition de 400 Québécois, selon le plus haut niveau de scolarité atteint et la situation sur le marché du travail

Situation sur le marché du travail	Scolarité			Total
	Secondaire	Collégial	Universitaire	
Emploi	120	140	95	355
Chômage	30	10	5	45
Total	150	150	100	400

En faisant l'hypothèse de l'indépendance des deux variables (« scolarité » et « situation sur le marché du travail »), calculez les fréquences théoriques de chacune des cellules de ce tableau.

11.2.2 Le carré de contingence ou khi carré

Carré de contingence

Mesure de l'écart relatif entre les fréquences théoriques et observées dans un test d'indépendance du khi carré. Il est désigné par χ^2. Toutes choses étant égales par ailleurs, plus la valeur de χ^2 est grande, moins l'hypothèse de l'indépendance des variables est plausible.

La statistique qui mesure les écarts relatifs entre les fréquences théoriques et les fréquences observées s'appelle **carré de contingence** ou *khi carré*. Elle est symbolisée par χ^2 et se calcule à l'aide de la formule suivante :

$$\chi^2 = \sum \frac{(f_o - f_t)^2}{f_t}$$

Lorsqu'on analyse cette formule, on remarque qu'elle mesure des écarts $(f_o - f_t)$. On voit que ces écarts ont été élevés au carré, de sorte que l'expression sera toujours positive. De plus, ces écarts sont relatifs, puisqu'on les divise par f_t. En procédant de cette manière, on s'assure qu'un écart de 2 est plus important si ce qu'on mesure vaut 5 plutôt que 500. Enfin, en additionnant tous les écarts relatifs, on tient compte de la contribution de chacun d'entre eux.

Ainsi, plus les fréquences observées s'éloignent des fréquences théoriques, plus χ^2 est grand ; plus elles s'en rapprochent, plus χ^2 est petit. Par conséquent, si χ^2 est petit, c'est que les observations concordent avec l'hypothèse d'indépendance des variables. En revanche, si χ^2 est grand, l'hypothèse d'indépendance explique mal les résultats obtenus dans l'échantillon. On est alors enclin à la considérer comme fausse et à penser que les variables sont liées.

Revenons à notre exemple de la page 389 et calculons la valeur χ^2 d'après les fréquences du tableau 11.5 (page 393). Les écarts relatifs $\frac{(f_o - f_t)^2}{f_t}$ pour chacune des cellules sont présentées au tableau 11.6.

En faisant la somme de ces écarts, on obtient la valeur du carré de contingence :

$$\chi^2 = \sum \frac{(f_o - f_t)^2}{f_t}$$
$$= \frac{(30-15)^2}{15} + \frac{(10-25)^2}{25} + \cdots + \frac{(20-14)^2}{14}$$
$$= 15,00 + 9,00 + 0,00 + 8,17 + 10,00 + 2,25 + 0,05 + 0,71 + 2,57$$
$$= 47,75$$

Cette valeur est-elle faible ou élevée, exceptionnelle ou habituelle, surprenante ou courante ? Pour répondre à cette question, il faut disposer d'un

Tableau 11.6

Rendement au travail	Résultat à l'épreuve		
	Moyen	Élevé	Très élevé
Inférieur	$\dfrac{(30-15)^2}{15} = 15,00$	$\dfrac{(10-25)^2}{25} = 9,00$	$\dfrac{(10-10)^2}{10} = 0,00$
Moyen	$\dfrac{(10-24)^2}{24} = 8,17$	$\dfrac{(60-40)^2}{40} = 10,00$	$\dfrac{(10-16)^2}{16} = 2,25$
Supérieur	$\dfrac{(20-21)^2}{21} = 0,05$	$\dfrac{(30-35)^2}{35} = 0,71$	$\dfrac{(20-14)^2}{14} = 2,57$

critère. Ce critère repose sur une valeur particulière, appelée valeur critique, qui sépare les zones de rejet ou de non-rejet d'une hypothèse.

Dans un test d'indépendance du khi carré, la valeur critique sera notée $\chi^2_{\alpha;v}$ ou χ^2_c. Cette valeur dépend notamment du risque de commettre une erreur – c'est-à-dire de rejeter à tort l'hypothèse d'indépendance – qu'on est prêt à tolérer. Ce risque, noté α, porte le nom de **seuil de signification** et représente la probabilité[7] d'obtenir un échantillon pour lequel χ^2 est supérieur à $\chi^2_{\alpha;v}$ lorsque les variables sont indépendantes. C'est pourquoi on écrit $\alpha = P(\chi^2 > \chi^2_{\alpha;\,v})$. On adopte donc une position probabiliste : on rejette l'hypothèse d'indépendance si cette dernière apparaît être invraisemblable (improbable) en vertu de la valeur obtenue de χ^2.

Ainsi, au-delà de la valeur critique, on considérera que χ^2 est trop grand pour que l'hypothèse proposée (l'indépendance des variables) soit plausible ; d'une certaine façon, les observations contredisent cette hypothèse. Dans ces conditions, on décidera, à tort ou à raison, de rejeter l'hypothèse de l'indépendance des variables et on privilégiera celle de la dépendance des variables. En revanche, si le carré de contingence est plus petit que la valeur critique, il n'est pas invraisemblable que le hasard soit responsable des écarts. Dans ces circonstances, on choisira, à tort ou à raison, de ne pas rejeter l'hypothèse de l'indépendance des variables.

Seuil de signification

Probabilité que l'on rejette l'hypothèse nulle alors qu'elle est vraie. Le seuil de signification est désigné par α. Les seuils les plus courants sont 5 % et 1 %.

EXERCICE 11.3

Calculez la valeur de la statistique χ^2 pour les données de l'exercice 11.2 (page 393).

---

7. De manière intuitive, on peut définir le concept de probabilité comme étant la grandeur par laquelle on mesure la vraisemblance d'un événement incertain. Toute probabilité est un nombre compris entre 0 et 1 ou, si on préfère, entre 0 % et 100 %.

11.2.3 La valeur critique du khi carré

Le tableau 11.7 donne la **valeur critique**, notée $\chi^2_{\alpha;v}$ ou χ^2_c, au-delà de laquelle on rejette l'hypothèse de l'indépendance des variables.

Tout comme la courbe normale, la courbe du khi carré délimite une surface dont l'aire vaut 1. Elle représente la répartition de tous les échantillons possibles selon les valeurs de χ^2 qu'on obtiendrait pour chacun de ces échantillons lorsque les variables sont effectivement indépendantes. Quant à la valeur $\chi^2_{\alpha;v}$, elle délimite une surface dont l'aire vaut α, qui rappelons-le représente aussi une probabilité, soit $\alpha = P(\chi^2 > \chi^2_{\alpha;\,v})$.

À la lecture de la table des valeurs critiques du khi carré $\left(\chi^2_{\alpha;v}\right)$, on voit que celles-ci dépendent de deux paramètres : α et v. Nous vous rappelons que le paramètre α, dont nous venons de parler, indique la mesure de l'aire de la surface ombragée dans la figure 11.1. Il représente la proportion de l'ensemble des échantillons possibles pour lesquels χ^2 serait supérieur à $\chi^2_{\alpha;v}$ dans l'hypothèse de l'indépendance des variables.

Le paramètre v représente le **nombre de degrés de liberté**, qui est fonction du nombre de catégories (modalités) de la première variable et du nombre de catégories de la deuxième variable dans le tableau de contingence. Le nombre de degrés de liberté dans un test d'indépendance est :

$$v = \left(\begin{array}{c} \text{Nombre de catégories} \\ \text{de la première variable} \end{array} - 1 \right) \times \left(\begin{array}{c} \text{Nombre de catégories} \\ \text{de la deuxième variable} \end{array} - 1 \right)$$

Nous n'aborderons pas ici les autres détails techniques concernant ce paramètre.

Ainsi, selon la table des valeurs critiques, pour $v = 4$, la probabilité d'obtenir une valeur χ^2 supérieure à 9,49 lorsque les variables sont indépendantes est égale à 0,05, soit 5 %.

La figure 11.1 rend compte de la règle de décision qu'on applique dans un test d'indépendance.

Si, à partir de l'échantillon tiré, nous obtenons un χ^2 qui correspond à une probabilité inférieure à 5 % (ou à tout autre seuil de signification α préalablement choisi dans le tableau 11.7), nous considérons qu'un tel échantillon est peu probable selon l'hypothèse de l'indépendance des variables, et nous rejetons cette hypothèse à ce seuil de signification.

Par exemple, avec $v = 4$ et $\alpha = 5$ %, un χ^2 de 47,75 serait plus élevé que la valeur critique $\left(\chi^2 = 47{,}75 > 9{,}49 = \chi^2_{\alpha;v} = \chi^2_{0,05;\,4}\right)$ et nous rejetterions l'hypothèse de l'indépendance des variables. La figure 11.2 illustre cette situation.

Par contre, avec $v = 3$ et $\alpha = 5$ %, un χ^2 de 6,6 serait plus faible que la valeur critique $\left(\chi^2 = 6{,}6 < 7{,}81 = \chi^2_{\alpha;v} = \chi^2_{0,05;\,3}\right)$; nous considérerons que ce dernier résultat n'est pas incompatible avec l'hypothèse de l'indépendance des variables, et nous choisirons de ne pas rejeter cette hypothèse.

Tableau 11.7

Table des valeurs critiques du khi carré $\left(\chi^2_{\alpha;\nu}\right)$

Les valeurs de la table donnent $\chi^2_{\alpha;\nu}$, qui délimite une région dont l'aire représente la probabilité $\alpha = P\left(\chi^2 > \chi^2_{\alpha;\nu}\right)$ lorsque le nombre de degrés de liberté est ν.

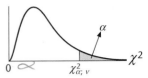

ν	$\chi^2_{0,05;\nu}$	$\chi^2_{0,02;\nu}$	$\chi^2_{0,01;\nu}$
1	3,84	5,41	6,63
2	5,99	7,82	9,21
3	7,81	9,84	11,34
4	9,49	11,67	13,28
5	11,07	13,39	15,09
6	12,59	15,03	16,81
7	14,07	16,62	18,48
8	15,51	18,17	20,09
9	16,92	19,68	21,67
10	18,31	21,16	23,21
11	19,68	22,62	24,72
12	21,03	24,05	26,22
13	22,36	25,47	27,69
14	23,68	26,87	29,14
15	25,00	28,26	30,58
16	26,30	29,63	32,00
17	27,59	31,00	33,41
18	28,87	32,35	34,81
19	30,14	33,69	36,19
20	31,41	35,02	37,57
21	32,67	36,34	38,93
22	33,92	37,66	40,29
23	35,17	38,87	41,64
24	36,41	40,27	42,98
25	37,65	41,57	44,31

Figure 11.1

Distribution du χ^2

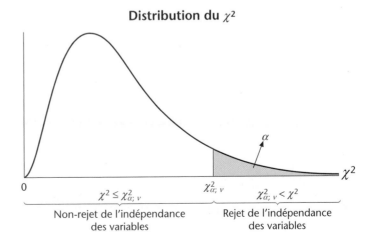

Figure 11.2

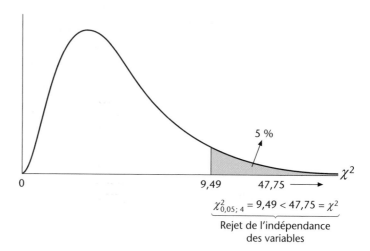

$$\underbrace{\chi^2_{0,05;\,4} = 9,49 < 47,75 = \chi^2}$$
Rejet de l'indépendance
des variables

Le mathématicien Ronald Fisher, qui a largement contribué à l'utilisation des tests statistiques en sciences, a écrit à propos du choix d'un seuil de signification (α) :

[...] *it is convenient to draw the line at about the level at which we can say:* « *Either there is something in the treatment, or a coincidence has occurred such as does not occur more than once in twenty trials (5 %)* [...] »

If one in twenty does not seem high enough odds, we may, if we prefer it, draw the line at one in fifty (2 %), or one in a hundred (1 %). Personally, the writer prefers to set a low standard of significance at the 5 % point, and ignore entirely all results which fail to reach that level. A scientific fact should be regarded as experimentally established only if a properly designed experiment rarely fails to give this level of significance[8].

Revenons à notre exemple et au tableau portant sur les résultats à l'épreuve de sélection et à l'évaluation du rendement au travail.

Dans ce contexte, les deux variables comptent chacune trois catégories, de sorte que :

$$v = \left(\begin{array}{c}\text{Nombre de catégories} \\ \text{de la première variable}\end{array} - 1\right) \times \left(\begin{array}{c}\text{Nombre de catégories} \\ \text{de la deuxième variable}\end{array} - 1\right)$$
$$= (3-1) \times (3-1)$$
$$= 4$$

Pour $v = 4$ et $\alpha = 5$ %, nous obtenons, dans la table des valeurs critiques (tableau 11.7), $\chi^2_{\alpha;v} = \chi^2_{0,05;4} = 9,49$.

---

8. R. Fisher, dans G. McCabe et D. Moore, *Introduction to the Practice of Statistics*, New York, W. H. Freeman, 1989, p. 486.

Nous avons déjà calculé, pour les données de cet exemple, que $\chi^2 = 47,75$. Par conséquent, comme $\chi^2 > \chi^2_{\alpha;v}$, nous en concluons que l'indépendance des variables n'est pas plausible.

En effet, si nos variables étaient indépendantes, la probabilité qu'un échantillon donne une valeur $\chi^2 > 9,49$ ne serait que de 5 %. La probabilité d'obtenir une valeur plus grande que 47,75 serait encore plus faible, et l'hypothèse de l'indépendance des variables serait encore plus invraisemblable. On pourrait évaluer à l'aide d'un logiciel de statistique ou d'un chiffrier électronique que, sous l'hypothèse d'indépendance des variables, la probabilité d'obtenir une valeur χ^2 qui soit supérieure à 47,75 avec 4 degrés de liberté n'est que de 0,000 000 11 %, ce qui est incontestablement un résultat invraisemblable. Nous rejetterons donc l'idée que nos variables sont indépendantes, puisqu'elle est statistiquement incompatible avec nos observations au seuil de 5 %.

Dans un test d'indépendance, lorsqu'on écarte l'hypothèse de l'indépendance au seuil de α, on dit que le résultat est significatif à ce seuil.

EXERCICE 11.4

À partir du tableau de l'exercice 11.2 (page 393), on obtient $\chi^2 = 18,48$. En se fondant sur cette valeur, devrait-on avancer que les variables « scolarité » et « situation sur le marché du travail » sont indépendantes ? Prenez un seuil de signification de 1 %.

11.2.4 Erreur de première espèce et erreur de deuxième espèce

Erreur de première espèce

Erreur commise lorsqu'on rejette l'hypothèse nulle alors qu'elle est vraie. Le risque de commettre cette erreur est désigné par α.

Le seuil de signification (α) correspond au risque maximal de rejeter l'hypothèse selon laquelle les variables sont indépendantes, alors que cette hypothèse est vraie. Ce risque est aussi appelé **erreur de première espèce**. Depuis Fisher, il est conventionnel de fixer le seuil α à 5 %, à 2 % ou à 1 %. Ainsi, lorsque la valeur calculée χ^2 dépasse la valeur théorique $\chi^2_{\alpha;v}$, on sait qu'on prend le risque de faire une erreur en repoussant l'hypothèse de l'indépendance des variables, mais on considère que ce risque est inférieur à 5 %, à 2 % ou à 1 %, selon la valeur choisie pour α.

Erreur de deuxième espèce

Erreur commise lorsqu'on ne rejette pas l'hypothèse nulle alors qu'elle est fausse. Le risque de commettre cette erreur est désigné par β.

Lorsque, au contraire, $\chi^2 \leq \chi^2_{\alpha;v}$, on ne rejette pas l'hypothèse de l'indépendance des variables parce qu'elle ne paraît pas improbable, mais il n'est pas certain qu'on prenne alors la bonne décision. En effet, on pourrait ne pas rejeter cette hypothèse, alors qu'elle est fausse. On commettrait alors une **erreur de deuxième espèce.** On désigne la valeur du risque associé à cette erreur par β (bêta). On ne connaît généralement pas la valeur de β; cependant, toutes choses étant égales par ailleurs, on sait qu'elle est d'autant plus élevée que le risque de commettre l'erreur de première espèce est faible. Les situations possibles dans le contexte d'un test d'indépendance sont résumées au tableau 11.8.

Tableau 11.8

Types d'erreur dans un test d'indépendance

	Réalité	
Décision	Les variables sont indépendantes	Les variables sont liées
Rejeter l'hypothèse de l'indépendance	Erreur de première espèce (α)	Bonne décision
Ne pas rejeter l'hypothèse de l'indépendance	Bonne décision	Erreur de deuxième espèce (β)

11.3 La démarche des tests d'hypothèses

Nous sommes maintenant en mesure de formaliser la démarche d'un test d'hypothèse[9]. Comme nous l'avons déjà mentionné, il existe plusieurs sortes de tests d'hypothèses, mais ils s'effectuent tous selon une démarche en sept étapes :

1. La formulation des hypothèses ;
2. Le choix d'un seuil de signification (α) ;
3. La vérification des conditions d'application ;
4. La détermination de la valeur critique ;
5. La formulation de la règle de décision ;
6. Le calcul de la statistique appropriée au test ;
7. La décision.

Illustrons ces étapes dans le contexte d'un test d'indépendance du χ^2.

1. La formulation des hypothèses

Hypothèse nulle

Dans un test d'hypothèse, c'est l'hypothèse que le chercheur remet en question. Le chercheur tente de montrer que cette hypothèse n'est pas compatible avec les résultats obtenus auprès d'un échantillon. Elle est désignée par H_0.

Dans un test d'hypothèse, il s'agit toujours de confronter deux hypothèses contraires qu'on appelle **hypothèse nulle** (H_0) et **hypothèse alternative** ou *contre-hypothèse* (H_1). Le but du test d'hypothèse est de déterminer si l'hypothèse nulle est statistiquement incompatible avec les données provenant de l'échantillon. L'hypothèse nulle correspond à l'hypothèse que le chercheur remet en question, alors que l'hypothèse alternative est celle que le chercheur veut confirmer. C'est pourquoi on dit aussi de l'hypothèse alternative qu'elle est l'« hypothèse du chercheur ».

Hypothèse alternative

Dans un test d'hypothèse, c'est l'hypothèse qu'on retient lorsqu'on rejette l'hypothèse nulle, c'est pourquoi on l'appelle aussi *contre-hypothèse*. Elle porte également le nom d'« hypothèse du chercheur » parce que c'est elle que le chercheur tente de confirmer. Elle est désignée par H_1.

9. Le test d'indépendance n'est qu'un test d'hypothèse parmi d'autres. Ainsi, pour vérifier la présence d'un lien entre deux variables, on peut, selon la nature des variables et selon les échelles employées pour mesurer ces dernières, faire appel au test d'indépendance du khi carré, au test de la différence entre deux moyennes ou au test du coefficient de corrélation. Le choix du test constitue donc une étape préalable à tout test d'hypothèse.

Dans le cas d'un test d'indépendance, l'hypothèse nulle affirme que les variables sont indépendantes, qu'il n'y a pas de lien entre elles. Évidemment, l'hypothèse alternative consiste à affirmer le contraire, soit que les variables sont liées.

2. Le choix d'un seuil de signification (α)

Il s'agit ici de choisir le niveau de risque que l'on est prêt à tolérer en rejetant à tort l'hypothèse nulle. Ce pourcentage est établi par le chercheur, mais il est généralement fixé à 5 %, à 2 % ou à 1 %.

3. La vérification des conditions d'application

Chaque test d'hypothèse a ses propres conditions d'application. Pour un test d'indépendance, il faut que les données proviennent d'un échantillon aléatoire et il faut s'assurer que les fréquences théoriques valent toutes au moins 5 (soit $f_t \geq 5$). Des fréquences théoriques plus faibles pourraient engendrer une distorsion causée par des écarts relatifs trop importants. À cette étape, il est donc nécessaire de calculer toutes les fréquences théoriques et de les présenter dans un tableau, conjointement avec les fréquences observées. Si certaines des fréquences théoriques sont inférieures à 5, il faut alors procéder à un regroupement judicieux des catégories d'une des deux variables avant de poursuivre le test.

4. La détermination de la valeur critique

Chaque test d'hypothèse renvoie à sa propre table de valeurs critiques. Pour un test d'indépendance, il faut déterminer le nombre de degrés de liberté, soit

$$v = \left(\begin{array}{c} \text{Nombre de catégories} \\ \text{de la première variable} \end{array} - 1 \right) \times \left(\begin{array}{c} \text{Nombre de catégories} \\ \text{de la deuxième variable} \end{array} - 1 \right)$$

Ensuite, le seuil de signification et le nombre de degrés de liberté permettent de trouver $\chi^2_{\alpha;v}$ dans la table des valeurs critiques du khi carré.

5. La formulation de la règle de décision

Tout test d'hypothèse consiste à faire un choix entre deux hypothèses opposées en vertu d'une règle de décision. Pour un test d'indépendance, la règle de décision est la suivante: si $\chi^2 > \chi^2_{\alpha;v}$, c'est-à-dire si l'écart relatif entre les fréquences théoriques et les fréquences observées s'avère trop important pour être probable, on rejettera l'hypothèse nulle (H_0).

6. Le calcul de la statistique appropriée au test

Chaque test d'hypothèse se fonde sur une statistique qui lui est propre. Dans le cas d'un test d'indépendance, il s'agit d'évaluer la valeur

$\chi^2 = \sum \dfrac{(f_o - f_t)^2}{f_t}$. Plus les fréquences observées s'éloignent des fréquences

théoriques, plus cette valeur sera grande et plus l'hypothèse de l'indépendance (H_0) paraîtra invraisemblable parce qu'improbable.

7. La décision

Sur la base de l'échantillon, au seuil de signification fixé et en vertu de la règle de décision, on décide de rejeter ou de ne pas rejeter l'hypothèse nulle. Si on rejette l'hypothèse nulle, on retiendra l'hypothèse alternative et on dira qu'on a obtenu un **résultat significatif** au seuil de α. L'hypothèse du chercheur est alors confirmée.

Résultat significatif
Résultat qui provoque le rejet de l'hypothèse nulle dans un test d'hypothèse.

▶ **EXEMPLE**

Dans son édition du dimanche 20 février 2000, le journal *La Presse* rendait publics les résultats d'un sondage SOM-*La Presse* mené auprès d'un échantillon aléatoire de jeunes Québécois âgés de 15 à 29 ans et portant sur une foule de sujets, dont la satisfaction à l'égard du travail.

Le tableau 11.9 rend compte des réponses à la question : « Êtes-vous *Très, Assez, Peu* ou *Pas du tout* satisfait de l'emploi que vous occupez présentement ? » La répartition des répondants s'est faite selon la scolarité (variable explicative) et le degré de satisfaction (variable expliquée).

Tableau 11.9

Répartition de 217 jeunes Québécois âgés de 15 à 29 ans et occupant un emploi, selon leur scolarité et le degré de satisfaction par rapport à l'emploi occupé

Degré de satisfaction	Scolarité			Total
	Moins de 13 ans	13 – 15 ans	16 ans et plus	
Peu ou pas du tout	13	7	12	32
Assez	20	32	23	75
Très	26	47	37	110
Total	59	86	72	217

Grâce à ces données, nous pourrons vérifier s'il y a un lien entre la scolarité des jeunes Québécois et le degré de satisfaction à l'égard de leur emploi. Pour cela, nous allons effectuer un test d'indépendance en suivant les étapes d'un test d'hypothèse. Nous avons choisi d'utiliser un seuil de signification de 1 %.

1. La formulation des hypothèses

H_0 : Chez les jeunes Québécois âgés de 15 à 29 ans et occupant un emploi, il n'y a pas de lien entre la scolarité et le degré de satisfaction par rapport à l'emploi occupé.

H_1 : Chez les jeunes Québécois âgés de 15 à 29 ans et occupant un emploi, il y a un lien entre la scolarité et le degré de satisfaction par rapport à l'emploi occupé.

2. Le choix d'un seuil de signification (α)

Nous fixons le seuil de signification à 1 %.

3. La vérification des conditions d'application

Comme l'échantillon est aléatoire, il suffit de vérifier qu'aucune des fréquences théoriques n'est inférieure à 5. La fréquence théorique de la cellule se trouvant à l'intersection de la i–ième ligne et de la j–ième colonne est :

$$f_t = \frac{\text{Total de la } i \text{ - ième ligne} \times \text{Total de la } j \text{ - ième colonne}}{\text{Nombre total de données}}$$

Le tableau 11.10 montre l'ensemble des calculs que nous devons effectuer pour obtenir les fréquences théoriques correspondant à chaque cellule.

Tableau 11.10

Degré de satisfaction	Scolarité			Total
	Moins de 13 ans	13 – 15 ans	16 ans et plus	
Peu ou pas du tout	$\frac{32 \times 59}{217} = 8,7$	$\frac{32 \times 86}{217} = 12,7$	$\frac{32 \times 72}{217} = 10,6$	32
Assez	$\frac{75 \times 59}{217} = 20,4$	$\frac{75 \times 86}{217} = 29,7$	$\frac{75 \times 72}{217} = 24,9$	75
Très	$\frac{110 \times 59}{217} = 29,9$	$\frac{110 \times 86}{217} = 43,6$	$\frac{110 \times 72}{217} = 36,5$	110
Total	59	86	72	217

Plaçons maintenant les fréquences théoriques et les fréquences observées dans un même tableau (tableau 11.11).

Tableau 11.11

Degré de satisfaction	Scolarité			Total
	Moins de 13 ans	13 – 15 ans	16 ans et plus	
Peu ou pas du tout	13 / 8,7	7 / 12,7	12 / 10,6	32
Assez	20 / 20,4	32 / 29,7	23 / 24,9	75
Très	26 / 29,9	47 / 43,6	37 / 36,5	110
Total	59	86	72	217

Aucune des fréquences théoriques n'est donc inférieure à 5 et, de plus, l'échantillon est aléatoire. Par conséquent, on peut poursuivre le test.

4. La détermination de la valeur critique

Le nombre de degrés de liberté est :

$$v = \left(\begin{array}{c} \text{Nombre de catégories} \\ \text{de la première variable} \end{array} - 1 \right) \times \left(\begin{array}{c} \text{Nombre de catégories} \\ \text{de la deuxième variable} \end{array} - 1 \right)$$
$$= (3 - 1) \times (3 - 1)$$
$$= 4$$

On se reporte à la table des valeurs critiques (tableau 11.7) et on obtient $\chi^2_{\alpha;v} = 13,28$ pour $\alpha = 1\%$ et $v = 4$, c'est-à-dire que $\chi^2_{0,01;4} = 13,28$.

5. La formulation de la règle de décision

Comme l'indique la figure 11.3, nous rejetterons l'hypothèse nulle (H_0) lorsque $\chi^2 > \chi^2_{\alpha;v}$

Figure 11.3

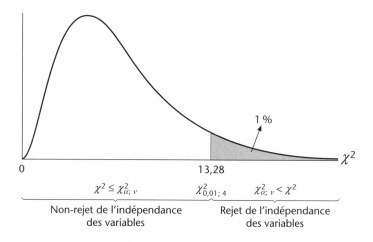

---

6. Le calcul de la statistique appropriée au test

Inscrivons les écarts relatifs $\dfrac{(f_o - f_t)^2}{f_t}$ de chacune des cellules du tableau 11.11 dans le tableau 11.12.

Effectuons la somme des écarts relatifs afin d'obtenir la valeur du carré de contingence :

$$\chi^2 = \sum \frac{(f_o - f_t)^2}{f_t}$$
$$= \frac{(13 - 8,7)^2}{8,7} + \frac{(7 - 12,7)^2}{12,7} + \cdots + \frac{(37 - 36,5)^2}{36,5}$$
$$= 2,13 + 2,56 + 0,18 + 0,01 + 0,18 + 0,14 + 0,51 + 0,27 + 0,01$$
$$= 5,99$$

Tableau 11.12

Degré de satisfaction	Scolarité		
	Moins de 13 ans	13 – 15 ans	16 ans et plus
Peu ou pas du tout	$\dfrac{(13-8,7)^2}{8,7}=2,13$	$\dfrac{(7-12,7)^2}{12,7}=2,56$	$\dfrac{(12-10,6)^2}{10,6}=0,18$
Assez	$\dfrac{(20-20,4)^2}{20,4}=0,01$	$\dfrac{(32-29,7)^2}{29,7}=0,18$	$\dfrac{(23-24,9)^2}{24,9}=0,14$
Très	$\dfrac{(26-29,9)^2}{29,9}=0,51$	$\dfrac{(47-43,6)^2}{43,6}=0,27$	$\dfrac{(37-36,5)^2}{36,5}=0,01$

7. La décision

Ici, $\chi^2 = 5,99 \leq 13,28 = \chi^2_{\alpha;v}$. Par conséquent, on ne rejette pas l'hypothèse nulle. Sur la base de notre échantillon, au seuil de 1 %, en vertu de la règle de décision, nous ne pouvons affirmer qu'il y a un lien entre le degré de satisfaction par rapport à l'emploi des jeunes Québécois occupant un emploi et leur scolarité[10]. ◀

EXERCICE 11.5

Lors d'une vaste enquête sur la santé de la population, Statistique Canada a mesuré, à l'aide d'un questionnaire, le niveau de stress que vivaient les Canadiens âgés de 18 ans et plus au regard des relations sociales et familiales[11].

Répartition de 15 000 Canadiens et Canadiennes adultes, selon le niveau de stress chronique

Niveau de stress	Sexe		Total
	Masculin	Féminin	
Faible	2 960	2 450	5 410
Modéré	3 120	2 590	5 710
Élevé	1 920	1 960	3 880
Total	8 000	7 000	15 000

10. On aurait également pu prendre cette décision sur la base de la probabilité d'obtenir une valeur χ^2 plus grande que 5,99. En consultant un logiciel statistique ou un chiffrier électronique, on établit que la probabilité d'obtenir une valeur de χ^2 plus grande que 5,99 est d'environ 20 %. Cette probabilité n'est pas suffisamment faible pour considérer que le résultat obtenu est invraisemblable. Par conséquent, il n'y a pas lieu de rejeter l'hypothèse selon laquelle les deux variables sont indépendantes.

11. Statistique Canada, *Rapport statistique sur la santé de la population canadienne*, Ottawa, nº 82-570-X1F au catalogue, mars 2000, p. 50-52. Les données présentées dans le tableau sont fictives, mais respectent les proportions identifiées dans la publication citée.

> Réalisez un test d'indépendance pour vérifier s'il y a un lien entre le sexe et le niveau de stress chez les Canadiens adultes. Utilisez un seuil de signification de 2 %.

11.4 Le coefficient de contingence et le coefficient de Cramér

Lorsque deux variables sont liées, on peut vouloir mesurer la force du lien observé. En effet, un lien entre deux variables peut être faible ou fort. Il existe plusieurs mesures du degré d'association entre deux variables présentées dans un tableau de contingence ; elles reposent généralement sur la statistique χ^2.

Les deux mesures d'association le plus fréquemment employées sont le **coefficient de contingence** (C) et le **coefficient de Cramér** (V) :

Coefficient de contingence

Mesure du degré d'association entre deux variables, lorsqu'une association a été établie par un test d'indépendance du khi carré.

$$C = \sqrt{\frac{\chi^2}{n + \chi^2}} \qquad \text{et} \qquad V = \sqrt{\frac{\chi^2}{n(h - 1)}}$$

où :

n = Nombre de données ;

h = Nombre de catégories (modalités) de la variable qui en a le moins.

Coefficient de Cramér

Mesure du degré d'association entre deux variables, lorsqu'une association a été établie par un test d'indépendance du khi carré.

La valeur de ces deux coefficients est toujours comprise entre 0 et 1. Plus la valeur de ces coefficients est élevée, plus le lien entre les variables est fort. On peut utiliser le guide d'interprétation présenté au tableau 11.13 pour qualifier l'intensité du lien mesurée par le coefficient V de Cramér.

Tableau 11.13

Interprétation du coefficient V de Cramér[12]

Valeur du coefficient de Cramér (V)	Intensité du lien
0,000 – 0,045	Très faible
0,045 – 0,090	Faible
0,090 – 0,180	Moyenne
0,180 – 0,360	Forte
0,360 – 1,000	Très forte

12. R. Bénichoux *et al.*, *Guide pratique de la communication scientifique*, Paris, Gaston Lachurié, éditeur, 1985, p. 211.

Le coefficient de Cramér peut prendre la valeur 1 quel que soit le nombre de lignes et de colonnes dans le tableau. En revanche, la valeur maximale du coefficient de contingence n'atteint pas nécessairement la valeur maximale de 1. En effet, la valeur maximale d'un coefficient de contingence tiré d'un tableau mettant en relation deux variables comptant le même nombre de catégories h vaut $\sqrt{\dfrac{h-1}{h}}$. C'est pourquoi il est préférable d'utiliser le coefficient de Cramér plutôt que le coefficient de contingence.

▶ **EXEMPLE**

D'après les données du tableau 11.1 (page 389), nous avons conclu que, au seuil de 5 %, il y avait un lien entre le rendement au travail et le résultat à l'épreuve de sélection. En effet, $\chi^2 = 47{,}75 > 9{,}49 = \chi^2_{0{,}05;4}$.

Mesurons l'intensité de ce lien au moyen du V de Cramér.

$$V = \sqrt{\frac{\chi^2}{n(h-1)}} = \sqrt{\frac{47{,}75}{200(2)}} = 0{,}35$$

Le lien entre les deux variables est donc relativement fort. ◀

EXERCICE 11.6

Des données de l'exercice 11.2 (page 393), on obtient $\chi^2 = 18{,}48$. Il y a donc un lien entre les variables de ce tableau au seuil de 1 %. Évaluez l'intensité de ce lien au moyen du V de Cramér.

11.5 Le test de la différence entre deux moyennes (test « t »)*[13]

Lorsqu'on veut comparer deux groupes par rapport à une variable quantitative, on peut généralement utiliser un test de la différence entre deux moyennes. L'emploi de ce test est très répandu en psychologie. Il est communément appelé test « t », parce qu'il est fondé sur la statistique t d'une loi de probabilité appelée loi de Student.

Afin d'illustrer notre propos, revenons à l'exemple 7 de la page 382, qui décrivait une expérience par laquelle on voulait vérifier si la privation de sommeil avait un effet sur l'accomplissement d'une tâche intellectuelle. Pour mesurer la capacité d'accomplir une tâche intellectuelle, le psychologue se serait servi du temps pris par un sujet pour résoudre un casse-tête. Dans ce contexte, on peut évaluer le rendement d'un individu par le temps pris

---

13. Les sections et les questions marquées d'un astérisque sont optionnelles.

pour résoudre le casse-tête : plus le sujet résout le casse-tête rapidement, plus il est performant.

Il y a deux variables dans cette expérience : le traitement (sommeil normal ou privation de sommeil) et le temps de résolution du casse-tête. Le traitement qu'on fait subir aux sujets de l'expérience constitue la variable manipulée, c'est-à-dire celle dont l'expérimentateur détermine la modalité pour chacun des sujets. Il s'agit d'une variable qualitative nominale. La deuxième variable est une variable quantitative continue.

Dans ce contexte, la question de recherche est : « Le traitement auquel on soumet les sujets a-t-il un effet sur leur rendement ? » L'hypothèse de recherche est que la privation de sommeil réduit la capacité d'accomplir une tâche intellectuelle.

Pour répondre à la question de recherche, nous allons agréger les rendements des sujets en calculant le temps moyen pour un échantillon aléatoire de sujets de chacun des deux groupes qui seront identifiés respectivement par les indices « 1 » (groupe expérimental) et « 2 » (groupe de contrôle). En vue de montrer que le traitement a un effet, nous supposerons d'abord qu'il n'en a pas (c'est l'hypothèse nulle : les temps moyens des deux groupes sont les mêmes), puis nous tenterons de déterminer si les données expérimentales sont compatibles avec cette hypothèse en comparant la moyenne de chacun des échantillons. Si le temps moyen du groupe expérimental (les personnes qu'on a privées de sommeil) se révèle nettement supérieur à celui du groupe de contrôle (les personnes qu'on a laissées dormir normalement), on pourra penser que la privation de sommeil a un effet sur le rendement. Afin de généraliser les résultats obtenus auprès l'échantillon à l'ensemble de la population, on effectuera un test d'hypothèse sur la différence entre deux moyennes.

La démarche suivie dans un tel test est similaire à celle du test d'indépendance, que nous venons d'étudier. Faisons une brève description de chacune des étapes du test de la différence entre deux moyennes.

1. La formulation des hypothèses

Dans un test de la différence entre deux moyennes, les hypothèses peuvent être formulées de trois façons selon qu'on veut montrer que la moyenne μ_1 du premier groupe est différente, inférieure ou supérieure à la moyenne μ_2 du deuxième groupe.

Tableau 11.14

Les hypothèses dans un test de la différence entre deux moyennes

	Premier cas	Deuxième cas	Troisième cas
Hypothèse nulle	$H_0 : \mu_1 = \mu_2$	$H_0 : \mu_1 = \mu_2$	$H_0 : \mu_1 = \mu_2$
Hypothèse alternative	$H_1 : \mu_1 \neq \mu_2$	$H_1 : \mu_1 < \mu_2$	$H_1 : \mu_1 > \mu_2$

Chacune de ces trois variantes demandera une règle de décision particulière. On dit du premier cas qu'il s'agit d'un **test bilatéral,** puisque la règle de décision présentera deux zones de rejet de l'hypothèse nulle. Chacun des deux autres cas constitue un **test unilatéral**, puisqu'on n'y verra qu'une seule zone de rejet de l'hypothèse nulle.

Dans notre expérience, on désire tester l'hypothèse voulant que le manque de sommeil diminue le rendement, soit qu'il faut plus de temps pour résoudre le casse-tête. À cette fin, on s'efforcera de montrer que le temps moyen de résolution du casse-tête des personnes qui ont été privées de sommeil (groupe 1) est supérieur à celui des personnes qu'on a laissées dormir normalement (groupe 2). La formulation des hypothèses sera donc celle du troisième cas.

> **Test bilatéral**
>
> Test d'hypothèse qui présente deux zones de rejet de l'hypothèse nulle.

> **Test unilatéral**
>
> Test d'hypothèse qui ne présente qu'une seule zone de rejet de l'hypothèse nulle.

2. **Le choix d'un seuil de signification (α)**

On choisit un des seuils habituels, soit $\alpha = 5\,\%$, $\alpha = 2\,\%$ ou $\alpha = 1\,\%$[14].

3. **La vérification des conditions d'application**

Le test que nous faisons s'applique lorsque les échantillons sont de petite taille ($n_1 < 30$ ou $n_2 < 30$)[15]. De plus, les échantillons doivent avoir été prélevés au hasard et de manière indépendante au sein d'une population pour laquelle la caractéristique observée dans chacun des deux groupes correspond au modèle de la loi normale et présente le même écart type pour les deux groupes.

4. **La détermination de la (des) valeur(s) critique(s)**

On trouve la (ou les) valeur(s) critique(s) ($t_{\alpha;\,v}$, $-t_{\alpha;\,v}$, $-t_{\alpha/2;\,v}$ et $t_{\alpha/2;\,v}$) dans une table de la loi de Student (tableau 11.15). Les valeurs critiques dépendent du seuil de signification α, du nombre de degrés de liberté ($v = n_1 + n_2 - 2$ dans un test de la différence entre deux moyennes) et de la nature du test (bilatéral ou unilatéral).

Ainsi, à titre d'exemple,

$$t_{0,05;22} = 1,717, \quad t_{0,01;12} = 2,681 \text{ et } t_{0,02;35} = 2,133.$$

---

14. Selon les circonstances, on pourra choisir un seuil de signification supérieur ou inférieur à ces valeurs. Si, dans une situation particulière, des enjeux monétaires, humains ou sociaux importants sont associés au rejet d'une hypothèse nulle alors que cette dernière est valable, on renforcera les conditions de rejet en optant pour un seuil plus faible que 1 %. Lorsque, au contraire, ces enjeux sont associés au non-rejet d'une hypothèse nulle alors que cette dernière est fausse, on choisira un seuil supérieur à 5 %. Par exemple, lorsque les coûts associés au remplacement d'une instrumentation médicale sont très importants, on s'assurera que la nouvelle instrumentation est vraiment supérieure à l'ancienne. La preuve sera d'autant plus convaincante que le seuil de signification sera petit. En revanche, si les coûts associés à ce remplacement sont faibles et que les bénéfices escomptés sont importants, on se contentera d'une preuve moins convaincante en choisissant un seuil supérieur à 5 %.

15. Il existe d'autres tests qu'on peut effectuer lorsque la taille de chacun des échantillons est supérieure ou égale à 30, ou encore lorsque les échantillons n'ont pas été prélevés de manière indépendante, mais nous ne les aborderons pas ici.

Tableau 11.15

Table des valeurs critiques de la loi de Student

Les valeurs de la table donnent $t_{\alpha;\, \nu}$, qui délimite une région dont l'aire représente une probabilité $\alpha = P(T > t_{\alpha;\, \nu})$ lorsque le nombre de degrés de liberté est ν.

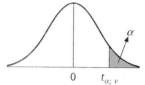

ν	$t_{0,05;\, \nu}$	$t_{0,025;\, \nu}$	$t_{0,02;\, \nu}$	$t_{0,01;\, \nu}$	$t_{0,005;\, \nu}$
1	6,314	12,706	15,894	31,821	63,657
2	2,920	4,303	4,849	6,965	9,925
3	2,353	3,182	3,482	4,541	5,841
4	2,132	2,776	2,999	3,747	4,604
5	2,015	2,571	2,757	3,365	4,032
6	1,943	2,447	2,612	3,143	3,707
7	1,895	2,365	2,517	2,998	3,499
8	1,860	2,306	2,449	2,896	3,355
9	1,833	2,262	2,398	2,821	3,250
10	1,812	2,228	2,359	2,764	3,169
11	1,796	2,201	2,328	2,718	3,106
12	1,782	2,179	2,303	2,681	3,055
13	1,771	2,160	2,282	2,650	3,012
14	1,761	2,145	2,264	2,624	2,977
15	1,753	2,131	2,249	2,602	2,947
16	1,746	2,120	2,235	2,583	2,921
17	1,740	2,110	2,224	2,567	2,898
18	1,734	2,101	2,214	2,552	2,878
19	1,729	2,093	2,205	2,539	2,861
20	1,725	2,086	2,197	2,528	2,845
21	1,721	2,080	2,189	2,518	2,831
22	1,717	2,074	2,183	2,508	2,819
23	1,714	2,069	2,177	2,500	2,807
24	1,711	2,064	2,172	2,492	2,797
25	1,708	2,060	2,167	2,485	2,787
26	1,706	2,056	2,162	2,479	2,779
27	1,703	2,052	2,158	2,473	2,771
28	1,701	2,048	2,154	2,467	2,763
29	1,699	2,045	2,150	2,462	2,756
30	1,697	2,042	2,147	2,457	2,750
35	1,690	2,030	2,133	2,438	2,724
40	1,684	2,021	2,123	2,423	2,704
50	1,676	2,009	2,109	2,403	2,678
60	1,671	2,000	2,099	2,390	2,660
100	1,660	1,984	2,081	2,364	2,626
120	1,658	1,980	2,076	2,358	2,617
∞	1,645	1,960	2,054	2,326	2,576

La courbe de la loi de Student, d'où sont tirées les valeurs critiques, ressemble à la courbe de la loi normale; en fait, lorsque le nombre de degrés de liberté est suffisamment grand, la loi normale et la loi de Student se confondent.

5. La formulation de la règle de décision

La règle de décision, dans un test de la différence entre deux moyennes, est fonction de l'hypothèse alternative retenue. Le principe qui sous-tend cette règle de décision est le même que pour le test d'indépendance : on rejette l'hypothèse nulle si elle paraît invraisemblable (improbable) en vertu des résultats échantillonnaux.

Les graphiques de la figure 11.4 rendent compte des trois cas possibles. Remarquez que le premier cas est un test bilatéral : il comporte deux zones (ombragées) de rejet de l'hypothèse nulle délimitant des aires qui représentent chacune la moitié de la valeur du seuil de signification. Les deux autres cas sont des tests unilatéraux : ils ne comportent qu'une seule zone (ombragée) de rejet de l'hypothèse nulle.

Figure 11.4

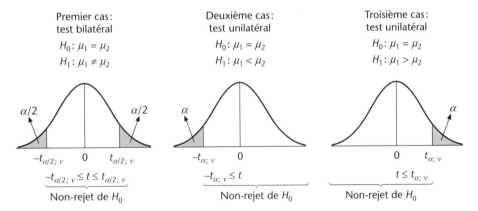

**Localisation des zones de non-rejet de l'hypothèse nulle
pour un test de la différence entre deux moyennes**

6. Le calcul de la statistique appropriée au test

La statistique t mesure la différence entre les deux moyennes pondérée par un écart type ajusté de façon à tenir compte des écarts types et de la taille des deux échantillons.

$$t = \frac{\overline{x}_1 - \overline{x}_2}{\sqrt{\dfrac{(n_1 - 1)s_1^2 + (n_2 - 1)s_2^2}{n_1 + n_2 - 2}} \sqrt{\dfrac{1}{n_1} + \dfrac{1}{n_2}}}$$

7. La décision

Sur la base des données échantillonnales, au seuil de signification fixé et en vertu de la règle de décision, on décide de rejeter ou de maintenir l'hypothèse nulle. Si on rejette l'hypothèse nulle, on acceptera l'hypothèse alternative et on dira que le résultat est significatif[16] au seuil de α.

▶ **EXEMPLE**

Le tableau 11.16 présente les résultats obtenus lors de l'expérience sur la privation de sommeil.

Tableau 11.16

Résultats de l'expérience

	Groupe expérimental	Groupe de contrôle
Nombre de sujets	10	8
Temps moyen (secondes) pour résoudre le casse-tête	235	200
Écart type (secondes)	30	25

Peut-on, à partir de ces données, affirmer que, au seuil de 5 %, la privation de sommeil réduit la performance à une tâche intellectuelle ?

Pour répondre à cette question, nous allons effectuer un test de la différence entre deux moyennes en appliquant les étapes d'un test d'hypothèse vues précédemment. Nous désignerons le groupe expérimental par l'indice « 1 » et le groupe de contrôle par l'indice « 2 ».

1. La formulation des hypothèses

On veut montrer que le manque de sommeil diminue le rendement, c'est-à-dire que le temps moyen de résolution du casse-tête est plus élevé chez des personnes privées de sommeil (groupe 1) que chez celles qui ont dormi normalement (groupe 2). Les hypothèses seront donc :

$H_0 : \mu_1 = \mu_2$

$H_1 : \mu_1 > \mu_2$

2. Le choix d'un seuil de signification (α)

On fixe le seuil α à 5 %.

---

16. L'économiste F. Edgeworth, à qui l'on doit une représentation graphique d'une théorie de l'échange (la boîte de Edgeworth), aurait été à l'origine de l'emploi du mot « significatif » pour désigner la présence d'une différence réelle entre les moyennes.

3. La vérification des conditions d'application

Nous supposons ici, sans autre vérification, que les échantillons ont été prélevés au hasard et de manière indépendante au sein d'une population pour laquelle la caractéristique observée (le temps de résolution du casse-tête) dans chacun des deux groupes correspond au modèle de la loi normale et présente le même écart type. Par ailleurs, les deux échantillons sont de taille inférieure à 30.

4. La détermination de la valeur critique

Le nombre de degrés de liberté est :

$$v = n_1 + n_2 - 2 = 10 + 8 - 2 = 16$$

Pour $v = 16$ et $\alpha = 5\ \%$, nous obtenons $t_{\alpha;v} = t_{0,05;16} = 1,746$.

5. La formulation de la règle de décision

La règle de décision est représentée dans la figure 11.5 : on ne rejette pas l'hypothèse nulle lorsque $t \leq t_{\alpha;v}$.

Figure 11.5

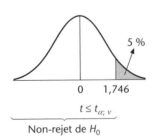

5 %

0   1,746

$t \leq t_{\alpha;\ v}$

Non-rejet de H_0

6. Le calcul de la statistique appropriée au test

$$t = \frac{\overline{x}_1 - \overline{x}_2}{\sqrt{\dfrac{(n_1 - 1)s_1^2 + (n_2 - 1)s_2^2}{n_1 + n_2 - 2}}\sqrt{\dfrac{1}{n_1} + \dfrac{1}{n_2}}}$$

$$= \frac{235 - 200}{\sqrt{\dfrac{(10 - 1)30^2 + (8 - 1)25^2}{10 + 8 - 2}}\sqrt{\dfrac{1}{10} + \dfrac{1}{8}}}$$

$$= 2,64$$

7. La décision

Nous constatons que $t = 2,64 > 1,746 = t_{0,05;16}$. Nous rejetons donc l'hypothèse nulle. Sur la base de notre échantillon, au seuil de 5 %, en vertu de la règle de décision, nous pouvons affirmer que la privation de sommeil exerce un effet négatif sur la capacité d'accomplir une tâche intellectuelle comme celle de résoudre un casse-tête. ◄

EXERCICE 11.7

Une enseignante en bureautique lit dans une revue qu'un nouveau clavier d'ordinateur permet une saisie de texte plus rapide. On y décrit une expérience effectuée auprès de deux groupes qui suivent une formation avec le même professeur. Le premier groupe d'élèves s'est servi du clavier classique, et le second, du nouveau clavier. Les élèves avaient été répartis aléatoirement entre les deux groupes afin d'éviter les biais. Voici les résultats obtenus à la fin de la formation :

Résultats de l'expérience

	Ancien clavier	Nouveau clavier
Nombre de sujets	20	22
Moyenne (mots/min)	58	60
Écart type (mots/min)	5	7

Testez, au seuil de 1 %, l'affirmation contenue dans l'article de la revue.

RÉSUMÉ

L'étude des liens entre les variables se révèle très importante en sciences humaines. En effet, si des variables sont corrélées ou liées, on peut se fonder sur l'information connue au sujet d'une des variables pour obtenir des renseignements sur l'autre variable.

Il existe plusieurs types de liens entre des variables : la concomitance, l'interdépendance et la causalité. On parle de concomitance lorsque deux phénomènes se produisent en même temps, souvent sous l'influence d'un troisième facteur. On dit que les variables sont interdépendantes lorsqu'elles influent l'une sur l'autre. On parle de causalité lorsque l'une des variables agit sur l'autre variable. La variable qui agit porte le nom de variable indépendante ou explicative, et l'autre, de variable dépendante ou expliquée.

Afin de déterminer s'il y a un lien entre deux variables, on peut faire appel à des tests d'hypothèses. Un test d'hypothèse est un procédé qui permet de choisir entre deux hypothèses contraires appelées, d'une part, hypothèse nulle (H_0) et, d'autre part, hypothèse alternative ou contre-hypothèse (H_1).

Le test d'indépendance du χ^2 fait partie des tests d'hypothèses. Le principe qui sous-tend le test d'indépendance est fort simple. On compare les fréquences observées (f_o), regroupées dans un tableau de contingence, avec les fréquences théoriques (f_t), calculées selon l'hypothèse de l'indépendance des deux variables :

$$f_t = \frac{\text{Total de la } i \text{ - ième ligne} \times \text{Total de la } j \text{ - ième colonne}}{\text{Nombre total de données}}$$

On mesure ensuite l'écart entre les fréquences observées et les fréquences théoriques, écart que l'on désigne par χ^2, dont l'expression est :

$$\chi^2 = \sum \frac{(f_o - f_t)^2}{f_t}$$

et qui correspond à la statistique appropriée à un test d'indépendance.

Si l'écart est trop important pour être attribué au hasard (une probabilité inférieure à 5 %, à 2 % ou à 1 %), on en conclut que les variables sont liées. On considérera que l'écart est trop important s'il dépasse une valeur critique désignée par $\chi^2_{\alpha;v}$ (tirée de la loi du khi carré), soit lorsque $\chi^2 > \chi^2_{\alpha;v}$. Cette valeur critique dépend du seuil de signification (α), qui est généralement fixé à 5 %, à 2 % ou à 1 %. Elle dépend également du nombre de degrés de liberté (v) :

$$v = \left(\begin{array}{c} \text{Nombre de catégories} \\ \text{de la première variable} \end{array} - 1 \right) \times \left(\begin{array}{c} \text{Nombre de catégories} \\ \text{de la deuxième variable} \end{array} - 1 \right)$$

La décision de rejeter ou de ne pas rejeter l'hypothèse nulle ne se fonde jamais sur une certitude. Elle repose sur la probabilité que les résultats observés se réalisent selon l'hypothèse nulle. Or, un événement probable n'est jamais certain, et un événement rare est toujours possible. On peut donc commettre une erreur lorsqu'on prend une décision dans un test d'hypothèse.

Le seuil de signification (α) correspond au risque de commettre une erreur de première espèce, c'est-à-dire de rejeter l'hypothèse nulle alors qu'elle est vraie. Par ailleurs, l'erreur de deuxième espèce (β) représente le risque de ne pas rejeter l'hypothèse nulle alors qu'elle est fausse. Toutes choses étant égales par ailleurs, l'erreur de deuxième espèce augmente lorsque l'erreur de première espèce diminue. Les différentes situations possibles, selon la décision prise lors du test, sont présentées dans le tableau 11.8 (page 400).

Tout test d'hypothèse comporte sept étapes :

1. La formulation des hypothèses ;
2. Le choix d'un seuil de signification (α) ;
3. La vérification des conditions d'application ;
4. La détermination de la valeur critique ;
5. La formulation de la règle de décision ;
6. Le calcul de la statistique appropriée au test ;
7. La décision.

Après avoir établi au moyen d'un test d'indépendance du khi carré la présence d'un lien entre deux variables, il peut être intéressant de mesurer la force de ce lien à l'aide du coefficient de contingence (C) ou du coefficient de Cramér (V) :

$$C = \sqrt{\frac{\chi^2}{n + \chi^2}} \quad \text{et} \quad V = \sqrt{\frac{\chi^2}{n(h-1)}}$$

où :

n = Nombre de données ;

h = Nombre de catégories de la variable qui en a le moins.

La valeur de ces coefficients est comprise entre 0 et 1. Plus elle est élevée, plus le lien entre les variables est fort. Le tableau 11.13 (page 406) présente un guide d'interprétation de la valeur du V de Cramér.

Il existe d'autres tests d'hypothèses que le test d'indépendance. Le test « t » de la différence entre deux moyennes est employé de manière courante en psychologie. Pour ce test, la statistique appropriée est :

$$t = \frac{\overline{x}_1 - \overline{x}_2}{\sqrt{\dfrac{(n_1 - 1)s_1^2 + (n_2 - 1)s_2^2}{n_1 + n_2 - 2}} \sqrt{\dfrac{1}{n_1} + \dfrac{1}{n_2}}}$$

Le nombre de degrés de liberté utilisé pour déterminer la (ou les) valeur(s) critique(s) de ce test est $v = n_1 + n_2 - 2$, où n_1 et n_2 représentent les tailles respectives des deux échantillons.

Ce test sert à comparer les moyennes de deux groupes ayant subi des traitements différents. La règle de décision varie cependant selon le type de comparaison que l'on veut faire entre les moyennes ; le test peut être bilatéral ou unilatéral. La figure 11.4 (page 411) rend compte des situations possibles.

MOTS CLÉS

Carré de contingence, p. 394
Causalité, p. 385
Coefficient de contingence, p. 406
Coefficient de Cramér, p. 406
Concomitance (ou cooccurrence), p. 384
Corrélation négative, p. 384
Corrélation positive, p. 384
Distribution conditionnelle, p. 390
Distribution marginale, p. 390

Erreur de deuxième espèce, p. 399
Erreur de première espèce, p. 399
Fréquences observées, p. 391
Fréquences théoriques, p. 391
Hypothèse alternative, p. 400
Hypothèse nulle, p. 400
Interdépendance, p. 384
Marge, p. 390
Nombre de degrés de liberté , p. 396

Résultat significatif, p. 402
Seuil de signification, p. 395
Tableau de contingence, p. 389
Test bilatéral, p. 409
Test unilatéral, p. 409
Valeur critique, p. 396
Variable contrôlée, p. 386
Variable dépendante, p. 385
Variable indépendante, p. 385
Variables corrélées, p. 383
Variables indépendantes, p. 383

EXERCICES RÉCAPITULATIFS

1. Indiquez la relation (indépendance, concomitance, interdépendance, causalité) qui vous paraît la plus plausible entre les variables suivantes.

   a) L'âge de deux conjoints.

   b) La taille d'une personne âgée de plus de 30 ans et son niveau de scolarité.

   c) Le nombre d'usines de produits chimiques situées sur les berges d'une rivière et le degré de pollution de cette rivière.

   d) La consommation de tabac chez une femme enceinte et la masse du bébé à la naissance.

   e) La pointure des chaussures d'enfants de 6 à 12 ans et le résultat de ces enfants à un même test de lecture.

   f) La quantité de caféine absorbée et le nombre d'heures de sommeil.

   g) Le revenu d'un individu et le nombre d'actions en bourse qu'il possède.

   h) Dans les villes du Québec, le volume des déchets domestiques et le nombre d'écoles primaires.

2. Dans les contextes suivants, sans présumer un lien de causalité, indiquez la variable qui vous semble la plus susceptible d'être la variable indépendante. Dites si la corrélation exprimée devrait être positive ou négative.

   a) La fréquence des relations sexuelles augmente avec la stabilité de l'emploi.

   b) L'âge et la masse d'une personne mineure.

   c) Le nombre d'absences à un cours de méthodes quantitatives et la note finale à ce cours.

   d) La scolarité d'un individu et le risque d'être au chômage.

   e) Chez des enfants de 6 à 12 ans, l'âge et la distance parcourue à la course en une minute.

   f) La taille d'une fille adulte et la taille de son père.

   g) Le temps de réaction à un stimulus et la quantité d'alcool présente dans le sang d'un individu.

   h) La quantité de caféine absorbée et le nombre d'heures de sommeil.

3. En pages 1 et 2 de l'édition du 20 mars 1995 du journal *FORUM,* publié par l'Université de Montréal, Daniel Baril rapportait les résultats d'une étude réalisée par un professeur de géographie. Voici un extrait de cet article :

   > Aux périodes de faible activité solaire, c'est-à-dire de diminution des taches à la surface du soleil, correspond une augmentation de la production végétale, du moins dans les régions en altitude récemment dégagées par les glaciers. L'activité solaire faible, qui entraîne une augmentation du carbone 14 dans la haute atmosphère terrestre, se traduit donc par un réchauffement du climat.

C'est la conclusion à laquelle arrive Pierre Gangloff, du Département de géographie, après une analyse du pollen des sédiments du lac Dolbeau au mont Jacques-Cartier, en Gaspésie.

[...]

Ses recherches montrent que, durant la période comprise entre –11 000 et –7 000 ans, soit à partir du moment où la base des Chic-Choc a été libérée des glaces de la dernière glaciation, les hausses et les baisses de la production végétale – mesurée par la quantité de pollen – correspondent de façon inverse aux hausses et aux baisses de l'activité solaire – mesurée par le taux de carbone 14 résiduel dans les cernes de croissance des arbres.

[...]

Le professeur s'appuie surtout sur la période comprise entre –8 000 et –7 500 ans, où il a mis en lumière qu'une chute brutale de la quantité de pollen accompagnait une hausse tout aussi brutale de l'activité solaire.

À partir de cet extrait, répondez aux questions suivantes :

a) Quels sont les indicateurs employés pour évaluer l'activité solaire et la production végétale ?

b) Le chercheur a vérifié une hypothèse exprimée sous la forme d'une relation entre deux variables. Quelle est cette hypothèse ?

c) Dans ce contexte, quelle est la variable indépendante ? Justifiez votre réponse.

d) La corrélation entre ces deux variables est-elle positive ou négative ? Justifiez votre réponse.

4. Sur quelle hypothèse repose le calcul des fréquences théoriques dans un tableau de contingence ?

5. Dans le cadre de l'*Étude longitudinale sur les enfants et les jeunes*, Statistique Canada a évalué la maturité scolaire d'un échantillon de plus de 3 000 enfants de 4 et 5 ans à l'aide du test de vocabulaire par l'image de Peabody. En fonction des résultats qu'ils obtiennent à ce test, les enfants sont classés selon un niveau de maturité scolaire : en retard, normal ou avancé.

Répartition en pourcentage d'enfants de 4 et 5 ans, selon le niveau de maturité scolaire par scolarité du parent le plus scolarisé

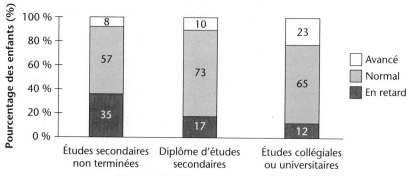

Source : Statistique Canada, *Rapport statistique sur la santé de la population canadienne* (version révisée), Ottawa, n° 82-570-XIF au catalogue, mars 2000, p. 34.

a) Quelles sont les deux variables mises en relation dans le graphique ?

b) Quelle échelle de mesure a été employée pour mesurer chacune des deux variables ?

c) Laquelle des deux variables est la variable explicative ? Justifiez votre choix.

d) Quelles sont les modalités de la variable explicative ?

e) Quel est le pourcentage des enfants dont le parent le plus scolarisé n'a pas terminé ses études secondaires qui présentent une maturité scolaire avancée ?

f) Quel est le pourcentage des enfants dont le parent le plus scolarisé a terminé des études collégiales ou universitaires qui présentent une maturité scolaire avancée ?

g) S'il n'y avait pas de lien entre les deux variables étudiées, quelle relation (égal ou différent) devrait-il exister entre les pourcentages trouvés en *e* et *f* ?

h) Peut-on penser qu'il existe un lien entre la maturité scolaire des enfants de 4 et 5 ans et la scolarité du parent le plus scolarisé ?

i) Quelle procédure statistique faudrait-il utiliser pour confirmer ou infirmer la réponse donnée en *h* ?

6. *a)* Complétez le tableau suivant en inscrivant les totaux et les fréquences théoriques. Les données contenues dans le tableau ont été obtenues à partir d'un échantillon aléatoire.

Répartition de 150 enseignants, selon le sexe et l'âge

Âge (années)	Sexe		Total
	Masculin	Féminin	
20 – 30	10	15	
30 – 40	15	15	
40 – 50	25	10	
50 – 60	35	5	
60 – 70	15	5	
Total			

b) Calculez la valeur χ^2.

7. *a)* Complétez le tableau suivant en inscrivant les totaux et les fréquences théoriques. Les données contenues dans le tableau ont été obtenues à partir d'un échantillon aléatoire.

Répartition de 450 employés d'une grande entreprise, selon l'âge et les absences au travail

Absences	Âge (années)			Total
	20 – 35	35 – 50	50 – 65	
Fréquentes	20	85	95	
Occasionnelles	18	70	62	
Nulles	12	45	43	
Total				

b) Quelle est la variable explicative?

c) Dressez le tableau présentant les distributions conditionnelles par classe d'âge.

d) Est-ce que le tableau construit en *c* vous permet de soupçonner un lien entre l'âge et les absences au travail?

e) Calculez la valeur χ^2.

8. Vrai ou faux?

a) Lorsque $\chi^2 > \chi^2_{\alpha;v}$, on considère que les variables sont indépendantes.

b) Dans un test d'indépendance du khi carré, les fréquences théoriques doivent être supérieures ou égales à 5.

c) Pour un v donné, plus α est élevé, plus la valeur $\chi^2_{\alpha;v}$ est petite.

d) Pour un α donné, plus v est élevé, plus $\chi^2_{\alpha;v}$ est grand.

e) Plus les fréquences théoriques sont voisines des fréquences observées, plus la valeur χ^2 est petite.

9. Un chercheur est chargé par une compagnie d'assurances de déterminer si les accidents de la circulation fatals sont liés à la dimension des voitures. Le chercheur a sélectionné aléatoirement 350 dossiers d'accidents (120 accidents fatals et 230 non fatals) et a regroupé les renseignements qui s'y trouvaient dans le tableau suivant:

**Répartition de 350 accidents de voiture,
selon la dimension de la voiture et la nature de l'accident**

Nature de l'accident	Dimension de la voiture			Total
	Petite	Moyenne	Grande	
Fatal	68	36	16	120
Non fatal	122	74	34	230
Total	190	110	50	350

a) Quelles sont les variables étudiées ?

b) Laquelle des deux variables est la variable explicative ?

c) Indiquez la nature de chacune des variables.

d) Quelles sont les échelles de mesure utilisées ?

e) Est-ce que les données présentées dans le tableau indiquent la présence d'un lien entre les variables étudiées ? Prenez un seuil de signification de 5 %.

10. Un institut de sondage veut tester s'il y a un lien entre le comportement des personnes face à un questionnaire reçu par la poste (réponse ou non-réponse) et le type d'incitation employé. Le sondeur expédie donc 500 questionnaires, dont 125 n'offrent rien à ceux qui y répondent et 375 offrent à ceux qui y répondent une récompense (échantillon d'un produit, coupons de réduction ou somme d'argent). Voici les résultats qu'il a obtenus :

Répartition des sujets, selon l'incitation employée et le comportement

Comportement	Incitation				Total
	Aucune	Échantillon	Coupons	Argent	
Réponse	25	40	55	30	150
Non-réponse	100	90	150	10	350
Total	125	130	205	40	500

Les données nous permettent-elles de penser qu'il y a un lien entre le comportement et l'incitation employée ? Utilisez un seuil de signification de 1 %.

11. Une récente étude sur la santé mettait en relation l'activité physique et la santé psychologique. Lors de cette étude, on a défini quatre catégories décrivant le niveau et la fréquence de l'activité physique : intense (dépense énergétique forte durant une activité physique régulière), modérée (dépense énergétique moyenne durant une activité physique régulière), légère (dépense énergétique faible durant une activité physique régulière) et sédentaire (activité physique irrégulière). On a également classé les

personnes interrogées selon qu'elles avaient vécu un épisode dépressif majeur (EDM) au cours des deux années précédant l'étude.

Répartition de 7 591 Canadiens de 12 ans et plus, selon la catégorie d'activité physique et la présence ou l'absence d'EDM

EDM	Activité physique				Total
	Sédentaire	Légère	Modérée	Intense	
Oui	144	40	68	58	310
Non	2 858	1 149	1 710	1 564	7 281
Total	3 002	1 189	1 778	1 622	7 591

Source : J. Chen et W. J. Millar, « Les conséquences de l'activité physique sur la santé », *Rapport sur la santé*, vol. 11, n° 1, Statistique Canada, n° 82-570-XIF au catalogue, été 1999, p. 31.

a) Quelle est la population étudiée ?

b) Quelles sont les deux variables étudiées ?

c) De quelle nature est chacune de ces deux variables ?

d) Quel est le pourcentage des personnes interrogées qui ont subi un épisode dépressif majeur ?

e) Si on suppose que l'échantillon a été prélevé par échantillonnage aléatoire simple avec remise, estimez par un intervalle de confiance la proportion des Canadiens de 12 ans et plus qui sont sédentaires. Utilisez un niveau de confiance de 98 %.

f) Est-ce que les données présentées nous permettent d'affirmer qu'il y a un lien entre l'activité physique et la santé psychologique ? Utilisez un seuil de signification de 2 %.

12. Depuis quelques années, l'Association médicale canadienne recommande aux cyclistes de porter un casque protecteur afin de réduire la gravité des blessures à la tête lors d'un accident. On peut toutefois se demander si toutes les couches de la société sont rejointes par la recommandation de cet organisme. À partir des données suivantes[17], êtes-vous en mesure d'affirmer, au seuil de signification de 1 %, qu'il y a un lien entre la fréquence d'utilisation d'un casque protecteur à vélo et le niveau d'instruction ?

---

17. Les données sont fictives, mais respectent assez fidèlement les proportions qu'on retrouve dans Statistique Canada, *Rapport statistique sur la santé de la population canadienne* (version révisée), Ottawa, no 82-570-XIF au catalogue, mars 2000, p. 218.

Répartition de 4 500 cyclistes Canadiens de 12 ans et plus, selon le niveau d'instruction et la fréquence du port d'un casque protecteur à vélo

Fréquence	Niveau d'instruction				Total
	Inférieur au secondaire	Secondaire	Collégial	Universitaire	
Toujours	80	460	345	180	1 065
À l'occasion	70	240	135	55	500
Jamais	350	1 300	1 020	265	2 935
Total	500	2 000	1 500	500	4 500

13. Depuis plusieurs années, trois professeurs donnent le cours de méthodes quantitatives. Certaines personnes ont fait courir la rumeur que ces trois professeurs n'avaient pas les mêmes exigences en matière d'évaluation et qu'en conséquence les résultats des élèves dépendaient du professeur avec lequel ils avaient suivi le cours. Pour mettre fin à ces rumeurs, les trois professeurs ont construit le tableau suivant à partir d'un échantillon aléatoire de 500 élèves auxquels ils ont enseigné. Ces données sont-elles suffisantes pour vous permettre d'affirmer au seuil de 5 % que les rumeurs sont sans fondement ?

Répartition de 500 élèves, selon le professeur et la note

Note	Professeur			Total
	Dupuis	Dupont	Duguay	
Moins de 60	60	20	40	120
60 – 80	160	50	80	290
80 et plus	50	20	20	90
Total	270	90	140	500

14. S'il y a lieu, évaluez et qualifiez l'intensité du lien entre les variables des exercices 9 à 13.

15*. On veut vérifier s'il existe une différence sur le plan de la dextérité entre les garçons et les filles. Voici le temps moyen nécessaire à l'accomplissement d'un exercice de dextérité observé auprès de deux échantillons aléatoires indépendants :

	Filles	Garçons
Nombre de sujets	10	9
Temps moyen (min)	6,4	7,3
Écart type (min)	1,1	2,0

À partir de ces résultats, testez, au seuil de signification de 5 %, s'il y a une différence entre les garçons et les filles sur le plan de la dextérité mesurée par cet exercice. Supposez que les conditions d'application du test sont remplies.

16*. Vous devez acheter des pneus d'hiver pour votre voiture. Vous hésitez entre les marques A et B. Vous disposez des résultats d'un test – réalisé sur des échantillons aléatoires indépendants – sur la durée de vie des pneus de ces deux marques.

	A	B
Nombre de pneus	14	18
Durée moyenne (km)	42 000	40 000
Écart type (km)	5 000	4 000

Vous considérez que la durée de vie de ces deux marques de pneus se comporte selon le modèle de la loi normale et présente la même variance. Sur la base de ces échantillons, considérez-vous que les pneus de la marque A sont significativement ($\alpha = 1$ %) plus résistants que les pneus de la marque B ?

17*. Après une étude sérieuse des théories sur la mémoire, un psychologue en vient à penser qu'il est plus difficile de se souvenir de mots que d'images. Pour mettre cette hypothèse à l'épreuve, il décide de réaliser une expérience au cours de laquelle il projette à un premier groupe de 10 sujets une série de 30 diapositives sur lesquelles on ne trouve que le nom d'un objet. Il projette ensuite à un autre groupe de 8 sujets une série de 30 diapositives sur lesquelles on trouve des images correspondant aux objets dont les noms ont été présentés au premier groupe. Chaque diapositive ne comporte qu'un mot ou un objet et elle est projetée pendant 5 secondes. Les deux groupes ont été formés de manière aléatoire et indépendante de telle façon que seules les diapositives vues les distinguent. Après le visionnement des diapositives, le psychologue demande à chaque sujet de faire une liste des mots ou des objets qu'il a retenu.

Groupe 1	Groupe 2
Nombre de mots retenus	**Nombre d'objets retenus**
12	23
10	20
21	18
16	24
17	21
14	17
18	22
22	23
16	
15	

L'hypothèse du psychologue vous semble-t-elle fondée ? Justifiez votre réponse en réalisant un test approprié en supposant que les conditions d'application de ce test sont remplies. Utilisez un seuil de signification de 2 %.

18*. L'expression « L'occasion fait le larron » est bien connue. Dans le but d'en vérifier le fondement, un professeur de psychologie décide de mener une expérience auprès de deux groupes d'élèves comportant respectivement 34 et 28 élèves. Les groupes ont été formés aléatoirement et de manière indépendante. Au début d'un cours, il annonce un examen-surprise. Dans le groupe de 34 élèves, il quitte la classe peu après avoir distribué les questionnaires et laisse les élèves sans surveillance, alors que dans l'autre groupe il exerce une surveillance très stricte. On peut considérer que les deux groupes sont similaires quant aux connaissances et aux aptitudes.

Le professeur corrige les copies et présente les résultats de son expérience aux deux groupes.

	Pas de surveillance	Surveillance stricte
Nombre de sujets	34	28
Note moyenne	80	70
Écart type	10	9

Peut-on vraisemblablement penser que « L'occasion fait le larron », c'est-à-dire que, laissés sans surveillance lors d'un examen, des étudiants auront de « meilleurs résultats » ? Utilisez un seuil de signification de 5 %.

EXERCICE DE SYNTHÈSE

Répondez aux questions portant sur le texte suivant.

Le tangram

Le tangram est un très vieux casse-tête d'origine chinoise. Le jeu consiste à reconstituer des figures à l'aide de sept éléments invariables : un carré, un parallélogramme et cinq triangles de tailles différentes. Comme le puzzle comporte sept formes de base, on l'appelle aussi « la plaquette aux sept astuces ». Voici les sept éléments du tangram, une figure (un chat) à reconstituer ainsi que la solution à ce problème :

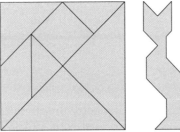

Le livre de Joost Elffers intitulé *Tangram, le vieux jeu de formes chinoises* (Paris, Chêne, 1977, 169 p.) contient 1 600 figures différentes qu'on peut construire avec le tangram. On peut classer ces figures selon la forme qu'elles prennent. Ainsi, 600 d'entre elles représentent des formes humaines (comme des profils de personnes); 400 autres, des formes animales (comme un chat, un lapin, un oiseau); 200 autres, des formes d'objets familiers (comme une table, un bateau); 50 autres, des formes symboliques courantes (comme un chiffre, une lettre de l'alphabet); et celles qui restent, des formes abstraites dénuées de sens.

Les 1 600 figures présentées dans le livre de Elffers ne sont pas toutes aussi faciles à réaliser. On a mesuré le degré de difficulté d'une figure par le temps qu'il faut pour la réaliser. On a ensuite classé les figures selon différents degrés de difficulté : 12,5 % d'entre elles sont très difficiles, 30 % d'entre elles sont difficiles, 37,5 % d'entre elles sont faciles et les autres, très faciles.

Un psychologue souhaite employer le tangram dans un test de perception spatiale qui s'adresse à des adultes de 18 à 65 ans. Dans un premier temps, il décide d'expérimenter son test auprès d'un échantillon aléatoire de 40 adultes âgés de 18 à 65 ans. Il demande aux sujets de reproduire le lapin qui suit à partir des formes de base.

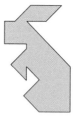

Voici la série statistique du temps (en secondes) pris par ces personnes pour résoudre ce problème :

Tableau 1

Temps (secondes) pris par 40 sujets pour résoudre le problème du lapin

74	187	208	243	287
105	192	210	244	292
110	196	221	247	295
130	198	224	253	305
148	198	230	257	319
154	200	234	260	329
165	203	235	263	342
178	203	238	278	381

Après cette première expérimentation, le psychologue a administré son test à un échantillon aléatoire de 625 sujets. Ces sujets formeront un groupe servant de référence aux futurs utilisateurs de son test. Le psychologue veut donner aux utilisateurs du test une idée du temps moyen que prennent des sujets pour réaliser une figure comme celle du chat et de la proportion des sujets qui prennent moins de cinq minutes pour la réaliser. La répartition des sujets du groupe de référence est présentée dans le tableau 2.

Tableau 2

Répartition de 625 sujets, selon le temps pris pour résoudre le problème du chat

Temps (secondes)	Nombre de sujets
50 – 100	25
100 – 150	50
150 – 200	80
200 – 250	140
250 – 300	180
300 – 350	80
350 – 400	50
400 – 450	20
Total	**625**

Le psychologue croit qu'il y a un lien entre la forme de la figure à réaliser et le degré de difficulté du problème. Il a prélevé un échantillon aléatoire de 200 figures et a produit le tableau de contingence suivant :

Tableau 3

Répartition de 200 figures, selon la forme et le degré de difficulté

Degré de difficulté	Forme de la figure			Total
	Forme humaine ou animale	Forme d'objet familier	Forme abstraite ou symbolique	
Facile ou très facile	70	30	20	120
Difficile ou très difficile	30	20	30	80
Total	100	50	50	200

a) Dans le texte, trouvez une variable qualitative nominale, une variable qualitative ordinale et une variable quantitative continue.

b) Consignez les renseignements sur les différentes formes que peuvent prendre les figures construites à partir du tangram dans un tableau de fréquences (2ᵉ paragraphe). Respectez les normes de présentation.

c) Quel est le pourcentage des figures tirées du livre de Elffers qui présentent des formes animales ?

d) Consignez les renseignements sur les différentes formes que peuvent prendre les figures construites à partir du tangram dans un diagramme à secteurs. Respectez les normes de présentation.

e) À quelles autres représentations graphiques auriez-vous pu faire appel pour consigner les renseignements sur les différentes formes que peuvent prendre les figures construites à partir du tangram ?

f) Quel est l'indicateur employé pour mesurer la difficulté d'une figure ?

g) Quelle échelle de mesure a-t-on employée pour mesurer cette variable ?

h) Consignez les renseignements sur le degré de difficulté des figures qu'on peut construire avec un tangram (3e paragraphe) dans un diagramme à bandes rectangulaires. Respectez les normes de présentation.

i) Combien de figures sont classées comme difficiles, sachant qu'il y a 1 600 figures différentes ?

j) Quel est le temps moyen pris par les 40 sujets pour résoudre le problème du lapin ? Présentez une solution complète.

k) Que vaut l'écart type du temps pris par les 40 sujets pour résoudre le problème du lapin ? Présentez une solution complète.

l) Le psychologue a également demandé à 22 autres sujets (choisis de manière aléatoire et indépendante) de résoudre le problème du chat. Il a obtenu un temps moyen de 250 secondes et une variance de 5 000 secondes^2. Lequel des deux groupes (celui qui devait résoudre le problème du lapin ou celui qui devait résoudre le problème du chat) présente le temps de résolution le plus homogène ? Justifiez votre réponse à l'aide d'une mesure appropriée.

m)* Sur la base des deux échantillons (40 et 22 sujets respectivement), pouvez-vous conclure qu'il y a une différence significative au seuil de 5 % entre les temps moyens pris pour résoudre les problèmes du chat et du lapin ?

n) Groupez les données du tableau 1 par classes et présentez-les dans un tableau de fréquences. Utilisez 50 comme limite inférieure de la première classe et 50 comme amplitude de classe. Respectez les normes de présentation.

o) Construisez le polygone de fréquences à partir du tableau dressé en n. Respectez les normes de présentation.

p) Quel type d'asymétrie présente ce polygone de fréquences ?

q) À partir de la figure qui suit, estimez le temps médian requis pour résoudre le problème du lapin et dites ce que nous apprend cette mesure dans le contexte.

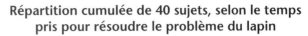

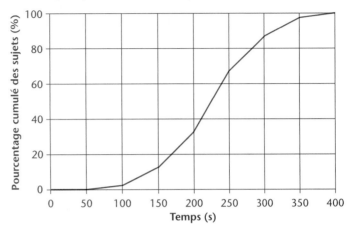

Répartition cumulée de 40 sujets, selon le temps pris pour résoudre le problème du lapin

r) Estimez D_8 à partir de la figure présentée en *q* et dites ce que nous apprend cette mesure dans le contexte.

s) Vrai ou Faux ? À partir de la figure présentée en *q*, on peut dire qu'environ 20 % des sujets ont pris moins de 170 secondes pour résoudre le problème du lapin.

t) À partir de la figure présentée en *q*, estimez le pourcentage des sujets qui ont résolu le problème du lapin en moins de 210 secondes.

u) À partir des données contenues dans le tableau 2, estimez par un intervalle de confiance le temps moyen que devrait prendre l'ensemble des adultes âgés de 18 à 65 ans pour résoudre le problème du chat. Employez un niveau de confiance de 99 %.

v) À partir des données contenues dans le tableau 2, estimez par un intervalle de confiance la proportion des adultes âgés de 18 à 65 ans qui prendraient moins de cinq minutes pour résoudre le problème du chat. Employez un niveau de confiance de 95 %.

w) Quelle aurait été la marge d'erreur de l'estimation produite en *v* si on avait employé un niveau de confiance de 99 % ?

x) Quelle est la variable explicative du tableau 3 ?

y) L'hypothèse du psychologue selon laquelle il y a un lien entre la forme d'une figure et son degré de difficulté vous semble-t-elle fondée ? Justifiez votre réponse en réalisant le test d'hypothèse approprié au seuil de signification de 1 %.

z) Évaluez et qualifiez, s'il y a lieu, l'intensité (*V* de Cramér) du lien entre les variables « forme de la figure » et « degré de difficulté ».

12

La corrélation linéaire et la droite de régression

Si la tendance se maintient...

À la fin de ce chapitre, vous devriez être en mesure de répondre aux questions suivantes:

- *Qu'est-ce que la corrélation linéaire?*
- *Comment calcule-t-on le coefficient de corrélation linéaire?*
- *Comment calcule-t-on les coefficients de la droite de régression?*
- *Dans quelles circonstances peut-on se servir de la droite de régression?*
- *Qu'est-ce qu'une droite de tendance?*
- *Comment peut-on tester si un coefficient de corrélation linéaire est différent de zéro?*

$\mathcal{N}$ ous avons vu au chapitre précédent comment vérifier s'il existe un lien entre deux variables en faisant appel au test d'indépendance du khi carré ou au test de la différence entre deux moyennes. Abordons maintenant l'étude du lien entre deux variables quantitatives, lien qu'on peut exprimer sous forme d'une fonction et qui permet de prédire la valeur d'une variable à partir de la valeur de l'autre. Nous serons dès lors en mesure d'atteindre deux des objectifs de la recherche scientifique présentés au chapitre 1, soit la description et la prédiction des phénomènes.

12.1 La corrélation linéaire

En mathématiques, une fonction entre deux variables x et y s'écrit sous la forme $y = f(x)$. On dit que x est la variable indépendante, et y, la variable dépendante. L'équation $y = a + bx$ constitue l'exemple le plus simple d'une telle fonction. Cette équation est l'équation d'une droite de pente b et d'ordonnée à l'origine a. Voyons maintenant comment ce modèle mathématique (le modèle linéaire : la droite) permet parfois de décrire le lien entre deux variables.

▶ EXEMPLE

Un économiste croit qu'il y a un lien entre le revenu disponible des travailleurs et leur niveau de consommation. Pour établir l'existence d'un tel lien, il décide d'interroger 50 travailleurs et obtient les données rassemblées dans le tableau 12.1.

Comme il ne se trouve pas dans un cadre expérimental, il sait qu'il ne pourra pas démontrer l'existence d'une relation de causalité entre ces variables. Toutefois, il aimerait exprimer la relation éventuelle entre ces dernières sous la forme d'une fonction $y = f(x)$. Il postule donc que le revenu disponible explique, du moins partiellement, le niveau de consommation, c'est-à-dire que le niveau de consommation peut s'exprimer en fonction du revenu disponible. Il prend le revenu disponible (x) comme variable indépendante (ou explicative) et la consommation (y) comme variable dépendante (ou expliquée). S'il réussit à établir l'existence d'un lien entre la consommation et le revenu disponible, il pourra alors se risquer à faire des prédictions sans pour autant avoir démontré que l'importance du revenu disponible est la cause du niveau de consommation.

Afin de visualiser l'existence éventuelle d'une corrélation entre les deux variables, l'économiste décide de placer les points (revenu ; consommation) de chacun des travailleurs sur un graphique cartésien (figure 12.1).

▶ **EXEMPLE**

Le tableau 12.2 présente l'information recueillie dans les dossiers de 10 diplômés universitaires.

Tableau 12.2

Moyenne des notes au cégep et moyenne des notes à l'université de 10 diplômés universitaires

Moyenne des notes au cégep (sur 100)	70	80	62	74	87	95	90	77	66	85
Moyenne cumulative à l'université (sur 4,3)	2,3	3,2	1,8	2,1	3,5	3,9	3,6	2,5	2,7	3,0

À partir des résultats obtenus au cégep, on tente d'expliquer ceux de l'université. La moyenne des notes obtenues au cégep constitue donc la variable explicative ou indépendante (*x*), et la moyenne des notes obtenues à l'université, la variable expliquée ou dépendante (*y*). Le diagramme de dispersion de la figure 12.3 présente graphiquement les renseignements du tableau 12.2.

Figure 12.3

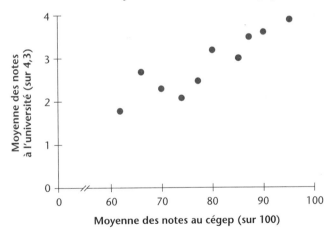

Moyennes des notes à l'université, selon la moyenne des notes au cégep

On peut entourer le nuage de points d'un ovale relativement mince (figure 12.4). De plus, les points tendent à se regrouper autour d'une droite de pente positive. Il y a donc une corrélation linéaire forte et positive entre les deux variables. Par conséquent, on devrait obtenir un coefficient de corrélation linéaire voisin de 1.

Figure 12.4

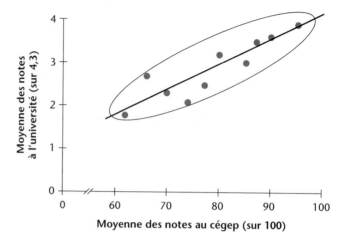

**Moyennes des notes à l'université,
selon la moyenne des notes au cégep**

Voyons comment on calcule ce coefficient :

$$r = \frac{\sum_{i=1}^{n} x_i y_i - n \, \overline{x} \, \overline{y}}{(n-1)s_x s_y}$$

où :

$n = 10$

$$\sum_{i=1}^{n} x_i y_i = x_1 y_1 + x_2 y_2 + \cdots + x_n y_n$$

$$= x_1 y_1 + x_2 y_2 + \cdots + x_{10} y_{10}$$

$$= (70 \times 2{,}3) + (80 \times 3{,}2) + \cdots + (85 \times 3{,}0)$$

$$= 2\,308{,}7$$

$$\overline{x} = \frac{\sum_{i=1}^{n} x_i}{n}$$

$$= \frac{x_1 + x_2 + \cdots + x_{10}}{10}$$

$$= \frac{70 + 80 + \cdots + 85}{10}$$

$$= 78{,}6$$

$$\bar{y} = \frac{\displaystyle\sum_{i=1}^{n} y_i}{n}$$

$$= \frac{y_1 + y_2 + \cdots + y_{10}}{10}$$

$$= \frac{2,3 + 3,2 + \cdots + 3,0}{10}$$

$$= 2,86$$

$$s_x = \sqrt{\frac{\displaystyle\sum_{i=1}^{n} (x_i - \bar{x})^2}{n-1}}$$

$$= \sqrt{\frac{(x_1 - \bar{x})^2 + (x_2 - \bar{x})^2 + \cdots + (x_{10} - \bar{x})^2}{10-1}}$$

$$= \sqrt{\frac{(70 - 78,6)^2 + (80 - 78,6)^2 + \cdots + (85 - 78,6)^2}{9}}$$

$$= 10,77$$

$$s_y = \sqrt{\frac{\displaystyle\sum_{i=1}^{n} (y_i - \bar{y})^2}{n-1}}$$

$$= \sqrt{\frac{(y_1 - \bar{y})^2 + (y_2 - \bar{y})^2 + \cdots + (y_{10} - \bar{y})^2}{9}}$$

$$= \sqrt{\frac{(2,3 - 2,86)^2 + (3,2 - 2,86)^2 + \cdots + (3,0 - 2,86)^2}{9}}$$

$$= 0,69$$

d'où :

$$r = \frac{2\ 308,7 - 10(78,6)(2,86)}{9(10,77)(0,69)}$$

$$r = 0,90 \qquad \text{(valeur obtenue à l'aide des fonctions statistiques d'une calculatrice)}$$

Comme nous nous y attendions, cette valeur est positive et voisine de 1. Cela confirme l'existence d'une forte corrélation linéaire positive entre les deux variables. Les moyennes faibles à l'université sont généralement associées à des moyennes faibles au cégep, et les moyennes élevées à l'université, à des moyennes élevées au cégep. ◀

EXERCICE 12.2

Lors d'une compétition scolaire, on a demandé à des enfants d'une école primaire de courir un 100 m et on les a chronométrés. Voici le temps, mesuré en secondes, obtenu par 12 élèves en fonction de leur âge :

Âge de 12 enfants et temps qu'ils ont mis pour courir un 100 m

Âge (années)	6	6	7	7	8	8	9	9	10	11	12	12
Temps (s)	20	18	17	16	16	15	15	16	14	15	14	14

a) Quelles sont les variables étudiées ?

b) Quelle serait la variable indépendante ? Justifiez votre choix.

c) Tracez le nuage de points.

d) Le nuage de points semble-t-il indiquer un lien entre les deux variables ?

e) Est-ce que le modèle linéaire décrit bien cette relation ?

f) La corrélation entre ces deux variables est-elle positive ou négative ?

g) La corrélation entre ces deux variables paraît-elle forte ou faible ?

h) Estimez, d'après le nuage de points, la valeur de laquelle devrait se rapprocher le coefficient de corrélation linéaire.

i) Utilisez les fonctions statistiques de votre calculatrice afin d'évaluer le coefficient de corrélation linéaire.

j) Que nous apprend ce coefficient ?

Il est maintenant nécessaire de faire le point sur les principales caractéristiques du coefficient de corrélation linéaire.

1. Le coefficient de corrélation linéaire est un nombre pur (il n'a pas d'unité) qui respecte toujours l'inégalité suivante : $-1 \leq r \leq 1$.

2. Un coefficient de corrélation linéaire nettement différent de zéro indique la présence d'une corrélation linéaire entre deux variables. Toutefois, comme il a été obtenu à partir d'un échantillon, on vérifiera si ce lien vaut également pour toute la population en effectuant un test d'hypothèse. On confrontera l'hypothèse nulle $\rho = 0$ avec une des hypothèses suivantes : $\rho \neq 0$, $\rho < 0$ ou $\rho > 0$. On a utilisé la lettre grecque ρ (se prononce « ro ») correspondant à notre « r » latin pour désigner le coefficient de corrélation de la population.

3. Lorsque r est positif, la corrélation est positive ; lorsque r est négatif, la corrélation est négative.

4. Plus r est voisin de 1 (ou de –1), plus la corrélation linéaire est forte, et plus l'ovale qui entoure l'ensemble des points du diagramme de dispersion devrait être mince. Lorsque les points sont situés sur une droite, r égale 1 ou –1, selon que la pente de la droite est positive ou négative. On dit alors que la corrélation linéaire est parfaite.

5. Plus *r* est proche de zéro, plus la corrélation linéaire est faible, et moins les points ont tendance à se regrouper autour d'une droite. Lorsque *r* est très proche de zéro, la corrélation linéaire est pratiquement nulle. On ne doit pas en conclure qu'il n'y a pas de corrélation entre les deux variables, mais plutôt qu'elles ne sont pas liées de façon linéaire. Il se pourrait qu'il y ait un lien quadratique, exponentiel, logarithmique ou autre. Voici deux nuages de points qui donneraient une corrélation linéaire presque nulle. À la figure 12.5, les deux variables ne semblent présenter aucun lien entre elles. À la figure 12.6, elles présentent un lien quadratique.

Figure 12.5	Figure 12.6
Corrélation nulle	**Corrélation quadratique**

6. Une corrélation linéaire, même forte, ne permet pas d'affirmer que l'on est en présence d'une relation causale. Pour montrer qu'une relation est causale, il faut notamment manipuler la variable indépendante.

Rappelons qu'il peut exister une relation statistique entre deux variables sans qu'on puisse même songer à y voir une relation causale. Par exemple, si on étudiait l'évolution dans le temps de la population du Québec et du prix des voitures, on constaterait probablement une corrélation positive de nature purement statistique entre ces variables. Aucune explication logique ne permettrait de comprendre comment le prix des voitures est lié à la taille de la population, sinon que les deux phénomènes varient en fonction du temps.

Même en présence d'arguments logiques qui semblent convaincants, on ne peut pas conclure à une relation causale en se fondant sur le fait qu'on a obtenu une forte corrélation linéaire. En dehors d'un cadre expérimental, des variables non contrôlées pourraient expliquer la corrélation observée. Il peut donc y avoir corrélation sans causalité : corrélation ≠ causalité.

7. Malgré ce que nous venons de dire, on peut parfois présumer qu'il y a une relation de causalité en dehors d'un cadre expérimental à partir d'une forte corrélation linéaire entre deux variables. Ainsi, dans le

domaine médical[2], on reconnaît la possibilité d'une relation causale entre deux variables lorsqu'on observe :

- Une *constance de l'association* entre les deux variables dans des études effectuées en des lieux et en des temps différents auprès de populations différentes.
- Une *confirmation de l'association,* notamment à partir d'expériences faites sur des animaux.
- Une *association intense,* soit une forte corrélation.
- Une *cohérence chronologique* entre la cause et l'effet, soit l'antériorité de la cause (la variable indépendante *x*) sur l'effet (la variable dépendante *y*).
- La *présence d'une relation dose-effet,* soit une augmentation de l'effet lorsque la dose croît.
- Une *explication de l'influence* de la variable indépendante sur la variable dépendante qui soit plausible et cohérente avec les connaissances scientifiques et médicales courantes.
- Le *maintien de l'association* entre les deux variables, même quand on tient compte des autres influences possibles.

8. Il n'y a pas de critère absolu et universel pour déterminer si une corrélation linéaire est forte ou faible. Ainsi, un coefficient de corrélation linéaire de 0,4 peut être considéré comme important dans un domaine, alors qu'il se révèle négligeable dans un autre. Chaque domaine de recherche se réfère donc à des seuils plutôt informels pour déterminer la force du lien linéaire.

Toutefois, à titre indicatif, nous vous présentons dans le tableau 12.3 la façon dont l'auteur d'un dictionnaire de psychologie[3] a caractérisé l'intensité d'une relation linéaire en fonction de la valeur absolue du coefficient de corrélation linéaire.

Tableau 12.3

Interprétation de la valeur du coefficient de corrélation linéaire

Valeur absolue du coefficient de corrélation linéaire $|r|$	Relation linéaire
$0 \leq |r| < 0,2$	Nulle à faible
$0,2 \leq |r| < 0,4$	Faible à moyenne
$0,4 \leq |r| < 0,7$	Moyenne à forte
$0,7 \leq |r| < 0,9$	Forte à très forte
$0,9 \leq |r| \leq 1$	Très forte à parfaite

2. G. McCabe et D. Moore, *Introduction to the Practice of Statistics*, New York, W. H. Freeman, 1989, p. 238 ; P.-M. Bernard et C. Lapointe, *Mesures statistiques en épidémiologie*, Sillery, Presses de l'Université du Québec, 1991, p. 96.
3. J. P. Chaplin, *Dictionary of Psychology*, 2ᵉ éd., New York, Dell Publishing, 1985, p. 107.

EXERCICE 12.3

Associez un des nuages de points à chacun des coefficients de corrélation linéaire suivants : a) 1 ; b) 0 ; c) –1 ; d) 0,9 ; e) 0,5 ; f) –0,7.

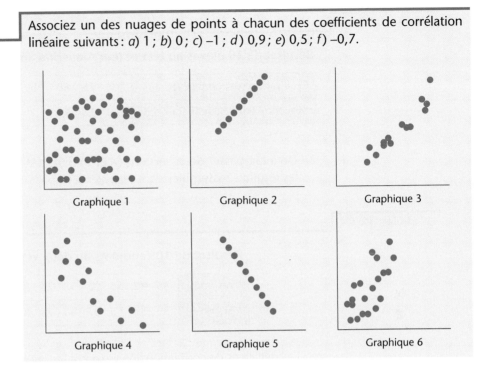

Graphique 1

Graphique 2

Graphique 3

Graphique 4

Graphique 5

Graphique 6

12.2.1 Une application du coefficient de corrélation linéaire : mesure de la validité et de la fidélité

En psychologie ou en sciences de l'éducation, on fait souvent appel à des tests pour mesurer certaines habiletés verbales, arithmétiques ou motrices. On souhaite évidemment que les tests soient valides et fidèles, c'est-à-dire qu'ils mesurent adéquatement ce qu'ils doivent mesurer (la validité), et qu'ils le fassent de manière constante et stable (la fidélité). Le coefficient de corrélation linéaire peut servir à mesurer la validité et la fidélité d'un test.

▶ **EXEMPLES**

1. On fait passer un test aux candidats à un programme universitaire contingenté. Le test doit permettre de sélectionner les candidats qui obtiendront les meilleurs résultats universitaires ; on veut prédire la réussite. Pour vérifier la validité du test (on parle ici de validité prédictive), il suffit d'établir une corrélation entre les résultats au test et les résultats universitaires. Voici, dans le tableau 12.4, les résultats au test de sélection et la moyenne des notes de 10 candidats après un trimestre d'études universitaires.

On obtient un coefficient de corrélation linéaire élevé ($r = 0,79$). Il y a donc une corrélation positive relativement forte entre les résultats au test et les résultats universitaires. Le test semble être valide.

Tableau 12.4

Résultat de 10 élèves au test et leur moyenne après un trimestre d'études

Résultat au test (sur 100)	70	75	80	90	85	60	65	80	78	88
Moyenne trimestrielle (sur 4,3)	3,0	2,8	3,1	3,7	2,7	2,5	2,2	3,2	3,3	3,5

2. On a fait passer deux versions (*A* et *B*) d'un test à 10 sujets, ce qui a donné les résultats rassemblés dans le tableau 12.5.

Tableau 12.5

Résultat de 10 candidats au deux versions du test

Version *A*	35	42	58	95	98	75	80	62	77	79
Version *B*	39	37	65	87	90	78	86	58	83	74

Le coefficient de corrélation linéaire entre les résultats est très élevé ($r = 0,96$). Le lien entre les résultats obtenus est donc très fort : il y a équivalence des résultats. Par conséquent, on a tendance à croire le test fidèle[4], puisqu'il donne sensiblement la même mesure d'une habileté quelle que soit la version dont on s'est servi. ◄

12.2.2 Un test d'hypothèse sur le coefficient de corrélation linéaire*

Comme la valeur du coefficient de corrélation linéaire a généralement été obtenue à partir d'un échantillon, il est nécessaire de lui faire passer un test d'hypothèse afin de vérifier si elle est significativement différente de zéro, c'est-à-dire s'il existe une corrélation linéaire (non nulle, positive ou négative selon que le test effectué est bilatéral ou unilatéral) entre les deux variables au sein de toute la population.

Ce test est semblable au test de la différence entre deux moyennes : on effectue un test t en comparant la valeur $t = \dfrac{r\sqrt{n-2}}{\sqrt{1-r^2}}$ avec les valeurs critiques obtenues au moyen de la loi de Student avec $v = (n-2)$ degrés de

---

4. Dans l'ouvrage de M. Robert (*Fondements et étapes de la recherche scientifique en psychologie*, p. 223 à 226), on fait remarquer que la fidélité est couramment évaluée selon trois aspects : la stabilité, l'équivalence et l'homogénéité. Dans l'exemple considéré, c'est l'aspect de l'équivalence que nous avons mesuré par le coefficient de corrélation linéaire. On aurait pu mesurer la stabilité en calculant le coefficient de corrélation linéaire entre les résultats des candidats obtenus lors de deux passages du même test.

liberté, où n correspond au nombre de couples de données de l'échantillon. La figure 12.7 rend compte des situations possibles. La table de Student est présentée au chapitre 11 (page 410). Pour pouvoir utiliser ce test, on suppose que les deux variables étudiées se comportent selon le modèle de la loi normale.

Figure 12.7

Localisation des zones de non-rejet de l'hypothèse nulle

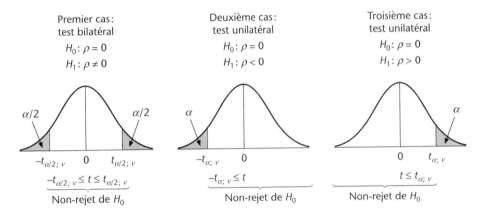

▶ EXEMPLE

Dans l'exemple de la page 443, nous avions obtenu un coefficient de corrélation $r = 0,79$. À partir de l'échantillon observé, essayons de voir si le coefficient de corrélation linéaire pour la population est significativement plus grand que zéro, au seuil de signification de 5 %. Les hypothèses et la règle de décision dont nous nous servirons correspondent au troisième cas de la figure 12.7.

1. La formulation des hypothèses

$H_0 : \rho = 0$

$H_1 : \rho > 0$

2. Le choix d'un seuil de signification (α)

Nous avons choisi un seuil $\alpha = 5$ %.

3. La vérification des conditions d'application

Nous supposerons ici que l'échantillon a été prélevé au hasard au sein d'une population pour laquelle la distribution des deux variables correspond au modèle de la loi normale.

4. La détermination de la valeur critique

Le nombre de degrés de liberté est donné par l'expression :

$$v = n - 2 = 8$$

Pour $v = 8$ et pour $\alpha = 5\,\%$, nous obtenons $t_{\alpha;v} = 1,860$.

5. La formulation de la règle de décision

La règle de décision est présentée dans le schéma de la figure 12.8.

Figure 12.8

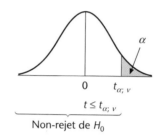

6. Le calcul de la statistique appropriée au test

$$t = \frac{r\sqrt{n-2}}{\sqrt{1-r^2}} = \frac{0,79\sqrt{10-2}}{\sqrt{1-(0,79)^2}} = 3,64$$

7. La décision

On constate que $t = 3,64 > 1,860 = t_{\alpha;v}$ et on rejette l'hypothèse nulle. Sur la base de notre échantillon, au seuil de signification de 5 %, en vertu de la règle de décision, on peut affirmer que le coefficient de corrélation linéaire pour toute la population est significativement supérieur à zéro. ◀

EXERCICE 12.4

Le coefficient de corrélation linéaire entre deux variables obtenu auprès d'un échantillon de 12 unités statistiques est $r = 0,3$. Sur la base de cet échantillon, peut-on affirmer que le coefficient de corrélation linéaire pour la population entière est significativement différent de zéro. Utilisez un seuil de signification de 1 %. Supposez que les conditions du test sont remplies.

12.3 La droite de régression

Lorsque le modèle linéaire décrit bien le lien entre deux variables, il est inté-ressant de trouver l'équation de la droite $y' = a + bx$ qui représenterait le mieux l'ensemble des points, soit la droite qui traverse le nuage de points et qui caractérise donc ce dernier le mieux possible.

Cette droite devrait nous permettre de faire une bonne prédiction (y') de la valeur de la variable dépendante (y) à partir de la valeur de la variable indépendante (x). Étant donné que la corrélation n'est généralement pas parfaite, on observera sans doute un écart entre la prédiction (y') et la valeur observée (y). La droite recherchée sera donc celle qui réduira au minimum la somme des carrés de ces écarts, soit des erreurs de prédiction ; c'est la

droite qui réduira au minimum l'expression $\displaystyle\sum_{i=1}^{n} (y'_i - y_i)^2 = \sum_{i=1}^{n} e_i^2$, soit la

> **Droite de régression**
>
> Droite d'équation $y' = a + bx$ qui constitue le meilleur ajus-tement linéaire à un nuage de points $(x; y)$ sur un graphique cartésien. Cette droite réduit au minimum la somme des carrés des écarts entre les valeurs pré-dites (y') et les valeurs obser-vées (y) de la variable dépen-dante. Également appelée *droite des moindres carrés*.

somme des carrés des distances verticales entre les valeurs observées et la droite. Cette droite $y' = a + bx$, illustrée à la figure 12.9, constitue, en ce sens, le meilleur ajustement linéaire aux points. On l'appelle **droite de régression** ou *droite des moindres carrés*. Comme toute droite, elle est complètement déterminée par sa pente, b, et son ordonnée à l'origine, a. Ces deux coeffi-cients sont donnés par :

$$b = r\,\frac{s_y}{s_x} \qquad \text{et} \qquad a = \bar{y} - b\bar{x}$$

Figure 12.9

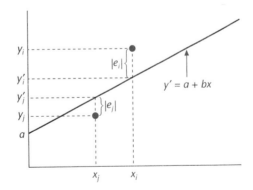

▶ **EXEMPLE**

D'après les données du tableau 12.2 de la page 437, on a obtenu les résultats suivants :

$$\bar{x} = 78,6 \quad \bar{y} = 2,86 \quad s_x = 10,77 \quad s_y = 0,69 \text{ et } r = 0,90 \text{ }[5]$$

Les coefficients de la droite de régression ($y' = a + bx$) sont donc :

$$b = r\frac{s_y}{s_x} = 0,90 \times \frac{0,69}{10,77} = 0,058$$

et :

$$a = \bar{y} - b\bar{x} = 2,86 - 0,058(78,6) = -1,71$$

Par conséquent, l'équation de la droite de régression est :

$$y' = -1,71 + 0,058x$$

Cette équation est donc celle de la droite qui se rapproche le plus de l'ensemble des points. Ainsi, lorsque $x = 70$, notre prédiction de la valeur de y serait

$$y' = -1,71 + 0,058(70) = 2,36$$

Nous constatons un écart de la valeur observée de y que nous connaissons, soit $y = 2,3$. Cet écart s'explique par le fait que la corrélation linéaire est imparfaite ($r \neq 1$).

Pour $x = 75$, nous pourrions évaluer y par $y' = -1,71 + 0,058(75) = 2,65$. Pour $x = 92$, nous obtenons $y' = 3,64$. La droite de régression permet donc de prédire la valeur d'une des deux variables à partir de l'autre. Dans le contexte de cet exemple, comme la corrélation linéaire est relativement forte, nous sommes capables de prédire de manière assez convaincante la moyenne des notes à l'université à partir de la moyenne des notes obtenues au cégep. Les résultats obtenus au cégep constituent un bon indicateur de ceux qui seront obtenus à l'université.

Nous pouvons visualiser les écarts entre les estimations et les valeurs empiriques à l'aide d'un diagramme de dispersion sur lequel nous avons tracé la droite de régression (figure 12.10).

---

5. À l'aide d'un test d'hypothèse sur le coefficient de corrélation, on pourrait vérifier que le coefficient de corrélation est significativement supérieur à zéro. En effet, au seuil de 1 %,

$$t = \frac{r\sqrt{n-2}}{\sqrt{1-r^2}} = \frac{0,90\sqrt{10-2}}{\sqrt{1-(0,90)^2}} = 5,84 > 2,896 = t_{0,01;8}$$

Figure 12.10

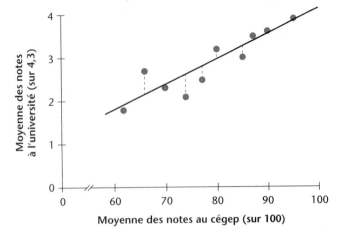

Moyennes des notes à l'université,
selon la moyenne des notes au cégep

EXERCICE 12.5

À l'issue d'une compétition scolaire, on a étudié les résultats obtenus au saut en hauteur par 10 enfants selon leur âge :

Âge de 10 enfants et hauteur de leur saut

Âge (années)	6	6	7	8	8	9	9	11	12	12
Hauteur (m)	0,6	0,8	0,9	0,7	1,0	1,1	1,0	1,2	1,4	0,9

a) Quelles sont les variables étudiées ?

b) Quelle serait la variable indépendante ? Justifiez votre choix.

c) Tracez le nuage de points.

d) Le nuage de points semble-t-il indiquer un lien entre les deux variables ?

e) Est-ce que le modèle linéaire décrit bien la relation ?

f) La corrélation entre ces deux variables est-elle positive ou négative ?

g) La corrélation entre ces deux variables paraît-elle forte ou faible ?

h) Estimez, d'après le nuage de points, la valeur de laquelle devrait se rapprocher le coefficient de corrélation linéaire.

i) Utilisez les fonctions statistiques de votre calculatrice afin d'évaluer le coefficient de corrélation linéaire. Commentez votre réponse.

j) Quelle est l'équation de la droite de régression ?

k) Si vous aviez à prédire la hauteur que devrait franchir un enfant de 10 ans, quelle serait votre prédiction ?

On peut se servir de la droite de régression à des fins de prédiction lorsque les conditions suivantes sont satisfaites :

- Le nuage de points montre que les données ont tendance à se regrouper autour d'une droite, c'est-à-dire que la dispersion des points autour de la droite de régression est faible.

- La valeur du coefficient de corrélation linéaire s'éloigne suffisamment de zéro. On ne se sert d'un modèle mathématique, le modèle linéaire en l'occurrence, que s'il décrit bien les observations.

Même lorsque les calculs sont possibles, on ne devrait pas se servir de la droite de régression pour faire des prédictions à partir de valeurs qui s'éloignent trop de celles qui ont été observées. Le modèle linéaire n'est peut-être pas adéquat pour décrire la relation entre les variables pour des valeurs éloignées des observations.

▶ **EXEMPLES**

1. La figure 12.11 représente le diagramme de dispersion tracé à partir des données de l'exercice 12.5.

Figure 12.11

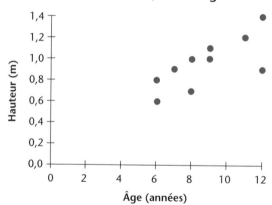

Hauteur du saut, selon l'âge

La relation entre l'âge et la hauteur du saut des élèves de 6 à 12 ans peut être décrite adéquatement par une droite ; le modèle linéaire est approprié. Nous obtenons un coefficient de corrélation assez élevé ($r = 0,73$), et l'équation de la droite de régression est $y' = 0,28 + 0,077x$.

Cependant, lorsque nous nous servons de ce modèle pour prédire la hauteur à laquelle sauteraient des personnes qui n'appartiennent pas à ce groupe d'âge, nous obtenons des résultats aberrants. En effet, pour $x = 1$ an, $y' = 0,28 + 0,077(1) = 0,36$ m ; pour $x = 50$ ans, $y' = 4,14$ m. Un enfant de 1 an devrait donc sauter 0,36 m, et un adulte de 50 ans, 4,14 m ! Ces prédictions ne sont évidemment pas réalistes.

Cet exemple montre clairement qu'on ne doit pas, à partir du modèle linéaire, faire des prédictions pour des valeurs qui s'éloignent trop des observations.

2. Le tableau 12.6 et le diagramme de dispersion correspondant de la figure 12.12 présentent, en fonction de leur âge, le montant dépensé au cours de la dernière année par 30 consommateurs pour l'achat de vêtements.

Lorsque nous traçons l'ovale encadrant ce nuage de points, nous constatons qu'il se rapproche d'un cercle. La dispersion des points autour de la droite de régression serait donc forte. De plus, le calcul du coefficient de corrélation linéaire donne $r = 0,24$. Le nuage de points et le coefficient de corrélation linéaire indiquent qu'il n'existe qu'une faible corrélation linéaire positive entre l'âge et les dépenses effectuées pour l'achat de vêtements. Par conséquent, il serait très hasardeux de se servir de la droite de régression en vue de prédire de manière convaincante le montant dépensé pour l'achat de vêtements en fonction de l'âge du consommateur.

Tableau 12.6

Âge de 30 consommateurs et montant dépensé pour l'achat de vêtements

Âge (années)	Dépense ($)	Âge (années)	Dépense ($)	Âge (années)	Dépense ($)
23	800	32	1 000	43	500
25	300	34	850	45	900
26	1 200	34	900	45	1 400
28	400	35	450	46	850
29	600	35	600	47	1 100
29	250	36	1 300	49	600
30	1 500	38	450	52	650
30	550	40	700	55	1 400
30	700	41	1 200	56	750
31	300	42	400	60	850

Figure 12.12

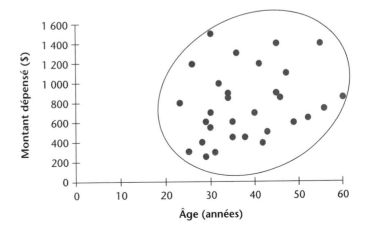

Montant dépensé pour l'achat de vêtements, selon l'âge du consommateur

12.4 La droite de tendance

La droite de régression peut aussi servir à décrire l'évolution d'une variable dans le temps. Dans ce cas, on considère que le temps constitue la variable indépendante. La droite de régression porte alors le nom de **droite de tendance**.

Droite de tendance

Nom de la droite de régression lorsqu'on étudie une série chronologique.

▶ EXEMPLE

Examinons le tableau 12.7 et le nuage de points correspondant de la figure 12.13.

Tableau 12.7

Évolution du chiffre d'affaires des épiceries, Canada, 1987-1998

Année	Chiffre d'affaires (milliards $)
1987	38,0
1988	39,7
1989	40,7
1990	42,5
1991	43,5
1992	45,2
1993	47,2
1994	48,8
1995	49,2
1996	49,0
1997	51,7
1998	53,3

Source : Statistique Canada, *L'observateur économique canadien, supplément statistique historique, 1998/1999,* nº 11-210-XPB au catalogue, juillet 1999, p. 88.

Figure 12.13

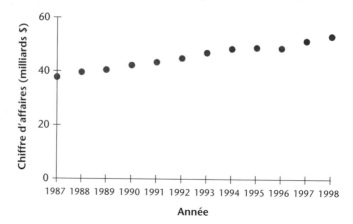

Évolution du chiffre d'affaires des épiceries, Canada, 1987-1998

Source : Statistique Canada, *L'observateur économique canadien, supplément statistique historique, 1998/1999,* nº 11-210-XPB au catalogue, juillet 1999, p. 88.

Les points qui apparaissent sur le diagramme de dispersion tendent fortement à s'agglutiner autour d'une droite, ce qui donne un coefficient de corrélation très élevé ($r = 0,992$). Nous avons donc une corrélation linéaire positive très forte. Ainsi, la droite de régression permet de décrire la tendance de l'évolution du chiffre d'affaires des épiceries au Canada. L'équation de la droite de tendance est $y' = -2\ 642,1 + 1,349x$. Nous pouvons nous servir de cette équation pour prédire le chiffre d'affaires de 1999. Nous obtenons :

$$y' = -2\ 642,1 + 1,349(1999) = 54,5$$

Le chiffre d'affaires projeté pour l'année 1999 est donc d'environ 54,5 milliards de dollars.

Nous pourrions aussi nous demander en quelle année le chiffre d'affaires dépassera 60,0 milliards de dollars. Il s'agit alors de trouver la valeur de x lorsque y' égale 60. En isolant la variable x dans l'équation de la droite de tendance, nous trouvons que :

$$x = \frac{y' + 2\ 642,1}{1,349} = \frac{60 + 2\ 642,1}{1,349} = 2\ 003,08$$

Si la tendance se maintenait, ce serait donc en 2004 que le chiffre d'affaires dépasserait 60 milliards de dollars.

Il serait plus hasardeux de faire une prédiction du chiffre d'affaires en 2025, étant donné qu'on s'éloignerait alors beaucoup trop des valeurs dont nous disposons. Le modèle linéaire s'applique aux années voisines de celles de l'intervalle [1987 ; 1998] mais il n'est peut-être pas adéquat pour décrire la situation en 2025. ◀

EXERCICE 12.6

Répondez aux questions à partir des données ci-dessous.

Évolution du revenu personnel disponible par habitant, Canada, 1987-1998

Année	Revenu personnel disponible ($)
1987	13 464
1988	14 502
1989	15 596
1990	16 232
1991	16 563
1992	16 762
1993	16 986
1994	17 003
1995	17 409
1996	17 479
1997	17 818
1998	18 243

Source : Statistique Canada, *L'observateur économique canadien, supplément statistique historique, 1998/1999*, n° 11-210-XPB au catalogue, juillet 1999, p. 27.

a) Quelles ont été l'augmentation et l'augmentation relative du revenu personnel disponible au cours de la période considérée ?

b) Tracez le nuage de points.

c) Est-ce que le modèle linéaire décrit bien l'évolution du revenu personnel disponible par habitant ? Justifiez votre réponse.

d) Quelle est l'équation de la droite de tendance ?

e) Si la tendance s'était maintenue, quel aurait été le revenu personnel disponible par habitant au Canada en 2000 ?

f) Si la tendance se maintenait, en quelle année le revenu personnel disponible par habitant au Canada serait-il de 20 000 $?

g) Le modèle linéaire peut-il être utilisé pour faire une prédiction du revenu personnel disponible par habitant au Canada en 2050 ? Expliquez votre réponse.

RÉSUMÉ

En mathématiques, on exprime un lien entre deux variables à l'aide d'une fonction désignée par $y = f(x)$. Le type de fonction le plus simple est la fonction linéaire, $y = a + bx$, qui sert à décrire la relation entre deux variables et à prédire la valeur d'une des deux variables à partir de la valeur de l'autre.

Afin de s'assurer que le modèle linéaire permet de décrire la relation entre deux variables, on trace un nuage de points ou diagramme de dispersion. Lorsque les points se regroupent autour d'une droite, on sait que le modèle linéaire peut effectivement décrire le lien entre les deux variables. On mesure la force de ce lien à l'aide du coefficient de corrélation linéaire (r). Celui-ci est un nombre pur toujours compris entre –1 et 1. On l'obtient à partir de la formule suivante :

$$r = \frac{\sum_{i=1}^{n} x_i y_i - n\,\bar{x}\,\bar{y}}{(n-1)s_x s_y}$$

où :

n = Nombre de couples $(x\,;\,y)$

$(x_i\,;\,y_i)$ = Coordonnées du i-ième couple

$\sum_{i=1}^{n} x_i y_i = x_1 y_1 + x_2 y_2 + \cdots + x_n y_n$

$\bar{x}$ = Moyenne de la variable indépendante

$\bar{y}$ = Moyenne de la variable dépendante

s_x = Écart type de la variable indépendante

s_y = Écart type de la variable dépendante

On peut visualiser l'intensité d'une relation linéaire en examinant le nuage de points. La figure 12.14 montre quelques nuages de points typiques pour lesquels on a indiqué la valeur du coefficient de corrélation linéaire.

Figure 12.14

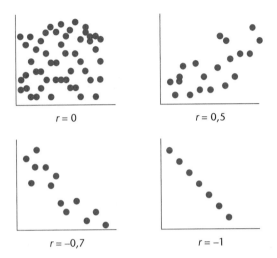

Afin de vérifier si une corrélation linéaire révélée par des données recueillies auprès d'un échantillon est valable pour la population, il faut s'assurer que le coefficient de corrélation linéaire est significativement différent de zéro au moyen d'un test d'hypothèse. La figure 12.7 (page 445) présente les différentes situations possibles et les règles de décision qui y correspondent.

Si le modèle linéaire convient, on détermine l'équation de la droite qui caractérise le mieux la relation linéaire entre les variables. Cette droite porte le nom de droite de régression ou droite des moindres carrés. Elle s'obtient à partir de la formule suivante :

$$y' = a + bx \qquad \text{où} \qquad b = r\frac{s_y}{s_x} \quad \text{et} \quad a = \bar{y} - b\bar{x}$$

Lorsque l'objet d'étude est une série chronologique, la droite de régression porte le nom de droite de tendance.

MOTS CLÉS

EXERCICES RÉCAPITULATIFS

1. Vrai ou faux ?

   a) On constate qu'il y a corrélation linéaire parfaite entre deux variables uniquement lorsque $r = 1$.

   b) Lorsque r est voisin de zéro, il n'y a pas de corrélation entre les deux variables.

   c) Lorsque $r > 0$, la corrélation entre les deux variables est positive.

   d) $-1 \leq r \leq 1$.

   e) Lorsqu'on trace un nuage de points, on place généralement la variable indépendante sur l'axe des ordonnées (y).

   f) On peut calculer le coefficient de corrélation linéaire r même lorsqu'une des deux variables est une variable qualitative nominale.

   g) Lorsque $r = 1$, on observe une relation de cause à effet entre les deux variables.

2. Répondez aux questions à partir des données du tableau suivant.

Espérance de vie, taux de mortalité infantile, indice synthétique de fécondité et produit intérieur brut par habitant pour certains pays, 1997

Pays	Espérance de vie (années)	Taux de mortalité infantile (‰)	Indice synthétique de fécondité	Produit intérieur brut par habitant ($)
Angola	46,5	125	6,8	1 430
Argentine	72,9	22	2,6	10 300
Bangladesh	58,1	75	3,2	1 050
Canada	79,0	6	1,6	22 480
Côte-d'Ivoire	46,7	87	5,1	1 840
Égypte	66,3	51	3,2	3 050
États-Unis	76,7	7	2,0	29 010
Haïti	53,7	71	4,4	1 270
Inde	62,6	71	3,3	1 670
Mexique	72,2	31	2,8	8 370
Nicaragua	67,9	43	3,9	1 997
Pérou	68,3	40	3,2	4 680
Sierra Leone	37,2	170	6,1	410
Vietnam	67,4	29	2,4	1 630

Sources : *État du monde 2000*, Montréal, Éditions du Boréal, 1999, p. 596-599 et Banque mondiale, *Le développement au seuil du XXIᵉ siècle. Rapport sur le développement dans le monde, 1999-2000*, Paris, Éditions Eska, 2000, p. 270-271.

   a) Représentez l'espérance de vie (x) et l'indice synthétique de fécondité (y) dans un diagramme de dispersion.

   b) Calculez et commentez le coefficient de corrélation linéaire de ces deux variables.

   c) Représentez le taux de mortalité infantile (x) et l'indice synthétique de fécondité (y) dans un diagramme de dispersion.

d) Calculez et commentez la valeur du coefficient de corrélation linéaire de ces deux variables.

e) Représentez le produit intérieur brut par habitant (*x*) et l'espérance de vie (*y*) dans un diagramme de dispersion.

f) Calculez et commentez la valeur du coefficient de corrélation linéaire de ces deux variables.

3. Un des moyens utilisés pour augmenter le taux de réponse à un questionnaire consiste à offrir une prime en argent aux répondants. Répondez aux questions à partir des données du tableau suivant mettant en relation la prime offerte aux répondants et le taux de réponse.

Montant de la prime et taux de réponse

Prime ($)	0,00	0,50	1,00	1,50	2,00	5,00	10,00
Taux de réponse (%)	10	15	25	30	40	60	80

a) Quelle est la variable indépendante ? Justifiez votre réponse.

b) Tracez le nuage de points.

c) Est-ce que le modèle linéaire décrit bien la relation entre ces variables ?

d) En vertu de ce modèle, quel devrait être le taux de réponse si on offrait une prime de 7,50 $?

e) En vertu de ce modèle, quelle prime donnerait un taux de réponse de 50 % ?

f) Peut-on se servir de ce modèle pour faire une prédiction fiable du taux de réponse associé à une prime de 40 $?

4. Une importante firme spécialisée dans le marketing direct veut pouvoir estimer le nombre de commandes postales reçues d'après la masse de son courrier. Elle pourra ainsi, à l'aide d'une mesure rapide et simple, connaître approximativement le volume des commandes à traiter. Voici les données qu'elle a recueillies au cours d'une période de 10 jours qu'elle juge représentative :

Masse du courrier et nombre de commandes

Masse (kg)	20	25	30	32	40	42	45	50	60	75
Nombre de commandes (milliers)	6,2	8,1	9,5	9,0	10,1	12,0	15,1	14,5	19,4	18,9

a) Quelle est la variable explicative ? Justifiez votre réponse.

b) Tracez le nuage de points.

c) Calculez et commentez la valeur du coefficient de corrélation linéaire.

d) Quelle est l'équation de la droite de régression ?

e) Peut-on se servir du modèle linéaire pour estimer le nombre de commandes postales reçues lorsque la masse du courrier est de 150 kg ? Justifiez votre réponse.

f) Estimez le nombre de commandes postales à traiter lorsque la masse du courrier est de 65 kg.

5. Lisez le texte qui suit et répondez aux questions.

Depuis 1988, Santé Canada oblige les fabricants de cigarettes à indiquer sur leurs paquets la teneur en trois composés : le goudron, la nicotine et l'oxyde de carbone. Depuis 1994, les fabricants doivent aussi reproduire des mises en garde concernant l'usage de la cigarette, afin de mieux informer les fumeurs sur ce qu'ils consomment et de les décourager de fumer.

Mais l'information concernant les dangers de la cigarette qui figure sur les paquets est-elle juste ? Si on se fie à une étude récente de Santé Canada, la réponse est parfois non. L'évaluation des divers composés chimiques des produits du tabac se fait traditionnellement à l'aide d'une machine à fumer programmée pour reproduire les habitudes des fumeurs. En avril 1999, Santé Canada a vérifié les valeurs annoncées sur les paquets et mesurées selon la méthode ISO utilisée mondialement. Puis, ses experts ont répété les essais en utilisant une méthode ISO modifiée plus intensive, mais plus représentative des habitudes des fumeurs. Les teneurs en goudron, nicotine et oxyde de carbone mesurées à l'aide de la deuxième méthode sont de 2 à 24 fois plus élevées que celles qui figurent sur les paquets de cigarettes. Et ce n'est pas tout : les cigarettes que les fabricants appellent « légères » ou « douces » produisent les mêmes quantités de substances chimiques nocives que les cigarettes ordinaires ![6]

a) Les mesures de goudron (mg/cigarette) pour huit produits du tabac selon chacune des deux méthodes utilisées sont les suivantes :

Quantité de goudron (mg/cigarette) pour huit produits du tabac mesurée selon les méthodes ISO et ISO modifiée

Nom du produit	ISO	ISO modifiée
Belvedere	15,0	42,8
Craven A	11,0	39,0
Du Maurier Extra Légère	8,0	34,6
Du Maurier Ultra Légère	6,0	35,1
Export "A"	16,0	41,9
Export "A" Légère	13,0	38,8
Mark Ten	16,0	43,0
Matinée	9,0	32,8

Source : Office de la protection du consommateur, « Cigarettes. Les vrais chiffres », *Protégez-vous*, janvier 2000, p. 6.

Considérez la mesure ISO comme la variable indépendante. Tracez le nuage de points, calculez le coefficient de corrélation et, s'il semble y avoir un lien entre les deux types de mesures, qualifiez ce lien et son intensité.

6. Le texte contient des extraits de Office de la protection du consommateur, « Cigarettes. Les vrais chiffres », *Protégez-vous*, janvier 2000, p. 4-7. Les données présentées dans le problème sont tirées de cet article.

b) La mesure ISO de goudron pour le produit Cameo est de 16 mg/cigarette. Estimez la mesure ISO modifiée de goudron pour ce produit.

c) La mesure ISO de goudron pour le produit Médaillon Ultra Douce King Size est de 1,0 mg/cigarette. Estimez la mesure ISO modifiée de goudron pour ce produit et commentez la fiabilité de cette estimation.

d) Les mesures de goudron (mg/cigarette) et d'oxyde de carbone (mg/cigarette) pour huit produits du tabac selon la méthode ISO modifiée sont les suivantes :

Quantité de goudron (mg/cigarette) et quantité d'oxyde de carbone (mg/cigarette) mesurées selon la méthode ISO modifiée pour huit produits du tabac

Nom du produit	Goudron (mg/cigarette)	Oxyde de carbone (mg/cigarette)
Belvedere	42,8	31,2
Craven A	39,0	29,7
Du Maurier Extra Légère	34,6	30,1
Du Maurier Ultra Légère	35,1	26,8
Export "A"	41,9	30,8
Export "A" Légère	38,8	30,4
Mark Ten	43,0	30,9
Matinée	32,8	29,7

Source : Office de la protection du consommateur, « Cigarettes. Les vrais chiffres », *Protégez-vous*, janvier 2000, p. 6.

Considérez la quantité de goudron comme la variable indépendante. Tracez le nuage de points, calculez le coefficient de corrélation et, s'il semble y avoir un lien entre les quantités de goudron et d'oxyde de carbone, qualifiez ce lien et son intensité.

6. Répondez aux questions à partir de la série chronologique ci-dessous.

Évolution de la rémunération des femmes, exprimée en pourcentage de celle des hommes, pour un travail à temps plein toute l'année, Canada, 1990-1996

Année	Pourcentage de la rémunération (%)
1990	67,7
1991	69,6
1992	71,9
1993	72,2
1994	69,8
1995	73,1
1996	73,4

Source : Statistique Canada, *Annuaire du Canada 1999*, n° 11-402-XPF au catalogue, p. 253.

a) Quelles ont été la variation et la variation relative de la rémunération des femmes, exprimée en pourcentage de celle des hommes, au cours de la période considérée ?

b) Tracez le nuage de points.

c) Quelle est l'équation de la droite de tendance ?

d) Si la tendance s'était maintenue, quelle aurait dû être la rémunération des femmes, exprimée en pourcentage de celle des hommes, en 2000 ?

e) Si la tendance se maintient, en quelle année les femmes atteindront-elles la parité salariale avec les hommes ? Dans ce contexte, dites pourquoi l'emploi de la droite de régression est discutable ?

7. Répondez aux questions à partir des données du tableau ci-dessous.

Température et précipitations annuelles moyennes de 21 grandes villes

Ville	Température annuelle moyenne (°C)	Précipitations annuelles moyennes (mm)
Berlin	8,4	590
Delhi	25,1	680
Durban	21,4	1 070
Hong Kong	22,2	2 230
Le Caire	21,7	20
Le Cap	16,8	640
Lisbonne	15,5	760
Londres	9,8	620
Madrid	13,6	440
Melbourne	14,7	650
Mexico	15,6	580
Montréal	6,0	1 030
Moscou	3,6	610
New York	11,1	1 090
Paris	10,1	580
Pékin	11,8	630
Rome	15,3	920
San Francisco	12,8	560
Stockholm	5,7	550
Tōkyō	14,0	1 610
Vienne	9,2	660

Source : G. Brunacci, M. Bonini et R. M. Panattoni, dir., *Encyclopédie géographique*, Paris, Éditions Stock, 1969, p. 68.

a) Tracez le nuage de points mettant en relation la température et les précipitations annuelles moyennes. Prenez la température comme variable indépendante.

b) Calculez le coefficient de corrélation linéaire.

c) Semble-t-il y avoir une relation linéaire entre la température et les précipitations annuelles moyennes d'une ville ?

8. Répondez aux questions à partir des données ci-dessous.

Évolution du taux d'intérêt hypothécaire de un an et du taux d'inflation, Canada, 1990-1998

Année	Taux d'inflation (%)	Taux d'intérêt (%)
1990	4,8	13,40
1991	5,6	10,08
1992	1,5	7,87
1993	1,8	6,91
1994	0,2	7,83
1995	2,2	8,38
1996	1,6	6,19
1997	1,6	5,54
1998	0,9	6,50

Source : Statistique Canada, *L'observateur économique canadien, supplément statistique historique, 1998/1999*, n° 11-210-XPB au catalogue, juillet 1999, p. 48 et 94.

a) Tracez le nuage de points pour les variables « taux d'inflation » (x) et « taux d'intérêt » (y).

b) Calculez et commentez la valeur du coefficient de corrélation linéaire.

c) À l'aide du modèle approprié, estimez le taux d'intérêt lorsque l'inflation est de 3 %.

9*. Répondez aux questions à partir des données du tableau ci-dessous.

Masse et quotient intellectuel de 10 adultes

Masse (kg)	Quotient intellectuel
70	120
65	95
85	110
90	100
75	112
70	100
80	105
75	95
58	120
47	98

a) Tracez le nuage de points mettant en relation la masse et le quotient intellectuel. Prenez la masse comme variable indépendante.

b) Calculez le coefficient de corrélation linéaire.

c) Peut-on affirmer, au seuil de 1 %, que le coefficient de corrélation linéaire (entre la masse et le QI) pour l'ensemble des adultes est significativement différent de zéro ? Considérez que les conditions d'application du test d'hypothèse sont remplies.

d) Sur la base du nuage de points, de la valeur de *r* et du résultat obtenu au test d'hypothèse, peut-on estimer avec justesse le quotient intellectuel d'un adulte à partir de sa masse ?

10*. Tout au long d'une formation pour informaticiens, on a mis en relation le nombre de jours de formation et le temps requis pour diagnostiquer un problème. Répondez aux questions à partir du tableau rassemblant les résultats obtenus pour un échantillon de 10 participants :

Durée de la formation et temps requis pour poser un diagnostic

Durée de la formation (jours)	2	2	3	3	4	4	5	5	5	6
Temps requis pour poser le diagnostic (min)	25	23	17	21	18	20	15	12	13	10

a) Quelle est la variable indépendante ?

b) Tracez le nuage de points.

c) Si le nuage de points laisse présager un lien entre les deux variables, qualifiez ce lien (nature et intensité).

d) Calculez le coefficient de corrélation linéaire entre ces deux variables.

e) Peut-on affirmer, au seuil de 5 %, que le coefficient de corrélation linéaire entre les deux variables pour l'ensemble de toutes les personnes suivant la formation est négatif ? Considérez que les conditions d'application du test d'hypothèse sont remplies.

11*. Pour étudier les effets de l'hérédité et de l'environnement social et culturel sur l'intelligence, on a comparé les résultats à un test de quotient intellectuel (QI) de jumeaux identiques séparés à la naissance. Les jumeaux identiques ayant le même bagage génétique, on pourra attribuer les différences de QI à l'environnement social et culturel. Voici les résultats d'un test de QI qu'on a fait passer à un échantillon de neuf paires de jumeaux identiques séparés à la naissance. Le résultat du jumeau le plus vieux est noté *x* et représente la variable indépendante, alors que celui du jumeau le plus jeune est noté *y*.

Résultats à un test de QI pour neuf paires de jumeaux identiques séparés à la naissance

QI_x	107	96	103	96	111	95	89	105	100
QI_y	111	97	114	99	115	92	94	104	106

a) Tracez le nuage de points.

b) Calculez le coefficient de corrélation linéaire entre ces deux variables.

c) Peut-on affirmer, au seuil de 5 %, que le coefficient de corrélation linéaire entre les deux variables pour l'ensemble de tous les jumeaux identiques séparés à la naissance est positif ? Considérez que les conditions d'application du test d'hypothèse sont remplies.

12. Répondez aux questions à partir de la série chronologique ci-dessous.

Évolution de la population du Québec, 1851-1999

Année	Population (milliers d'habitants)
1851	890
1861	1 112
1871	1 192
1881	1 359
1891	1 489
1901	1 649
1911	2 006
1921	2 361
1931	2 875
1941	3 332
1951	4 056
1956	4 628
1961	5 259
1966	5 781
1971	6 137
1976	6 397
1981	6 548
1986	6 708
1991	7 065
1996	7 274
1997	7 308
1998	7 335
1999	7 363

Source: L. Duchesne, *La situation démographique au Québec, bilan 1999, rétrospective du 20ᵉ siècle*, Québec, Institut de la statistique du Québec, 2000, p. 132.

a) Quelles ont été la variation et la variation relative de la population du Québec au cours de la période étudiée?

b) Tracez le nuage de points correspondant à la série chronologique.

c) Quelle est l'équation de la droite de tendance?

Répondez aux questions portant sur le texte suivant.

Aperçu statistique du mouvement
syndical ouvrier au Canada[7]

Histoire du mouvement syndical canadien

Le mouvement syndical canadien est issu de l'industrialisation de l'économie survenue au début du XXe siècle. La croissance de la main-d'œuvre dans le secteur industriel et la concentration accrue des entreprises dans ce secteur ont facilité le regroupement des travailleurs, ceux-ci étant de plus en plus nombreux à effectuer des tâches similaires. En dépit de ces changements, ce n'est que durant les années 1920, en raison des pressions constantes en faveur de réformes sociales et économiques, que les principales revendications des groupes de travailleurs ont été entendues.

La crise des années 1930 et les difficultés économiques subséquentes ont toutefois freiné momentanément le mouvement ouvrier. En revanche, au cours de la période allant de 1940 à 1956, les effectifs syndicaux (le nombre de syndiqués) ont pratiquement quadruplé. Parallèlement à cette augmentation du nombre de travailleurs syndiqués, les différentes branches du mouvement syndical canadien tendaient à s'unifier, ce qui a favorisé l'adoption par les gouvernements de mesures législatives en faveur des travailleurs et a contribué à raffermir l'influence et le prestige des syndicats.

À partir de 1956, les effectifs syndicaux ont augmenté plus lentement, à la fois parce que le bassin de travailleurs semi-spécialisés, les plus disposés à se syndiquer, diminuait et que le nombre de cols blancs, moins enclins à se regrouper, augmentait.

L'expansion de l'emploi dans la fonction publique fédérale, dans plusieurs gouvernements provinciaux, de même que dans certaines industries à niveau traditionnellement élevé de syndicalisation (dont celle de l'automobile) a contribué à une croissance soutenue de l'effectif syndical vers le milieu des années 1960.

De 1967 à 1997, l'adhésion syndicale a augmenté de manière importante (tableau 1). Par contre, la croissance parallèle des effectifs non syndiqués a maintenu le taux de syndicalisation (soit le nombre d'employés syndiqués pour 100 employés) entre 31 % et 33 % au cours de cette période. Bien qu'un employé sur trois fasse aujourd'hui partie d'un syndicat, comme ce fut le cas au cours des 30 dernières années, la com-

---

7. Ce texte contient des extraits tirés de deux textes de E. B. Akyeampong, parus respectivement dans les éditions d'automne 1997 (« Aperçu statistique du mouvement syndical ouvrier ») et d'automne 1999 (« Le point sur la syndicalisation »), de *Perspectives*, no 75-001-XPF au catalogue, Statistique Canada.

Tableau 1

Évolution du nombre de travailleurs syndiqués et du taux de syndicalisation, par sexe, Canada, 1967-1997

Année	Nombre de syndiqués (milliers)		Taux de syndicalisation (%)	
	Hommes	Femmes	Hommes	Femmes
1967	1 654	402	40,9	15,9
1972	1 780	575	37,9	21,4
1977	2 003	781	37,4	22,6
1982	2 016	981	37,8	24,0
1987	2 261	1 353	36,0	27,0
1992	2 216	1 587	36,1	29,8
1997	1 949	1 598	32,4	29,6

Source : E. B. Akyeampong, « Aperçu statistique du mouvement syndical ouvrier », *Perspectives*, n° 75-001-XPF au catalogue, Statistique Canada, hiver 1997, p. 51.

position des effectifs syndicaux a changé. Ainsi, entre 1967 et 1997, les effectifs féminins ont augmenté de façon plus importante que les effectifs masculins.

La présence des syndicats dans les entreprises

Plusieurs facteurs influent sur le taux de syndicalisation, dont l'âge, le niveau d'instruction, le régime de travail (temps plein ou temps partiel), la situation géographique et la durée de l'emploi, mais aussi la taille de l'entreprise (tableau 2).

Tableau 2

Répartition des travailleurs et des travailleurs syndiqués, selon la taille de l'entreprise, Canada, 1998

Taille de l'entreprise (nombre d'employés)	Nombre de travailleurs (milliers)	Nombre de travailleurs syndiqués (milliers)
Moins de 100	7 879	1 659
100 – 500	2 467	1 115
500 et plus	1 455	835

Source : E. B. Akyeampong, « Le point sur la syndicalisation », *Perspectives*, n° 75-001-XPF au catalogue, Statistique Canada, automne 1999, p. 58.

Les avantages de la syndicalisation

Les emplois assortis de prérogatives syndicales sont généralement associés à un salaire plus élevé, à de meilleurs avantages sociaux et à un régime de travail plus favorable que les emplois qui ne présentent pas de telles prérogatives. À cet égard, les résultats d'un sondage mené auprès d'un échantillon aléatoire simple avec remise de 500 travailleurs travaillant à temps plein (tableau 3) montrent qu'il y a un lien entre le statut syndical et la durée des vacances payées.

Tableau 3

Répartition de 500 travailleurs (temps plein), selon le statut syndical et la durée des vacances payées

Durée des vacances payées	Statut syndical		Total
	Travailleurs syndiqués	Travailleurs non syndiqués	
2 semaines ou moins	25	155	180
Plus de 2 semaines mais moins de 4 semaines	35	105	140
4 semaines ou plus	90	90	180
Total	150	350	500

Note : Il s'agit d'un échantillon fictif, qui respecte toutefois assez fidèlement l'information contenue dans l'article de E. B. Akyeampong paru à l'automne 1997.

Des 150 travailleurs syndiqués de cet échantillon aléatoire, 5 étaient âgés de 15 ans ou plus mais de moins de 25 ans, 40 étaient âgés de 25 ans ou plus mais de moins de 35 ans, 50 étaient âgés de 35 ans ou plus mais de moins de 45 ans, 35 étaient âgés de 45 ans ou plus mais de moins de 55 ans et les autres étaient âgés de 55 ans et plus mais de moins de 65 ans.

L'évolution des salaires dans les secteurs syndiqués

Depuis une vingtaine d'années, les grandes conventions salariales (celles négociées par les syndicats comptant au moins 500 membres) ont, sauf de rares exceptions, suivi dans l'ensemble l'évolution du taux d'inflation, comme on peut le constater à la lecture du tableau 4.

Tableau 4

**Évolution du taux d'inflation et du pourcentage d'augmentation des salaires
dans les principales conventions collectives, Canada, 1990-1999**

Année	Taux d'inflation (%)	Pourcentage d'augmentation (%)
1990	4,8	5,6
1991	5,6	3,6
1992	1,5	2,1
1993	1,8	0,6
1994	0,2	0,3
1995	2,1	0,9
1996	1,6	0,9
1997	1,6	1,5
1998	1,0	1,6
1999	1,0	1,7

Source : E. B. Akyeampong, « Le point sur la syndicalisation », *Perspectives*, n° 75-001-XPF au catalogue, Statistique Canada, automne 1999, p. 58.

a) Quelle est la nature des variables suivantes ?

- Taille de l'entreprise (tableau 2)

- Âge d'un travailleur

- Statut syndical (tableau 3)

b) À partir des données présentées dans le tableau 1, calculez le rapport de masculinité chez les employés syndiqués en 1997 et dites ce qu'il nous apprend.

c) À partir des données présentées dans le tableau 1, calculez la variation et la variation relative du taux de syndicalisation chez les femmes entre 1967 et 1997.

d) Commentez l'évolution des effectifs syndicaux féminins, soit le nombre de syndiquées, au Canada entre 1967 et 1997 (tableau 1). Votre commentaire doit faire appel aux concepts de variation, de variation relative et de variation moyenne.

e) À partir des données présentées dans le tableau 2, complétez le tableau suivant. Respectez les normes de présentation.

**Taux de syndicalisation,
selon la taille de l'entreprise, Canada, 1997**

Taille de l'entreprise (nombre d'employés)	Taux de syndicalisation (%)
Moins de 100 100 – 500 500 et plus	

f) Formulez une hypothèse plausible portant sur le lien entre la taille de l'entreprise et le taux de syndicalisation à partir du tableau produit en *e*.

g) Quelle est la variable explicative dans le tableau 3 ?

h) À partir des données présentées dans le tableau 3, réalisez un test d'hypothèse pour confirmer l'affirmation selon laquelle il y a un lien entre le statut syndical et la durée des vacances payées. Employez un seuil de signification de 5 %. Respectez toutes les étapes de ce test d'hypothèse.

i) Calculez le coefficient de Cramér (*V*) pour mesurer l'intensité du lien entre le statut syndical et la durée des vacances payées et qualifiez l'intensité de ce lien.

j) Estimez par un intervalle de confiance la proportion des *travailleurs syndiqués* (temps plein) qui bénéficient de 4 semaines ou plus de vacances payées. Employez un niveau de confiance de 95 %.

k) Dans son article, E. B. Akyeampong a établi que la proportion des *travailleurs non syndiqués* travaillant à temps plein qui bénéficient de 4 semaines ou plus de vacances payées est de 29,5 %. L'intervalle de confiance que vous avez obtenu en *j* vous autorise-t-il à penser qu'une plus grande proportion de *travailleurs syndiqués* que de *travailleurs non syndiqués* bénéficient de 4 semaines ou plus de vacances payées ? Justifiez votre réponse.

l) Consignez les renseignements portant sur l'âge des 150 travailleurs syndiqués (dernier paragraphe de la section *Les avantages de la syndicalisation*) dans un tableau de fréquences. Respectez les normes de présentation.

m) Calculez l'âge médian des travailleurs syndiqués de l'échantillon à partir des données consignées dans le tableau produit en *l*.

n) Tracez la courbe des fréquences relatives cumulées des âges des travailleurs syndiqués à partir des données consignées dans le tableau produit en *l*.

o) Estimez la valeur de Q_3 à partir de la courbe obtenue en *n*. Que nous apprend cette valeur ?

p) Calculez la valeur approximative de l'âge moyen des travailleurs syndiqués de l'échantillon à partir des données consignées dans le tableau produit en *l*.

q) Calculez la valeur approximative de l'écart type des âges des travailleurs syndiqués à partir des données consignées dans le tableau produit en *l*.

r) Le salaire hebdomadaire moyen des 150 travailleurs syndiqués de l'échantillon est de 730 $. L'écart type des salaires hebdomadaires de ces travailleurs est de 100 $. Estimez par un intervalle (niveau de confiance de 95 %), le salaire hebdomadaire moyen de l'ensemble des travailleurs syndiqués travaillant à temps plein.

s) Dans son article de 1999, E. B. Akyeampong a établi qu'en 1998, pour un travail à temps plein, le salaire hebdomadaire moyen des *employés syndiqués* était d'environ 740 $ alors que ce salaire n'était que de 630 $ pour les *employés non syndiqués*. Si l'écart type des salaires est de 100 $ dans le cas des travailleurs syndiqués et de 110 $ dans le cas des travailleurs non syndiqués, laquelle des deux distributions de salaires (celle des syndiqués ou celle des non-syndiqués) est la plus homogène ? Justifiez votre réponse en faisant référence à une mesure appropriée.

t) Quelle échelle de mesure emploie-t-on pour mesurer le temps (les années) dans le tableau 4 ? Justifiez votre réponse en invoquant la caractéristique distinctive de ce type d'échelle de mesure.

u) Tracez le nuage de points mettant en relation le taux d'inflation (variable explicative) et le pourcentage d'augmentation des salaires (variable expliquée) à partir des données consignées dans le tableau 4. Respectez les normes de présentation.

v) Calculez le coefficient de corrélation linéaire entre le taux d'inflation et le pourcentage d'augmentation des salaires.

w) Qualifiez le type de lien et l'intensité du lien qui semble exister entre ces deux variables.

x) Quelle est l'équation de la droite de régression entre ces deux variables ?

y) En vertu du modèle établi ci-dessus, quel devrait être le pourcentage d'augmentation salariale lorsque le taux d'inflation est de 3 % ?

z) À partir du modèle linéaire établi ci-dessus, peut-on prédire de manière raisonnable le pourcentage d'augmentation salariale lorsque le taux d'inflation est de 15 %. Justifiez votre réponse.

Réponses aux exercices récapitulatifs

Chapitre 1

1. a) Le choix d'une méthode d'investigation (et l'élaboration d'un instrument de mesure).
   b) L'analyse et l'interprétation des résultats.
   c) La formulation d'une problématique et d'une ou de plusieurs questions de recherche.
   d) L'organisation et le traitement des données.
   e) La collecte des données.
   f) La diffusion des résultats.

2. Une hypothèse est une proposition théorique que l'on avance en réponse provisoire à une question de recherche et que l'on projette de vérifier.

3. a) L'observation.
   b) L'expérience (ou la méthode expérimentale).
   c) L'enquête (ou l'enquête par sondage).
   d) La recherche documentaire.
   e) L'étude de cas.

4. a) L'opérationnalisation d'un concept consiste à définir un concept abstrait par un indicateur, soit une manifestation quantifiable et mesurable de ce concept.
   b) L'organisation et le traitement des données est l'étape de la démarche scientifique qui consiste à présenter les données à l'aide de tableaux, de figures (graphiques) ou de mesures.
   c) L'analyse et l'interprétation des données est l'étape de la démarche scientifique qui consiste à tirer des conclusions à partir des données recueillies. Il s'agit essentiellement de déterminer si les résultats obtenus infirment ou confirment les hypothèses de départ.

5. a) La population représente l'ensemble de tous les faits, de tous les objets ou de toutes les personnes sur lesquels portent une étude ou une recherche.
   b) Un recensement est un dénombrement complet ou un inventaire exhaustif d'une population.
   c) Un échantillon est un sous-ensemble d'une population.
   d) Un sondage est un prélèvement d'un échantillon d'une population. On utilise aussi couramment le mot sondage pour désigner une enquête effectuée auprès d'un échantillon de la population;

on parle d'ailleurs d'enquête par sondage ou de sondage d'opinion.

6. Le recensement n'est pas toujours souhaitable ou réalisable pour les motifs suivants:
   - Les coûts en sont généralement très élevés;
   - La population étudiée est souvent très grande, ce qui a pour conséquence de rendre les délais de réalisation d'un recensement et de traitement des données très importants;
   - Une étude peut comporter des tests destructifs (comme dans une étude sur la durée de vie d'ampoules électriques). L'utilisation d'un recensement aurait alors pour effet de détruire la population observée;
   - L'organisation d'un recensement peut être très complexe et exiger des procédures et des contrôles très élaborés.

7. Les deux volets de l'inférence statistique sont l'estimation (déterminer le pourcentage des électeurs qui vont voter pour le parti X aux prochaines élections) et le test d'hypothèse (le médicament X est plus efficace que le médicament Y pour traiter une maladie).

8. Il s'agit d'inférence, puisqu'on généralise les résultats d'une enquête portant sur un échantillon (1 000 cégépiens et cégépiennes) à l'ensemble de la population (tous les élèves des cégeps).

9. L'estimation est un volet de l'inférence statistique qui consiste à déterminer la valeur d'un paramètre d'une population d'après la mesure correspondante provenant d'un échantillon.

10. Cette comparaison n'est pas fondée. Le nombre de naissances est beaucoup plus élevé aux États-Unis qu'au Canada. Il n'est donc pas surprenant d'observer plus de décès d'enfants de moins d'un an aux États-Unis qu'au Canada.

11. La comparaison n'est pas juste, car c'est la bureautique qui a accru la productivité des secrétaires. L'amélioration de l'équipement plus que celle des habiletés des individus explique donc l'augmentation de la productivité.

12. Une règle mal graduée pose un problème de validité parce qu'elle ne permet pas de mesurer correctement ce qu'on doit mesurer. Elle ne pose toutefois pas de problème de fidélité, parce qu'elle donne des mesures constantes.

13. Cette mesure n'est pas valide parce qu'elle dénombre des individus qui ne sont pas des élèves (par exemple des enseignants, des cadres, des visiteurs) et qu'elle ne dénombre pas les élèves qui entrent par une autre porte. On mesure donc autre chose que ce qu'on voulait mesurer. Cette mesure n'est pas fidèle, puisqu'elle n'est pas constante d'une journée à l'autre alors que le nombre d'élèves inscrits est constant.

14. La mesure n'est ni valide ni fidèle. Les résultats risquent d'être « contaminés » par la proximité de l'examen.

15. Un indicateur est une manifestation quantifiable et mesurable d'un concept abstrait, souvent multidimensionnel.

16. *a)* Prix des repas, variété du menu, rapidité du service, propreté des lieux, etc.
    b) Nombre de livres disponibles, nombre de nouvelles acquisitions de volumes au cours de la dernière année, nombre de personnes au service des usagers, durée des prêts, etc.

17. *a)* Méthode expérimentale (expérience).
    b) Indicateur.
    c) Inférence statistique.
    d) Fidélité.

Chapitre 2

1. *a)* Quantitative continue.
   b) Quantitative discrète.
   c) Qualitative ordinale.
   d) Quantitative discrète.
   e) Qualitative nominale.
   f) Qualitative nominale.
   g) Qualitative ordinale.
   h) Quantitative continue.
   i) Qualitative nominale.
   j) Qualitative ordinale.

2.

	Unité statistique	Variable	Nature de la variable	Modalités ou valeurs
a)	Un étudiant	Nombre d'échecs	Quantitative discrète	0, 1, 2, 3, 4, 5, 6
b)	Un Québécois âgé de 15 à 29 ans	Degré de satisfaction	Qualitative ordinale	Très satisfait, Assez satisfait, Peu satisfait, Pas du tout satisfait
c)	Un Québécois	Sexe	Qualitative nominale	Féminin, Masculin

3. *a)* Une variable est une caractéristique qui peut présenter différentes formes pour chaque unité statistique observée.

   b) Une population est l'ensemble de tous les faits, de tous les objets ou de toutes les personnes, c'est-à-dire de toutes les unités statistiques, sur lesquels porte une étude ou une recherche.

   c) Une unité statistique est un élément de la population étudiée, soit un individu ou un objet sur lequel on mesure une variable.

   d) Une modalité est une forme que peut revêtir une variable qualitative.

   e) Une valeur est une forme prise par une variable quantitative.

   f) Une donnée est le résultat d'une mesure effectuée sur une unité statistique.

4.

	Échelle	Relations	Opérations
a)	Nominale	=, ≠	Aucune
b)	Ordinale	=, ≠, >, <	Aucune
c)	D'intervalles	=, ≠, >, <	+, −
d)	De rapports	=, ≠, >, <	+, −, ×, ÷

5. *a)* Une échelle ordinale permet de faire des comparaisons entre les modalités d'une variable (relation d'ordre), ce qui n'est pas le cas pour les modalités d'une variable mesurée selon une échelle nominale.

   b) Une échelle d'intervalles se caractérise par la présence d'une unité de mesure normalisée qui rend possibles les opérations d'addition et de soustraction entre les valeurs de la variable ainsi mesurée. De telles opérations ne sont pas possibles dans le cas d'une variable mesurée selon une échelle ordinale, étant donné l'absence d'une unité de mesure normalisée.

   c) Une échelle de rapports présente un zéro absolu alors qu'une échelle d'intervalles présente un zéro relatif (fixé arbitrairement). Les valeurs d'une variable mesurée selon une échelle de rapports pourront être additionnées, soustraites, multipliées et divisées entre elles, alors que celles mesurées selon une échelle d'intervalles ne pourront être qu'additionnées et soustraites entre elles.

6. *a)* Une échelle d'intervalles.
   b) Sur l'équateur.
   c) Une échelle d'intervalles.

7. Un zéro relatif est un point de référence fixé de manière arbitraire alors qu'un zéro absolu dénote l'absence totale de la caractéristique mesurée.

8. *a)* Échelle d'intervalles.
   b) Échelle de rapports.
   c) Échelle d'intervalles.
   d) Échelle ordinale.
   e) Échelle nominale.

9. *a)* Tous les mois d'octobre de 1942 à 1990.

b)

Variable	Nature de la variable	Valeurs possibles	Échelle de mesure	Origine de l'échelle	Relations possibles	Opérations permises
Année	Quantitative discrète	1942, ..., 1990	D'intervalles	Zéro relatif	=, ≠, >, <	+, −
Nombre de jours avec précipitations	Quantitative discrète	0, 1, ..., 31	De rapports	Zéro absolu	=, ≠, >, <	+, −, ×, ÷
Quantité de précipitations	Quantitative continue	0 – 250	De rapports	Zéro absolu	=, ≠, >, <	+, −, ×, ÷
Nombre d'heures d'ensoleillement	Quantitative continue	0 – 372	De rapports	Zéro absolu	=, ≠, >, <	+, −, ×, ÷
Température moyenne (°C)	Quantitative continue	0 – 15	D'intervalles	Zéro relatif	=, ≠, >, <	+, −

Note : Pour la variable « Quantité de précipitations », nous prenons pour acquis qu'il ne peut pas y avoir plus de 250 mm de précipitations en octobre. Pour la variable « Température moyenne », nous supposons que l'intervalle de 0 à 15 °C couvre toutes les possibilités. Nous considérons également qu'il ne peut y avoir plus de 12 heures d'ensoleillement par jour en octobre.

10. Clarté, pertinence et neutralité.

11. On dit que le choix de réponses est exhaustif lorsque toutes les réponses possibles sont présentées : tout individu peut situer sa réponse parmi celles proposées. On dit que les réponses sont mutuellement exclusives lorsqu'elles ne se recoupent pas : tout individu peut cocher une seule réponse parmi celles proposées.

12. Cette question n'est pas claire : les réponses ne sont pas mutuellement exclusives. En effet, les baptistes, les catholiques et les anglicans cocheraient la catégorie « Chrétienne » en plus de leur religion respective. De plus, le choix de réponses n'est pas exhaustif : il faut ajouter un choix « Autre ».

13. *a)* Dichotomique (c'est aussi une question filtre).
    b) À choix multiple.
    c) « Cafétéria » ou fourre-tout.
    d) Ouverte.
    e) Hiérarchique.

14. *a)* Questionnaire envoyé par la poste : groupe professionnel homogène réparti sur un vaste territoire.
    b) Entrevue en face à face : les jeunes de la rue n'ont ni adresse postale ni téléphone.
    c) Entrevue téléphonique : délai de réalisation très court, il n'est pas nécessaire d'employer l'interurbain.
    d) Entrevue en face à face : le répondant doit goûter à un biscuit.
    e) Entrevue en face à face : ces enfants ne savent pas lire, et ils ne savent pas nécessairement utiliser le téléphone.

15. *a)* Erreur d'échantillonnage.
    b) Erreur due à l'instrument de mesure.
    c) Erreur de réponse.
    d) Erreur due à la non-réponse.
    e) Erreur de couverture.

16. *a)* Tous les élèves de cégep.
    b) Un élève de cégep.

c) Les 200 élèves auxquels on a soumis le questionnaire.

d) Variable : sexe ; nature : qualitative nominale ; échelle : nominale ; critère de qualité non respecté : clarté (la question n'est pas formulée dans une phrase complète) ; reformulation : Quel est votre sexe ?

e) Variable : fréquence du déjeuner ; nature : qualitative ordinale ; échelle : ordinale ; critère de qualité non respecté : neutralité (oriente la réponse du sujet) ; reformulation : Déjeunez-vous le matin ?

f) Variable : dépenses pour l'alimentation au cours de la dernière semaine ; nature : quantitative discrète ; échelle : ordinale ; critère de qualité non respecté : clarté (l'éventail des réponses n'est pas exhaustif et les réponses ne sont pas mutuellement exclusives : il faut changer les catégories dans l'éventail de réponses) ; reformulation : changer l'éventail de réponses par : « moins de 10,00 $ », « 10,00 $ – 19,99 $ », « 20,00 $ – 29,99 $ », « 30,00 $ et plus ».

g) Variable : nombre d'animaux domestiques ; nature : quantitative discrète ; échelle : ordinale ; critère de qualité non respecté : pertinence (la question n'a aucun rapport avec le sujet d'étude : les habitudes alimentaires) ; reformulation : on devrait retirer cette question.

h) Variable : masse (dans le langage courant, on parle du poids) ; nature : quantitative continue ; échelle : de rapports ; critère de qualité non respecté : aucun (toutefois, cette question est délicate et il aurait peut-être été préférable d'en faire une question avec des catégories de masse pour améliorer le taux de réponse) ; reformulation : aucune.

i) Variable : rang dans la famille ; nature : qualitative ordinale ; échelle : ordinale ; critère de qualité non respecté : pertinence (il ne semble pas y avoir de lien entre cette question et le sujet de l'enquête) ; reformulation : retirer la question.

17. *a)* Variable : nombre de passagers au départ de Montréal ; nature : quantitative discrète ; valeurs : 0, 1, 2, ..., 60 ; échelle : de rapports.

b) Variable: ponctualité; nature: qualitative nominale; modalités: oui ou non; échelle: nominale.

c) Variable: conditions climatiques au départ de Montréal; nature: qualitative nominale; modalités: soleil, ciel couvert, pluie, neige, autre; échelle: nominale.

d) Variable: durée du trajet; nature: quantitative continue; valeurs: une valeur comprise entre 120 et 200 minutes; échelle: de rapports.

e) Variable: conditions de circulation sur l'autoroute; nature: qualitative ordinale; modalités: très bonnes, bonnes, mauvaises, très mauvaises; échelle: ordinale.

18. a) Quantitative continue.
    b) Claire.
    c) Pertinente.
    d) Neutre.
    e) De rapports.
    f) Variable.

Chapitre 3

1. La représentativité.

2. Un échantillon aléatoire est un échantillon dont les éléments ont été sélectionnés selon une technique basée sur le hasard qui donne à chaque élément de la population une chance connue et non nulle d'être choisi.

3. a) Prélèvement d'un échantillon tel qu'une même unité statistique ne peut être choisie plus d'une fois.

   b) Le poids du sondage correspond au nombre d'individus de la population que représente chaque unité statistique de l'échantillon. Il est donné par le quotient N/n.

   c) Le taux de sondage représente la proportion de la population qui fait partie de l'échantillon. Il est donné par le quotient n/N. On l'exprime généralement en pourcentage.

4. 5 245 786.

5. Il faut posséder une base de sondage. Il est possible que la base de sondage ne représente pas adéquatement la population cible: certains individus ne s'y trouvent pas et d'autres ne devraient pas y figurer. Ainsi, la base de sondage peut être incomplète, désuète ou inexacte.

6. a) On devrait procéder à un échantillonnage stratifié, parce qu'on voudra comparer les habitudes de consommation des sous-populations.

   b) 20.

7. Toutes choses étant égales par ailleurs, l'échantillonnage stratifié engendre une marge d'erreur plus faible que l'échantillonnage aléatoire simple. De plus, il permet de comparer des sous-populations par rapport aux variables étudiées. Cependant, il est beaucoup plus coûteux et plus complexe à réaliser: il exige qu'on puisse décomposer la population en strates relativement homogènes et qu'on dispose d'une liste des individus pour chacune des strates de la population, afin d'être en mesure de prélever un échantillon dans chacune d'elles.

8. a) Échantillonnage par grappes (ou amas).

   b) Non. On peut penser que les élèves fréquentant une même école primaire demeurent près de leur école et présentent des ressemblances sur le plan des principales caractéristiques socioéconomiques. On peut donc supposer que les grappes (les écoles) sont homogènes quant aux habitudes alimentaires des éléments de la grappe. Dans un tel contexte, si l'ensemble de la population des écoles est plus hétérogène que celle d'une seule école, la technique d'échantillonnage par grappes ne fournira pas un échantillon représentatif: il risque fort d'y avoir surreprésentation de certains groupes socioéconomiques dans l'échantillon.

9. Idéalement, les grappes doivent être hétérogènes et les strates doivent être homogènes.

10. La proximité géographique s'accompagne souvent d'une ressemblance des individus quant aux principales caractéristiques socioéconomiques: l'emploi d'une base aréolaire aurait pour effet de produire des grappes homogènes alors que cette technique d'échantillonnage exigerait plutôt des grappes hétérogènes.

11. a) Échantillonnage systématique.
    b) Échantillonnage au jugé.
    c) Échantillonnage par grappes (ou par amas).
    d) Échantillonnage systématique aléatoire.
    e) Échantillonnage stratifié.
    f) Échantillonnage stratifié.
    g) Échantillonnage par grappes (base aréolaire).

12. a) Échantillonnage par quotas; non probabiliste.
    b) Échantillonnage à l'aveuglette; non probabiliste.
    c) Échantillonnage systématique; non probabiliste.
    d) Échantillonnage par grappes (ou par amas); probabiliste.
    e) Échantillonnage de volontaires; non probabiliste.
    f) Échantillonnage à l'aveuglette; non probabiliste.
    g) Échantillonnage aléatoire simple; probabiliste.

13. *a)* Non, il ne possède pas une liste des personnes qui ont vu le film au festival.

b) On risque d'obtenir une surreprésentation de certains groupes dans l'échantillon : des personnes qui ont aimé ou qui ont détesté le film, des personnes qui ont intérêt à ce que le film se vende bien, etc. Par conséquent, l'échantillon ne serait pas représentatif.

c) Les personnes qui sortent les premières seront probablement celles qui ont le moins aimé le film ; l'échantillon obtenu ne serait pas représentatif.

d) L'échantillonnage systématique non aléatoire avec un pas de sondage de 5.

e) Les personnes qui fréquentent un festival de cinéma n'ont pas nécessairement les mêmes goûts que le grand public : l'échantillon choisi n'était pas tiré de la population cible et risquait de ne pas être représentatif de cette dernière.

14. Il peut être utilisé dans les études exploratoires lorsqu'on veut réduire les coûts, lorsque la population étudiée est relativement homogène, lorsqu'une expérimentation comporte des risques pour la santé ou encore lorsqu'il est impossible de disposer d'une base de sondage.

15. Le niveau de confiance : une augmentation du niveau de confiance provoque une augmentation de la marge d'erreur. La taille de l'échantillon : pour un niveau de confiance donné, plus la taille de l'échantillon est grande, plus la marge d'erreur est faible. La technique d'échantillonnage : l'échantillonnage stratifié est généralement plus précis que l'échantillonnage aléatoire simple, qui est plus précis que l'échantillonnage par grappes. La marge d'erreur est donc plus faible pour une taille d'échantillon et un niveau de confiance donnés lorsqu'on emploie l'échantillonnage stratifié.

16. *a)* Opinion sur le mariage des prêtres.

b) Qualitative ordinale.

c) «Tout à fait d'accord», «Assez d'accord», «Assez en désaccord», «Tout à fait en désaccord».

d) En additionnant les pourcentages des personnes qui ont répondu «Tout à fait d'accord» et «Assez d'accord».

e) 12 %.

f) 3 %.

g) • L'énoncé de la question : «Que pensez-vous de la possibilité que des prêtres se marient ?»

• Le mode d'utilisation du questionnaire : sondage téléphonique.

• La période au cours de laquelle le questionnaire a été soumis : les entrevues ont été réalisées entre le 12 et le 17 mars 1993.

• La population cible : les Québécois de souche catholique, pratiquants ou non.

• La base de sondage : l'ensemble des échanges téléphoniques actuellement en usage au Québec.

• La technique d'échantillonnage utilisée : échantillonnage stratifié à deux degrés.

• La taille de l'échantillon : 1 006 personnes.

• Le taux de réponse : 61 %. On indique également qu'on a fait plusieurs appels pour joindre les ménages sélectionnés et on a rappelé les gens qui avaient refusé de répondre dans un premier temps.

• Les résultats : «Tout à fait d'accord» : 58 %, «Assez d'accord» : 27 %, «Assez en désaccord» : 5 %, «Tout à fait en désaccord» : 7 %, «Ne sais pas» ou «Ne répond pas» : 3 %.

• La marge d'erreur : 3,85 % ou mieux encore 3,85 points de pourcentage.

• Le niveau de confiance : 95 %.

• La répartition des indécis : on ne donne pas d'information sur ce point.

h) Oui, il s'agit d'une technique probabiliste.

17. *a)* Base de sondage.

b) Une université canadienne.

c) Elle est aléatoire.

d) 19.

e) 4.

f) Non, les grappes risqueraient alors d'être homogènes (chaque grappe contiendrait majoritairement des universités d'une même province ou d'une même région du pays).

g) 21,1 %.

h) Environ 21 % des universités seront sondées.

i) 4,75.

j) Chaque université de l'échantillon en représente près de 5 (en fait 4,75).

18. *a)* Les diplômés de 1998 du domaine des techniques de la gestion de ce cégep.

b) 80.

c) 40 diplômés en techniques administratives, 20 en bureautique et 20 en informatique.

d) 50 %, π.

e) La liste des 80 diplômés.

f) 25 %.

g) 20 (soit $0,25 \times 80$).

h) Le domaine d'études et la principale occupation des diplômés.

i) Ce sont deux variables qualitatives nominales.

j) Domaine d'études : techniques administratives (A), bureautique (B), informatique (I) ; principale occupation : travail à temps plein, travail à temps partiel, chômage, études, autre.

k) L'échantillon est formé de Kathia, Joseph, Caroline, Gaston, Mathieu, Rachel, Josianne, Chantal,

Maude, Marc, Anita, Paul, Hugues, Martine, Jennifer, Denis, Régine, Luc, Kathia et Éric.

l) 60 % ; *p* ; ponctuelle.

m) L'échantillonnage stratifié. On doit d'abord dresser une liste numérotée pour chacune des trois strates : techniques administratives (A), bureautique (B) et informatique (I). L'échantillon est formé de Donna, Mariette, Étienne, Bernard, Rachel, Simon, Jean-Marc, Juliette, Éric et Régine (strate A) ; Hugues, Johanne, Denise, Maurice et Jennifer (strate B) ; Marc, Raymond, Henri, Yves et Pierre (strate I).

Chapitre 4

1. *a)* Les femmes ayant subi un avortement thérapeutique au Canada en 1990.

   b) L'état matrimonial.

   c) Variable qualitative nominale.

   d) 71 092.

   e)
   Tableau 3
   Répartition des femmes ayant subi un avortement thérapeutique, selon l'état matrimonial, Canada, 1990

État matrimonial	Nombre de femmes	Pourcentage des femmes (%)
Célibataire	43 267	60,9
Mariée	15 158	21,3
Séparée	2 812	4,0
Divorcée	2 047	2,9
Veuve	154	0,2
Épouse de fait	2 217	3,1
Non déclaré	4 708	6,6
Inconnu	729	1,0
Total	**71 092**	**100,0**

   Source : Statistique Canada, *Avortements thérapeutiques 1990*, n° 82-003S9 au catalogue, 1992, p. 50.

   f) On constate que la majorité des avortements thérapeutiques, en fait plus de six sur dix, ont été pratiqués chez des femmes célibataires. On peut donc émettre l'hypothèse que l'absence d'un conjoint pour partager les responsabilités parentales pourrait constituer un facteur expliquant le recours à l'avortement thérapeutique pour mettre un terme à une grossesse. Si l'on ajoute à ce groupe les femmes séparées, divorcées et veuves, on constate que 68 % des avortements, soit plus de deux sur trois, sont pratiqués chez des femmes qu'on peut supposer sans conjoint.

2. *a)* Une personne inscrite au cours.

   b) La langue maternelle.

   c) Variable qualitative nominale.

   d) Échelle nominale.

   e) 70 données.

f) La langue maternelle d'une personne inscrite au cours.

g) 6 modalités.

h)
Répartition des 70 personnes inscrites à un cours, selon la langue maternelle

Langue maternelle	Nombre d'inscrits	Pourcentage des inscrits (%)
Français	38	54,3
Anglais	15	21,4
Allemand	7	10,0
Italien	4	5,7
Espagnol	4	5,7
Autre	2	2,9
Total	**70**	**100,0**

i) 54,3 % ; 21,4 % ; 5,7 %.

j) Les fréquences relatives.

k) On peut utiliser un diagramme à secteurs, un diagramme linéaire ou un diagramme à bandes rectangulaires. Nous avons choisi de tracer un diagramme à bandes rectangulaires horizontales.

Répartition des 70 personnes inscrites à un cours, selon la langue maternelle

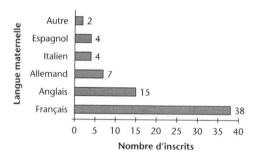

3. *a)* Un élève inscrit au cours de philosophie.

   b) Le degré de satisfaction à l'égard de l'enseignement reçu.

   c) Variable qualitative ordinale.

   d) Échelle ordinale.

   e) Quatre modalités.

   f)
   Répartition en pourcentage des 28 élèves inscrits à un cours de philosophie, selon leur degré de satisfaction à l'égard de l'enseignement reçu

Degré de satisfaction	Pourcentage des élèves (%)
Très insatisfait	35,7
Insatisfait	39,3
Satisfait	17,9
Très satisfait	7,1
Total	**100,0**

   g) Ce tableau montre que les élèves inscrits à ce cours de philosophie présentent un fort degré d'insatisfaction par rapport au cours : 75 % des élèves (soit 35,7 % + 39,3 %) sont insatisfaits ou très insatisfaits. Il faudrait, par une analyse plus poussée, tenter de déterminer les causes de l'insatisfaction : le professeur, la matière, les évaluations, l'horaire des cours, etc.

h) On peut utiliser un diagramme à secteurs, un diagramme linéaire ou un diagramme à bandes rectangulaires. Nous avons choisi de tracer un diagramme à bandes rectangulaires verticales.

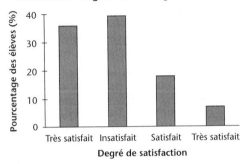

Répartition en pourcentage des 28 élèves inscrits à un cours de philosophie, selon leur degré de satisfaction à l'égard de l'enseignement reçu

4. a) 21 %.
   b) 4 817.

5. **Répartition en pourcentage des répondants, par sexe, selon le degré de confiance accordé au système judiciaire en matière de délits à caractère sexuel**

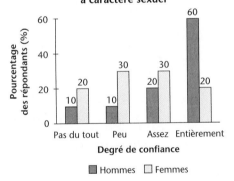

Les hommes semblent avoir davantage confiance dans le système judiciaire que les femmes en matière de délits à caractère sexuel ; 80 % des hommes interrogés disent avoir entièrement ou assez confiance dans le système judiciaire alors que seulement 50 % des femmes ont la même opinion.

6. a) Les familles du Québec, d'Ontario et de Colombie-Britannique en 1997.
   b) La province de résidence et la taille de la famille.
   c) Province de résidence : qualitative nominale. Taille de la famille : quantitative discrète.
   d) Parce que les comparaisons de diagrammes à secteurs sont difficiles à réaliser.
   e) Au Québec, en 1997, environ 47 % des familles comptaient deux personnes ; ce pourcentage était

de 45 % en Ontario et de 50 % en Colombie-Britannique. Pour les familles de plus de trois personnes, les pourcentages étaient de 28 % au Québec, 33 % en Ontario et 30 % en Colombie-Britannique.

7. a) La méthode expérimentale.
   b) Une échelle ordinale.
   c) Le fait de diviser un texte en parties et de poser des questions après chaque partie favorise la rétention des éléments du texte.
   d) 12 élèves.
   e) **Répartition en pourcentage des étudiants, par groupe, selon le résultat obtenu**

Résultat	Premier groupe (%)	Deuxième groupe (%)
A	16	20
B	20	30
C	44	40
D	16	8
E	4	2
Total	100	100

   f) Les étudiants du deuxième groupe semblent avoir eu une performance supérieure à celle des étudiants du premier groupe. En effet, 50 % des étudiants du deuxième groupe ont obtenu une note de A ou B contre seulement 36 % des élèves du premier groupe.
   g) L'inférence statistique et notamment un test d'hypothèse.
   h) Nous pourrions utiliser un diagramme linéaire ou un diagramme à bandes rectangulaires pour représenter graphiquement le tableau dressé en e. Nous avons choisi de construire un diagramme à bandes rectangulaires.

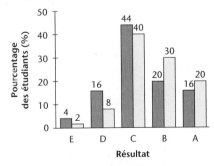

Répartition en pourcentage des étudiants, par groupe, selon le résultat obtenu

   i) Diagramme à bandes rectangulaires verticales chevauchées.

8. a) Les diplômés de l'année 2000 du secteur préuniversitaire de ce cégep.
   b) Il s'agit d'un échantillon.

c)

Répartition de 56 diplômés de 2000, selon le nombre d'échecs

Nombre d'échecs	Nombre de diplômés	Pourcentage des diplômés (%)
0	25	44,6
1	13	23,2
2	6	10,7
3	5	8,9
4	4	7,1
5	3	5,4
Total	56	100,0

Note : Les pourcentages étant arrondis, la somme des fréquences relatives n'égale pas 100 %.

d)

Répartition de 56 diplômés de 2000, selon le nombre d'échecs

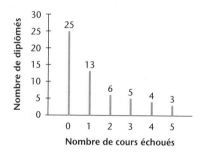

9. a) Les nombre de consultations au bureau du professeur.
   b) Variable quantitative discrète.
   c) Échelle de rapports.
   d)

   Répartition de 70 élèves, selon le nombre de consultations au bureau du professeur

Nombre de consultations	Nombre d'élèves
0	25
1	14
2	9
3	7
4	8
5	5
6	2
Total	70

e)

Répartition de 70 élèves, selon le nombre de consultations au bureau du professeur

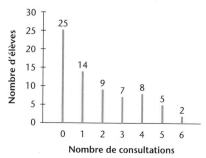

10. a)

Répartition de 50 étudiants de cégep, selon le nombre d'heures consacrées hebdomadairement aux études

Nombre d'heures	Nombre d'étudiants
4 – 6	5
6 – 8	10
8 – 10	20
10 – 12	10
12 – 14	5
Total	50

b)

Répartition de 50 étudiants de cégep, selon le nombre d'heures consacrées hebdomadairement aux études

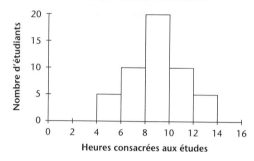

Répartition de 50 étudiants de cégep, selon le nombre d'heures consacrées hebdomadairement aux études

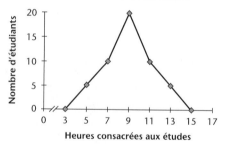

11. a) Les résidences sur le territoire de la municipalité.
    b)

Répartition en pourcentage des résidences, selon l'évaluation

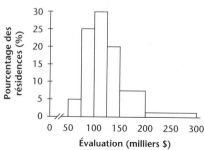

12. a) Une municipalité régionale de comté (MRC).
    b) Variable quantitative continue.

c) Échelle de rapports.

d)
**Répartition de 40 MRC,
selon leur superficie, Québec, 1995**

Superficie (km^2)	Nombre de MRC
0 – 500	8
500 – 1 000	5
1 000 – 1 500	8
1 500 – 2 000	7
2 000 – 2 500	5
2 500 – 3 000	2
3 000 – 3 500	1
3 500 – 4 000	3
4 000 – 4 500	1
Total	40

Source : Bureau de la statistique du Québec, *Le Québec statistique*, Québec, Publications du Québec, 1995, p. 132 et 133.

e)
**Répartition de 40 MRC,
selon leur superficie, Québec, 1995**

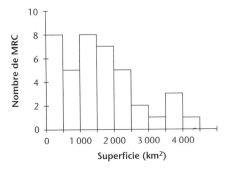

Source : Bureau de la statistique du Québec, *Le Québec statistique*, Québec, Publications du Québec, 1995, p. 132 et 133.

f)
**Répartition cumulée de 40 MRC,
selon leur superficie, Québec, 1995**

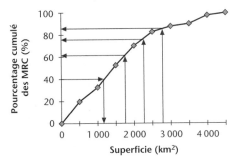

Source : Bureau de la statistique du Québec, *Le Québec statistique*, Québec, Publications du Québec, 1995, p. 132 et 133.

g) Environ 75 %.

h) 1 200.

i) 25 %.

13. a) 15.

b) 65.

c) 50.

d) 40 %.

e) 48.

14. a) Le temps (en secondes) mis par un sujet pour accomplir une tâche.

b) Variable quantitative continue.

c) Échelle de rapports.

d) 74 secondes.

e)
**Répartition de 52 sujets,
selon le temps mis pour accomplir une tâche**

Temps (secondes)	Nombre de sujets
50 – 60	4
60 – 70	5
70 – 80	7
80 – 90	10
90 – 100	10
100 – 110	7
110 – 120	5
120 – 130	4
Total	52

f)
**Répartition de 52 sujets,
selon le temps mis pour accomplir une tâche**

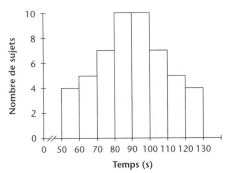

**Répartition de 52 sujets,
selon le temps mis pour accomplir une tâche**

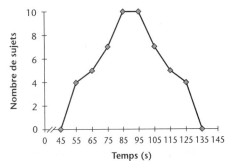

15. a) Les députés québécois à la Chambre des communes (octobre 1999).

b) L'âge.

c) Variable quantitative continue.

d) 48 ans.

e) **Répartition de 73 députés québécois à la Chambre des communes, selon l'âge, octobre 1999**

Âge (années)	Nombre de députés
25 – 35	6
35 – 45	11
45 – 55	24
55 – 65	27
65 – 75	5
Total	73

Source : *Canadian Global Almanac.*

f) 76,7 %.

g)

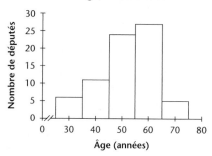

Répartition de 73 députés québécois à la Chambre des communes, selon l'âge, octobre 1999

Source : *Canadian Global Almanac.*

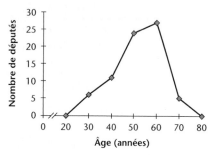

Répartition de 73 députés québécois à la Chambre des communes, selon l'âge, octobre 1999

Source : *Canadian Global Almanac.*

h) Le groupe des 55 – 65 ans.

i) C'est l'intervalle sur lequel on a tracé le rectangle le plus haut.

j) Il faut d'abord s'interroger sur l'âge auquel commence la vieillesse selon votre ami. Est-on vieux à partir de 45 ans ? De 55 ans ? De 65 ans ? Si votre ami considère qu'on commence à être vieux à compter de 45 ans, alors vous aurez tendance à partager son opinion, puisque 76,7 % des députés sont âgés de 45 ans et plus et que seulement 8,2 % des députés sont âgés de moins de 35 ans. Quant à savoir si les politiciens comprennent ou non les problèmes des jeunes, c'est une question à laquelle les données ne peuvent pas apporter de réponse.

16. *a)* Il y a un lien entre la scolarité des Québécoises de 20 ans et plus et la scolarité de leur mère.

b) Les Québécoises qui étaient âgées de 20 ans et plus en 1999.

c) La scolarité de la mère et la scolarité de la fille.

d) Ce sont des variables qualitatives ordinales.

e) Niveau 1, Niveau 2 et Niveau 3.

f) 250.

g) 51,6 %.

h) 35,7 %.

i)

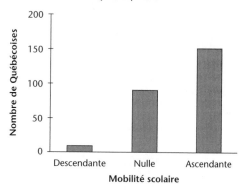

Répartition de 250 Québécoises de 20 ans et plus selon la mobilité scolaire intergénérationnelle, Québec, 1999

17. *a)* Le sexe, la masse et la longueur.

b) Le sexe est une variable qualitative nominale, la masse et la longueur sont des variables quantitatives continues.

c) Une échelle nominale pour le sexe et une échelle de rapports pour la masse et la longueur.

d) **Répartition de 52 nouveau-nés, selon le sexe et la masse, Québec, 2000**

Masse (g)	Sexe		Total
	Masculin	Féminin	
Moins de 2 500	0	1	1
2 500 – 3 500	11	15	26
3 500 – 4 500	14	10	24
4 500 et plus	1	0	1
Total	26	26	52

e) 50 %.

f) 42,3 % sont de sexe masculin, les autres (57,7 %) étant de sexe féminin.

g) 38,5 %.

18. **Répartition de 1 085 travailleuses, mariées ou vivant en union de fait, avec un enfant à la maison, selon le régime de travail et l'âge du plus jeune enfant**

Régime de travail	Âge de l'enfant (années)			Total
	Moins de 6	6 – 15	16 et plus	
Temps partiel	152	140	13	305
Temps plein	339	359	82	780
Total	491	499	95	1 085

19. **Répartition de 500 élèves, selon le secteur d'études et l'opinion sur une politique d'évaluation du personnel enseignant**

Opinion	Secteur d'études			Total
	Sciences de la nature	Sciences humaines	Arts, lettres et langues	
Favorable	120	200	80	400
Défavorable	15	25	10	50
Sans opinion	15	25	10	50
Total	150	250	100	500

Chapitre 5

1. *a)*

Dons ($) par programme d'études

Programme d'études	Dons ($)
Administration	500 000
Arts et lettres	90 000
Éducation	300 000
Ingénierie	250 000
Sciences humaines	210 000
Sciences pures	150 000
Total	1 500 000

b) 33,3 % des dons proviennent des diplômés d'administration et 14 % des dons, des diplômés des sciences humaines.

c)

Dons ($) par programme d'études

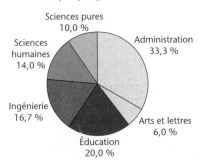

Sciences pures
10,0 %

Sciences humaines
14,0 %

Administration
33,3 %

Ingénierie
16,7 %

Arts et lettres
6,0 %

Éducation
20,0 %

Les dons reçus varient selon les programmes d'études. Ainsi, ce sont les diplômés d'administra-

tion qui ont le plus contribué à la campagne de financement : leurs dons totalisaient 500 000 $, montant qui représente 33,3 % de l'ensemble des dons. Par contre, les diplômés d'arts et lettres n'ont donné que 90 000 $, ce qui représente tout de même 6 % de l'ensemble des dons.

2. **Pourcentage du PIB consacré aux dépenses de santé, pays du G-7, 1997**

Pays	Pourcentage du PIB (%)
États-Unis	14,0
Allemagne	10,4
France	9,9
Canada	9,3
Italie	7,6
Japon	7,3
Royaume-Uni	6,7

Source : Statistique Canada, *Rapport statistique sur la santé de la population canadienne* (version révisée), Ottawa, n° 82 570-XIF au catalogue, mars 2000, p. 133.

Note : les pourcentages inscrits dans le tableau sont ceux à partir desquels le graphique a été construit. Les pourcentages que vous avez obtenus peuvent différer de ceux du tableau, puisque vous faites une approximation.

3. *a)* Statistique Canada.

b) Il s'agit d'une enquête par sondage puisque seulement 11 000 Canadiens de 15 ans et plus ont été interrogés et non pas l'ensemble de tous les Canadiens de 15 ans et plus.

c) L'ensemble de tous les Canadiens de 15 ans et plus habitant dans une des 10 provinces.

d) En 1995, les Canadiens ne considèrent pas que tous les motifs sont valables pour mettre fin à une union. Les opinions varient notamment en fonction du sexe de la personne interrogée et de son groupe d'âge. Ainsi, 49 % des hommes de 50 ans et plus (les aînés) considèrent que l'insatisfaction sexuelle constitue un motif valable de rupture d'une union contre seulement 20 % des hommes appartenant à la Génération X (15 à 29 ans). En règle générale, quel que soit le sexe, la proportion des personnes considérant ce motif comme un motif valable de rupture d'une union augmente avec l'âge. De plus, à l'exception des membres de la génération X, les hommes sont proportionnellement plus nombreux que les femmes à considérer que l'insatisfaction sexuelle constitue un motif valable de rupture d'une union.

Bien que les proportions soient plus faibles, on observe sensiblement les mêmes tendances en ce qui a trait à la répartition insatisfaisante des tâches ménagères. À titre d'exemple, 25 % des hommes de 50 ans et plus contre seulement 15 % des hommes appartenant à la génération X considèrent qu'une répartition insatisfaisante des tâches domestiques est une cause suffisante pour rompre une union. En général, tant chez les hommes que chez les femmes, la proportion des personnes considérant ce motif valable pour rompre une union augmente avec l'âge. De plus, dans chacun des groupes d'âge, les hommes sont proportionnellement plus nombreux que les femmes à considérer qu'une répartition insatisfaisante des tâches constitue une raison légitime pour rompre une union.

e)

Proportion des répondants qui considèrent que le désaccord constant sur la gestion des finances familiales est un motif valable de rupture d'une union, selon le groupe d'âge

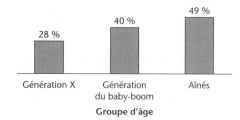

Groupe d'âge

f)

Proportion des répondants qui considèrent que le conflit relatif à l'éducation des enfants est un motif valable de rupture d'une union, selon le groupe d'âge

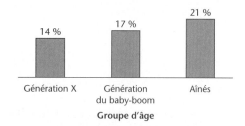

Groupe d'âge

g) Oui. En effet, on peut certes penser que l'expérience des problèmes conjugaux s'acquiert avec l'âge. Tous les graphiques mentionnés dans la question montrent que la proportion des personnes considérant que les problèmes conjugaux (insatisfaction sexuelle, partage des tâches, querelles sur les finances et l'éducation des enfants) constituent des motifs valables de rupture d'une union augmente avec l'âge. Par conséquent, on peut penser que les personnes plus âgées, et donc plus susceptibles d'avoir connu des problèmes conjugaux, sont moins enclines à les tolérer et sont davantage portées à les considérer comme une raison qui justifie la rupture d'une union.

4. *a)* La catégorie de revenu et le sexe.
   b) Faible, Moyen inférieur, Moyen supérieur, Élevé.
   c) 77 %.
   d) 51 %.
   e) Tant chez les femmes que chez les hommes, la proportion des gens se déclarant en excellente ou en très bonne santé augmente selon le niveau de revenu.

f) Dans chacune des catégories de revenu, les femmes sont proportionnellement moins nombreuses que les hommes à se déclarer en très bonne ou en excellente santé.

5. *a)* La variation, soit l'augmentation ou la diminution de la valeur d'une variable entre deux moments donnés.
   b) La variation relative, soit le pourcentage d'augmentation ou de diminution de la valeur d'une variable entre deux moments donnés.
   c) La variation moyenne, soit l'augmentation ou la diminution de la valeur d'une variable, entre deux moments donnés, par unité de temps.

6. *a)* Points ou points de pourcentage.
   b) Augmenté.
   c) Pourcentage.

7. *a)* 85 milliards $.
   b) 39,9 %.
   c) 21,25 milliards $/an.

8. *a)* Au Canada, entre 1956 et 1996, le taux d'urbanisation a augmenté de façon systématique. Ainsi, il est passé de 66,6 % en 1956 à 77,9 % en 1996, ce qui représente une augmentation de 11,3 points en 40 ans ou de 17,0 %. Le taux d'urbanisation a donc augmenté d'environ 0,3 points par an, en moyenne.
   b) Au Canada, entre 1992 et 1998, les profits des banques ont augmenté considérablement. Ainsi, ils sont passés de 1,5 milliards $ en 1992 à 16,5 milliards $ en 1998. Il s'agit là d'une augmentation de 15 milliards $ en 6 ans ou de 1 000 %. L'augmentation moyenne des profits des banques a donc été de 2,5 milliards $/an.
   c) Entre 1961 et 1996, la proportion de titulaires d'un grade universitaire dans la population des 15 ans et plus a augmenté de façon importante tant au Québec qu'en Ontario. Ainsi, au Québec, entre 1961 et 1996, la proportion de titulaires d'un grade universitaire chez les 15 ans et plus est passée de 2,9 % à 12,2 %, ce qui représente une augmentation de 9,3 points ou de 320,7 %. Malgré tout, le Québec accuse un retard par rapport à l'Ontario en la matière. En effet, en Ontario, au cours de la même période, la proportion de titulaires d'un grade universitaire est passée de 3,4 % à 14,9 %, augmentant ainsi de 11,5 points ou de 338,2 %, de sorte que l'écart entre les proportions des deux provinces s'est même accru au cours de la période, passant de 0,5 points à 2,7 points.

9. *a)* Au Québec, entre 1957 et 1997, le nombre de naissances chez les couples mariés a diminué de façon importante alors que le nombre de naissances hors mariage augmentait, à tel point qu'en 1997 le nombre de naissances hors mariage

dépassait celui des naissances chez les couples mariés. Ainsi, le nombre de naissances chez les couples mariés est passé de 139 754 en 1957 à 36 403 en 1997, ce qui représente une diminution de 103 351 naissances, soit de 74,0 %, ou une baisse moyenne de 2 583,8 naissances/an au cours de la période. Pendant ce temps, le nombre de naissances hors mariage passait de 4 678 à 43 321, ce qui représente une augmentation de 38 643 naissances, soit de 826,1 %, ou une hausse moyenne de 966,1 naissances/an.

b) 144 432.

c) 79 724.

d)
Évolution du nombre de naissances, Québec, 1957-1997

Année	Nombre de naissances
1957	144 432
1967	104 803
1977	97 266
1987	83 600
1997	79 724

Source: Institut de la statistique du Québec, *Statistiques démographiques, les naissances et la fécondité*, stat.gouv.qc.ca.

e) Le nombre de naissances a diminué de 64 708.

f) Le nombre de naissances a diminué de 44,8 %.

g) 3,2 %.

h) 54,3 %.

i)
Évolution de la proportion des naissances hors mariage, Québec, 1957-1997

Année	Proportion des naissances hors mariage (%)
1957	3,2
1967	6,7
1977	10,5
1987	29,9
1997	54,3

Source: Institut de la statistique du Québec, *Statistiques démographiques, les naissances et la fécondité*, stat.gouv.qc.ca.

Au Québec, entre 1957 et 1997, la proportion des naissances hors mariage n'a cessé de croître. En 1997, les naissances hors mariage comptaient pour plus de la moitié des naissances (54,3 %), alors qu'en 1957 elles ne représentaient qu'un peu moins de une naissance sur vingt-cinq (3,2 %). La proportion des naissances hors mariage dans l'ensemble des naissances a donc progressé de 51,1 points, soit de 1 596,9 % au cours de la deuxième moitié du XXe siècle.

10. a) 17 153.

b) Au Canada, entre 1989 et 1994, le nombre d'avortements pratiqués chez des adolescentes n'a cessé de croître, passant de 6 446 à 8 486. Il s'agit donc d'une augmentation du nombre d'avortements de 2 040, soit de 31,6 %, ce qui donne une augmentation moyenne de 408 avortements/an.

c) En 1989, 43,7 % des grossesses d'adolescentes se terminaient par un avortement alors que ce pourcentage passait à 49,5 % en 1994.

d) Variation: 5,8 points. Variation relative: 13,3 %.

e)

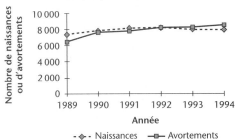

Issue des grossesses d'adolescentes, Canada, 1989-1994

Source: S. Wadhera et W. J. Millar, « La grossesse chez les adolescentes, de 1974 à 1994 », *Rapports sur la santé*, vol. 9, n° 3, Statistique Canada, n° 82-003-XPB au catalogue, 1997, p. 18.

f) Elles se croisent parce que le nombre d'avortements a dépassé le nombre de naissances pour la première fois en 1993.

11.

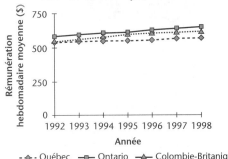

Évolution de la rémunération hebdomadaire moyenne ($), Québec, Ontario, Colombie-Britannique, 1992–1998

Source: Statistique Canada, *L'observateur économique canadien, supplément statistique historique, 1998/1999*, n° 11-210-XPB au catalogue, juillet 1999, p. 111.

Entre 1992 et 1998, au Québec, en Ontario et en Colombie-Britannique, la rémunération hebdomadaire moyenne des travailleurs a augmenté. Quelle que soit l'année considérée, c'est en Ontario que la rémunération hebdomadaire moyenne est la plus élevée et au Québec qu'elle est la plus faible.

En Ontario, entre 1992 et 1998, la rémunération hebdomadaire augmentait de 69,93 $, soit de 12,1 %, passant de 576,85 $ à 646,78 $. La rémunération hebdomadaire a donc augmenté en moyenne de 11,66 $/an.

Pendant ce temps, au Québec, la rémunération hebdomadaire passait de 535,49 $ à 571,68 $, ce qui représente une augmentation de seulement 36,19 $, soit de 6,8 %. La rémunération hebdomadaire a donc augmenté en moyenne de 6,03 $/an. Loin de se résorber, l'écart salarial entre l'Ontario et le Québec s'accentue, passant de 41,36 $ à 75,10 $. Sur le graphique, les courbes représentant le Québec et l'Ontario s'éloignent l'une de l'autre, ce qui traduit cet écart croissant.

Par contre, la courbe représentant la Colombie-Britannique progresse à un rythme légèrement supérieur à celui de l'Ontario. Ainsi, entre 1992 et 1998, la rémunération hebdomadaire passait de 545,89 $ à 618,62 $ en Colombie-Britannique, ce qui représente une augmentation de 72,73 $, soit de 13,3 %. Les travailleurs de cette province ont donc vu leur rémunération hebdomadaire augmenter en moyenne de 12,12 $/an.

12. a) Historigramme.
    b) Courbe des fréquences relatives cumulées.
    c) Histogramme.
    d) Diagramme à secteurs.
    e) Diagramme à bâtons.
    f) Diagramme à bandes rectangulaires.

13. a)

Répartition des ménages, selon le nombre de personnes dans le ménage, Québec, 1956 et 1996

Nombre de personnes dans le ménage	Nombre de ménages (milliers)	
	1956	1996
1	51	770
2	185	*888*
3	185	493
4	180	453
5	135	161
6 et plus	266	57
Total	1 002	2 822

Source: Institut de la statistique du Québec, *Statistiques démographiques, les mariages et les divorces*, stat.gouv.qc.ca.

b) Un ménage québécois.
c) En 1956, le ménage le plus courant comptait 6 personnes et plus alors qu'en 1996 il n'en comptait que 2.
d) En 1956, 5,1 % des ménages étaient des ménages à une seule personne contre 27,3 % en 1996.
e) Une augmentation 719 000 ménages, c'est-à-dire de 1 409,8 %.
f) Au Québec, entre 1956 et 1996, on constate que nombre de ménages de petite taille a augmenté de manière considérable pendant que le nombre de ménages de grande taille diminuait de manière très substantielle. Ainsi, en 1956, on dénombrait environ 50 000 ménages à une seule personne, 200 000 ménages à deux personnes et près de 300 000 ménages comptant 6 personnes et plus,

alors qu'en 1996, le nombre de ménages à une seule personne était passé à près de 800 000, celui des ménages à deux personnes à près de 900 000 et celui des ménages à 6 personnes et plus à un peu plus de 50 000. Cela nous amène à penser que la taille des ménages québécois a connu une baisse au cours de la deuxième moitié du XXe siècle.

14. Sur le plan de la température, on peut noter que Montréal est une ville plus froide que Vancouver en hiver. En effet, la température moyenne ne tombe jamais sous le point de congélation à Vancouver alors qu'à Montréal elle demeure sous le point de congélation de décembre à mars inclusivement. Par contre, les étés sont plus chauds à Montréal qu'à Vancouver. La température moyenne du mois le plus chaud n'atteint pas 18 °C à Vancouver alors qu'elle dépasse 20 °C à Montréal. Les variations (les écarts) de température mensuelle moyenne au cours d'une année sont donc beaucoup importantes à Montréal qu'à Vancouver.

En ce qui concerne les précipitations moyennes, on constate qu'elles sont très importantes en hiver à Vancouver (plus de 180 mm en décembre) et beaucoup moins importantes en été (moins de 40 mm en juillet). À Montréal, les écarts de précipitations entre les saisons sont beaucoup plus faibles: les précipitations mensuelles moyennes varient d'environ 70 mm (février) à environ 100 mm (décembre, juillet et août).

15. a) Le volume de droits de coupe forestière était d'environ 30 millions de mètres cubes en 1993 et d'environ 38 millions de mètres cubes en 1999. Par conséquent, les droits de coupe ont augmenté d'environ 8 000 000 m^3 en 6 ans, soit de 26,7 %. La première phrase du texte semble donc tout à fait juste.
    b) Les droits de coupe sont les plus considérables pour le SEPM (sapin, épinette, pin gris et mélèze) et les moins considérables pour les peupliers.
    c) Environ 29 000 000 m^3.
    d) Quelle que soit l'espèce, les droits de coupe ont augmenté de manière importante entre 1993 et 1999 au Québec. Ainsi, le volume total des droits de coupe est passé d'environ 30 millions de mètres cubes en 1993 à environ 38 millions de mètres cubes en 1999, ce qui représente une augmentation annuelle moyenne des droits de coupe de 1,3 million de mètres cubes. Au cours de cette période, les droits de coupe ont donc crû de 8 millions de mètres cubes, soit de 26,7 %.

16. a) Au Canada, entre 1971 et 1996, le pourcentage de familles avec des enfants, ainsi que le nombre moyen d'enfants par famille ont diminué progressivement. Ainsi, 73 % des familles avaient des enfants en 1971, mais seulement 65 % des familles avaient des enfants en 1996. Cela constitue une baisse de 8 points en 25 ans, soit de

11,0 %. Pendant ce temps, le nombre moyen d'enfants par famille passait de 1,8 à 1,2 soit une baisse de 0,6 enfant ou de 33,3 %.

b) Ce graphique indique un lien entre la maturité scolaire des enfants et la scolarité des parents : plus les parents sont scolarisés, plus les enfants sont susceptibles de présenter un degré de maturité scolaire avancé et moins les parents sont scolarisés, plus les enfants sont susceptibles d'être en retard sur le plan de la maturité scolaire. Ainsi, on constate que 23 % des enfants de 4 − 5 ans dont un des parents a terminé des études supérieures présentent un degré de maturité scolaire avancé alors que ce pourcentage tombe à 8 % lorsque les parents n'ont pas complété des études secondaires. Parallèlement, 35 % des enfants dont les parents n'ont pas terminé leurs études secondaires présentent un retard scolaire contre seulement 12 % des enfants dont un des parents a complété des études supérieures.

c) La prévalence de la stérilisation augmente avec l'âge et le nombre d'enfants, ce qui pourrait s'expliquer par le fait que les jeunes couples sont généralement les plus susceptibles de vouloir des enfants et que les couples qui en ont déjà quelques-uns sont les moins susceptibles d'en vouloir d'autres ; dans le premier cas, la stérilisation n'est pas envisagée et dans l'autre elle constitue un moyen de ne pas avoir d'autres enfants. Ainsi, en général, dans chacun des groupes d'âge, les couples qui ont moins d'enfants sont moins susceptibles d'avoir fait appel à la stérilisation d'un des conjoints. À titre d'exemple, chez les 25 à 29 ans, un des conjoints dans environ 10 % des couples qui n'avaient aucun enfant avait subi une forme de stérilisation, contre environ 40 % dans le cas où le couple avait trois enfants et plus. Par ailleurs, chez les couples ayant le même nombre d'enfants, la prévalence de la stérilisation augmente avec l'âge. À titre d'exemple, chez les 25 à 29 ans, la proportion des couples dont un des conjoints a subi une forme de stérilisation est d'environ 40 % chez ceux ayant trois enfants ou plus ; cette proportion passe à plus de 75 % chez les 45 à 49 ans ayant trois enfants ou plus. Enfin, on peut remarquer que, dans tous les groupes d'âge, la prévalence de la stérilisation d'un des conjoints augmente de façon sensible à partir du moment où le couple a deux enfants.

d) Au Québec, le 30 septembre 1997, on dénombrait 5 055 cas de sida déclarés, parmi lesquels on retrouvait 553 femmes et 4 502 hommes. C'est chez les hommes qu'on dénombrait donc le plus grand nombre de personnes atteintes du sida, et particulièrement chez les 30 à 39 ans, où on en comptait 2 052. En fait, dans la plupart des groupes d'âges, beaucoup plus d'hommes que de femmes étaient atteints du sida.

Chapitre 6

1. a) Québec : 35,4 % ; Ontario : 26,4 %.
   b) 281 250.
   c) 1 513 274.

2. a) $\Delta V = -3\ 238$ infirmières et infirmiers et $\Delta V\% = -5,3\%$
   b)
   Taux d'infirmières et d'infirmiers pour 10 000 habitants, Québec, 1994–1999

Année	Taux (°/₀₀₀)
1994	85,1
1995	85,9
1996	78,8
1997	81,0
1998	77,5
1999	78,7

   Source : Statistique Canada et Institut canadien d'information sur la santé (ICIS), « L'Institut canadien d'information sur la santé rapporte une baisse continue des infirmiers (ères) autorisés par habitant et le vieillissement de la main-d'œuvre », 19 juillet 2000, site Internet de l'ICIS (icis.ca).

   c) Au Québec, en 1999, dans chaque tranche de 10 000 habitants, on dénombrait, en moyenne, 78,7 infirmières ou infirmiers autorisés travaillant en soins infirmiers.
   d) 7,5 %.

3. 150.

4. 1 : 14.

5. 44,4 %.

6. a) 1 900.
   b) Cet indice nous apprend que le nombre de professeurs de ce cégep a diminué de 10 % entre 1996 et 1999.
   c) Le groupe des professeurs.

7. Au Canada, en 1997, dans chaque groupe de 100 000 femmes, on a dénombré en moyenne, 261,5 décès attribuables à des maladies du système circulatoire, 179,1 décès attribuables au cancer et 62,2 décès attribuables à des maladies respiratoires.

8. a) Au Québec, entre 1976 et 1998, le nombre annuel de mariages a diminué de façon importante. Il est passé de 50 961 à 22 940. Ainsi, on dénombrait 28 021 mariages de moins en 1998 qu'en 1976, ce qui représente une baisse de 55,0 %. Le nombre de mariages a donc diminué, en moyenne, de 1 274 par an.

   Dans les provinces maritimes, au cours de la même période, le nombre de mariages est passé de 17 586 à 13 038. En 1998, on y a donc célébré 4 548 mariages de moins qu'en 1976, soit 25,9 % moins de mariages.

   b) Parce que ces deux régions ne comptent pas le même nombre d'habitants. Pour faire une comparaison valable, il faut relativiser la mesure de nuptialité en faisant appel, par exemple, au taux de nuptialité, soit le nombre de mariages par tranche de 1 000 habitants.

c)

**Évolution du taux de nuptialité (‰),
Québec et provinces maritimes, 1976–1998**

Année	Région	
	Québec	Provinces maritimes
1976	8,0	8,0
1986	4,9	6,8
1998	3,1	5,5

Source : Institut de la statistique du Québec, *La situation démographique au Québec. Bilan 1999. Rétrospective du 20e siècle*, Québec, Publications du Québec, 2000, p. 133 et 136.

d) Au Québec, en 1998, on dénombrait 3,1 mariages par tranche de 1 000 habitants.

e) Bien que le taux de nuptialité ait chuté de façon importante dans les deux régions, c'est dans les provinces maritimes que ce taux est le plus élevé. Par conséquent, c'est dans cette dernière région que l'institution du mariage est la mieux préservée, bien qu'elle soit en perte de vitesse tout comme au Québec.

9. a) En 1990, de 42,5 % et en 1999, de 44,6 %.

b) Augmentation de 2,1 points de pourcentage ou de 4,9 %.

c) En 1990, de 135 et en 1999, de 124.

d) En 1990, de 103,0 et en 1999, de 109,4.

e) Au Québec, en 1990, le nombre d'emplois occupés par des hommes était de 3,0 % supérieur à celui de 1992. De plus, au Québec, le nombre d'emplois occupés par des hommes a augmenté de 9,4 % entre 1992 et 1999.

10. a)

Nombre de naissances, nombre d'interruptions volontaires de grossesse (IVG) et nombre d'interruptions volontaires de grossesse pour 100 naissances (taux d'IVG pour 100 naissances), Québec, 1977–1997

Année	Nombre de naissances	Nombre d'IVG	Nombre d'IVG pour 100 naissances
1977	97 266	8 069	8,3
1987	83 600	15 475	18,5
1997	79 724	27 993	35,1

Source : Institut de la statistique du Québec, *La situation démographique au Québec. Bilan 1999. Rétrospective du 20e siècle*, Québec, Publications du Québec, 2000, p. 135 et 234.

b) Au Québec, en 1997, pour chaque 100 naissances, on dénombrait, en moyenne, 35,1 interruptions volontaires de grossesse.

c) Au Québec, entre 1977 et 1997, on a assisté à une chute importante du nombre de naissances et à une augmentation considérable du nombre d'IVG et du taux d'IVG pour 100 naissances. Ainsi, le nombre de naissances passait de 97 266 à 79 724, ce qui représente une baisse de 18,0 %.

Au cours de la même période, le nombre d'IVG augmentait de 246,9 %, puisqu'il passait de 8 069 à 27 993. Quant au taux d'IVG pour 100 naissances, il augmentait de 322,9 %, puisqu'il passait de 8,3 à 35,1.

d) Au Québec, en 1997, le taux d'IVG pour 1 000 femmes âgées de 15 à 19 ans était de 19,8. Ainsi, dans chaque tranche de 1 000 femmes âgées de 15 à 19 ans, on dénombrait, en moyenne, 19,8 IVG.

e) Les indices synthétiques d'interruption volontaire de grossesse sont respectivement de 0,1415, 0,2685 et 0,5370. Les femmes qui avaient 10 ans en 1997 subiront, en moyenne, 0,5370 IVG entre 10 et 49 ans, si leur comportement en matière d'IVG est celui de l'ensemble des femmes de 1997.

f) 279,5 %.

g) 28,9 IVG pour 100 naissances.

h) Il faut utiliser une mesure relative (des taux) puisqu'on ne dénombre pas autant de femmes ni de naissances dans les deux régions.

11. a) 1990.

b)

**Évolution du prix et de l'indice de prix
du manuel de psychologie**

Année	Prix ($)	Indice de prix (1990 = 100)
1985	24,95	83,3
1990	29,95	100,0
1995	32,95	110,0
2000	35,95	120,0

c) 20,0 %.

d) Que le prix du manuel a augmenté de 20,0 % depuis 1990.

12. Le taux de chômage ne tient pas compte des personnes qui travaillent à temps partiel, mais qui voudraient travailler à temps plein, ni de celles qui ont renoncé à chercher un emploi. Le taux de chômage est modifié par un déplacement des personnes actives vers les inactifs ou vice versa.

13. a) $\Delta V \% = 7,9 \%$. Ce nombre est positif parce qu'il y a eu augmentation du nombre total d'emplois entre 1996 et 1999.

b) $\Delta V \% = -17,2 \%$. Ce nombre est négatif parce qu'il y a eu diminution du nombre de chômeurs entre 1996 et 1999.

c) 14 846,8 milliers d'inactifs.

d)

Année	Taux de chômage (%)	Taux d'activité (%)	Taux d'emploi (%)	Indice d'emploi à temps plein (1996 = 100)	Indice d'emploi à temps partiel (1996 = 100)
1996	9,6	50,2	45,4	100,0	100,0
1997	9,1	50,5	45,9	102,4	102,1
1998	8,3	50,9	46,7	105,4	103,7
1999	7,6	51,4	47,5	108,9	104,0

e) 8,9 %.

f) 4,0 %.

g) L'emploi à temps plein.

14. Ce graphique montre qu'au Québec, entre 1992 et 1999, le nombre d'emplois dans le secteur des services est généralement toujours plus élevé que celui observé en 1990 (l'indice d'emploi est supérieur à 100). De plus, le nombre d'emplois dans ce secteur est à la hausse. Comme le dernier indice dans le secteur des services est légèrement supérieur à 110, on peut conclure que le nombre d'emplois dans le secteur des services à la fin de 1999 est de plus de 10 % supérieur à ce qu'il était en 1990.

Par ailleurs, au cours de la même période, le nombre d'emplois dans le secteur des biens est toujours plus faible que ce qu'il était en 1990 (l'indice d'emploi est toujours inférieur à 100). En fait, l'indice d'emploi dans le secteur des biens à la fin de 1999 vaut environ 99, ce qui indique que le nombre d'emplois en 1999 est inférieur de 1 % au nombre de 1990. Toutefois, même dans ce secteur, on assiste à tendance à la hausse depuis le milieu de 1996.

On ne doit cependant pas conclure à partir de ce graphique qu'il y a plus d'emplois dans le secteurs des services que dans le secteur des biens : le graphique donne l'évolution des indices des emplois et non l'évolution du nombre d'emplois dans chacun de ces secteurs.

15. *a)* Faux.

b) Faux.

c) Faux.

16. Les facteurs institutionnels, sociaux et administratifs.

17. *a)* $\text{Taux de natalité} = \dfrac{\text{Nombre de naissances vivantes}}{\text{Taille de la population}} \times 1\,000 \text{ ‰.}$

b) $\text{Taux de fécondité} = \dfrac{\text{Nombre de naissances vivantes}}{\text{Nombre de femmes (15 à 49 ans)}} \times 1\,000 \text{ ‰.}$

18. La valeur du taux de natalité est plus faible parce qu'on divise le nombre de naissances par toute la population plutôt que par une partie de celle-ci (les femmes de 15 à 49 ans).

19. L'indice synthétique de fécondité donne le nombre moyen d'enfants par femme au cours de sa vie selon les conditions de fécondité d'une année donnée. Il représente le nombre d'enfants qu'aurait une femme au cours de sa vie si, entre 15 et 49 ans, elle se comportait en matière de reproduction comme se comportent, au cours d'une année, toutes les femmes âgées de 15 à 49 ans.

20. Le rapport de masculinité à la naissance avoisine 106 depuis de nombreuses années; il faut donc observer, en moyenne, au moins 2,06 naissances par femme pour que chaque femme engendre une remplaçante. L'indice doit donc être supérieur à 2.

21. *a)* Faux.

b) Faux.

c) Vrai.

d) Faux.

e) Vrai.

22. *a)* $\text{Taux de mortalité} = \dfrac{\text{Nombre de décès}}{\text{Taille de la population}} \times 1\,000 \text{ ‰.}$

b) Taux d'accroissement naturel =

$$\dfrac{\text{Nombre de naissances vivantes} - \text{Nombre de décès}}{\text{Taille de la population}} \times 1\,000 \text{ ‰.}$$

23. *a)* 30 750 087.

b) 98.

c) 10,9 ‰.

d) 42,8 ‰.

e) 7,5 ‰.

f) 3,4 ‰.

24. Une pyramide des âges.

25. Un rapport de dépendance de 50 dans une population nous apprend que 100 personnes dans le groupe des 15 à 64 ans de cette population devaient produire pour 150 personnes, soit pour elles-mêmes et pour 50 autres personnes dépendantes.

26. Parce que les consommateurs achètent un grand nombre de biens. Il faut utiliser un indice qui tienne compte de l'ensemble des biens et des services de consommation courante selon leur importance dans les habitudes d'achat des consommateurs.

27. Échantillonnage au jugé.

28. Non, ces indices nous apprennent que les prix ont augmenté de 11,3 % à Montréal et de 11,9 % à Québec par rapport à l'année de base. Comme les prix du panier de biens et de services n'étaient pas nécessairement les mêmes au départ, on ne peut pas en conclure qu'il en coûte plus cher de vivre à Québec qu'à Montréal. L'IPC est un indice à base temporelle et non géographique.

29. *a)*

IPC, prix en dollars courants et en dollars constants (1992 = 100) d'un manuel de psychologie

Année	IPC (1992 = 100)	Prix ($ courants)	Prix ($ constants)
1985	75,0	24,95	33,27
1990	93,3	29,95	32,10
1995	104,2	32,95	31,62
2000	115,1	35,95	31,23

b)

Évolution du prix d'un manuel de psychologie, 1985–2000

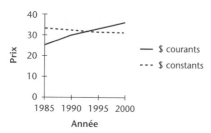

c) L'indice des prix a augmenté de 53,5 % (soit $\frac{115,1 - 75,0}{75,0} \times 100\,\%$) alors que le prix du manuel a augmenté de 44,1 %. Par conséquent, l'augmentation relative du prix du manuel a été plus faible que celle de l'indice des prix.

d) 38,30 $.

Chapitre 7

1. Les mesures de tendance centrale servent à caractériser une série statistique au moyen d'une valeur ou d'une modalité typique.

2. Le mode est la mesure de tendance centrale qui représente la valeur ou la modalité la plus courante, la plus fréquente d'une variable.

3. 50 %.

4. *a)* R.
   b) 0 billet gagnant.
   c) Défavorable (ou 2).

5.

	Variable	Nature	Mode	Sens
a)	Continent de résidence	Qualitative nominale	Asie	L'Asie est le continent le plus peuplé.
b)	Groupe sanguin	Qualitative nominale	O⁺ et A⁺	Les groupes sanguins O^+ et A^+ sont les plus communs.
c)	Temps requis pour effectuer une simulation	Quantitative continue	L'intervalle de 4 à 6 minutes ou 5 minutes	Le temps requis pour effectuer une simulation le plus fréquemment observé chez ces candidats se situe entre 4 et 6 minutes.
d)	Nombre de fautes	Quantitative discrète	2 et 3 fautes	Les nombres de fautes les plus fréquemment observés chez ces candidats sont 2 et 3.

6.

	Variable	Nature	Mode	Sens
a)	Fréquence de conduite avec facultés affaiblies au cours des 12 derniers mois	Quantitative discrète	0	La fréquence de conduite avec facultés affaiblies la plus couramment observée au Canada en 1996–1997 est 0.
b)	Langue parlée à la maison	Qualitative nominale	Français	La langue parlée à la maison la plus fréquemment observée au Québec en 1996 est le français.
c)	Nombre d'heures d'ensoleillement	Quantitative continue	125 – 150 ou 137,5 heures	Le nombre d'heures d'ensoleillement le plus fréquemment observé parmi ces mois d'octobre se situe entre 125 et 150 heures.
d)	Degré de satisfaction à l'égard de l'emploi	Qualitative ordinale	Très satisfait	La réponse la plus fréquemment obtenue par rapport au degré de satisfaction à l'égard de l'emploi est « très satisfait ».
e)	Lieu du vol	Qualitative nominale	Parc de stationnement	Les parcs de stationnement sont les lieux où l'on observe le plus de vols de voitures.
f)	Durée du séjour à l'étranger	Quantitative continue	0 – 20 et 140 – 160 (ou 10 et 150 jours)	Les durées de séjour à l'étranger les plus fréquentes varient entre 0 et 20 jours et entre 140 et 160 jours.

7. *a)* Faux.
   b) Faux.
   c) Vrai.
   d) Vrai.
   e) Vrai.
   f) Faux.

8. La présence de deux sous-populations. Il est alors préférable d'étudier de manière distincte chacune des ces sous-populations.

9. Exercice 4
   a) La médiane n'est pas définie.
   b) $Md = 1$ billet gagnant du gros lot. Le gros lot est remporté dans au moins 50 % des tirages.

c) Md = défavorable ou 2. Au moins 50 % des individus sont défavorables ou très défavorables à l'égard de la nouvelle politique.

Exercice 5

a) La médiane n'est pas définie.

b) La médiane n'est pas définie.

c) Environ 5,0 minutes. Environ 50 % des individus ont effectué la simulation en moins de 5,0 minutes.

d) Md = 2 fautes. Au moins 50 % des individus ont commis 2 fautes ou moins au cours de la simulation.

Exercice 6

a) Md = 0. Au moins 50 % des conducteurs de 18 et 19 ans n'ont jamais conduit avec facultés affaiblies.

b) La médiane n'est pas définie.

c) Environ 139,0 heures d'ensoleillement. Environ 50 % des mois d'octobre étudiés ont présenté moins de 139 heures d'ensoleillement.

d) Md = « Très satisfait ». Au moins 50 % des jeunes Québécois âgés de 15 à 29 ans se sont déclarés très satisfaits à l'égard de leur emploi.

e) La médiane n'est pas définie.

f) Environ 60 jours. Environ 50 % des voyageurs ont passé moins de 60 jours à l'étranger.

10. a) Faux.

b) Faux.

c) Faux.

d) Vrai.

e) Vrai.

11. a) L'inclusion de ces deux élèves fera augmenter la moyenne puisque leurs notes sont supérieures à la moyenne des 28 autres élèves.

b) 70,5.

12. v_i représente la i-ième valeur, f_i représente la fréquence de la i-ième valeur, k représente le nombre de valeurs et n le nombre de données.

13. a) Que toutes les données à l'intérieur d'une classe sont concentrées au milieu de la classe.

b) La taille de l'échantillon, soit n.

c) Le nombre de classes.

d) Le milieu de la i-ième classe.

14. Exercice 4

a) La moyenne n'est pas définie.

b) 1,48 billet gagnant.

c) La moyenne n'est pas définie.

Exercice 5

a) La moyenne n'est pas définie.

b) La moyenne n'est pas définie.

c) 5,1 minutes.

d) 2,3 fautes.

Exercice 6

a) Il n'est pas conseillé de calculer la moyenne puisqu'il y a une catégorie ouverte.

b) La moyenne n'est pas définie.

c) 138,5 heures d'ensoleillement.

d) La moyenne n'est pas définie.

e) La moyenne n'est pas définie.

f) 74,4 jours.

15. a) Il y a tout lieu de penser que la distribution des revenus présente une asymétrie positive. Par conséquent, des revenus nettement plus élevés ont pour effet de faire augmenter la moyenne sans pour autant influencer la médiane. Dans un tel cas, comme cela est indiqué dans la figure 7.5 (page 273 du manuel), la moyenne est plus grande que la médiane : le revenu moyen est supérieur au revenu médian.

b) En faisant la moyenne des revenus moyens, votre ami suppose que toutes les provinces comptent le même nombre de familles et de personnes seules. Or, tel n'est pas le cas. Ainsi, l'Ontario compte beaucoup plus de familles et de personnes seules que Terre-Neuve. Pour trouver le revenu moyen pour l'ensemble du Canada, il faudrait d'abord multiplier le revenu moyen de chaque province par le nombre de familles et de personnes seules qu'elle compte, ensuite faire la somme de ces produits, puis diviser ce résultat par le nombre total de familles et de personnes seules que compte le Canada.

16. a) Les hommes adultes.

b) Un échantillon.

c) L'évaluation de la durée d'une période de 60 secondes.

d) Quantitative continue.

e) Échelle de rapports.

f) **Répartition et répartition cumulée des sujets, selon l'évaluation de la durée d'une période de 60 secondes**

Temps (secondes)	Nombre de sujets	Pourcentage des sujets (%)	Pourcentage cumulé (%)
45 – 50	3	7,5	7,5
50 – 55	4	10,0	17,5
55 – 60	10	25,0	42,5
60 – 65	11	27,5	70,0
65 – 70	3	7,5	77,5
70 – 75	5	12,5	90,0
75 – 80	4	10,0	100,0
Total	40	100,0	

g) Il y a deux classes modales : « 55 – 60 » et « 60 – 65 » : l'évaluation la plus courante varie donc entre 55 et 65 secondes. L'évaluation médiane est de 61,4 secondes : environ 50 % des individus ont évalué la durée de 60 secondes à moins de 61,4 secondes. L'évaluation moyenne de 60 secondes a été de 62,25 secondes.

17. *a)* Le nombre de locations.

b) Quantitative discrète.

c) Échelle de rapports.

d)

Répartition de 90 membres d'un club vidéo, selon le nombre de locations au cours de la dernière semaine

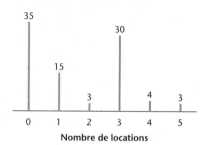

Nombre de locations

e) Distribution bimodale.

f) La présence de deux sous-populations.

g) Il y a deux modes : 0 et 3 locations.

h) Les nombres de locations les plus courants sont 0 et 3.

i) Trois locations pour le prix de deux, ce qui pourrait expliquer le faible nombre de clients qui n'ont loué que deux films.

j) 1 location.

k) Au moins 50 % des membres de l'échantillon ont loué un film ou moins au cours de la dernière semaine.

l) $f_2 = 15$ et $f_4 = 30$.

m) $v_1 = 0$ et $v_5 = 4$.

n) $n = 90$.

o) 1,58 location.

p) Puisque la distribution est bimodale, il semble préférable d'utiliser les modes pour décrire le client type : une personne qui ne loue pas de films ou qui en loue trois.

18. Il est possible que des données s'écartent sensiblement de la moyenne. Un salaire de 80 000 $ n'est donc pas incompatible avec une moyenne de 24 402 $. Ce salaire constitue une valeur extrême qui peut être contrebalancée par un grand nombre de valeurs inférieures à la moyenne.

19. *a)* 28,50 $.

b) 29,36 $.

c)

Répartition et répartition cumulée de 50 répondants, selon le montant dépensé pour l'achat des médicaments destinés à combattre les symptômes de l'asthme

Dépense ($)	Nombre de répondants	Pourcentage des répondants (%)	Pourcentage cumulé (%)
5 – 15	7	14	14
15 – 25	11	22	36
25 – 35	14	28	64
35 – 45	10	20	84
45 – 55	8	16	100
Total	50	100	

d) 30,20 $.

e) Cette valeur est différente parce qu'elle constitue une approximation de la valeur calculée en *b*; on a supposé que toutes les données étaient concentrées au milieu de chaque classe alors que ce n'est pas le cas.

f)

Répartition cumulée des répondants, selon le montant dépensé pour des médicaments destinés à combattre les symptômes de l'asthme

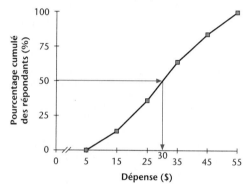

Dépense ($)

g) $Md \approx 30$ $: environ 50 % des répondants ont dépensé moins de 30 $ au cours du mois dernier pour l'achat de médicaments destinés à combattre les symptômes de l'asthme.

h) 30 $. Quelle que soit la méthode utilisée, on obtient que la dépense médiane est voisine de 30 $.

i)

Répartition des répondants, selon le montant dépensé pour les médicaments destinés à combattre les symptômes des l'asthme

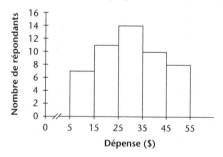

Dépense ($)

j) $Mo = 30$ $.

k) Asymétrie nulle.

l) Ces trois mesures de tendance centrale sont approximativement égales.

20. *a)* Faux.

b) Vrai.

c) Faux.

d) Faux.

21. *a)* Nombre de mots retenus.

b) Quantitative discrète.

c) Échelle de rapports.

d)

**Répartition des sujets,
selon le nombre de mots retenus**

Groupe de contrôle

Nombre de mots	Nombre de sujets
15	1
16	6
17	5
18	7
19	2
20	2
21	2
Total	25

Groupe expérimental

Nombre de mots	Nombre de sujets
14	1
15	6
16	6
17	5
18	3
19	2
20	2
Total	25

e) Les sujets du groupe de contrôle ont retenu, en moyenne, 17,7 mots alors que ceux du groupe expérimental en ont retenu 16,7.

f) Non, il s'agit de données provenant d'échantillons. Pour faire une telle affirmation, il faudrait effectuer un test d'hypothèse.

22. a) Les naissances en milieu hospitalier au Québec en 2000.

b) Non.

c) Oui, parce qu'il s'agit d'une étude préliminaire.

d) Non, parce que la chercheuse n'a pas employé une technique d'échantillonnage probabiliste.

e) Sexe, masse et longueur.

f) Sexe : qualitative nominale ; masse : quantitative continue ; longueur : quantitative continue.

g) Sexe : nominale ; masse : de rapports ; longueur : de rapports.

h)

**Répartition et répartition cumulée
des nouveau-nés, selon la masse**

Masse (g)	Nombre de nouveau-nés	Pourcentage des nouveau-nés (%)	Pourcentage cumulé (%)
2 300 – 2 700	2	3,8	3,8
2 700 – 3 100	10	19,2	23,0
3 100 – 3 500	15	28,8	51,8
3 500 – 3 900	13	25,0	76,8
3 900 – 4 300	11	21,2	98,0
4 300 – 4 700	1	1,9	100,0
Total	52	100,0	

Note : Les pourcentages étant arrondis, la somme des fréquences relatives n'égale pas 100 %.

i) La classe modale est « 3 100 – 3 500 g » et la masse modale est de 3 300 g.

j)

Répartition des nouveau-nés, selon la masse

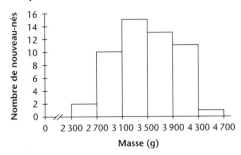

k) Environ 68 %.

l) $Md \approx 3\ 480$ g.

m) Environ 50 % des nouveau-nés ont une masse inférieure à 3 480 g.

n) 3 484,6 g.

o)

**Répartition et répartition cumulée
des nouveau-nés, selon la longueur**

**Répartition cumulée des nouveau-nés
selon la masse**

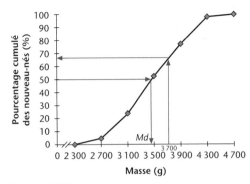

Longueur (cm)	Nombre de nouveau-nés	Pourcentage des nouveau-nés (%)	Pourcentage cumulé (%)
44 – 46	1	1,9	1,9
46 – 48	2	3,8	5,7
48 – 50	9	17,3	23,0
50 – 52	13	25,0	48,0
52 – 54	20	38,5	86,5
54 – 56	5	9,6	96,1
56 – 58	2	3,8	100,0
Total	52	100,0	

Note : Les pourcentages étant arrondis, la somme des fréquences relatives n'égale pas 100 %.

p) « 52 – 54 cm ».

q) 52,1 cm.

r) 51,8 cm.

Chapitre 8

1. Deux séries statistiques quantitatives peuvent se caractériser par des mesures de tendance centrale de valeurs semblables tout en ne présentant pas le même étalement. Les mesures de dispersion permettent d'évaluer l'étalement ou l'homogénéité d'une série statistique.

2. L'étendue correspond à la différence entre la valeur maximale et la valeur minimale d'une série : $E = V_{max} - V_{min}$.

3. L'étendue correspond approximativement à la différence entre la limite supérieure de la dernière classe et la limite inférieure de la première : $E \approx \text{Lim}_{sup} - \text{Lim}_{inf}$.

4. σ^2 (population) ; s^2 (échantillon).

5. *a)* Faux.
   b) Faux.
   c) Vrai.
   d) Faux.
   e) Vrai.
   f) Vrai.

6. *a)* 45 ans.
   b) 1,5 an.
   c) 3,3 %.

7. 0 mm.

8. *a)* Ces mesures de dispersion ne sont pas définies.
   b) Ces mesures de dispersion ne sont pas définies.
   c) $E \approx 10$ min; $s^2 \approx 1,85$ min²; $s \approx 1,36$ min.
   d) $E = 5$ fautes; $s^2 = 1,17$ faute²; $s = 1,08$ faute.
   e) $E = 5$ enfants; $s^2 = 1,8$ enfant²; $s = 1,3$ enfant.
   f) Ces mesures de dispersion ne sont pas définies.
   g) $E = 5$ mots; $s^2 = 1,87$ mot²; $s = 1,37$ mot.
   h) Ces mesures de dispersion ne sont pas définies.
   i) $E \approx 25$ h; $s^2 \approx 29,5$ h²; $s \approx 5,4$ h.

9. *a)* La vitesse de conduite sur une autoroute du Québec.
   b) Variable quantitative continue.
   c) Échelle de rapports.
   d) 34.
   e) 34,0 km/h.
   f)

Répartition de 34 automobiles, selon la vitesse enregistrée

Vitesse (km/h)	Nombre d'automobiles
95 – 100	2
100 – 105	6
105 – 110	8
110 – 115	12
115 – 120	3
120 – 125	2
125 – 130	1
Total	**34**

   g) Environ 110,1 km/h.
   h) Environ 6,9 km/h.
   i) La première série d'observations est plus homogène parce que son coefficient de variation est plus faible (6,3 % < 11,1 %).

10. On emploie le coefficient de variation plutôt que l'écart type pour comparer la variabilité de deux séries qui ont des moyennes très différentes ou qui ne sont pas mesurées dans les mêmes unités.

11. Comme le coefficient de variation des résultats de Luc (1,8 %) est plus faible que celui des résultats de Carole (2,6 %), les résultats de Luc sont plus stables.

12. Il faut comparer les coefficients de variation: $c.v._A = 5,3$ % et $c.v._B = 6,7$ %. La méthode A présente la plus faible variabilité relative; elle est donc plus fiable.

13. La durée de trajet la plus homogène est obtenue en empruntant le pont Hippolyte-Lafontaine parce que son coefficient de variation (18,5 %) est plus faible que celui des autres trajets.

Chapitre 9

1. *a)* Centiles.
   b) 10; 10.
   c) 3; 4; 25 %.
   d) 80.

2. *a)* Environ 60 %.
   b) $C_8 \approx 21$ ans; au Québec, en 1996, environ 8 % des femmes qui ont donné naissance étaient âgées de moins de 21 ans.
   c) Environ 35 ans
   d) Environ 10 ans.

3. *a)*

Répartition et répartition cumulée des automobiles, selon la distance parcourue entre deux vidanges d'huile

Distance (km)	Pourcentage des automobiles (%)	Pourcentage cumulé des automobiles (%)
3 000 – 3 500	5	5
3 500 – 4 000	8	13
4 000 – 4 500	10	23
4 500 – 5 000	22	45
5 000 – 5 500	35	80
5 500 – 6 000	20	100
Total	**100**	

b)

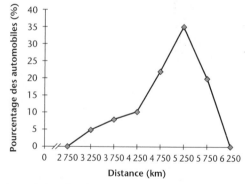

Répartition en pourcentage des automobiles, selon la distance parcourue entre deux vidanges d'huile

   c) Asymétrie négative.
   d) Moyenne < médiane < mode.
   e) La classe modale est « 5 000 – 5 500 » et le mode est de 5 250 km.
   f) La distance la plus couramment parcourue entre deux vidanges d'huile se situe entre 5 000 et 5 500 km (ou elle est de 5 250 km).

g) Environ 5 071,4 km.

h) Environ 50 % des vidanges d'huile sont effectuées après que l'automobile a parcouru une distance de moins de 5 071,4 km.

i)

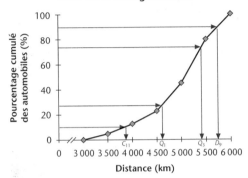

Répartition cumulée des automobiles, selon la distance parcourue entre deux vidanges d'huile

j) $Q_1 \approx 4\ 550$ km; $Q_3 \approx 5\ 450$ km; $D_9 \approx 5\ 750$ km et $C_{11} \approx 3\ 800$ km.

k) Environ 25 % des vidanges d'huile sont effectuées après que l'automobile a parcouru moins de 4 550 km; environ 75 % des vidanges, après moins de 5 450 km; environ 90 % des vidanges, après moins de 5 750 km et environ 11 % des vidanges, après moins de 3 800 km.

l) Environ 900 km.

4. a)

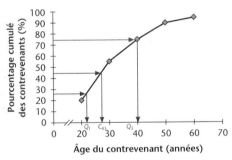

Répartition cumulée des contrevenants au code de la route, selon l'âge du contrevenant

b) Non, cette valeur appartient à une classe ouverte.

c) $Q_1 \approx 22$ ans; $Q_3 \approx 40$ ans; $C_{43} \approx 27$ ans. Environ 25 % des contrevenants sont âgés de moins de 22 ans; environ 75 % des contrevenants sont âgés de moins de 40 ans; environ 43 % des contrevenants sont âgés de moins de 27 ans.

d) En raison des classes ouvertes, nous ne pouvons évaluer que l'écart interquartile:

$$Q_3 - Q_1 \approx 40 - 22 = 18 \text{ ans.}$$

5. **Rang brut des villes par rapport à la température et aux précipitations moyennes**

Ville	Rang, selon la température (de la plus faible à la plus élevée)	Rang, selon les précipitations (des plus faibles aux plus élevées)
Berlin	4	7
Delhi	21	14
Durban	18	18
Hong Kong	20	21
Le Caire	19	1
Le Cap	17	11
Lisbonne	15	15
Londres	6	9
Madrid	11	2
Melbourne	13	12
Mexico	16	5
Montréal	3	17
Moscou	1	8
New York	8	19
Paris	7	5
Pékin	9	10
Rome	14	16
San Francisco	10	4
Stockholm	2	3
Tōkyō	12	20
Vienne	5	13

Source: G. Brunacci, M. Bonini et R. M. Panattoni, dir., *Encyclopédie géographique*, Paris, Éditions Stock, 1969, p. 68.

6. a) **Rang des principaux fleuves du monde par rapport à la longueur**

Fleuve	Rang brut	Fleuve	Rang brut
Amazone	1	Mississippi	8
Amour	5	Missouri	7
Brahmapoutre	19	Niger	13
Congo	8	Nil	2
Danube	19	Ob-Irtych	4
Darling	22	Paraná	14
Don	26	Purus	19
Èbre	30	Rhin	27
Euphrate	23	Rhône	31
Gange	23	Saint-Laurent	15
Houang-Ho	8	Seine	32
Indus	18	Vistule	28
Léna	8	Volga	17
Loire	29	Yang-Tsé-Kiang	3
Mackenzie	8	Yukon	16
Mékong	5	Zambèze	25

Source: Sélection du Reader's Digest, *Grand Atlas mondial*, 8e éd., New York, 1970, p. 178.

b) R_5 (Saint-Laurent) = 3; R_5 (MacKenzie) = 2; R_5 (Danube) = 4.

7. À la première étape parce que $z_1 = 1{,}67 > 1 = z_2$.

8. a) Les différents rangs et la cote z d'un résultat de 7 au test A sont:

R_b (7) = 45; R_5 (7) = 2; R_{100} (7) = 76; $z_A = 0{,}67$

Les différents rangs et la cote z au test B sont:

R_b (3) = 41; R_5 (3) = 2; R_{100} (3) = 70; $z_B = 0{,}52$

b) Avec un résultat de 7 au test *A*, le candidat occupait le 45e rang parmi les 250 candidats. Il avait un rang cinquième de 2, ce qui indique que son résultat est parmi les 40 % supérieurs sans être dans les 20 % supérieurs. Son rang centile de 76 nous apprend qu'environ 76 % des candidats avaient un résultat inférieur ou égal au sien. Enfin, la cote *z* de 0,67 nous indique que, avec un résultat de 7, le candidat se trouve à 0,67 écart type au-dessus de la moyenne du groupe. Par ailleurs, avec un résultat de 3 au test *B*, le candidat occupe le 41e rang des 250 candidats, soit un rang légèrement supérieur à celui obtenu au test *A*. Tout comme au test *A*, son rang cinquième est de 2. Par contre, le rang centile de 70 obtenu au test *B* est légèrement inférieur à celui obtenu au test *A*. Enfin, la cote *z* obtenue au test *B* montre que le résultat est situé à seulement 0,52 écart type au-dessus de la moyenne, soit une performance moins bonne qu'au test *A*. Selon l'indicateur retenu (rang brut, rang cinquième, rang centile, cote *z*), on obtient des résultats divergents : tantôt légèrement supérieurs, tantôt égaux, tantôt légèrement inférieurs. Par conséquent, on serait tenté de conclure que les deux performances sont relativement similaires.

9. Comme le point *A* est situé à 2 écarts types au-dessous de la moyenne, sa cote *z* est de −2. Comme la moyenne se trouve en *B*, la cote *z* de *B* vaut 0. Comme le point *C* est situé à 2,5 écarts types au-dessus de la moyenne, sa cote *z* est de 2,5. Les points *D* et *E* sont représentés dans le graphique suivant :

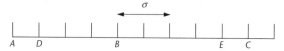

10. *a)* 45.
    b) 3.
    c) Environ 62 %.

Chapitre 10

1. 68,26 ; 95 ; 99.

2. Seulement 0,26 % des hommes de la région considérée avaient un crâne dont le diamètre était inférieur ou égal à 119 mm. Par conséquent, il est très invraisemblable, mais pas impossible, que le crâne trouvé soit celui d'un homme ayant vécu 3000 ans avant Jésus-Christ dans la région des fouilles.

3. *a)* 0,04 ou 4 %.
   b) 0,98 ou 98 %.
   c) 0,1 ou 10 %.

4. *a)* 78,23 %.
   b) Moins de 1 % (en fait 0,73 %) des naissances surviennent après une période de gestation de plus de 295 jours. Par conséquent, il est plutôt exceptionnel qu'une gestation dure plus de 295 jours.
   c) 5,94 %.
   d) Q_1 = 267 jours. Par conséquent, environ 25 % des naissances surviennent après une gestation de moins de 267 jours.
   e) C_4 = 257 jours.
   f) D_9 = 285 jours.

5. *a)* Josée ne serait pas acceptée.
   b) 84.
   c) 628.

6. *a)*

Répartition et répartition cumulée de 1 000 nouveau-nées, selon la masse à la naissance

Masse (g)	Nombre de nouveau-nées	Pourcentage des nouveau-nées (%)	Pourcentage cumulé des nouveau-nées (%)
2 500 – 2 600	1	0,1	0,1
2 600 – 2 700	4	0,4	0,5
2 700 – 2 800	8	0,8	1,3
2 800 – 2 900	25	2,5	3,8
2 900 – 3 000	47	4,7	8,5
3 000 – 3 100	64	6,4	14,9
3 100 – 3 200	75	7,5	22,4
3 200 – 3 300	95	9,5	31,9
3 300 – 3 400	112	11,2	43,1
3 400 – 3 500	147	14,7	57,8
3 500 – 3 600	109	10,9	68,7
3 600 – 3 700	93	9,3	78,0
3 700 – 3 800	88	8,8	86,8
3 800 – 3 900	51	5,1	91,9
3 900 – 4 000	40	4,0	95,9
4 000 – 4 100	25	2,5	98,4
4 100 – 4 200	9	0,9	99,3
4 200 – 4 300	6	0,6	99,9
4 300 – 4 400	1	0,1	100,0
Total	1 000	100,0	

b) La classe modale est « 3 400 – 3 500 » ; le mode est donc de 3 450 g.

c)

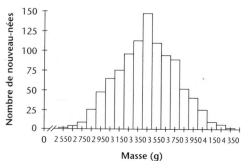

Répartition de 1 000 nouveau-nées, selon la masse à la naissance

d) Asymétrie nulle.

e) Oui.

f) Elles devraient être voisines du mode, soit de 3 450 g.

g) $\bar{x} \approx 3\,446,8$ g et $s \approx 314,6$ g.

h)

Répartition cumulée de 1 000 nouveau-nées, selon la masse à la naissance

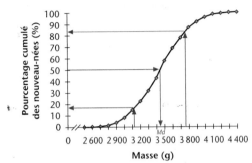

i) $Md \approx 3\,450$ g.

j) Environ 18 % et 83 % respectivement.

k) 65 % (soit 83 – 18); 96 % (soit 98 – 2); près de 100 %.

l) Oui, ces pourcentages sont voisins des pourcentages correspondants qu'on obtiendrait à partir de la loi normale, soit 68,26 %, 95 % et 99 %.

7. *a)* 51 256 $.

b) Au Québec, en 1997, on estime, avec un niveau de confiance de 99 %, que le revenu moyen des familles se situe entre 49 499,85 $ et 53 012,15 $.

c) En Ontario, en 1997, on estime, avec un niveau de confiance de 95 %, que le revenu moyen des familles se situe entre 62 178,04 $ et 64 827,96 $.

8. *a)* 31 ans.

b) $\mu \in [29,04\,;\,32,96]$.

c) 1,96 an.

d) On affirme, avec un niveau de confiance de 95 %, que l'âge moyen des femmes (au moment du mariage) qui se sont mariées au Québec en 1998 se situe entre 29 ans et 33 ans.

e) 385 femmes.

9. *a)* L'ensemble des élèves de cégep.

b) Le nombre de livres lus au cours de la dernière année.

c) Variable quantitative discrète.

d) On peut affirmer, avec un niveau de confiance de 95 %, que le nombre moyen de livres lus par des élèves de cégep au cours de la dernière année est compris entre 3,44 livres et 4,16 livres.

10. L'intervalle de confiance à un niveau de confiance de 95 % est $\mu \in [348,73\,;\,349,87]$. Puisque l'intervalle de confiance ne contient pas la valeur avancée par le producteur, on peut mettre en doute son affirmation.

11. *a)* On peut affirmer, avec un niveau de confiance de 99 %, que l'âge moyen des femmes ayant subi une IVG au Canada, en 2000, se situe entre 26,06 ans et 27,14 ans.

b) On peut affirmer, avec un niveau de confiance de 95 %, que l'âge gestationnel moyen au moment de l'IVG au Canada, en 2000, se situe entre 11,03 semaines et 11,37 semaines.

c) On peut affirmer, avec un niveau de confiance de 98 %, qu'entre 84,2 % et 88,8 % des IVG se sont produites avant la 15e semaine de gestation.

12. On peut affirmer, avec un niveau de confiance de 95 %, qu'entre 41,6 % et 44,4 % des professeurs d'université considéraient que les étudiants trichaient plus volontiers que dans le passé pour obtenir de meilleures notes.

13. *a)* 70 %.

b) $\pi \in [0,674\,;\,0,726]$.

c) On peut affirmer, avec un niveau de confiance de 99 %, qu'aux États-Unis entre 67,4 % et 72,6 % des étudiants d'université ont triché sérieusement au moins une fois.

d) $\pi \in [0,085\,;\,0,115]$. On peut affirmer, avec un niveau de confiance de 98 %, qu'entre 8,5 % et 11,5 % des étudiants d'université ont déjà copié un texte obtenu sur Internet.

e) $\pi \in [0,042\,;\,0,058]$. On peut affirmer, avec un niveau de confiance de 90 %, qu'entre 4,2 % et 5,8 % des étudiants américains ont soumis un travail acheté en ligne.

14. *a)* L'ensemble des jeunes québécois âgés de 15 à 29 ans et occupant un emploi.

b) Le degré de satisfaction à l'endroit de l'emploi.

c) Variable qualitative ordinale.

d) 217 jeunes Québécois.

e) p.

f) 0,848.

g) On peut affirmer, avec un niveau de confiance de 98 %, qu'entre 79,1 % et 90,5 % des jeunes Québécois âgés de 15 à 29 ans et occupant un emploi sont très ou assez satisfaits de leur emploi.

h) La marge d'erreur est de 5,7 points de pourcentage sur l'estimation de la proportion exprimée en pourcentage.

i) Il aurait pu augmenter la taille de l'échantillon.

15. *a)* On peut affirmer, avec un niveau de confiance de 95 %, que la proportion de l'ensemble des électeurs favorables à la candidate Tremblay se situe entre 38,0 % et 43,8 %.

b) On peut affirmer, avec un niveau de confiance de 95 %, que la proportion de l'ensemble des électeurs favorables au candidat Dupont se situe entre 34,4 % et 40,2 %.

c) Les deux intervalles de confiance se chevauchent. Si on tient compte de la marge d'erreur, un résultat où 39 % des votes iraient à la candidate Tremblay et 40 % au candidat Dupont n'est pas incompatible avec ces intervalles. Par conséquent, la victoire de la candidate Tremblay n'est pas assurée au niveau de confiance de 95 %. Pour que la candidate ait confiance à 95 % à une avance lui assurant une victoire, il aurait fallu que la borne inférieure de son intervalle de confiance soit supérieure à la borne supérieure de l'intervalle du candidat Dupont.

16. a) Les élève inscrits dans un programme technique au cégep.

b) π.

c) $p = 0,774$.

d) On peut affirmer, avec un niveau de confiance de 95 %, que la proportion de l'ensemble des élèves inscrits dans un programme technique qui sont satisfaits de leur programme d'études se situe entre 75,1 % et 79,7 %.

e) Le pourcentage mentionné par le directeur des études se situe hors de l'intervalle de confiance. Si le pourcentage de satisfaction réel est de 80 %, l'intervalle de confiance des échantillons de taille 1 240 aurait compris ce pourcentage dans 95 % des cas. De deux choses l'une, soit notre échantillon fait partie des 5 % dont l'intervalle de confiance ne contiendrait pas la proportion réelle (ce qui est peu plausible parce que cela ne se produit qu'une fois sur vingt), soit la proportion n'est pas 80 %. Dans un tel contexte, nous serions enclins à penser que la véritable proportion n'est pas 80 %.

f) $\pi \in [0,743 ; 0,805]$. Le directeur a raison, puisque le pourcentage qu'il avance est compris à l'intérieur de l'intervalle de confiance. Notez qu'en augmentant le niveau de confiance, on augmente également la marge d'erreur.

17. a) Faux.

b) Vrai.

c) Vrai.

d) Faux.

e) Vrai.

Chapitre 11

1. a) Interdépendance.

b) Indépendance.

c) Causalité.

d) Causalité.

e) Concomitance.

f) Causalité.

g) Interdépendance.

h) Concomitance.

2. a) Stabilité de l'emploi : variable indépendante ; corrélation positive.

b) Âge : variable indépendante ; corrélation positive.

c) Nombre d'absences : variable indépendante ; corrélation négative.

d) Scolarité : variable indépendante ; corrélation négative.

e) Âge : variable indépendante ; corrélation positive.

f) Taille du père : variable indépendante ; corrélation positive.

g) Quantité d'alcool : variable indépendante ; corrélation positive.

h) Quantité de caféine : variable indépendante ; corrélation négative.

3. a) L'activité solaire a été mesurée par le taux de carbone 14 résiduel dans les cernes de croissance des arbres. La production végétale a été mesurée par la quantité de pollen.

b) Les hausses et les baisses de la production végétale correspondent de façon inverse aux hausses et aux baisses de l'activité solaire.

c) L'activité solaire ; c'est l'activité solaire qui pourrait avoir un effet sur la production végétale et non pas l'inverse.

d) La corrélation est négative : une faible activité solaire est associée à une forte production végétale et une forte activité solaire à une faible production végétale.

4. L'indépendance des variables.

5. a) La scolarité du parent le plus scolarisé et le niveau de maturité scolaire des enfants de 4 et 5 ans.

b) Échelle ordinale.

c) La scolarité du parent le plus scolarisé : les chercheurs avancent l'hypothèse que le degré de maturité scolaire des enfants dépend du niveau de scolarité du parent le plus scolarisé.

d) « Études secondaires non terminées », « Diplôme d'études secondaires », « Études collégiales ou universitaires ».

e) 8 %.

f) 23 %.

g) Ces pourcentages devraient être égaux.

h) Oui.

i) Pour valider cette hypothèse, il faudrait effectuer un test d'hypothèse.

6. a)

Répartition de 150 enseignants, selon le sexe et l'âge

Âge (années)	Sexe		Total
	Masculin	Féminin	
20 – 30	10 / 16,7	15 / 8,3	25
30 – 40	15 / 20	15 / 10	30
40 – 50	25 / 23,3	10 / 11,7	35
50 – 60	35 / 26,7	5 / 13,3	40
60 – 70	15 / 13,3	5 / 6,7	20
Total	100	50	150

b) $\chi^2 = 20{,}63$.

7. a)

Répartition de 450 employés d'une grande entreprise, selon l'âge et les absences au travail

Absences	Âge (années)			Total
	20 – 35	35 – 50	50 – 65	
Fréquentes	20 / 22,2	85 / 88,9	95 / 88,9	200
Occasionnelles	18 / 16,7	70 / 66,7	62 / 66,7	150
Nulles	12 / 11,1	45 / 44,4	43 / 44,4	100
Total	50	200	200	450

b) L'âge.

c)

Répartition en pourcentage de 450 employés d'une grande entreprise selon les absences au travail par groupe d'âge

Absences	Âge (années)			Tous
	20 – 35	35 – 50	50 – 65	
Fréquentes	40,0	42,5	47,5	44,4
Occasionnelles	36,0	35,0	31,0	33,3
Nulles	24,0	22,5	21,5	22,2
Total	100,0	100,0	100,0	100,0

Note : Les pourcentages étant arrondis, la somme des fréquences relatives peut différer de 100 %.

d) On constate que les distributions conditionnelles diffèrent les unes des autres et de la distribution marginale, mais, à première vue, ces écarts ne paraissent pas considérables et pourraient être attribuables au hasard (du fait qu'il s'agit de données provenant d'un échantillon). Par conséquent, on ne peut pas, *a priori*, penser qu'il y a un lien entre les variables. Seul un test d'hypothèse nous permettrait de confirmer ou d'infirmer l'hypothèse avancée.

e) $\chi^2 = 1{,}52$.

8. a) Faux.
   b) Vrai.
   c) Vrai.
   d) Vrai.
   e) Vrai.

9. a) Dimension de la voiture et nature de l'accident.
   b) La dimension de la voiture.
   c) Dimension : variable qualitative ordinale ; nature de l'accident : variable qualitative nominale.
   d) Dimension : échelle ordinale ; nature de l'accident : échelle nominale.
   e) $\chi^2 = 0{,}43 < 5{,}99 = \chi^2_{\alpha;\,v}$. Sur la base de notre échantillon, au seuil de 5 %, en vertu de la règle de décision, il n'y a pas lieu de croire qu'il y a un lien entre la dimension de la voiture et la nature de l'accident.

10. $\chi^2 = 45{,}55 > 11{,}34 = \chi^2_{\alpha;\,v}$. Sur la base de notre échantillon, au seuil de 1 %, en vertu de la règle de décision, il y a tout lieu de croire qu'il y a un lien entre l'incitation employée et le comportement face à un questionnaire reçu par la poste.

11. a) Les Canadiens de 12 ans et plus.
    b) La catégorie d'activité physique et la présence ou l'absence d'épisode dépressif majeur.
    c) Catégorie d'activité physique : variable qualitative ordinale ; absence ou présence d'EDM : variable qualitative nominale.
    d) 4,1 %.
    e) On peut affirmer, avec un niveau de confiance de 98 %, qu'entre 38,2 % et 40,8 % de Canadiens de 12 ans et plus sont sédentaires.
    f) $\chi^2 = 6{,}84 < 9{,}84 = \chi^2_{\alpha;\,v}$. Sur la base de notre échantillon, au seuil de 2 %, en vertu de la règle de décision, il n'y a pas lieu de croire que, chez les Canadiens de 12 ans et plus, il y a un lien entre la fréquence de l'activité physique et la présence ou l'absence d'EDM.

12. $\chi^2 = 71{,}42 > 16{,}81 = \chi^2_{\alpha;\,v}$. Sur la base de notre échantillon, au seuil de 1 %, en vertu de la règle de décision, il y a tout lieu de croire que, chez les Canadiens de 12 ans et plus, il existe un lien entre le niveau d'instruction et la fréquence du port d'un casque protecteur à vélo.

13. $\chi^2 = 3{,}88 < 9{,}49 = \chi^2_{\alpha;\,v}$. Sur la base de notre échantillon, au seuil de 5 %, en vertu de la règle de décision, il n'y a pas lieu de croire que la rumeur selon laquelle les notes sont fonction du professeur est fondée.

14. Nous avons confirmé la présence d'un lien pour les variables des exercices 10 et 12. On mesure l'intensité du lien entre les variables à l'aide du coefficient de contingence (C) et du coefficient de Cramér (V).

Dans le cas de l'exercice 10:

$$C = \sqrt{\frac{\chi^2}{n + \chi^2}} = \sqrt{\frac{45,55}{500 + 45,55}} = 0,29$$

$$V = \sqrt{\frac{\chi^2}{n(h - 1)}} = \sqrt{\frac{45,55}{500(2 - 1)}} = 0,30$$

Par conséquent, le lien entre le «comportement face à un questionnaire reçu par la poste» et le «type d'incitation» est fort.

Dans le cas de l'exercice 12:

$$C = \sqrt{\frac{\chi^2}{n + \chi^2}} = \sqrt{\frac{71,42}{4\,500 + 71,42}} = 0,12$$

$$V = \sqrt{\frac{\chi^2}{n(h - 1)}} = \sqrt{\frac{71,42}{4\,500(3 - 1)}} = 0,09$$

Par conséquent, le lien entre le «niveau d'instruction» et la «fréquence de port du casque protecteur à vélo» est faible.

15. $t = -1,23 \in [-2,110 ; 2,110]$. Sur la base de notre échantillon, au seuil de 5 %, il n'y a pas lieu de croire qu'il existe une différence entre les garçons et les filles sur le plan de la dextérité.

16. $t = 1,26 < 2,457 = t_{\alpha;\,v}$. Sur la base de notre échantillon, au seuil de 1 %, il n'y a pas lieu de croire que les pneus de marque A sont significativement plus résistants que ceux de marque B.

17. $t = -3,20 < -2,235 = t_{\alpha;\,v}$. Sur la base de notre échantillon, au seuil de 2 %, il y a lieu de croire que le nombre moyen de mots retenus est plus faible que le nombre d'objets retenus: l'hypothèse du psychologue est fondée.

18. $t = 4,1 > 1,671 = t_{\alpha;\,v}$. Sur la base de notre échantillon, au seuil de 5 %, il y a lieu de croire qu'un groupe laissé sans surveillance aura une note moyenne supérieure à celle d'un groupe surveillé de manière stricte: l'occasion fait le larron.

Chapitre 12

1. a) Faux, il y a également corrélation linéaire parfaite lorsque $r = -1$.
   b) Faux, il pourrait y avoir une corrélation autre que linéaire.
   c) Vrai.
   d) Vrai.
   e) Faux.

f) Faux.

g) Faux.

2. a)

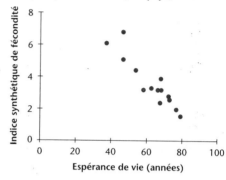

Indice synthétique de fécondité, selon l'espérance de vie, 14 pays, 1997

Sources: *État du monde 2000*, Montréal, Éditions du Boréal, 1999, p. 596-599 et Banque mondiale, *Le développement au seuil du XXIe siècle. Rapport sur le développement dans le monde, 1999-2000*, Paris, Éditions Eska, 2000, p. 270-271.

b) $r = -0,92$. Il y a une corrélation linéaire négative très forte entre l'espérance de vie et l'indice synthétique de fécondité. Ainsi, on observe des indices synthétiques de fécondité élevés lorsque l'espérance de vie est faible et des indices faibles lorsque l'espérance de vie est élevée: l'indice synthétique de fécondité et l'espérance de vie varient en sens contraire.

c)

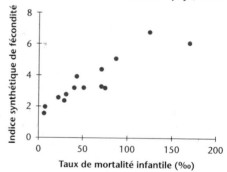

Indice synthétique de fécondité, selon le taux de mortalité infantile, 14 pays, 1997

Sources: *État du monde 2000*, Montréal, Éditions du Boréal, 1999, p. 596-599 et Banque mondiale, *Le développement au seuil du XXIe siècle. Rapport sur le développement dans le monde, 1999-2000*, Paris, Éditions Eska, 2000, p. 270-271.

d) $r = 0,91$. Il y a une corrélation linéaire positive très forte entre le taux de mortalité infantile et l'indice synthétique de fécondité. Ainsi, on observe des indices synthétiques de fécondité élevés lorsque la mortalité infantile est élevée et des indices faibles lorsque la mortalité est faible: l'indice synthétique de fécondité et le taux de mortalité infantile vont de pair.

e)

Espérance de vie, selon le produit intérieur brut par habitant, 14 pays, 1997

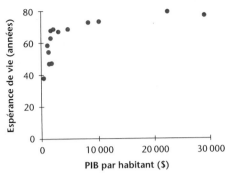

Sources : *État du monde 2000*, Éditions du Boréal, Montréal, 1999, p. 596-599 et Banque mondiale, *Le développement au seuil du XXIe siècle. Rapport sur le développement dans le monde, 1999-2000*, Éditions Eska, Paris, 2000, p. 270-271.

f) $r = 0,67$. Bien que le coefficient de corrélation linéaire entre le PIB par habitant et l'espérance de vie soit positif et moyen, le graphique suggère plutôt que la corrélation entre ces variables n'est pas linéaire bien qu'elle soit positive : à des PIB élevés correspondent des espérances de vie élevées et à des PIB faibles, des espérances de vie faibles.

3. *a)* La valeur de la prime. On postule que le taux de réponse augmente avec le montant de la prime : le taux de réponse dépend du montant de la prime.

b) **Taux de réponse, selon la valeur de la prime**

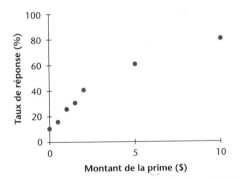

c) La valeur du coefficient de corrélation linéaire ($r = 0,96$) et la forme du nuage de points indiquent une corrélation linéaire : le modèle linéaire semble approprié.

d) 68,9 %.

e) 4,74 $.

f) Non, cette valeur s'éloigne trop des observations.

4. *a)* La masse du courrier est utilisée pour estimer le nombre de commandes ; elle constitue donc la variable explicative.

b)

Nombre de commandes, selon la masse du courrier

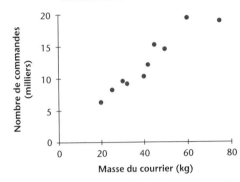

c) $r = 0,95$. Il y a une corrélation linéaire positive très forte entre la masse du courrier et le nombre de commandes. Une masse faible indique un faible nombre de commandes et une masse élevée, un nombre élevé de commandes.

d) $y' = 1,45 + 0,26x$.

e) Non, cette valeur s'éloigne trop des observations.

f) 18,3 milliers de commandes.

5. *a)*

Quantité de goudron mesurée par la méthode ISO modifiée, selon la quantité de goudron mesurée par la méthode ISO

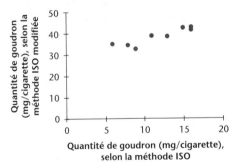

Source : Office de la protection du consommateur, « Cigarettes. Les vrais chiffres », *Protégez-vous*, janvier 2000, p. 6.

Le coefficient de corrélation linéaire est $r = 0,91$. Il y a une corrélation linéaire positive très forte entre les quantités de goudron mesurées selon les deux méthodes : les quantités de goudron mesurées vont de pair.

b) 42,50 mg/cigarette.

c) 28,38 mg/cigarette.

d)

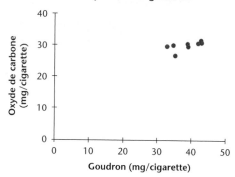

Quantité d'oxyde de carbone, selon la quantité de goudron

Source: Office de la protection du consommateur, «Cigarettes. Les vrais chiffres», *Protégez-vous*, janvier 2000, p. 6.

Le coefficient de corrélation linéaire est $r = 0,63$. Il y a une corrélation linéaire positive moyenne entre les quantités de goudron et les quantités d'oxyde de carbone. Les quantités de goudron et d'oxyde de carbone varient dans le même sens: aux quantités faibles de goudron correspondent généralement des quantités faibles d'oxyde de carbone et aux quantités élevées de goudron, des quantités élevées d'oxyde de carbone.

6. *a)* $\Delta V = 5,7$ points de pourcentage et $\Delta V \% = 8,4 \%$.

b)

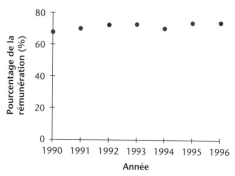

Évolution de la rémunération des femmes, exprimée en pourcentage de celle des hommes, pour un travail à temps plein toute l'année Canada, 1990-1996

Source: Statistique Canada, *Annuaire du Canada 1999*, n° 11-402-XPF au catalogue, p. 253.

c) $y' = -1\ 494,83 + 0,79x$.

d) 76,6 %.

e) La parité serait atteinte en 2030. Dans ce contexte, l'emploi de la droite de tendance est discutable, puisque la valeur $y' = 100$ s'éloigne beaucoup trop des observations.

7. *a)*

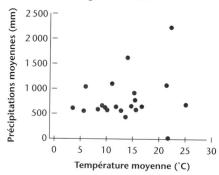

Précipitations annuelles moyennes, selon la température annuelle moyenne, 21 grandes villes

Source: G. Brunacci, M. Bonini et R. M. Panattoni, dir., *Encyclopédie géographique*, Paris, Éditions Stock, 1969, p. 68.

b) $r = 0,21$.

c) Le nuage de points et la faible valeur du coefficient de corrélation linéaire semblent indiquer qu'il n'y a pas de corrélation linéaire entre la température annuelle moyenne et les précipitations annuelles moyennes.

8. *a)*

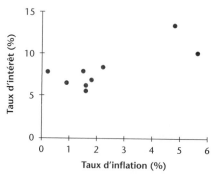

Taux d'intérêt, selon le taux d'inflation, Canada, 1990-1998

b) $r = 0,77$. Il y a une corrélation linéaire positive forte entre le taux d'inflation et le taux d'intérêt. Ainsi, les taux d'inflation et d'intérêt fluctuent dans le même sens: lorsque l'inflation est faible, le taux d'intérêt l'est aussi et lorsque l'inflation est élevée, le taux d'intérêt l'est également.

c) 8,87 %.

9. *a)*

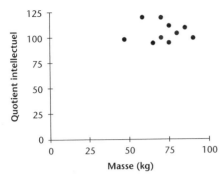

Quotient intellectuel, selon la masse

b) $r = -0,015$.

c) $t = -0,042 \in [-3,355\,;\,3,355]$. Sur la base de notre échantillon, au seuil de 1 %, il n'y a pas lieu de croire que le coefficient de corrélation pour l'ensemble des adultes est significativement différent de zéro.

d) Non. Étant donné que les variables ne semblent pas corrélées, on ne peut pas estimer le quotient intellectuel d'un individu à partir de sa masse.

10. *a)* La durée de la formation.

b)

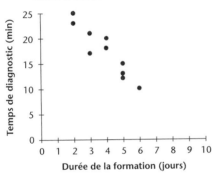

Temps requis pour poser un diagnostic, selon la durée de la formation

c) Le nuage de points nous porte à penser qu'il existe un lien linéaire négatif fort entre les deux variables.

d) $r = -0,93$.

e) $t = -7,16 < -1,860$. Sur la base de notre échantillon, au seuil de 5 %, il y a tout lieu de croire que le coefficient de corrélation pour l'ensemble des personnes suivant la formation est significativement inférieur à zéro.

11. *a)*

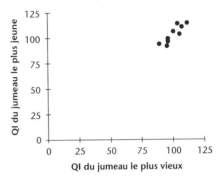

QI du jumeau le plus jeune, selon le QI du jumeau le plus vieux

b) $r = 0,88$.

c) $t = 4,90 > 1,895$. Sur la base de notre échantillon, au seuil de 5 %, il y a tout lieu de croire que le coefficient de corrélation pour l'ensemble des jumeaux identiques est significativement supérieur à zéro.

12. *a)* $\Delta P = 6\,473$ milliers d'habitants et $\Delta P\,\% = 727,3\,\%$.

b)

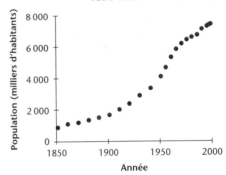

Évolution de la population du Québec, 1851-1999

Source : L. Duchesne, *La situation démographique au Québec, bilan 1999, rétrospective du 20e siècle*, Québec, Institut de la statistique du Québec, 2000, p. 132.

c) $y' = -92\,385,05 + 49,79x$.

Glossaire

Abscisse
Première coordonnée d'un point dans un plan cartésien. Dans un système de coordonnées cartésien, l'axe des abscisses correspond à l'axe horizontal, qu'on appelle aussi axe des x.

Amplitude de classe
Largeur de l'intervalle que délimite une classe fermée. Elle correspond à la différence entre la borne supérieure et la borne inférieure de la classe.

Asymétrie négative
Se dit d'une distribution de données dans laquelle quelques valeurs nettement inférieures aux autres déplacent la moyenne vers la gauche de la médiane.

Asymétrie nulle
Se dit d'une distribution de données pour laquelle la médiane et la moyenne coïncident.

Asymétrie positive
Se dit d'une distribution de données dans laquelle quelques valeurs nettement supérieures aux autres déplacent la moyenne vers la droite de la médiane.

Base
Référence temporelle ou géographique à partir de laquelle on calcule des indices à base.

Base aréolaire
Base de sondage issue d'un découpage géographique de la population.

Base de sondage
Liste des individus à partir de laquelle on prélève un échantillon. Cette liste détermine la population observée.

Carré de contingence
Mesure de l'écart relatif entre les fréquences théoriques et observées dans un test d'indépendance du khi carré. Il est désigné par χ^2. Toutes choses étant égales par ailleurs, plus la valeur de χ^2 est grande, moins l'hypothèse de l'indépendance des variables est plausible.

Causalité
Nature du lien constaté entre deux variables lorsqu'une de celles-ci (la cause) agit directement sur l'autre et provoque un effet.

Centiles
Les centiles sont 99 valeurs (C_1, C_2, ..., C_{99}) qui divisent une série statistique ordonnée en 100 groupes comprenant chacun environ 1 % des données.

Chômeur
Personne qui n'occupe pas un emploi, qui est à la recherche active d'un emploi et qui est prête à travailler.

Classe
Intervalle utilisé pour le groupement des données d'une variable quantitative continue ou discrète. La classe est fermée si les deux bornes de l'intervalle sont déterminées. Sinon, elle est ouverte.

Classe médiane
Classe dans laquelle se situe la médiane.

Classe modale
Classe qui présente la plus forte fréquence lorsque les données ont été groupées par classes de même amplitude. Le milieu de la classe modale est souvent utilisé comme mode.

Coefficient de contingence
Mesure du degré d'association entre deux variables, lorsqu'une association a été établie par un test d'indépendance du khi carré.

Coefficient de corrélation linéaire
Mesure de la force de la relation linéaire entre deux variables quantitatives mesurées à l'aide d'une échelle d'intervalles ou de rapports.

Coefficient de Cramér	Mesure du degré d'association entre deux variables, lorsqu'une association a été établie par un test d'indépendance du khi carré.
Coefficient de variation	Mesure relative de dispersion symbolisée par *c.v.* Elle exprime l'écart type en pourcentage de la moyenne.
Concept	Représentation mentale d'un objet, d'une réalité ou d'un phénomène.
Concomitance	Nature du lien entre deux variables présentant un rapport de simultanéité, souvent sous l'influence d'une troisième variable. Également appelée *cooccurrence*.
Corrélation négative	Lien entre deux variables qui varient en sens contraire : aux valeurs élevées de la première correspondent les valeurs faibles de la seconde ; aux valeurs faibles de la première, les valeurs élevées de la seconde. Également appelée *corrélation inverse*.
Corrélation positive	Lien entre deux variables qui augmentent ou diminuent conjointement : les valeurs faibles de l'une sont associées aux valeurs faibles de l'autre ; les valeurs élevées de l'une, aux valeurs élevées de l'autre. Également appelée *corrélation directe*.
Cote *z*	Mesure de position qui indique à combien d'écarts types au-dessus ou au-dessous de la moyenne se situe une donnée. Également appelée *cote standard*.
Courbe des fréquences relatives cumulées	Représentation graphique employée pour des données groupées par classes. Elle est formée en reliant, dans un graphique cartésien, les points dont les coordonnées sont données par (borne supérieure de la classe ; fréquence relative cumulée associée à la classe). Il ne faut pas oublier de fermer la courbe sur l'axe des abscisses en ajoutant le point (borne inférieure de la première classe ; 0). Cette courbe sert notamment à estimer le pourcentage des données qui sont inférieures à une valeur particulière. Cette représentation graphique est également appelée *ogive*.
Déciles	Les déciles sont 9 valeurs (D_1, D_2, ..., D_9) qui divisent une série statistique ordonnée en 10 groupes comprenant chacun environ 10 % des données.
Désaisonnalisation	Procédé statistique par lequel on élimine l'effet des variations saisonnières sur une série chronologique afin de faire ressortir les tendances à plus long terme.
Diagramme à bandes rectangulaires	Représentation graphique employée pour des données groupées par modalités. Il est formé en élevant, dans un graphique cartésien, en face de chaque modalité, un rectangle dont la hauteur (ou la longueur) correspond à la fréquence absolue ou relative de cette modalité. Selon la (les) variable(s) étudiée(s), on utilisera des rectangles horizontaux, verticaux ou chevauchés.
Diagramme à bâtons	Représentation graphique employée pour des données groupées par valeurs. Dans un graphique cartésien, on élève, au-dessus de chaque valeur placée en abscisse, un segment de droite dont la hauteur correspond à la fréquence absolue ou à la fréquence relative associée à cette valeur.
Diagramme à secteurs	Représentation graphique employée pour des données groupées par modalités. Il est formé d'une surface circulaire qu'on a divisée en autant de secteurs

que la variable présente de modalités. La part de chaque secteur par rapport à l'ensemble du disque correspond à la fréquence relative de la modalité que le secteur représente.

Diagramme linéaire
Représentation graphique employée pour des données groupées par modalités. Il est formé d'un rectangle qu'on divise en autant de parties que la variable présente de modalités, chaque partie occupant une proportion du rectangle correspondant à la fréquence relative de la modalité qu'elle représente. On peut se servir de cette représentation graphique pour comparer plusieurs groupes par rapport aux mêmes modalités; on trace alors autant de rectangles qu'il y a de groupes.

Distribution conditionnelle
Dans un tableau à double entrée, une distribution conditionnelle est une répartition des unités statistiques selon une variable pour une catégorie (une modalité) de l'autre variable.

Distribution marginale
Dans un tableau à double entrée, une distribution marginale est une répartition des unités statistiques selon une seule variable.

Dollar constant
Mesure de la valeur réelle de la monnaie, c'est-à-dire de la capacité d'acquérir des biens et des services.

Dollar courant
Valeur nominale de la monnaie, soit la valeur imprimée sur le billet de banque ou sur la pièce de monnaie.

Donnée
Résultat d'une mesure effectuée sur une unité statistique.

Droite de régression
Droite d'équation $y' = a + bx$ qui constitue le meilleur ajustement linéaire à un nuage de points $(x; y)$ sur un graphique cartésien. Cette droite réduit au minimum la somme des carrés des écarts entre les valeurs prédites (y') et les valeurs observées (y) de la variable dépendante. Également appelée *droite des moindres carrés*.

Droite de tendance
Nom de la droite de régression lorsqu'on étudie une série chronologique.

Écart interquartile
Mesure de dispersion qui correspond à l'écart entre Q_3 et Q_1, soit l'écart entre les extrémités du groupe de données occupant les 50 % du centre de la série statistique ordonnée.

Écart type
Mesure de dispersion symbolisée par σ ou s selon qu'elle a été évaluée à partir de l'ensemble d'une population ou à partir d'un échantillon. Il correspond à la racine carrée de la variance. Il s'exprime dans les mêmes unités que la variable.

Échantillon
Sous-ensemble d'une population formé des unités statistiques interrogées ou observées.

Échantillonnage aléatoire
Technique d'échantillonnage qui fait appel au hasard afin que chaque élément de la population ait une probabilité connue et non nulle de faire partie de l'échantillon. Également appelé *échantillonnage probabiliste*. Il existe plusieurs techniques de sélection d'un échantillon aléatoire, notamment l'échantillonnage aléatoire simple, l'échantillonnage aléatoire systématique, l'échantillonnage stratifié et l'échantillonnage par grappes.

Échantillonnage exhaustif
Prélèvement d'un échantillon tel qu'une même unité statistique ne peut être choisie plus d'une fois. Également appelé *échantillonnage sans remise*.

Échantillonnage non aléatoire
Technique d'échantillonnage qui consiste à prélever un échantillon de manière arbitraire. Il existe plusieurs façons de former un échantillon non aléatoire, notamment l'échantillonnage à l'aveuglette, l'échantillonnage de volontaires, l'échantillonnage par quotas, l'échantillonnage au jugé et l'échantillonnage systématique non aléatoire.

Échantillon représentatif
Échantillon qui rend compte de la diversité de la population d'où il a été tiré et qui en reproduit les principales caractéristiques.

Échelle d'intervalles
Échelle de mesure caractérisée par la présence d'une unité de mesure normalisée et d'un zéro relatif. Cette échelle permet de distinguer et de comparer des valeurs; elle permet également d'évaluer des écarts. Seules les opérations d'addition et de soustraction sont possibles avec cette échelle.

Échelle de rapports
Échelle de mesure caractérisée par la présence d'un zéro absolu. En plus de posséder toutes les propriétés des autres échelles de mesure, l'échelle de rapports permet la multiplication et la division. C'est l'échelle de mesure la plus précise, donc la plus puissante.

Échelle nominale
Échelle de mesure qui attribue des codes arbitraires distincts aux différentes formes d'une variable. Cette échelle ne sert qu'à distinguer les formes de la variable; c'est l'échelle de mesure la plus faible.

Échelle ordinale
Échelle de mesure qui classe selon une hiérarchie les différentes formes d'une variable. En plus de distinguer ces formes, cette échelle les ordonne.

Enquête par sondage
Méthode d'investigation fondée sur l'étude des réponses à un questionnaire adressé à un échantillon de la population.

Erreur d'échantillonnage
Erreur provenant du fait que l'échantillon n'est jamais une réplique exacte de la population. Elle correspond à l'écart entre la valeur réelle d'un paramètre et la valeur de la statistique correspondante dans un échantillon et ne peut être évaluée que pour un échantillon aléatoire.

Erreur de couverture
Erreur due à une représentation inadéquate de la population visée.

Erreur de deuxième espèce
Erreur commise lorsqu'on ne rejette pas l'hypothèse nulle alors qu'elle est fausse. Le risque de commettre cette erreur est désigné par β.

Erreur de première espèce
Erreur commise lorsqu'on rejette l'hypothèse nulle alors qu'elle est vraie. Le risque de commettre cette erreur est désigné par α.

Erreur de réponse
Erreur due au non-respect des consignes de la part des enquêteurs ou des répondants.

Erreur de traitement
Erreur faite lors du codage des réponses ou de la saisie des données.

Erreur due à la non-réponse
Erreur due au fait que certaines personnes ne sont pas représentées dans l'échantillon parce qu'elles ont refusé de répondre ou qu'elles n'ont pu être jointes.

Erreur due à l'instrument de mesure
Erreur causée par le manque de fidélité ou de validité de l'instrument de mesure.

Estimation
Volet de l'inférence statistique qui consiste à déterminer la valeur d'un paramètre d'une population d'après la mesure correspondante (la statistique) provenant d'un échantillon.

Estimation par intervalle de confiance	Estimation de la valeur d'un paramètre d'une population au moyen d'un intervalle construit autour de la statistique correspondante de l'échantillon. La probabilité que l'intervalle englobe la valeur réelle du paramètre est le niveau de confiance.
Estimation ponctuelle	Estimation de la valeur d'un paramètre d'une population faite à partir de la statistique correspondante mesurée dans un échantillon.
Étendue	Mesure de dispersion symbolisée par E. Elle mesure l'écart entre la plus grande et la plus petite valeur, soit $E = V_{max} - V_{min}$, d'une série statistique quantitative. Elle s'exprime dans les mêmes unités que la variable.
Fidélité	Constance dans les résultats lorsqu'on effectue la même mesure sur le même objet à plusieurs reprises.
Fréquence absolue	Nombre de données qui présentent une modalité, qui prennent une valeur ou qui appartiennent à une classe. On l'appelle aussi l'*effectif*.
Fréquence relative	Proportion des données qui présentent une modalité, qui prennent une valeur ou qui appartiennent à une classe. Elle s'exprime le plus souvent en pourcentage.
Fréquences observées	Fréquences obtenues lors de la collecte des données et qu'on place dans un tableau de contingence. Elles sont désignées par f_o.
Fréquences théoriques	Fréquences que l'on retrouverait dans un tableau de contingence si les variables étudiées étaient indépendantes. Elles sont désignées par f_t.
Grappe	Sous-groupe d'une population défini selon la proximité (dans la base de sondage) des éléments qui en font partie. On cherche généralement à former des grappes hétérogènes.
Groupe de contrôle	Groupe des sujets qui ne sont pas soumis au traitement expérimental.
Groupe expérimental	Groupe des sujets qui sont soumis au traitement expérimental.
Histogramme	Représentation graphique employée pour des données groupées par classes. Il est formé en élevant, dans un graphique cartésien, des rectangles juxtaposés sur les intervalles de classes. La hauteur du rectangle correspond à la fréquence absolue ou à la fréquence relative de la classe.
Historigramme	Représentation graphique d'une série chronologique. On l'appelle également *chronogramme*. On peut se servir d'un diagramme à bandes rectangulaires ou de la ligne brisée pour dresser un historigramme.
Hypothèse	Proposition théorique qu'on avance en réponse provisoire à une question de recherche et qu'on projette de vérifier.
Hypothèse alternative	Dans un test d'hypothèse, c'est l'hypothèse qu'on retient lorsqu'on rejette l'hypothèse nulle, c'est pourquoi on l'appelle aussi *contre-hypothèse*. Elle porte également le nom d'«hypothèse du chercheur» parce que c'est elle que le chercheur tente de confirmer. Elle est désignée par H_1.
Hypothèse nulle	Dans un test d'hypothèse, c'est l'hypothèse que le chercheur remet en question. Le chercheur tente de montrer que cette hypothèse n'est pas compatible avec les résultats obtenus auprès d'un échantillon. Elle est désignée par H_0.

Inactifs	Membres de la population civile, âgés de 15 ans ou plus, ni occupés ni chômeurs.
Indicateur	Manifestation quantifiable et mesurable d'un concept abstrait, souvent multidimensionnel. L'indicateur est une variable.
Indice à base	Comparaison entre la valeur d'une variable à une période ou en un lieu donné et la valeur de cette même variable à une période ou en un lieu de référence appelé base. La base a un indice fixé par convention à 100. Les indices à base temporelle permettent de mesurer la variation relative d'une variable dans le temps.
Indice des prix à la consommation (IPC)	Mesure de l'évolution des prix obtenue en comparant, dans le temps, le coût d'un panier fixe de biens et de services de consommation courante par rapport à son coût à une période de référence.
Indice élémentaire	Indice calculé pour une variable composée d'un seul élément.
Indice synthétique	Indice calculé pour une variable composée de plusieurs éléments. Également appelé *indice composite*.
Indice synthétique de fécondité	Prédicteur du nombre d'enfants qu'aurait une femme au cours de sa vie, obtenu en supposant que, en matière de reproduction, elle se comportera, entre 15 et 49 ans, comme se comportent, au cours d'une année, toutes les femmes âgées de 15 à 49 ans. Cet indice mesure la productivité d'une génération fictive de femmes. On le calcule à partir des taux de fécondité de toutes les femmes âgées de 15 à 49 ans au cours d'une année.
Inférence statistique	Branche de la statistique qui a pour objet la généralisation de résultats obtenus sur des échantillons à l'ensemble d'une population. L'estimation et le test d'hypothèse sont les deux volets de l'inférence statistique.
Interdépendance	Nature du lien entre deux variables qui influent l'une sur l'autre.
Ligne brisée	Représentation graphique de l'évolution d'une variable dans le temps (historigramme). Elle est formée en reliant, dans un graphique cartésien, les points dont les coordonnées sont (temps ; valeur de la variable).
Loi normale	Expression mathématique d'une courbe normale. La moyenne, le mode et la médiane d'une variable soumise à la loi normale coïncident. La loi normale permet de décrire de nombreux phénomènes naturels ou produits par l'activité humaine. Elle est utilisée en inférence statistique.
Marge	Dans un tableau de contingence, la marge présente la répartition des unités statistiques selon une des deux variables. C'est la ligne ou la colonne correspondant aux totaux.
Marge d'erreur	Dans une estimation par intervalle de confiance d'une moyenne ou d'une proportion, la marge d'erreur correspond à la moitié de la largeur de l'intervalle.
Médiane	Mesure de tendance centrale qui divise une série statistique ordonnée en deux groupes comptant chacun environ 50 % des données. Elle est symbolisée par *Md*.
Méthode scientifique	Démarche logique d'une science, c'est-à-dire l'ensemble des moyens mis en œuvre afin de répondre à une question. Il s'agit d'un procédé explicite et

reproductible, d'une série de règles à observer lorsqu'on étudie un problème précis.

Modalité Forme que peut revêtir une variable qualitative.

Modalités exhaustives Modalités qui représentent toutes les formes que peut prendre la variable.

Modalités mutuel-lement exclusives Modalités qui garantissent qu'aucune des données ne peut être placée dans plus d'une modalité.

Mode Mesure de tendance centrale qui correspond à la valeur ou à la modalité la plus fréquente. Il peut y avoir plus d'un mode si plusieurs valeurs ou modalités sont nettement plus courantes que les autres. On dit alors que la distribution est bimodale (deux modes) ou multimodale (plusieurs modes). Le mode est symbolisé par *Mo*.

Moyenne Mesure de tendance centrale qui correspond à la somme des valeurs de chaque donnée divisée par le nombre de données. Elle est symbolisée par $\bar{x}$ ou μ selon qu'il s'agit de la moyenne de données provenant d'un échantillon ou d'une population.

Niveau de confiance Probabilité qu'un intervalle de confiance contienne la valeur réelle d'un paramètre d'une population.

Nombre de degrés de liberté Valeur, désignée par ν, nécessaire à la détermination de la valeur critique dans certains tests d'hypothèses.

Nuage de points Figure constituée par des points (un par unité statistique observée) dont les coordonnées correspondent aux valeurs de deux variables mises en relation. Le titre d'un tel graphique est généralement « [variable dépendante], selon [variable indépendante] ». Également appelé *diagramme de dispersion*.

Opérationnalisation d'un concept Définition d'un concept abstrait par un indicateur mesurable.

Ordonnée Deuxième coordonnée d'un point dans un plan cartésien. Dans un système de coordonnées cartésien, l'axe des ordonnées correspond à l'axe vertical, qu'on appelle aussi axe des y.

Paramètre Caractéristique – par exemple la moyenne (μ) ou une proportion (π) – d'une population qui fait l'objet d'une mesure.

Pas du sondage Distance entre deux unités consécutives dans la base de sondage lorsqu'on effectue un échantillonnage systématique. Le pas du sondage (d) est un entier voisin du quotient de la taille de la population par la taille de l'échantillon, soit N/n.

Poids du sondage Nombre d'individus de la population que représente chaque unité statistique de l'échantillon. Il est donné par le quotient de la taille de la population par la taille de l'échantillon, soit N/n.

Polygone de fréquences Représentation graphique employée pour des données groupées par classes. Il est formé en reliant, dans un graphique cartésien, les points dont les coordonnées sont données par (milieu de la classe ; fréquence de la classe). Il ne faut pas oublier de fermer le polygone sur l'axe des abscisses.

Population
Ensemble de tous les faits, de tous les objets ou de toutes les personnes, c'est-à-dire de toutes les unités statistiques, sur lesquels porte une étude ou une recherche.

Population active
Membres de la population civile, hors institution, âgés de 15 ans ou plus, qui occupent un emploi (personnes occupées) ou sont chômeurs.

Pouvoir d'achat
Quantité de biens et de services qu'on peut acheter avec un dollar, exprimée en dollars constants.

Problématique
Formulation détaillée des questions auxquelles un chercheur désire apporter une réponse, des hypothèses que ce dernier propose comme réponse aux questions soulevées et de moyens mis en œuvre pour confirmer ou infirmer les hypothèses .

Proportion
Comparaison numérique de la taille d'un sous-ensemble avec celle de l'ensemble. Elle est généralement obtenue en divisant la taille du sous-ensemble par la taille du tout. Elle s'exprime souvent en pourcentage.

Pyramide des âges
Représentation graphique de la composition d'une population selon le sexe et l'âge. Elle est formée de deux histogrammes (un pour les hommes et un pour les femmes) adossés l'un à l'autre.

Quantiles
Mesures de position qui divisent une série statistique ordonnée en plusieurs groupes comportant sensiblement la même proportion de données. Les quantiles les plus courants sont les centiles, les déciles, les quintiles et les quartiles.

Quartiles
Les quartiles sont trois valeurs (Q_1, Q_2, Q_3) qui divisent une série statistique ordonnée en quatre groupes comprenant chacun environ 25 % des données.

Question fermée
Type de question qui exige du répondant qu'il donne une réponse factuelle brève ou qu'il coche une case. La question fermée peut se présenter sous différentes formes : à réponse brève, à choix multiple, « cafétéria » ou fourre-tout, hiérarchique ou bipolaire.

Question ouverte
Type de question où le répondant structure lui-même sa réponse selon son mode de pensée.

Quintiles
Les quintiles sont quatre valeurs (V_1, V_2, V_3, V_4) qui divisent une série statistique ordonnée en cinq groupes comprenant chacun environ 20 % des données.

Randomisation
Procédé par lequel on répartit aléatoirement des individus en différents groupes lors d'une expérience.

Rang brut
Position d'une donnée dans une série statistique ordonnée.

Rang centile
Mesure de position qui indique essentiellement le pourcentage, arrondi à l'entier, des données qui ont une valeur inférieure ou égale à la valeur d'une donnée.

Rang cinquième
Mesure de position qui indique essentiellement le rang (classement par ordre décroissant des valeurs) qu'occuperait une donnée dans un groupe de cinq données.

Rapport
Expression de la taille d'un ensemble par comparaison avec la taille d'un autre ensemble servant de référence. Également appelé *ratio*.

Rapport de dépendance	Nombre de personnes dépendantes (celles de moins de 15 ans et celles de 65 ans et plus) pour 100 personnes âgées de 15 à 64 ans.
Rapport de masculinité	Nombre d'hommes pour 100 femmes dans un groupe donné.
Recensement	Dénombrement complet ou inventaire exhaustif d'une population.
Résultat significatif	Résultat qui provoque le rejet de l'hypothèse nulle dans un test d'hypothèse.
Série chronologique	Tableau présentant l'évolution d'une variable dans le temps.
Série statistique	Liste des données brutes relatives à une variable recueillies lors d'une étude.
Seuil de signification	Probabilité que l'on rejette l'hypothèse nulle alors qu'elle est vraie. Le seuil de signification est désigné par α. Les seuils les plus courants sont 5 % et 1 %.
Sondage	Prélèvement d'un échantillon d'une population. On utilise aussi couramment le mot sondage pour désigner une enquête effectuée auprès d'un échantillon de la population; on parle d'ailleurs d'enquête par sondage ou de sondage d'opinion.
Statistique	Mesure obtenue à partir d'un échantillon. Une statistique sert notamment à estimer la valeur d'un paramètre d'une population.
Statistique descriptive	Branche de la statistique qui a pour objet la représentation de données par des tableaux, des graphiques et des mesures.
Strate	Groupe d'individus relativement homogène au sein d'une population; défini par une caractéristique précise.
Tableau à double entrée	Tableau de répartition des unités statistiques selon deux variables qui sont mises en relation. Également appelé *tableau à deux entrées* ou *tableau de contingence*.
Tableau de contingence	Tableau de répartition des unités statistiques selon deux variables qui sont mises en relation. Également appelé *tableau à double entrée*.
Tableau de fréquences	Tableau qui sert à grouper des données selon leur fréquence d'apparition dans une série statistique. On groupe les données par modalités lorsqu'on étudie une variable qualitative nominale ou ordinale; par valeurs lorsqu'on étudie une variable quantitative discrète qui présente un petit nombre de valeurs distinctes; par classes lorsqu'on étudie une variable quantitative continue ou une variable quantitative discrète qui présente un grand nombre de valeurs distinctes. On l'appelle aussi *tableau de distribution*.
Taux	Un taux donne la valeur relative d'une quantité en fonction d'une autre. Il s'obtient en divisant les deux quantités et en multipliant le résultat par une puissance de 10. Un taux s'exprime souvent en «pour cent» (%), en «pour mille» (‰) ou en «pour dix mille» (‰₀), selon que le quotient est multiplié par 100, 1 000 ou 10 000. Le choix du multiplicateur dépend de la fréquence du phénomène mesuré: plus le phénomène est rare, plus le multiplicateur est grand.
Taux d'accroissement naturel	Mesure de l'augmentation de la taille de chaque groupe de 1 000 habitants au cours d'une année, en l'absence d'apports migratoires.
Taux d'activité	Population active exprimée en pourcentage de la population de 15 ans et plus.

Taux de chômage   Nombre de chômeurs exprimé en pourcentage de la population active.

Taux d'emploi   Nombre de personnes occupées exprimé en pourcentage de la population de 15 ans et plus.

Taux de fécondité   Nombre de naissances vivantes au cours d'une année pour 1 000 femmes âgées de 15 à 49 ans dans la population. On peut également calculer le taux de fécondité par groupe d'âge, qui représente le nombre de naissances vivantes au cours d'une année pour 1 000 femmes d'un groupe d'âge donné.

Taux d'inflation   Variation relative de l'indice des prix à la consommation (IPC) entre deux mois consécutifs ou deux années consécutives.

Taux de mortalité   Nombre de décès pour 1 000 habitants au cours d'une année.

Taux de natalité   Nombre de naissances vivantes au cours d'une année pour 1 000 habitants.

Taux de réponse   Proportion des personnes sélectionnées lors d'une enquête par sondage qui ont accepté d'y participer.

Taux de sondage   Proportion de la population qui fait partie de l'échantillon. Il correspond au quotient de la taille de l'échantillon par la taille de la population, soit n/N. On l'exprime généralement en pourcentage.

Technique   Opération d'une activité de recherche limitée à des aspects pratiques (techniques de sélection d'un échantillon, techniques d'entrevue, etc.).

Test bilatéral   Test d'hypothèse qui présente deux zones de rejet de l'hypothèse nulle.

Test d'hypothèse   En inférence statistique, procédé employé dans le but de faire un choix entre deux hypothèses à partir de renseignements obtenus auprès d'échantillons.

Test unilatéral   Test d'hypothèse qui ne présente qu'une seule zone de rejet de l'hypothèse nulle.

Unité statistique   Élément de la population étudiée. Individu ou objet sur lequel on mesure une variable.

Valeur   Forme prise par une variable quantitative.

Valeur critique   Valeur tirée d'une table statistique qui délimite les zones de rejet et de non-rejet d'une hypothèse.

Valeur nominale   Valeur exprimée en unités monétaires courantes. La valeur nominale de la monnaie s'exprime en dollars courants.

Valeur réelle   Valeur corrigée pour tenir compte de l'effet de l'inflation. La valeur réelle de la monnaie s'exprime en dollars constants.

Validité   Représentation conforme du concept qu'on veut mesurer.

Variable   Caractéristique pouvant présenter des formes différentes pour chaque unité statistique observée. Également appelée *caractère* ou *facteur*. Les indicateurs sont des variables.

Variable contrôlée   Variable qui pourrait contaminer les résultats d'une expérience et dont on veut neutraliser les effets.

Variable dépendante	Variable qu'on exprime en fonction d'une autre variable. Lorsqu'on se sert de l'équation $y = f(x)$ pour décrire le lien entre deux variables, le terme y désigne la variable dépendante. Dans une relation causale, la variable dépendante est celle sur laquelle l'autre agit.
Variable indépendante	Lorsque deux variables sont corrélées, la variable indépendante est celle des deux variables qui influe sur l'autre. Lorsqu'on se sert de l'équation $y = f(x)$ pour décrire le lien entre deux variables, le terme x désigne la variable indépendante. Dans un contexte expérimental, la variable indépendante est également appelée «variable manipulée» puisque c'est celle qu'on fait varier pour observer l'influence qu'elle exerce sur la variable dépendante. Étant donné que, dans une relation causale, la variable indépendante représente la cause, elle doit être antérieure à la variable dépendante.
Variable qualitative	Variable dont les différentes formes sont des catégories ou des attributs.
Variable qualitative ordinale	Variable qualitative dont les modalités peuvent être ordonnées.
Variable qualitative nominale	Variable qualitative dont les modalités ne peuvent pas être ordonnées.
Variable quantitative	Variable qui s'exprime sous la forme d'une valeur numérique.
Variable quantitative continue	Variable quantitative qui peut, en théorie, couvrir toutes les valeurs d'un intervalle.
Variable quantitative discrète	Variable quantitative qui ne peut pas, en théorie, couvrir toutes les valeurs d'un intervalle.
Variables corrélées	Variables qui présentent un lien entre elles.
Variables indépendantes	Variables qui ne présentent pas de lien entre elles.
Variance	Mesure de dispersion symbolisée par s^2 ou σ^2 selon qu'elle a été évaluée à partir de l'ensemble d'une population ou à partir d'un échantillon. Elle correspond à la moyenne des carrés des écarts des valeurs des données par rapport à la moyenne de la série.
Variation	Mesure de l'augmentation ou de la diminution de la valeur d'une variable entre deux moments donnés. Elle s'exprime généralement dans les mêmes unités que la variable.
Variation moyenne	Mesure de l'augmentation ou de la diminution de la valeur d'une variable par unité de temps. Elle s'exprime généralement en unités de la variable par unité de temps.
Variation relative	Pourcentage d'augmentation ou de diminution de la valeur d'une variable entre deux moments donnés.
Zéro absolu	Zéro qui dénote une absence totale de la caractéristique mesurée.
Zéro relatif	Point de référence fixé de manière arbitraire, par convention. Également appelé *zéro conventionnel*.

Bibliographie

ABERCROMBIE, Nicholas, *et al. Dictionary of Sociology*, Londres, Penguin Books, 1988, 320 p.

AKTOUF, Omar. *Méthodologie des sciences sociales et approche qualitative des organisations*, Sainte-Foy, Presses de l'Université du Québec, 1992, 213 p.

ALALOUF, Serge, Denis LABELLE et Jean MÉNARD. *Introduction à la statistique appliquée*, Montréal, Addison-Wesley, 1990, 412 p.

ALLAIRE, Denis. *Comprendre la statistique appliquée*, Sainte-Foy, Presses de l'Université du Québec, 1995, n. p.

ALLARD, Jacques. *Concepts fondamentaux de la statistique*, Montréal, Addison-Wesley, 1992, 585 p.

ANGERS, Claude. *Les statistiques, oui mais...*, Montréal, Agence d'Arc, 1988, 151 p.

ANGERS, Maurice. *Initiation pratique à la méthodologie des sciences humaines*, 3e édition, Montréal, Centre éducatif et culturel, 2000, 226 p.

ANTONIUS, Rachad, et Robert TRUDEL. *Méthodes quantitatives appliquées aux sciences humaines*, Montréal, Centre éducatif et culturel, 1991, 545 p.

BAILLARGEON, Gérald. *Introduction à la statistique pour les techniques administratives et de l'informatique*, Trois-Rivières, Science-Mathématique-Gestion, 2001, 531 p.

BÉNICHOUX, Roger, Jean MICHEL et Daniel PAJAUD. *Guide pratique de la communication scientifique*, Paris, Gaston Lachurié, éditeur, 1985, 266 p.

BENNETT, Jeffrey O., William L. BRIGGS et Mario F. TRIOLA. *Statistical Reasoning for Every Day Life*, Boston, Addison Wesley Longman, 2001, 529 p.

BERNARD, Paul-Marie, et Claude LAPOINTE. *Mesures statistiques en épidémiologie*, Sillery, Presses de l'Université du Québec, 1991, 314 p.

CHAPLIN, J. P. *Dictionary of Psychology*, New York, Dell Publishing, 1985, 499 p.

CHÂTILLON, Guy. *Statistique en sciences humaines*, Trois-Rivières, Science-Mathématique-Gestion, 1977, 481 p.

État du monde 2001, Montréal, Éditions du Boréal, 689 p.

COLIN, M., *et al. Initiation aux méthodes quantitatives en sciences humaines*, 2e édition, Boucherville, Gaëtan Morin éditeur, 1995, 383 p.

FREUND, John E., et Benjamin M. PERLES. *Statistics : A First Course*, 7e édition, Upper Saddle River, Prentice Hall, 1999, 532 p.

GAUTHIER, Benoît, *et al. Recherche sociale, de la problématique à la collecte de données*, Sillery, Presses de l'Université du Québec, 1990, 535 p.

GILLES, Alain. *Éléments de méthodologie et d'analyse statistique pour les sciences sociales*, Montréal, McGraw-Hill, 1994, 571 p.

GIROUX, Sylvain. *Méthodologie des sciences humaines*, Saint-Laurent, Éditions du Renouveau Pédagogique, 1998, 266 p.

GRAWITZ, Madeleine. *Méthodes des sciences sociales*, 7e édition, Paris, Dalloz, 1986, 1104 p.

GRENON, Gilles, et Suzanne VIAU. *Méthodes quantitatives en sciences humaines, volume 1 : De l'échantillon vers la population*, 2e édition, Montréal, Gaëtan Morin éditeur, 1999, 349 p.

HOWELL, David C. *Méthodes statistiques en sciences humaines*, Paris, De Boeck Université, 1998, 821 p.

JOHNSON, Robert. *Elementary Statistics*, 7e édition, Belmont, Wadsworth Publishing Company, 1996, 777 p.

LESSARD, Sabin, et MONGA. *Statistique : concepts et méthodes*, Montréal, Les Presses de l'Université de Montréal, 1993, 421 p.

LOETHER, Herman J., et Donald G. MCTAVISH. *Inferential Statistics for Sociologists*, 2e édition, Boston, Allyn and Bacon, 1980, 659 p.

MARTIN, Louise, et Gérald BAILLARGEON. *Statistique appliquée à la psychologie*, Trois-Rivières, Science-Mathématique-Gestion, 1989, 799 p.

MARTIN, Louise, et Gérald BAILLARGEON. *Méthodes quantitatives et analyse de données*, Trois-Rivières, Science-Mathématique-Gestion, 1994, 308 p.

MOORE, David S. *Statistics : Concepts and Controversies*, New York, W. H. Freeman, 1991, 439 p.

MOORE, David S., et George P. MCCABE. *Introduction to the Practice of Statistics*, New York, W. H. Freeman, 1989, 790 p.

PORKESS, Roger. *Dictionary of Statistics*, Londres, Collins, 1988, 267 p.

POUDRIER, Michel. *Math 113, Techniques de bureau*, Montréal, Éditions du Renouveau Pédagogique, 1989, 305 p.

ROBERT, Michèle, *et al. Fondements et étapes de la recherche scientifique en psychologie*, 3e édition, Saint-Hyacinthe, Edisem, 1988, 420 p.

SATIN, Alvin, et Wilma SHASTRY. *L'échantillonnage, un guide non mathématique*, Ottawa, Statistique Canada, 1983, 70 p.

SINCICH, Terry. *Statistics by Example*, 5e édition, New York, Dellen Macmillan, 1993, 1006 p.

SNEDECOR, Georges W., et William G. COCHRAN. *Méthodes statistiques*, Paris, Association de coordination technique agricole, 1984, 649 p.

STIGLER, Stephen M. *The History of Statistics. The Measurement of Uncertainty Before 1900*, Cambridge, Belknap Press of Harvard University Press, 1986, 410 p.

THÉRIAULT, Yves. *Vocabulaire de la statistique et des enquêtes*, ministère des Approvisionnements et Services, Canada, 1992, 555 p.

TREMBLAY, André. *Sondages, histoire, pratique et analyse*, Boucherville, Gaëtan Morin éditeur, 1991, 492 p.

TREMBLAY, Diane-Gabrielle. *Travail et société*, Sainte-Foy, Télé-université, 1992, 627 p.

TRIOLA, Mario F., William M. GOODMAN et Richard LAW. *Elementary Statistics*, 1re édition canadienne, Don Mills, Addison-Wesley, 1999, 852 p.

WEISS, Neil A. *Introductory Statistics*, 5e édition, Reading, Addison-Wesley, 1999, 988 p.

Index